Walter Salmen　Johann Friedrich Reichardt

JOHANN FRIEDRICH REICHARDT
Gemälde von Anton Graff, 1794. Im Besitz von K. von Raumer, Münster i. W.

WALTER SALMEN

Johann Friedrich

REICHARDT

Komponist, Schriftsteller, Kapellmeister
und Verwaltungsbeamter der Goethezeit

ATLANTIS VERLAG

Gedruckt mit Unterstützung der Deutschen Forschungsgemeinschaft

Atlantis Verlag Freiburg i. Br. und Zürich
© 1963 Atlantis Verlag Dr. Martin Hürlimann, Freiburg i. Br.
Satz und Druck: Druck- und Verlagsgesellschaft Emmendingen / Baden

INHALTSVERZEICHNIS

5

Die Anmerkungen befinden sich jeweils am Kapitelende

EINLEITUNG

Musikforscher vieler Länder haben emsig seit etlichen Jahrzehnten eine kaum noch übersehbare Menge von Quellen zum Leben und Schaffen Glucks, Haydns, Mozarts, Beethovens veröffentlicht. Ihr Ziel war und ist es, die „große Stunde" innerhalb der deutschen Musikgeschichte von etwa 1770 bis 1830 in jeder nur erdenkbaren Richtung hin zu durchleuchten, Wesentliches und leider oft auch Belangloses über Geist und Werden der musikalischen Klassik repräsentiert durch diese großen „Unsterblichen" auszusagen. Dieses Bemühen ist sinnvoll und notwendig, denn es handelt sich um ein großes Thema. Indessen muß der kritische Historiker nicht ohne Verwundern feststellen, daß zwar allerorten auch derjenigen schöpferischen Musiker gedacht wird, die zur Mitwelt dieser herausragenden Großen während der nach H. A. Korff so benannten „Goethezeit" gehörten, diese jedoch meist nur beiläufig in die Erörterungen einbezogen werden. Die breite Mittelschicht der ebenfalls „Unsterblichen" ist nur unvollkommen bekannt. Während von den führenden Komponisten jedes hinterlassene beschriebene Dokument liebevoll gesammelt wird, verblassen bedeutende Meisterwerke der weniger Prominenten im Staub der Archive und bleiben ungehört. Zu diesen bisher zu Unrecht nur beiläufig mitbehandelten Meistern gehört Johann Friedrich Reichardt, der zu seinen Lebzeiten ein führender Denker und tonangebender Künstler war, Ideen und Werke in seltener Fülle ausbreitete, heute aber unter die fast Vergessenen zurückgefallen ist. Man hat in letzter Zeit viele Monographien über sogenannte „Kleinmeister" verfaßt mit der Begründung, es sei Pflicht der Historiker, diese der Gegenwart wieder nahezubringen. Wenn dem so ist, dann dürfte es aber eine der vornehmsten Obliegenheiten heutiger Forschung sein, eines Mannes würdigend zu gedenken, der zu Goethes „besten Freunden" und nach Schillers Urteil zu den „besten Köpfen" Deutschlands zählte. Überragte Reichardt doch an universeller Bildung und Belesenheit wohl nicht nur fast alle übrigen Musiker der Goethezeit, auch war er künstlerisch ein unvergleichlich Vielseitiger, der produktiv und maßgeblich den spezifischen Charakter dieser Epoche mitgeformt hat. Sein Schwiegersohn Heinrich Steffens berichtet: „Alle Welt kannte ihn. Jeder, der ihn traf, war irgend einmal auf irgendeine Weise mit ihm in Verbindung gewesen. Fast alle Männer von Bedeutung in ganz Deutschland, Männer von der verschiedensten Art, waren zu irgendeiner Zeit seine Freunde gewesen."

Wenn sich Reichardt im Jahre 1796 selbst als „Singe- und Instrumentalkomponist, theoretischer, historischer und kritischer Schriftsteller, Violinist und Clavirist" bezeichnen konnte, dann verschwieg er, daß er sich außerdem als routinierter Kapellmeister, Sänger, ja selbst als Dichter, Deklamator und Verwaltungsbeamter, als Kunstkenner und Gartengestalter einen beachtlichen Ruf erworben hatte, der weit über die Grenzen Deutschlands hinausdrang. Es ist daher besonders auffällig, daß sein ungewöhnlich umfangreiches Werk und Wirken so sehr in den Schatten der Wiener Klassiker gedrängt werden konnte, daß es heute größter Anstrengungen bedarf, um nach erheblichen Quellenverlusten während des zweiten Weltkrieges wenigstens noch das Gewichtige davon zu sammeln und zu bewahren. War er doch Repräsentant und Wegweiser zugleich, dessen Eigenheiten im deutschen Musik- und Geistesleben allenthalben spürbar hervorleuchten. Die wichtigsten Strömungen und Wandlungen der Goethezeit haben ihn innerlich mitbewegt oder gar zum mitverantwortlichen Wortführer gehabt. Man wird Reichardt zwar nicht unter die Klassiker in vorderster Reihe eingruppieren dürfen, doch ist ihm zumindest ein achtbarer Platz unter den Klassizisten für immer sicher. Indessen, kann man ihm gerecht werden, wenn man sein wandlungsreiches Schaffen mit dem Etikett des Klassizismus versieht? Wohl nicht, denn sein Tun und Wollen reicht vom Rokoko, Sturm und Drang, von der norddeutschen Vorklassik und Empfindsamkeit bis an die Schwelle der Hochklassik, der Romantik, ja gar noch des Biedermeier heran. Keine Schablone will recht auf ihn passen, keine Be- oder Abwertung aufgrund nur eines dieser Stile wird ihm gerecht. Deshalb muß es eines der vornehmsten Ziele dieses Buches sein, alle erfaßbaren Wurzeln, Ideen, Intentionen und Verwirklichungen Reichardts in ihrer nicht immer klar überschaubaren Vielfalt offenzulegen. Es soll mittels dieser Darlegungen eine Liebe zu seinem Werk erweckt werden, die ihn einem breiteren Hörerkreis wieder nahebringt. Der Redlichkeit halber sei jedoch bereits in dieser Einleitung nicht verschwiegen, daß nur ein Teil des Schaffens dieser Liebe würdig ist und daß manche Schattenseiten insbesondere an seiner Person zu bemerken sind, die nicht im gleichen Maße für Reichardt einnehmen wie etwa für Mozart oder Haydn. Doch dürften die Lichtseiten diese verdüsternden Aspekte überstrahlen, so daß dieser Versuch unvoreingenommen gewagt sei.

Die bisherige Reichardt-Forschung ist auf nur wenige Spezialstudien beschränkt geblieben, so daß die Hauptarbeit noch zu leisten ist[1]. Da Reichardt als Berliner Hofkapellmeister bereits vor seinem vierten Lebensjahrzehnt weithin bekannt und geschätzt wurde, haben schon einige Zeitgenossen begonnen, Biographien oder kritische Betrachtungen über ihn zu veröffentlichen. In den „Büsten berlinscher Gelehrten und Künstler mit Devisen" (Leipzig 1787)[2] wird Reichardt seiner beachtlichen Stellung bei Hofe gemäß einem breiteren Publikum vorgestellt. Ernst Ludwig Gerber, der verdienstvolle Lexikograph, widmete ihm als einer der frühesten Bewunderer 1792 gar sieben Spalten[3]; in dem von Julius und Adolph Werden herausgegebenen „Musikalischen Taschenbuch auf das Jahr 1803"[4] findet man ebenfalls eine Beschreibung des Meisters. Friedrich Theodor Mann gebührt das Verdienst, 1805 die erste stoffreichere Biographie geschrieben zu haben[5]. Er achtete Reichardt in Berlin als „unter den darstellenden Künstlern oben anstehend". Freunde und Verwandte, wie Heinrich Steffens oder Wilhelm Dorow, schilderten in ihren Lebenserinnerungen den Menschen und Künstler aufgrund persönlicher Begegnungen[6]. Hans Michael Schletterer verfaßte jedoch erst im Jahre 1865 eine wissenschaftlich-kritische Biographie, die leider ein Torso blieb und lediglich Reichardts Werdegang bis zum Jahre 1794 beschreibt[7]. Seinem in vieler Hinsicht unzureichenden Versuch kam förderlich zustatten, daß er sich der Hilfe der Hofrätin Friederike v. Raumer in Erlangen, einer Tochter Reichardts, bedienen konnte, die ihm aus dem Familienbesitz etliche inzwischen verschollene Materialien zur Verfügung stellte. Unzuverlässig in den Einzelheiten, unausgeglichen im Urteil, irreleitend in allgemeinen Behauptungen ist diese Biographie und daher heute kaum noch nennenswert. So behauptet Schletterer z. B.: „In seinen Instrumentalwerken ist Reichardt immer unbedeutend geblieben" (S. 8), während er sich auf S. 12 zu der Feststellung versteigt: „Am hervorragendsten und bis zur Stunde unerreicht und unübertroffen ist unser Meister in der Composition des einfachen deutschen Liedes." Fétis, Grove, Schilling, Mendel und andere Lexikographen des 19. Jahrhunderts maßen Reichardt nur eine geringe Bedeutung zu. Er erschien ihnen lediglich als ein mittelmäßiger, von der Öffentlichkeit vergessener Nachahmer größerer Vorbilder[8]. Robert Eitner vermochte in seinem „Quellenlexikon" (Bd. VIII, S. 164 f.) nur einen Teil des Werkes zu verzeichnen, da ihm etliche Autographe und Drucke unzugänglich blieben. Die Zeit um R. Wagner hatte sichtlich kein sonderliches Interesse an Komponisten von der Art Reichardts, so daß erst 1902 zum 150. Geburtstag C. Lange in Halle aus lokalgeschichtlichen Gründen eine Denkschrift veröffentlichte, worauf Walther Pauli aus ebendemselben Anlaß 1903 eine Biographie erscheinen ließ, die abermals nur als ein dürftiger „Versuch" unter die Spezialuntersuchungen eingereiht werden kann[9]. Denn auch Pauli bietet außer einigen Berichtigungen zu Schletterers „Versuch" nur wenig Neues. Seine Ausführungen über das Liedschaffen Reichardts (S. 194 ff.) entbehren

9

einer hinreichenden historischen Sachkenntnis und gründlichen Erfassung des Gegenstandes.

Erst nach 1920 wurde insbesondere durch einige Dissertationen die Reichardt-Forschung um wesentlichere Beiträge bereichert. So unternahm es Friedrich Jenkel, Reichardts Tätigkeit als politischer Schriftsteller zu durchleuchten, wobei er allerdings häufig allzu negative Urteile fällte[10]. Hätte Jenkel den Komponisten Reichardt besser gekannt, dann würde er ihn wohl in einem helleren Lichte gesehen haben. Franz Flößner nahm 1928 die schwere Aufgabe auf sich, ein Gesamtverzeichnis des Liedschaffens anzulegen und dessen wichtigste stilistische Besonderheiten zu kennzeichnen[11]. Die erwünschte Vollständigkeit erreichte er nicht. Max Faller stellte Reichardts führende Rolle in der Anfangszeit der musikalischen Journalistik in Deutschland heraus[12]. Aber auch in dieser Dissertation blieb manches Gewichtige unbeachtet, so daß einige bedeutende Auswirkungen des Schrifttums nicht erkannt werden konnten. Hanns Dennerlein ist es zu danken, daß wir seit 1929 das Instrumentalwerk nahezu vollständig überblicken können, da er nicht nur das Werkverzeichnis Robert Eitners korrigierte und erweiterte, sondern insbesondere auch auf verborgene Qualitäten in den kammermusikalischen und symphonischen Kompositionen aufmerksam machte[13]. Dennerlein war überdies bestrebt, „diesen Mann, diesen einzigartigen Wegbahner in der Instrumentalmusik" von der einseitigen Beachtung als „Singekomponisten" zu befreien und ihn damit in der Wertschätzung näher an die Klassiker heranzuführen. Paul Sieber legte 1930 eine der wohl ertragreichsten Studien über Reichardt im Druck vor[14]. Seine Erforschung der Musikanschauung ist gründlich, geistvoll und im wesentlichen auch heute noch gültig. Sieber zeigt besonders fesselnd, daß das musikalische Schaffen des Meisters nur einen Teil der Gesamtleistung ausmacht. Dieser Gesichtspunkt wurde in einer unter schwierigen Kriegsbedingungen entstandenen kurzen Dissertation von Walter Westphal weiter vertieft durch die Feststellung des philosophischen Bildungsgutes[15]. Erich Neuß hat als Stadtarchivar in Halle insbesondere „Das Giebichensteiner Dichterparadies" liebevoll beschrieben und ebenso wie Walter Serauky die hervorragende Bedeutung dieser „Herberge der Romantik" für das deutsche Geistesleben um 1800 dargestellt[16]. Seinem Eifer ist es auch vor allem zu danken, daß der Rat der Stadt Halle 1952 anläßlich des 200. Geburtstages eine kleine Gedenkschrift herausgegeben hat, die insonderheit das heimatkundlich interessierte Publikum des Saale-Kreises erneut auf Reichardts Leben und Wirken in Mitteldeutschland aufmerksamer machen soll. Jüngere Forscher der Gegenwart wie etwa Rolf Pröpper, Werner Rackwitz, Günter Hartung sind mit guten Ergebnissen bestrebt, unser Wissen über Detailfragen zu erweitern[17].

Bei einem so betont und offen in die aktuellen Ereignisse einer revolutionären Epoche eingreifenden Manne wie Reichardt konnte es nicht unterbleiben, daß seine Taten und Aussagen auch für die Tagespolitik tendenziös ausgemünzt wurden und werden. So soll er dem Urteil marxistisch eingestellter Historiker zufolge „ein echter Revolutionär" gewesen sein, der vornehmlich „realistische Texte" optimistisch vertont habe und deswegen „an alle Schichten des werktätigen Volkes herangetragen" werden müsse[18]. Von derartigen einseitigen Verzeichnungen Abstand nehmend, wird es im Folgenden die Hauptaufgabe sein, sowohl an die biographischen „Versuche" seit 1865 anzuknüpfen und ein Gesamtbild vom Werden und der Person Reichardts zu entwerfen, als auch seine schöpferischen Leistungen auf vielen Gebieten so umfassend als derzeit möglich zu kennzeichnen. Es soll überdies der verschlossene Sinnreichtum seiner Hinterlassenschaft entfaltet werden, die historisch wirksame Ausstrahlung bestimmt und damit dem Meister zugesprochen werden, was ihm seiner geschichtlichen Bedeutung gemäß zukommt.

---

[1] Die wichtigsten Spezialuntersuchungen hat der Verfasser im Literaturverzeichnis der Artikel „Johann Reichardt", „Johann Friedrich Reichardt" und „Luise Reichardt" in: MGG XI, Sp. 151–161 zusammengestellt.

[2] S. 257–260.

[3] E. L. GERBER, Historisch-Biographisches Lexicon der Tonkünstler, II, Leipzig 1792, Sp. 251–258; Gerber wurde 1793 in Hamburg persönlich mit Reichardt bekannt, siehe ebd. 2. Aufl. 1813, 816.

[4] Penig 1803, S. 277–284.

[5] In: Musical. Taschen-Buch auf das Jahr 1805, Penig 1805, S. 338–378.

[6] Siehe am Schluß dieses Buches das Verzeichnis der mehrmals zitierten Schriften.

[7] H. M. SCHLETTERER, Joh. Friedrich Reichardt. Sein Leben und seine musikalische Thätigkeit, I, Augsburg 1865; siehe ders., J. F. Reichardt, in: ADB XXVII (1888), 629–648.

[8] So schreibt z. B. F. J. FÉTIS, Biographie universelle des musiciens, Bd. 7, Paris 1883, S. 208 über den „homme habile": „Considéré comme compositeur, Reichardt ne peut être classé parmi les artistes de génie, car il ne sut qu'imiter avec adresse et arranger avec goût. Sa musique de théâtre ne manque ni d'agrément dans la mélodie, ni même de force dramatique dans la déclamation; mais on n'y trouve point de ces nouveautés, de ces hardiesses qui décèlent l'invention." Dieser Artikel enthält außerdem mehrere falsche Angaben zur Biographie.

[9] W. PAULI, Johann Friedrich Reichardt, sein Leben und seine Stellung in der Geschichte des deutschen Liedes, Berlin 1903, siehe auch die Zusammenfassung in: Die Musik 2 (1902/03), S. 250 ff.

[10] F. JENKEL, Johann Friedrich Reichardt. Ein deutscher Komponist als politischer Schriftsteller im Zeitalter der französischen Revolution, Diss. Jena 1920 (masch.). – Ein Aufsatz von M. SCHEMPP, Johann Friedrich Reichardts Reise nach Livland und Kurland, in: Ostdt. Monatshefte 4 (1923/24), S. 694 f. bietet nur eine Nacherzählung einiger Abschnitte aus Reichardts Autobiographie.

[11] F. Flössner, Beiträge zur Reichardt-Forschung, Diss. Frankfurt 1928.

[12] M. Faller, Johann Friedrich Reichardt und die Anfänge der musikalischen Journalistik, Diss. Königsberg 1929.

[13] H. Dennerlein, Johann Friedrich Reichardt in seinen Klavierwerken unter Berücksichtigung seines instrumentalen Gesamtwerks, Diss. Erlangen 1929 sowie ders., Johann Friedrich Reichardt, in: Ostpreußische Musik, Mittl. Bl. d. Ostpr. Musikges. H. 2, 1939, S. 68–73. Dennerlein verzeichnet an Instrumentalwerken Reichardts 9 Symphonien und Ouvertüren, 1 Trauermarsch für Orchester, 9 Klavierkonzerte, 1 Violinkonzert, 2 Doppelkonzerte, 2 Streichquartette, 12 Streichtrios, 6 Violinsonaten mit Baß, 2 Violinsolosonaten, 3 Klavierquintette, 7 Violinsonaten mit Klavier, 2 Flötensonaten mit Klavier, 34 Klaviersonaten, 7 Rondos, 1 Rondo für Harmonika und Orchester, 1 Variation sowie etliche kleinere Klavierstücke. Viele sind z. Z. nicht zugänglich. Die Biographie S. 1–50 enthält etliche fragwürdige Datierungen und irrige Angaben.

[14] P. Sieber, Johann Friedrich Reichardt als Musikästhetiker. Seine Anschauungen über Wesen und Wirkung der Musik, Diss. Basel 1929, gedruckt Straßburg 1930.

[15] W. Westphal, Der Kantische Einschlag in der philosophischen Bildung des Musikers Johann Friedrich Reichardt, Diss. Königsberg 1941 (masch.); siehe auch H. Reinhardt, Johann Friedrich Reichardt, his importance in German literature, Diss. New York 1947.

[16] E. Neuss, Das Giebichensteiner Dichterparadies. Johann Friedrich Reichardt und die Herberge der Romantik, Halle 1932, 2/ ebd. 1949; W. Serauky, Musikgeschichte der Stadt Halle, Bd. II, 2, Halle 1942.

[17] R. Pröpper, Die Bühnenwerke J. F. Reichardts, Diss. Göttingen 1962 (masch.); W. Rackwitz, Johann Friedrich Reichardt und das Händelfest 1785 in London, in: Wiss. Zs. d. M.-Luther-Univ. Halle 9 (1960), S. 507–515; G. Hartung, Reichardts Entlassung, ebd. 10 (1961), S. 971–980.

[18] W. Siegmund-Schultze, Johann Friedrich Reichardt, in: Musik und Gesellschaft 2 (1952), S. 407 f., siehe auch ebd. 7 (1957), H. 3, S. 1.

12

DAS LEBEN

Die Königsberger Jugendjahre 1752–1770

Man vergegenwärtigt sich gewöhnlich vor allem die Gestalten und die Ideen von drei großen Denkern, wenn man ein Bild vom geistigen Leben in der ostpreußischen Hauptstadt Königsberg während des 18. Jahrhunderts zusammenstellt. Es sind dies Hamann, Herder und Kant. Sie repräsentieren würdig das spannungsreiche geistige Fluidum, das hier lange Zeit in der Grenzlage, auf dem Wege zwischen Berlin, Riga und St. Petersburg herrschte. Es war eine in fast allen Zweigen der Kultur reiche Stadt mit etwa 60 000 Einwohnern. Die Altstadt, der Löbenicht und Kneiphof bildeten drei große Stadtviertel, in denen dank eines regen Hafen- und Handelsverkehrs viele Sprachen zusammenklangen, russische, polnische, litauische, französische und deutsche Waren sowie geistige Güter aller Art ausgetauscht wurden. Der Kneiphof war mit dem altehrwürdigen Dom, der Börse und der überaus lebendigen Universität das Zentrum dieser Gemeinde, in der eine Beamten- und Kaufmannsschicht sowie eine Geburts- und Geistesaristokratie den gesellschaftlichen Ton angaben. Mystik ostdeutscher Prägung, Rationalismus und der kritische Geist der Aufklärung bestimmten die Gespräche in vielen gastfreien Häusern, in denen sich hochstehende Militärs, gebildete Bürger, Gelehrte und diskutierfreudige Landadelige gesellig trafen. Das „streng Angemessene und Zierliche" zeichnete die behaglich eingerichteten Wohnstätten der Vornehmen aus[19]. Das Rustikal-Derbe herrschte dagegen im Hafenviertel, auf dem Markte sowie in dem weiten bäuerlichen Umland der Stadt; es wirkte kraftvoll in die Metropole des Landes ein. Die Künste fanden hier etliche anziehende Heimstätten, in denen man sich nicht nur oberflächlich hinnehmend, sondern auch besinnlich eindringend mit Versen und Tönen vertraut machte. So war der Buchladen J. J. Kanters ein Magnet für Männer wie Herder, Hartknoch, Kreuzfeld und viele andere[20]. Häuser wie die des Kommerzienrats Saturgus, des Hofrats Hoyer, des Juristen Lestocq und vor allem des Reichsgrafen von Keyserling standen immer offen für kunstgenießende oder kunsttreibende Bürger der Stadt sowie für Durchreisende[21]. Das auf dem Roßgarten gelegene Stadthaus dieser bedeutenden Familie baltischer Herkunft, in dem feiner französischer Geschmack und freies Denken vorherrschten, war die eigentliche Nähr- und Erziehungsstätte des

13

jungen Johann Friedrich Reichardt, da sein ärmliches Elternhaus sich nahe den Verwaltungsgebäuden des gräflichen Besitztums befand[22]. Hier, in der Sichtweite aufgeklärten hochadeligen Lebens, wurde Reichardt am 25. November 1752 geboren[23]. Seine Mutter Katharina Dorothea Elisabeth (geboren am 12. Januar 1721, getauft am 14. Januar 1721) war die Tochter des Hutmachermeisters Christian Hintz in Heiligenbeil. Sie war eine von „natürlicher Würde" geprägte, schwarzäugige schöne Frau, die sich durch „einen stillen, hohen Sinn und eine seltne Reinheit des Herzens" auszeichnete. Von tiefer Religiosität erfüllt war sie dem Pietismus und der Herrnhuter Bewegung des Grafen Zinzendorf völlig ergeben. „Die Bibel und die Geschichte der Märtyrer waren ihre einzige Jugendlektüre gewesen."[24] Gern sang sie „herzliche gefühlvolle Lieder mit angenehmen Melodien" und erzählte ihren Kindern ostpreußische Geschichten oder Märchen. Das Heim, das ihr der gänzlich anders geartete Gatte in Königsberg nach der Dienstzeit als gräfliches Kammermädchen und der Vermählung im Jahre 1744 zu bieten vermochte, war nur dürftig eingerichtet. Durch nebengewerbliche Handarbeit war sie oft genötigt, der Familie den ärmlichen Lebensunterhalt zu sichern.

Der Vater Johann Reichardt stammte als Gärtnerssohn aus Oppenheim am Rhein, wo er um 1720 geboren wurde. Er hatte dort „eben nur notdürftig lesen und schreiben gelernt" und blieb im Gegensatz zu seiner frömmelnden Frau „seiner Religion ungewiß"[25]. Trotz dieser Gleichgültigkeit religiösen Fragen gegenüber darf man vermuten, daß er evangelisch erzogen wurde. Früh verließ er seine westdeutsche Heimat, da ihn der Graf Truchseß zu Waldburg bereits im 10. Lebensjahre mitnahm nach Preußen, um ihn dort für seine Dienste als Haus- und Kellermeister ausbilden zu lassen. Johann Reichardt war zwar den frugalen Inhalten eines gräflichen Kellers stets begierig zugetan, dennoch trieb ihn seine starke musikantische Begabung zur Erlernung eines ihm gemäßeren Berufes. Er ging in die harte Lehre eines Königsberger Stadtmusikus, diente 5 Jahre lang auf dem Schloßturm und lernte währenddessen Violine, Oboe und andere Blasinstrumente spielen, nachdem er sich vorher in Berlin als Reisegefährte seines Herrn die musikalischen Anfangsgründe angeeignet hatte. Sein Hauptinstrument war die Laute, auf der er eine virtuose Fertigkeit erlangte. Sein Lehrer war der Russe Pelegrazky, der ihn einen „zarten und doch vollen Anschlag der rechten Hand" auf diesem edlen Instrument lehrte. Im Gegensatz zu Reichardts Mutter war der Vater genußsüchtig, „jovialisch", leichtsinnig, heftig, oftmals gar auch brutal in seinen Handlungen. Er verfügte über eine „große körperliche Kraft", tanzte gern und sehr geschickt, liebte derbe Gesellschaften und ein „lustiges Wohlleben" alle Tage. J. G. Hamann, sein prominentester Schüler im Lautenspiel und bis ans Lebensende am 18. Mai 1780 treu-

14

ester „alter Freund", nannte ihn treffend einen „lustigen Passagier". Johann Reichardt zählte bemerkenswert früh zu jenen selbständigen aufgeklärten Musikern, die dem zunftmäßig gebundenen Musikerdasein entrannen und als „freie" Künstler sich durchzuschlagen suchten[26]. Ermöglichen ließ sich eine derartig bindungslose Lebensweise damals nur durch Erteilen von Privatunterricht an adelige oder bürgerliche Kinder sowie an Studenten und durch die gelegentliche Mitwirkung in Kreisen musizierender Liebhaber. Diese ungesicherte Tätigkeit erbrachte um die Jahrhundertmitte jedoch lediglich ein kärgliches Brot, so daß Johann Friedrich „fast in Armuth erzogen" wurde.

Johann Friedrich kam als drittes Kind zur Welt. Er wuchs auf mit der als Lautenistin auch öffentlich auftretenden Schwester Maria, die später einen Königsberger Bankdirektor namens Leo heiratete, und mit der ebenfalls älteren Schwester Johanna. 1754 wurde seine Lieblingsschwester Sophie geboren, die „durch ihren Gesang und durch ihr meisterhaftes Lautenspiel" zu entzücken vermochte[27]. Ein 1756 geborener Bruder starb noch vor dem ersten Geburtstag. Mit diesem für die preußische Geschichte bedeutenden Jahre begann für die Familie Reichardt eine drückende vierjährige Notzeit, da der Vater als Hoboist mit einem Regiment in den Siebenjährigen Krieg zog. Die stille Mutter mußte ohne Hilfe durch mühevolle Arbeiten dafür sorgen, sich und die 5 Kinder zu ernähren und vor der Verelendung zu bewahren. Die im Elternhause herrschende unbeschwerte Freude, der Leichtsinn zog mit dem Vater ins Feld; daheim wurde es ernster, strenger, zumal die Mutter zunehmend engere Beziehungen zu der Herrnhuter Brüdergemeine aufnahm.

Nach der Rückkehr des Vaters aus dem Felddienst folgten einige sehr bewegte Jahre für ihn und für den frühreifen Sohn, der auch unter der Anleitung etlicher durch Königsberg reisender Musiker zu einem Wunderkind gedrillt wurde. Die Anwesenheit russischer Besatzungstruppen verführte den achtlosen Vater gar dazu, den erst Sechsjährigen in die Quartiere der Offiziere mitzunehmen, wo dieser angesichts verschwenderischer wüster Gelage die Nächte hindurch musizieren mußte. Johann Friedrich hatte dazu die Elementaranweisungen im Violin- und Lautenspiel vom Vater erhalten; außerdem nahm er aber auch Klavierunterricht bei dem Organisten einer Vorstadtkirche, bevor ihn der in Goldap geborene Theologiestudent und spätere Musikverleger Johann Friedrich Hartknoch (1740–1789) als Schüler übernahm, der auch dessen „Verstand bildete und die Urteilskraft übte"[28]. Zudem gewann er früh etwas Harfezupfen und Bratschestreichen zu seinen Fertigkeiten hinzu. Ihm fehlte indessen eine gediegene Unterweisung im Generalbaßspiel, das er unbedacht urteilend als „langweilig" mied, sowie eine Einführung in die „Lehre von der Harmonie", die er ebensowenig wie die Arithmetik in

15

der Schule schätzte. Ein kurzer Elementarunterricht bei dem Königsberger Theorielehrer Krüger fruchtete nicht. Reichardt führte nur lässig die gestellten etwas trockenen Aufgaben aus. Über unvollkommene Ansätze zu fugierter Arbeit hinaus vermochte dieser Unterricht nicht zu gedeihen. Dies ist deswegen um so erstaunlicher, weil der Vater durch seine freundschaftliche Verbundenheit mit dem Berliner Friedrich Wilhelm Marpurg eine „große Achtung für die Theorie der Musik" gewonnen hatte, die er aber offenbar nicht auf den eigenwilligen Sohn zu übertragen vermochte. 1773 gesteht er offen: „Ich habe niemals eine gründliche Anweisung zur Composition erlangen können." Noch im Lernalter entschied sich Johann Friedrich bereits für die Sonate und das Lied gegen die Partite oder die Fuge. Das zeigen die erhaltenen Kontrapunktübungen deutlich, wovon H. Dennerlein einige Proben veröffentlicht hat[29].

Die praktische Ausbildung blieb indessen nicht weniger unvollendet und planlos. Zwar sollte für den angehenden geplanten Virtuosen das Üben die tägliche Hauptbeschäftigung sein, jedoch läßt die zufällige Folge ortsansässiger sowie durchreisender Lehrer keinen pädagogisch zielstrebig aufgebauten Lehrplan erkennen. Johann Reichardt vermittelte selbst dem Sohne all seine Vielseitigkeit als Stadtmusikus. Diese zunftstrenge Tradition nahm dieser jedoch nur teilweise willig auf. Hochachtung brachte er hingegen seinem zeitweiligen „vortrefflichen Violinmeister" Franz Adam Veichtner (1741–1822) entgegen, der in Mitau im Dienste des Herzogs Ernst Johann von Kurland stand und in Königsberg als Gast weilte. Da der Vater stets bemüht war, durchreisende Musiker in sein Haus zu ziehen, so warb er auch im Interesse des Sohnes um die Gunst dieses Virtuosen. Der Einfluß des von „uneigennützigem Eifer für die Bildung junger Talente beseelten" Mannes auf die Entwicklung Johann Friedrichs ist hoch zu veranschlagen. Veichtner „war der erste große Violinist, den der Kleine hörte, und in ihm lernte er gleich alles kennen, was damals die Reichsschule Glänzendes und Angenehmes und die Berlinische Schule Großes und Rührendes hatte"[30]. Diese verstärkte Bindung an die Berliner Vorklassiker, vor allem aber mittels der Violincapriccios an den Stil Franz Bendas (1709–1786)[31], wirkte sich dauerhaft aus. Die von Veichtner dem Unterricht zugrunde gelegten, damals noch ungedruckten Capricen für Solovioline vermittelten dem Spieleifrigen das damals beste Fundament. „Sie enthalten in ihrer Totalität alles, was das in seinen vier Saiten so reiche und bedeutungsvolle Instrument seiner Natur nach vermag"[32], und begründeten eine deutsche Schule des „rührenden" Violinspiels. Damit wurde Reichardt an besten Vorbildern geschult zwecks Aneignung eines „seelenvollen Spiels", einer kräftigen Bogenführung und edel-schönen Tongebung. Diese wertvollen praktischen Erfahrungen suchte er noch 1797 zu verwerten bei der Herausgabe einer eigenen Violinschule, die jedoch nie erschien, da Reichardt von dem Verleger Friedrich Frommann gebeten wurde, Georg Simon Löhleins „Anweisung zum Violinspiel" neu zu bearbeiten. Diese weniger fruchtbare Aufgabe übernahm er bereitwillig und löste sie mit viel Sachverstand[33].

Der stets lebensfrohe, „edle Meister" Veichtner, der auch selbst „schätzbare Kompositionen" zu schreiben vermochte, schenkte dem begabten Schüler gar eine Stradivari-Geige, offenbar in der Erwartung, daß sich aus dem kleinen Königsberger ein echtes „Kunstgenie" entwickeln würde[34]. Welch tiefen Eindruck diese großherzige Förderung durch Veichtner auf den Jungen machte, erhellt der Satz in der Autobiographie: er „ahndete wohl zum ersten Male, daß der hohen freien Kunst eine andere Natur zum Grunde läge, als die, welche das bürgerliche Leben zum Behuf und Frommen der großen Herde so zierlich eingezäunt hatte"[35]. Offenbar ist es insbesondere dem Violinlehrer zuzuschreiben, daß Reichardt bereits als Knabe dem Stadtpfeiferdasein und der Lebensweise des Vaters eine Absage erteilte. Ihn drängte es in eine weitere Welt, hin zu einer freieren Entfaltung im ausschließlichen Dienste an der Kunst. Seine Gefühle und Gedanken beflügelte seit dieser Begegnung ein „neuer, freierer Schwung".

Erheblich beigetragen zu dieser notwendigen Weitung des geistigen und künstlerischen Horizontes hat mit Sicherheit aber auch der Unterricht, den Hartknoch 1761 nicht nur am Klavier, sondern auch in „Poesie und Wissenschaft" dem aufmerksamen Knaben erteilte. Dieser später in Riga berühmt gewordene Buchhändler, der nach 1773 auch die ersten Werke Reichardts verlegte, half die Fertigkeit auf den Tasten zu steigern, übte aber zudem bei Spaziergängen das Beobachtungsvermögen sowie die Urteilskraft. Hartknoch versah somit das Amt eines Hauslehrers, da er die unentwickelt schlummernden Geistesgaben des jungen Schülers früh erkannte. Den indessen wohl fruchtbarsten Unterricht am Klavier erhielt dieser im Alter von 9 bis 10 Jahren von dem seit 1761 in Königsberg als Organist ansässigen Carl Gottlieb Richter (1728 bis 1809), der von Berlin kommend die Werke Johann Sebastian Bachs sowie dessen großen Sohnes Carl Philipp Emanuel in die ostpreußische Hauptstadt verpflanzte. So vernahm Reichardt von „einem der größten Clavierspieler seiner Zeit"[36] in mustergültiger Weise die Meisterwerke einer Stilrichtung, die er zur Ergänzung seines anderen großen Vorbildes, Franz Benda, notwendig bedurfte. Der von Richter auch pädagogisch solide gegebene Unterricht fruchtete so bald, daß Johann Friedrich bereits 1761/62 in Liebhaberkonzerten mit Werken C. Ph. E. Bachs und Johann Schoberts öffentlich auftreten konnte[37]. Das unerschöpfliche

Reich der Empfindungen wurde ihm durch diese Kompositionen in weitestgehendem Maße erschlossen, das Reich der Zahlen und des zahlenmäßig Geordneten in der Musik blieb dem angehenden Virtuosen indessen verschlossen.

So sehr auch die fachliche Ausbildung Reichardts in mancher Hinsicht mangelhaft blieb, da der leichtlebige Vater nur die Entwicklung des zukünftigen Virtuosen förderte, so ist es doch noch beklagenswerter, daß ihm nur eine sehr unzureichende und oberflächliche schulische Erziehung zuteil wurde. Zweimal schickte man ihn für lediglich kurze Zeit in das angesehene Collegium Fridericianum. Der Strenge des Unterrichts und der mangelnden Begabung im Rechnen wegen verließ Johann Friedrich ergebnislos diese Anstalt. Einzig in der Rhetorik vermochte er gute Noten zu erringen, da er für dieses Fach eine besondere Begabung mitbrachte, die sich später vor allem in seinem Auftreten als Deklamator zeigte (siehe unten S. 246). Nach dem gescheiterten Schulbesuch erhielt Reichardt vor allem auf Wunsch der Mutter Hausunterricht „durch einen armen Candidaten", der aber ebenfalls nur wenig Begeisterung weckte. Ein letzter Versuch in einer öffentlichen Schule wurde daraufhin ebenfalls nach kurzer Zeit abgebrochen[38].

Der Vater bekümmerte sich um diese Pflichten offenbar niemals, er verlangte stattdessen das Musizieren des Knaben in vornehmen Häusern Königsbergs, womit er die Hauptzeit des Tages vom achten Lebensjahre an ausfüllte. Vornehmste Stätte seines allzu frühen Wirkens war das Haus des Grafen Heinrich Christian v. Keyserling (1727–1787), in dem er, in mit Tressen besetztem scharlachroten Sammetrock gekleidet, als geigendes Wunderkind bestaunt wurde. Einwirkungen aus dieser überaus vornehmen und glanzvollen Umgebung blieben nicht ohne erhebliche Folgen auf seine gesamte spätere Entwicklung. Bei den gräflichen Gastgebern herrschte im Lebensstil und in den Künsten die französische Mode und eine aufgeklärte Denkweise. Die Werke John Lockes und J. J. Rousseaus nahmen ihn hier früh gefangen[39]. Chinoiserie liebte man in der Ausstattung der Salons, in denen Reichardt vor allem die Laute spielende Gräfin Charlotte Caroline Amélie, geborene Gräfin Truchseß zu Waldburg, auf seiner Violine begleitete. Es war für den daheim ärmlich Aufwachsenden ein viel bestauntes „Prachthaus", in dem so oft als möglich Feste, Bälle, Konzerte und philosophische Tafelrunden auch unter seiner Mitwirkung stattfanden[40]. Meist nur „angenehme", d. h. leicht ergötzliche Werke von Wagenseil, Schobert, Küffner, Filz, Hiller, Graun, Hasse, A. Schweitzer, F. Benda oder C. Ph. E. Bach wurden dabei gespielt[41]. Menuette und Polonaisen waren die vorzüglichen Lieblingsstücke bei zwangloser Unterhaltung. Das Hausorchester wurde entsprechend der jeweiligen Gelegenheit aus Privatmusikern, Stadtmusikanten und Regimentsoboisten zusammengestellt. Gerührt, in schweigender Versenkung hörte man den zierlichen Sonaten der nord- und süddeutschen Meister zu, war aber auch in der Lage, begründend über das Musizierte zu urteilen. Innige Liebe zur Musik und oberflächlich störende Geselligkeit mischten sich während dieser privaten Veranstaltungen oft. Diese „Wiege und Pflegeschule" Reichardts vermittelte ihm vermutlich neben der allgemeinen Geschmacksbildung und „Veredlung" die ersten Anregungen für seine spätere schriftstellerische Tätigkeit, denn in diesen geistig regen Kreisen Königsbergs wurde Musik nicht nur kritiklos genossen, sondern auch verstehend aufgenommen. Reichardt war zeitlebens dankbar für diese reichen Kunstgenüsse, die er „früh im Norden" erleben durfte[42]. Das zierliche Rokokohaus des Kaufmanns Friedrich Saturgus, die Soiréen beim Kriegsrat und Kanzler der Universität Johann Ludwig Lestocq (1712–1779), die Kammermusikabende beim Hofrat Hoyer oder dem Obermarschall von der Gröben zogen den begierig alles Neue aufnehmenden Reichardt stark an, zumal in Königsberg die ersten öffentlichen Virtuosen- und Liebhaberkonzerte erst nach 1775 abgehalten wurden[43]. Somit boten um 1760 ausschließlich die Abendkonzerte in privaten Zirkeln eine Gelegenheit, anspruchsvollere Musikwerke klingend kennenzulernen. Dank des für Preußen glücklichen Ausgangs des Siebenjährigen Krieges bot sich 1762 eine zusätzliche, willkommene Möglichkeit, kunstvolle Musik zu hören, da österreichische Kriegsgefangene dorthin gebracht wurden, wo sie die frühesten Cassationen Josef Haydns, italienische Sprache und Gesangskunst bekannt machten. Damit rundete sich dank der Vermittlung seiner Lehrer Veichtner und Richter sowie dieser österreichischen Gäste Reichardts Bild vom „reichsdeutschen" Musikleben seiner Zeit in förderlicher Weise ab. Schon während der Jugendjahre eröffnete sich ihm die spannungsreiche Vielfalt zwischen den nord-, mittel- und süddeutschen Stilen, Schulen und Strömungen. Die ihm noch fehlenden klanglichen Eindrücke erwarb er sich später als reisender Virtuose hinzu.

Das Blickfeld Reichardts wurde auch durch etliche Jugendreisen beträchtlich erweitert, die er im Geleite des leicht beweglichen Vaters durchzustehen hatte. Vom 8. Lebensjahre an mußte sich nämlich Johann Friedrich als musizierendes Wunderkind in der näheren und ferneren Umgebung Königsbergs auf adeligen Landsitzen oder in baltischen Städten bewähren. Diese anstrengenden Fahrten ähneln den Konzertreisen, die Leopold Mozart seinen beiden genialen Kindern zur gleichen Zeit abverlangte. Johann Friedrich sollte als „reisender Virtuose" insbesondere auf der Violine und am Klavier brillant sich zeigen, nicht hingegen auf der Laute, denn dieses stille Instrument stand offenbar nur mehr in wenigen Häusern Königsbergs um 1760 gegen die klangkräftigere Konkurrenz des Fortepianos und der Guitarre hoch im Ansehen. Vater und Sohn musizierten gemeinsam in Mohrungen, dem Geburtsort Herders, 1762/63 unternahmen sie im Gefolge des Grafen Keyserling eine Konzertreise nach Kur- und Livland. In Riga und Mitau, wo Hamann zufolge „Konzerte ein Schlüssel zum Umgang zu sein" pflegten, stellte man sich in den „Häusern mehrerer angesehener Kaufleute" musizierend vor und erhielt dafür „viele kleine angenehme Geschenke"[44]. An die Beschwerlichkeiten dieser Reisen erinnerte sich Reichardt noch 1807, als er von Danzig aus an Elisabeth von Stägemann über die „herzigen guten Menschen" in Riga schrieb, dabei aber nicht die „fatalen Knitteldämme in Curland" zu erwähnen vergaß[45]. Im 13. Lebensjahre traten der Sohn gemeinsam mit dem Vater als umschmeichelte Musikanten am ermländischen Bischofshofe in Heilsberg sowie in etlichen Häusern Danzigs auf. In dieser reichen Hansestadt lernte der Knabe vor allem die „mit Liebe getriebene" Hausmusik schätzen sowie die Gastfreundschaft einer der beiden Schwestern des Bach-Schülers Johann Gottlieb Goldberg (1727 bis 1756) namens Constantia Renate, die ihm gar einige Kompositionen ihres Bruders schenkte[46]. Da Reichardt neben Kammermusikwerken während dieser Reisen insonderheit auch viel echte Volksmusik deutscher und fremder Überlieferung kennenlernte, erbrachten die aufreibenden Jugendjahre insgesamt ein Vielerlei an Anregungen, die seine „lebhafte Sinnlichkeit" ununterbrochen beschäftigten und reizten. An Abwechslung für sein unruhiges Gemüt fehlte es sicherlich nicht, jedoch mangelte es an einer befriedigenden Obhut und sicheren Lenkung auf ein bestimmtes Ziel hin. Zum Glück wirkten etliche wohlgesonnene und erfahrene Freunde dahingehend auf ihn ein, sich vom Vater zu lösen und früh eigene Wege zu gehen in der Hoffnung, auf diese Weise aus eigener Kraft noch manches Vernachlässigte aufholen zu können.

Johann Reichardt wollte aus seinem begabten Sohne durch ein einseitiges „tägliches Antreiben" lediglich einen der Unterhaltung dienenden Virtuosen machen, der streng gezüchtete Knabe hingegen strebte nach einer glanzvolleren Karriere. Des eigentlichen Lebenszieles ungewiß, aber bestärkt durch Bekannte und sein gesellschaftliches Ansehen, versuchte er zeitweise in die Laufbahn eines Diplomaten hineinzuwachsen, wozu die Absolvierung eines Studiums unumgänglich war[47]. Angesichts der mangelhaften schulischen Vorbildung waren die Aussichten dazu nicht sonderlich gut, indessen drängte es ihn so sehr nach einem eigenverantwortlichen Leben und der Befreiung von der vom Vater gern geschwungenen Rute, daß er all seine Beziehungen zu einflußreichen Gelehrten ausnutzte, um im Wintersemester 1767/68 unter dem Rektorate von Professor Christoph Gottlieb Büttner an der Königsberger Universität immatrikuliert zu werden. Die Matrikel enthält zum 21. Januar

1768 den Eintrag: „Reichardt Joh. Frdr., Regiomonte – Borrus."[48]. Dem erst knapp sechzehnjährigen Studenten wurde das Immatrikulationsexamen erlassen. Der Dekan Prof. Werner, in dessen Hause Reichardt mehrmals anläßlich von Familienfeiern musiziert hatte, erwirkte gar die Befreiung von der Matrikelgebühr.

Johann Friedrich verließ das Heim seiner Eltern und mietete eine eigene Wohnung, in der er ungezwungen sein freies Studentenleben genießen konnte. Die lebensnotwendigen Einkünfte erwarb er sich durch die Erteilung von Musikunterricht. Das dreijährige Studium der Jurisprudenz betrieb er indessen nur beiläufig, denn zu sehr war er vom Hazardspielen, von Pferderennen, Schlittenpartien, Kaffeehausrunden und anderen Ablenkungen bald eingefangen worden. Er liebte „wüste Gesellschaft und Lebensweise", durchzechte die Nächte und wurde in manche rohe Schlägerei verwickelt[49]. Einer seiner „liebenswürdigen Schülerinnen" wegen ließ er sich gar zu einem Duell verleiten, wobei er eine Verletzung der rechten Hand erlitt, die zeitlebens sein Klavierspiel beeinträchtigte[50]. Gelegentlich besuchte er die Vorlesungen seines Ratgebers I. Kant, doch zum vollen Begreifen des Vorgetragenen fehlte ihm damals noch die notwendige Reife. Das auf ungezügelte Sinnenlust gerichtete väterliche Erbteil in ihm brach während dieser Jahre heftig hervor. „Ununterbrochenes Nachtschwärmen" zehrte an seinen Kräften, was vor allem die auch weiterhin besorgte Mutter sehr vergrämte. Dichtende Freunde, wie z. B. Lenz und Bock, waren sein täglicher Umgang. Kammermusikwerke von J. Haydn, Boccherini, Cannabich, Fränzl, F. A. Wendling, Toeschi spielte er eifrig mit Kommilitonen. Als „nicht ganz ungeschickter Naturalist" eilte er von einem Tanzvergnügen zum andern. Auf Liebhaberbühnen, so etwa im Hause eines Dr. Gervais, spielte er den Major Tellheim in Lessings „Minna von Barnhelm" und andere Rollen. Das in Verbindung mit dem Freunde Carl Gottlieb Bock[51], der die französische Operette „Rose et Colas" von Favard übersetzt hatte, geschaffene Singspiel *Hänschen und Gretchen* (Riga 1773, bei Hartknoch) entstand während dieser bewegten Zeit zur geselligen Kurzweil.

Nur dieses wenigstens im Klavierauszuge bekannte anspruchslose Werk sowie eine dreisätzige *Cembalosonate in F-Dur* sind aus den Königsberger Jugend- und Studentenjahren erhalten geblieben[52]. Sonderlich beachtenswert dürften die „wilden, übelgezogenen Kinder" seiner Knabenzeit allesamt nicht gewesen sein. Reichardt selbst bekennt, daß ihm gründliche Kenntnisse in der Satzkunst fehlten und höhere Kunstabsichten ihn damals nicht leiteten. In Anlehnung an den gleichfalls mit einigem Geschick komponierenden Vater schrieb er nur angenehme und gefällige Musik zum Zwecke des reinen Vergnügens. Damit suchte und fand er den Beifall der Liebhaber. Im 9. Lebensjahre hatte er erstmals die Feder angesetzt und Menuette sowie Partiten für Streicher und Flöten zu Papier zu bringen versucht. Zum Geburtstag seiner Mutter verfaßte er 1762 den Text und die Melodie eines Liedes „An die Rose". Die meisten Werke schuf er jedoch für die Laute, denn danach verlangten sowohl Liebhaberkreise in Königsberg als auch sein Vater zu Unterrichtszwekken. Reichardt beklagte in späteren Jahren das Aussterben der Lautenkunst sehr. In seiner Autobiographie schrieb er: „Wer ihre ganz einzige Feinheit und Lieblichkeit kennt, kann nicht genug bedauern, daß dieses köstliche Instrument mit seinem ganzen zarten Geschwister durch die neuere rauschende Musik, in der man oft mit so wenig Kunst und Mühe großen Lärm macht, verdrängt worden ist."[53] Etliche Gesänge schrieb er außerdem für die drei Töchter im Hoyer'schen Hause, denen er Musikunterricht gab. Daneben entstand auch „manch kleines Lied für ein liebes Mädchen". Angeregt zur „Singecomposition" wurde er insbesondere durch seinen späteren Schwager Bock, der „mit Sinn und Geschmack" dichtete[54]. 1763/64 ergab sich erstmals für Johann Friedrich auch die Gelegenheit größere Musikwerke zu schreiben. Anläßlich des Auftretens der Schuch'schen Schauspieltruppe in Königsberg, das ihm eine erste leidenschaftlich erregte Berührung mit dem Theater ermöglichte, entstanden zwei verschollene Ballette.

Der wohl gewichtigste Gewinn dieser ausschweifigen Studentenjahre war der engere Kontakt zu geistig hervorragenden Persönlichkeiten Königsbergs, an deren Spitze Hamann, Kant und der Professor der Poesie Johann Gottlieb Kreuzfeld (1745–1784) zu nennen sind. Ohne deren Mitwirkung hätte Reichardt wohl kaum ohne allzulange Umwege aus seinen erheblichen Entwicklungsschwierigkeiten herausgefunden. Diese Männer übernahmen oftmals die Rolle eines mahnenden Vaters und wohlwollenden Wegweisers. Sie trugen dazu bei, sein Weltbild zu formen, seinem Leben und Streben Halt und Gehalte zu vermitteln. Von Kreuzfeld, aus dessen Feder der junge Komponist 5 Gedichte vertonte, übernahm er vor allem „Geschmack und frühe Liebe für echte Deutschheit in Wissenschaften und kräftiger Darstellung"[55]. Dieser nur 7 Jahre ältere Ratgeber, der auch ein guter Volksliedkenner war, legte wohl den Grund in ihm für seine nationale Einstellung und für seine Volksliedbegeisterung. Kreuzfeld erkannte klar, daß Reichardt einem glänzenden Gebäude glich, das „doch ohne sichern Grund gebaut ist", weswegen er sich vornehmlich während der kritischen Wanderjahre als verläßlicher Freund anbot und erwies.

Hamanns Einfluß auf den jungen Johann Friedrich war von anderer Art. Der ihm im Hause Reichardt zuteil gewordene Unterricht im Lautenspiel hatte zu einer dauerhaften Freundschaft mit dem lebenslustigen Vater geführt, die sich bald auch mit dem Sohne anbahnte. Hamann

22

spielte die Laute in Stunden, wenn er der Tröstung bedurfte, er intonierte „Concerts" des Vaters und ließ sich gern von diesem „guten Freund" überraschen durch „angenehme Nachtmusiken"[56]. Als anhänglicher Hausfreund kehrte er auch später vielmals bei Reichardts Schwester Sophie Dorow gern ein[57]. Er, der als Ausübender der Musik besonders zugetan war, der als Wegbereiter des Sturm und Drang der Empfindung neben der Vernunft wieder zu ihrem Recht verhelfen wollte im Rahmen einer Erneuerung des gesamten inneren Menschen, zog den jungen Johann Friedrich mit besonderer Intensität an. Dieser wurde in Hamanns Leben eingeweiht wie nur noch Herder[58]. Durch ihn lernte er vor allem die Gefühlskräfte schätzen und den wahren Wert des Glaubens erkennen. Immer wieder versuchte Hamann mündlich oder brieflich den ehrgeizigen „jungen Virtuosen" an die Bibel heranzuführen. Hamann liebte ihn „wegen seiner glücklichen oder vielleicht unglücklichen Anlagen"[59], er versuchte ihn von seiner „Zerstreuung" und „Eitelkeit" zu befreien[60], er nährte ihn mit Ideen der Genie-Periode, machte ihn aufmerksam auf das Regelferne und das nicht ausschließlich durch die Vernunft Bestimmte. Dieser gute Geist begleitete Reichardts Werden als „Landsmann und Freund" bis 1788, dem Todesjahr Hamanns, mit vielen produktiven Anregungen.

Neben Hamann, Theodor Gottlieb Hippel (1741–1796), dem Dichter Johann Georg Scheffner (1736–1820) zählte für Reichardt jedoch zu den „größten und tiefsten Humoristen" in seiner Heimatstadt vor allem Immanuel Kant. Dieser hervorragende, seit 1755 in Königsberg dozierende Philosoph öffnete ihm Bezirke des Geistes, ohne deren Aktivierung er vermutlich nicht den Weg gefunden hätte, „die Kunst von Anfang an aus ihrem wahren höhern Gesichtspunkte" zu beachten[61]. Kant hatte während musikalischer Abendgesellschaften den kleinen Reichardt spielen gehört sowie im Gespräch kennen gelernt. Seither hatte er ihn nicht mehr aus den Augen verloren, ja sogar entscheidend auf die Aufnahme des Jurastudiums gedrängt. Die Befolgung dieses Rates hatte die Mutter insbesondere durchzusetzen vermocht in der Hoffnung, daß der leichtlebige Student durch ernsthafte Studien zur Einsicht finden werde und später zur Theologie überwechsele. Kant, für den Musizieren als „Beschäftigung ohne Zweck" nur der Muße oder der Unterhaltung dienlich erschien[62], wird indessen vor allem das notwendige Erlernen eines brauchbaren bürgerlichen Berufes in Erwägung gezogen haben. Daß der Privatdozent Kant den jungen Hörer für seine Vorlesungen gewinnen konnte, stand damit von vornherein außer Zweifel. Reichardt besuchte diese sogar „ziemlich fleißig", zumal Kant mit seinen lebendig gestalteten Reden breitere Kreise anzusprechen vermochte als durch seine schwer aufschlüsselbaren Bücher. Reichardt hörte seine anschaulichen Beschreibungen der physischen Geographie mit besonderem Interesse; diese wurden für seine späteren weiten Reisen sehr nützlich[63]. Außerdem übte er seinen Verstand im Denken, Urteilen, Beweisen. Kant vermittelte ihm dazu in seinen Hauptvorlesungen das Rüstzeug. So lernte Reichardt glücklicherweise in einem relativ frühen Alter „seine Empfindung durch Philosophie zu berichtigen"[64], ihm wurden die sittlichen Grundlagen der Kunst erschlossen, obwohl dem „trockenen Mann" ein „lebhaftes Gefühl" für die Künste abging und er „sie auch nicht besonders liebte"[65]. Aber trotzdem verwandte sich der große Kritiker beredt für „einen moralischen Zweck der Kunst", womit er Reichardt einen der Kerngedanken seines Lebens vermittelte. 1791 anerkennt dieser: „Dem Hrn. Prof. Kant einzig und allein verdank ichs, daß ich von meinen frühsten Jugendjahren an, nie den gewöhnlichen erniedrigenden Weg der meisten Künstler unserer Zeit betrat, und seinen akademischen Unterricht, den er mir früh, ganz aus freiem Triebe, antrug, und drey Jahre auf die alleruneigennützigste Weise gab, dank ich das frühe Glück, die Kunst von Anfang an aus ihrem wahren höhern Gesichtspunkte beachtet zu haben und nun das größere Glück, seine unsterblichen Werke mit Gewinn studiren zu können."[66]

Auch blieb die kritische Grundhaltung der Vorlesungen und Gespräche Kants nicht ohne beachtliche Auswirkungen, denn daß Reichardt einer der wegweisenden Kunstkritiker wurde, verdankt er sichtlich zu einem erheblichen Teil diesem Kritiker der Aufklärung, für den es keine Wissenschaft des Schönen, sondern nur eine Kritik des Schönen gab. Am 28. August 1790 schrieb Reichardt an den verehrten Königsberger Mentor: „Die große Verbindlichkeit, die ich Ihnen von Kindheit an habe, wächst mit jeder neuen Schrift von Ihnen über allen Ausdruk. Ihr weiser gütiger Rath allein, half mir auf den Weg zur litterarischen Bildung, die mir bald meine Kunst aus einem höheren Gesichtspunckt ansehen ließ ..."[67] Kant selbst profitierte von dieser Bekanntschaft jedoch nicht minder, denn Reichardt war der einzige bedeutende Musiker, mit dem er in persönlichem Kontakt stand, der ihm mithin ein Fachurteil abgeben konnte, wenn die eigenen Erfahrungen zu einer fundierten Aussage nicht ausreichten.

Dank all dieser vielfältigen Beeinflussungen, die in Königsberg und aus seinem weiteren Umland auf den jungen Reichardt einströmten, konnte dieser in die Siebziger Jahre des 18. Jahrhunderts gereift eintreten. An praktischen Fertigkeiten mangelte es ihm nicht, denn er konnte auf dem Cembalo und auf der Violine „auch schwere Sachen zum erstenmale mit Sicherheit spielen"[68]. Außerdem war während der dreijährigen Studienzeit trotz des „wüsten Treibens" manch kräftiger Funke in ihm angeschlagen und erhellt worden. Reichardt war rasch zum gewandten

Jüngling gereift. Musikalisch fehlten ihm vor allem noch tiefere Eindrücke von der zeitgenössischen Opern- und Kirchenmusik, die er in Königsberg nur unzureichend gewinnen konnte. Diese galt es nun hoffnungsvoll ausschreitend in anderen Landschaften Deutschlands und außerhalb der Landesgrenzen zu empfangen.

Sturm- und Drangjahre 1771–1775

Trotz der Ungezwungenheit der Lebensführung, die Reichardt als Student in Königsberg genoß, wurde dem Neunzehnjährigen die Stadt, die seinem geistigen Streben die Richtung gewiesen hatte, und die umliegende Provinz zu eng. In ihm regte sich der wanderlustige Musikant, der weder ein gelehrter Musicus noch ein Jurist oder Diplomat werden wollte. Mit seinem Naturtalent allein hoffte er die Welt für sich erobern zu können. Trotz einer gehäuften Schuldenlast verließ er daher mit den besten Kleidern angetan im Frühjahr 1771 seine Vaterstadt, um eine ziellose Genie-Reise anzutreten. Johann Friedrich wollte umfassendere Lebenserfahrungen in der Fremde sammeln, neue Bekanntschaften schließen und vor allem sich zeigen. Seine Barschaft betrug lediglich 2 Dukaten. Damit langte er in Danzig, der ersten Station seines Unternehmens, frohgemut an. Hier logierte er sich bei dem Ratsmusiker Philipp ein mit dem Gehabe eines „stolzen Künstlers". In seiner Hoffnung als ein „auf Gelderwerb sinnender Virtuose" in der Hansestadt Subskriptionskonzerte vor großem Publikum geben zu können, wurde er jedoch bald bitter enttäuscht. Seine Darbietungen auf dem Cembalo und der Violine, begleitet von einer Ratsmusikerbande, fanden nur schwachen Widerhall. Gespielt wurden Werke von Franz Benda, seinem Violinlehrer Veichtner und C. Ph. E. Bach. Zwischen den Vorführungen pflegte er in lebhafter Unterhaltung mit den Hörern um deren Gunst zu buhlen. Der Mißerfolg war derart groß, daß Reichardt seine hohe Zeche nur mit geschenktem Gelde begleichen konnte. Seine treuen Königsberger Jugendfreunde sahen sich bald genötigt, dem verlassenen „Genie" oftmals materiell und mit guten Ratschlägen helfend beizustehen.

Weiter ging die Reise in einem Postwagen „durch das öde Pommern und die sandige Mark" in Richtung Berlin. In der Hauptstadt seines Heimatlandes wohnte er bei einem seiner lustigen und gleichaltrigen Jugendfreunde, dem Leutnant Chr. Fr. v. Szervansky (auch Scherwansky geschrieben, 1752–1809[69]). Reichardt erbaute sich schauend an den großen Bauwerken von Knobelsdorff und Schlüter, da er etwas derartig glanzvoll Imposantes bis dahin nicht gesehen hatte. Trotz mächtiger

Eindrücke fand er in Berlin jedoch nicht die produktive Atmosphäre, die er unruhig für sich suchte. So erbrachten z. B. die ersten Besuche bei Karl Wilhelm Ramler (1725–1798), der ihm pathetisch Oden und Arien vortrug, nur wenig Gewinn. Dessen Dichtungen erschienen ihm als „kalt und gemacht". Auch der Antrittsbesuch bei dem „scharfsinnigen spekulativen Theoretiker" Johann Philipp Kirnberger (1721–1783), für den ihm J. A. P. Schulz ein Empfehlungsschreiben mitgegeben hatte, wirkte sich unbefriedigend aus. Der prominente Bach-Schüler bedachte nämlich Reichardts Kompositionen, z. B. eine in Danzig geschriebene Klaviersonate, lediglich mit „bitteren und hämischen Kritiken"[70]. Seit der ersten Begegnung empfand Kirnberger kühl und abweisend nur Verachtung gegenüber dem ungelehrten, die Empfindsamkeit der Sturm- und Drangperiode zu sehr hervorkehrenden Königsberger. Eine Verständigung war nahezu unmöglich, es sei denn, Reichardt hätte sich knechtisch der Zucht seiner strengen Schule unterworfen und sein „naturalistisches" Schaffen aufgegeben.

Einzig die Besuche bei Chr. Fr. Nicolai (1733–1811), in dessen Hause „meistens merkwürdige alte Musik" gespielt wurde, sowie die „liebevolle" Aufnahme bei Franz Benda in Potsdam machten ihm diese Stadt angenehm. Seine „Liebe und Achtung für die große Benda'sche Schule wurde noch verstärkt". Gefesselt wurde der Schwärmer vor allem aber auch durch die Tochter Juliane Benda, denn sie „sang mit schöner, reiner Stimme und ächt altitalienischer, ausdrucksvoller Manier". Liebesregungen wurden in Reichardt wach, die später zum Ehebund führten. So wurde dieses gastfreundliche Haus in zweifacher Hinsicht zum Ankerplatz seines Lebens, in dem er einen festen Grund gewann.

Breiteren Rückhalt und längeren Einhalt bot ihm dennoch erst die nächste Station seiner Reise, die musikliebende Stadt Leipzig. Hier beginnt sich allmählich eine Wandlung seiner Lebensauffassungen abzuzeichnen, die vor allem auf die Freundschaft zu J. A. Hiller (1728–1804) und Corona Schröter (1751–1802) zurückzuführen ist. Auch an der Pleiße führte sich Reichardt als Virtuose auf der Violine ein, indem er gleich zu Anfang seines Aufenthaltes im Schauspielhause ein erfolgreiches Konzert gab und sich außerdem als Lehrer anbot. Um sein weltmännisches Gebaren nicht nur äußerlich in zierlichen Rokoko-Gewändern zur Schau stellen zu müssen, nahm er Unterricht in der italienischen und französischen Sprache. Als Gasthörer besuchte er auch die Universität und fand dort Anschluß bei der studentischen Landsmannschaft der Cur- und Livländer[71], ohne jedoch deren Uniform zu tragen. Seine hochmütig-unerzogene Art ließ er gleich nach seinem Eintreffen zur Geltung kommen, als er wegen eines banalen Mißverständnisses und gereizt durch den ihm nicht zusagenden sächsischen Dialekt einen Kellner ohrfeigte[72].

26

Von einem ernsthaften Studium hielt ihn jedoch die faszinierende Corona Elisabeth Wilhelmina Schröter ab, die ja auch den jungen Goethe als eine vielseitig begabte Frau in ihrem Bann zu halten vermochte[73]. Sie zog all seine Aufmerksamkeit auf sich, „heiß, innig" erglühte die Liebe, denn: „Sie ward mir die Sonne, die Tag und Nacht, Freud und Leid mir bestimmte"! Flirtend verbrachte er die meisten Tage in ihrer Gartenwohnung vor der Stadt und begleitete ihren kunstvollen Gesang. Corona trieb ihn an zu einem intensiveren Üben auf der Violine, sie führte ihn ein in die Opernkunst Hasses und verlockte ihn dazu, Arien von Metastasio zu vertonen, die ihm indessen nur unvollkommen gelangen. Reichardt spielte in ihrer Gegenwart auch erstmals auf dem Klavier aus Orchesterpartituren, so daß er noch im Alter befriedigt über diese glücklichen Tage feststellen konnte: „Dieser hohe Genuß hat mich vielleicht allein zu dem Künstler gemacht, der ich geworden bin."[74] Leider war diesem schwärmerisch-überschwenglichen Liebesverhältnis nur eine kurze Dauer beschieden, denn noch vor der Abreise aus Leipzig mußte Reichardt 1772 einem Rivalen weichen.

Neben Corona Schröter nahmen sich seiner vor allem der Verleger Breitkopf, in dessen Hause er seit September 1771 stets gastfreundlich aufgenommen wurde, und Johann Adam Hiller an. Breitkopf druckte die Konzertzettel, als Reichardt erstmals in Leipzig öffentlich auftrat[75], er bot ihm auch später noch manche Unterstützung und Förderung als Verleger und Freund. Die Möglichkeit zum öffentlichen Konzertieren auf einem Podium in Leipzig am 8. September hatte ihm jedoch insbesondere Hiller eröffnet, der sich erbot, mit seinem Orchester ein Klavier- und ein Violinkonzert zu begleiten. Der Gewandhaus-Kapellmeister vermochte sehr bald den aufstrebenden Ostpreußen an sich zu ziehen, ihn mit seinen Vokalwerken zu begeistern und ihm die Theatermusik von einer neuen Sicht her nahezubringen. Dieser engen Verbundenheit wegen schrieb Reichardt 1774: „In der Schilderung und Behauptung der Charaktere übertrifft Herr Hiller, meiner Meynung nach, alle comische = Opern = Componisten aller andern Nationen."[76] So konnte damals nur ein noch unerfahrener Jüngling schreiben, der das ganze Europa nicht kannte. Von Bedeutung war aber vor allem, daß Hiller ihn anhielt: „sich ganz der Tonkunst und mehr der Composition als der praktischen Tonkunst, und ganz besonders der Singecomposition zu widmen..."[77] Ihm verdankt er zuerst die nähere Bekanntschaft mit Hasse und Händel, die ganz entscheidend auf ihn wirkte. Daß Hiller das offenbar entscheidende Wort sprach, um aus dem ziellos wandernden Instrumentalisten einen fruchtbaren Singekomponisten werden zu lassen, muß als ein besonderes, wenn auch nicht ihm allein zuzubilligendes geschichtliches Verdienst gewürdigt werden, denn Reichardt war auf Vorbilder und Ratgeber angewiesen. Symphonien und Konzerte in der Art Haydns und Vanhalls entstanden in Leipzig innerhalb weniger Wochen, die Hiller als eifriger Förderer in mehrere seiner Konzertprogramme aufnahm[78]. Anregend war in Leipzig auch das gelegentliche Zusammentreffen mit dem Hiller-Schüler Christian Gottlob Neefe (1748–1798), der damals Jura studierte bevor er in Bonn zum Hofmusikdirektor ernannt wurde. Neefe veranlaßte Reichardt zur Komposition des Singspiels *Amor's Guckkasten* (Riga 1773), die dieser jedoch nur lustlos nach mannheimer Manier ausführte, da ihn zu jener Zeit die italienischen Arien für Corona Schröter mehr beschäftigten[79]. Ein Kurzbesuch am Hofe der Herzogin Amalie von Weimar erbrachte dringend benötigte 100 Taler für die Überreichung einer in Danzig geschriebenen *B-Dur-Cembalosonate*[80] sowie die Gelegenheit, während eines Hofkonzertes als Solist aufzutreten. In dieser unverbindlichen Rolle als „auf Gelderwerb sinnender Virtuose" gefiel sich Reichardt zu dieser Zeit noch am besten. Er durfte stolz sein auf seine außergewöhnlichen Fertigkeiten als Geiger, die allgemein anerkannt wurden. Schreibt doch bereits 1773 der englische Musikhistoriker Charles Burney: „Herr Reichardt, zu Königsberg, ist ein großer Geiger und besonders stark im Phantasiren aus dem Kopfe, und in Doppelgriffen, die er sehr rein und leicht herausbringt."[81] Diese hervorragende Spieltechnik verdankte er vornehmlich der Schulung durch A. Veichtner auf Grund der Capricen von Franz Benda. Von dem virtuosen Spielvermögen zeugt am verläßlichsten eine dreisätzige *Sonata per il Violino Solo e Basso* in B-Dur, deren Schlußsatz die in Bsp. 1 wiedergegebene Probe entnommen ist[82].

Bsp. 1

Rondeau Vivace

Während der letzten, in Leipzig verbrachten Tage vollendete Reichardt das in Königsberg bereits entworfene Singspiel *Hänschen und Gretchen,* dem es nach Meinung Ch. Burneys „nicht an Genie mangelt". Das Glück war dem jungen Komponisten hold, da zur Ostermesse sein ehemaliger Klavierlehrer Hartknoch an die Pleiße gekommen war und sich erbot, diese „komische Oper" in seinen Verlag zu übernehmen[83]. Nach Beendigung des großen Buchgeschäftes hielt auch Reichardt einen Ortswechsel für nötig; er schloß sich dem heimreisenden Hartknoch sowie dem Mitauer Buchhändler Hinze an und folgte diesen nach Dresden.

Die Königsresidenz an der Elbe wurde die dritte wichtige Etappe auf Reichardts entbehrungsreichem Wege zu sich selbst. Mittellos und ohne die Aussicht auf ausreichende Einnahmen mußte er hier gar seine letzten Habseligkeiten verkaufen und sich mittels vieler kleiner Bekanntschaften, „die das Leben so leicht hinfließen lassen", durchhungern. In Dresden stand kein Verleger Breitkopf, kein Hiller für ihn ein. Sich verlassen fühlend, sandte er daher vermehrt Klagebriefe voll lebhafter Gefühlsergüsse an seine Jugendfreunde in Königsberg, ohne deren tätige Unterstützung er diese „Geniereise" wohl kaum hätte durchstehen können[84]. Gelegentliches Musizieren und stundenweises Unterrichten waren als dauerhafte Lebensbasis zu schmal. Diese drückende Notlage führte Reichardt zu tieferen Einsichten, die ihm nach rastlosem Schwanken aus der „Tändelei" zu einer stärkeren Solidität im Lebenswandel verhalfen. Am 13. Februar 1773 schrieb er mitten in dieser Krise verstrickt an Kreuzfeld in Königsberg den bedeutsamen Brief: „Ich werde mit jedem Tage mehr und mehr gewahr, wie sehr die Musik um davon zu leben, dem Eigensinne unverständiger oft geschmackloser Großen unterworfen ist; und eine Kunst von so hohem Werthe, die meine ganze Seele liebt und verehrt, demjenigen der mich bezahlt zu Gefallen, zu einem leeren Spiel des geselligen Vergnügens, sie und mich selbst zu einem Mittel des Amüsements herabzuwürdigen, wäre das nicht unverantwortlich?". Der höfische Musikbetrieb in Dresden widerte ihn offenbar um so mehr an, als ihm hier der Erfolg versagt blieb. Reichardt wollte kein serviler Musikant mehr sein, der vor den Tischen der Reichen zum Ohrenschmaus beiträgt. Noch schwankte er zwischen der Jurisprudenz und der Musik, zwischen Berlin, Paris oder Wien als Reiseziel. Alles war offen, gleichsam ungekeltert in Gärung begriffen. Die Strömungen der „empfindsamen" Epoche fluteten mächtig auf ihn ein, verwirrten zeitweise seine Gedanken im Rausche des Genie-Zeitalters, dessen Kind er war. Mehr und mehr gab er sich auch in dieser seelischen Not narkotischen Mitteln hin, wie z. B. häufigem Genuß von starkem Kaffee, wurde er doch nicht nur physisch sondern auch psychisch hart geprüft während dieser Virtuosenreise, die zeitweise eine Irrfahrt gewesen zu sein scheint.

Vor allem zwei Musiker machten auf Reichardt in Dresden einen starken Eindruck: die Bach-Schüler Gottfried August Homilius (1714 bis 1785) und Christoph Transchel (1721–1800). Homilius, den Reichardt als improvisierenden Organisten in der Frauenkirche hörte und als den „besten Kirchencomponisten" lobte[85], bewunderte vor allem dessen kräftiges Violinspiel. An hohen Festtagen ließ er den Königsberger als Solist in seinen Kirchenkonzerten auftreten. Möglicherweise erklang bei einer derartigen Gelegenheit erstmals sein „bestes *Violinconcert aus F*". „Seinen aufrichtigen Urtheilen und Fingerzeigen verdanke ich den ersten gründlichen Unterricht auf dem historisch critischen Wege, welcher für ein lebhaftes Genie auch wohl der angemessenste und wirksamste ist", so berichtet Reichardt befriedigt über diesen redlichen Musiker aus der Schule J. S. Bachs. Homilius wird ihn vermutlich verbindlicher, als dies der Eiferer Kirnberger vermochte, auf die Beachtung der Regeln des strengen Satzes und den Geist dienender Kirchenmusik hingewiesen haben, womit sich im Lehrgange Reichardts eine weitere Lücke schloß. Chr. Transchel war dagegen ein weniger profilierter, galanter Künstler, der lediglich als Klavierist und Autor von Menuetten und Polonaisen beachtenswert ist[86]. Reichardt schrieb über ihn: „Er spielt das Klavier in der Bachischen Manier, mit sehr vieler Delikatesse und Feinheit, und ist dabei einer der feinsten musikalischen Kritiker, die ich kenne. Er besitzt Theorie, praktische Kenntniß und Geschmack: Eigenschaften, die nur einen guten Kritiker machen."[87]

Wenngleich die in Dresden verbrachten Monate neben vielen leeren Stunden auch manche wertvolle Anregung geboten hatten, so war im Frühjahr 1773 dennoch abermals ein Ortswechsel für Reichardt geboten. Der dem Gelderwerb nachjagende Virtuose besaß lediglich zwei Taler. Daher riet ihm der Cellist Megelin, nach Böhmen zu wandern, um vielleicht dort einen Ausweg aus der dauernden wirtschaftlichen Notlage zu finden. Wie ein Wanderbursche machte sich Reichardt zu Fuß auf über Pirna gen Süden. Fröhlich singend kämpfte er während der Wanderung gegen den quälenden Hunger an. Was ihm musikalisch dabei einfiel, legte er in dem B-Dur-Satz einer *Violinsonate* nieder. Beim Grafen Thun in Petschen gab er ein Abendkonzert gegen sechs Dukaten Entgelt, von wo aus er dem Orte Schluckenau zustrebte, um sich bei dem dortigen Oberamtmann Schwaab für einige Monate einzuquartieren. Diese Station muß ihm wie ein rettendes Eiland erschienen sein, denn hier konnte er in Muße und geborgen an die Ausarbeitung der *Vermischten Musicalien* (Riga 1773) denken und schwärmerisch befangen Schriften von J. J. Rousseau und Tissot lesen[88]. Ein Besuch im nahen Herrnhut, wo sich seine Mutter stark hingezogen fühlte, führte ihn dem Pietismus nicht näher, denn an Kreuzfeld schreibt er 1773: „wenn alle Welt herrnhutisch würde, so würde ich es doch nicht werden, solange ich noch ohne diese Verfassung ein guter Mensch und Gott angenehm, also ein Christ sein kann". Eine siebenwöchige Badekur in Karlsbad half nicht nur seinen geschwächten Körper wieder zu stärken, sondern auch seine Börse aufzufüllen. Im Badesaal gab er für die vornehme Gesellschaft ein Subskriptionskonzert, wobei er möglicherweise die Sonaten und Konzerte uraufführte, die in Schluckenau entstanden. Zu dieser Zeit war Reichardt immer noch hauptsächlich Instrumentalkomponist, da er vornehmlich für seine eigene Virtuosentätigkeit schuf. Der „Singekomponist", der Opernroutinier und kritische Schriftsteller begann sich erst langsam zu entfalten.

Zu Pferde ging noch während des Sommers 1773 die Reise weiter nach Prag. Diese südlichste Endstation seines abenteuerlichen Unternehmens sollte zur Wendemarke in seinem Leben werden, denn sein eigentliches Ziel, die Donaumetropole Wien, gab er hier auf. Dieser Beschluß bedeutete für ihn mehr als lediglich die wetterwendische Änderung eines unverbindlichen Planes, es kommt vielmehr darin die innere Abwendung vom süddeutsch-österreichischen Geschmack zum Ausdruck. Berlin und die Berliner Schule wurde von nun an unangefochten sein eigentlicher Ankerplatz, wohin er möglicherweise nach einem kurzen Abstecher über Mannheim im Karneval 1774 bewegt zurückkehrte[89]. Reichardt wohnte in Prag bei dem Instrumentenmacher Hellwig, in dessen Hause sich oftmals Quartettgesellschaften versammelten. Er unterrichtete den Baron von Ledebur auf der Violine und schrieb einige artige, „galante Armseligkeiten". So entstanden gegen das Entgelt von 12 Dukaten *Six Concerts pour le Clavecin ou Pianoforte à l'usage de beau Sexe* (Amsterdam 1774, Hummel) für die Gräfin Wratislaw, ein *Konzert für zwei konzertante Cembali* und anderes mehr. Ein großer Wurf wollte indessen nicht gelingen. Prag vermochte Reichardt im Gegensatz zu vielen Besuchern vor und nach ihm nicht zu fesseln, diese Stadt bot ihm keinen künstlerischen Anreiz. Enttäuscht berichtete er seinen Jugendfreunden brieflich: „Gewinn für meine Kunst und Bildung habe ich damals in Prag weniger gefunden, als in irgend einer andern großen Stadt, die ich besuchte; obgleich ich einige Bekanntschaften machte, die nicht ohne Interesse waren." Eine solche sehnlichst erwartete Bekanntschaft machte Reichardt insbesondere mit Franz Dussek (1736–1799) und dessen Frau Josepha, deren Gesangskunst weit über Prag hinaus bekannt war[90]. Dussek führte den unbekannten, aber „aufmerksamen Reisenden" in die kunstliebende Gesellschaft Prags ein und erwies ihm mit dieser Hilfe den besten Dienst. Reichardt bewunderte an ihm seine „besondere, zierliche und brillante Spielart" sowie, „daß er die Bachischen Sachen sehr gut ausführet"[91]. Auch später bezeugte Dussek seine Freundschaft etwa dadurch, daß er von Reichardts *Musikalischem Kunstmagazin* Bd. II im Jahre 1791 vier Exemplare bestellte.

War der Aufenthalt in Prag für Reichardt ohne größeren Gewinn und Nachhall geblieben, so eilte er von dort 1774 um so stürmischer den Freunden und Freuden des Karnevals in Berlin entgegen. Im Festestaumel suchte er vornehmlich die von Hasse und Graun dort aufgeführten Opern zu sehen. Erstmals hatte er aber auch die Möglichkeit, das Oratorienschaffen Händels klingend kennen zu lernen. „Ganz hingerissen von der Macht und Kraft seiner Chöre" erwuchs hier seine spätere außergewöhnliche Begeisterung für diesen Komponisten. Durch Joh. Pet. Salomon vernahm Reichardt auch Solowerke für die Violine von J. S. Bach, an denen ihm insonderheit die Vielstimmigkeit gefiel. Die packenden Erlebnisse in der Oper beschleunigten die Beendigung der „ersten guten Arbeit", der großen italienischen Oper *Le feste galanti*. Diese legte er dem Hofkapellmeister Johann Friedrich Agricola (1720–1774) zur Begutachtung vor, da er mit diesem Werke zunächst sich in St. Petersburg vorstellen wollte, um daraufhin in Italien „Ruhm" zu erwerben. Agricola äußerte sich befriedigt über diesen Erstlingsversuch. Diese Zustimmung sollte sich auf die im Frühjahr 1774 noch nicht zu erwartende Berufung Reichardts auf den Hofkapellmeisterposten in Berlin günstig auswirken.

Anfang Mai kehrte Reichardt zum zweiten Male als Gast im Hause Franz Bendas in Potsdam ein. Wiederum bat er hier um Unterkunft und Logis wegen einer drückenden Schuldenlast. Außerdem suchte er aber insbesondere den persönlichen Kontakt zu dem hoch verehrten Hausherrn und zu dessen Tochter Juliane. Bendas „seelenvolles Spiel", sein bis in die Zeit Beethovens hinein vorbildlicher Adagio-Vortrag rührten sein Herz. Reichardt fühlte sich „mit der Empfindung, die er erregen wollte, ganz ausgefüllt"[92]. Aus Liebe zu Juliane überkam ihn ein Schaffensrausch, dem ein *Concerto per il Clavicembalo* (Leipzig 1777, Schwickert) in g-Moll sowie etliche *Arien* erwuchsen mit der heimlichen Hoffnung, das Herz dieser begnadeten Sängerin für immer an sich ziehen zu können. Diese glücklichen Tage in Potsdam endeten am 10. Mai. Noch nicht war es Reichardt vergönnt, als Gereifter zu rasten, stille zu stehen. Er war noch auf dem Wege, er hatte noch in voller Freiheit gewichtige Entscheidungen für sich zu treffen, wozu seine Welterfahrung noch nicht vollends ausreichte. So setzte er wandernd seine Genie-Reise fort mit dem Ziel Magdeburg.

In Magdeburg verweilte Reichardt einige Tage, um dem „gefälligen populären Komponisten" Johann Heinrich Rolle (1718–1785) seine Aufwartung zu machen, dem „das Sanfte und Zärtliche ganz vorzüglich eigen ist"[93]. Nur diese Seite an dessen Werken hat ihn offenbar angesprochen, da Reichardt die Kirchenmusik nur unter kritischen Einwänden erwähnt[94]. Der sich stets sehr aufdringlich benehmende Gast hatte insofern bei Rolle keinen Erfolg, als dieser ihm als Erster während der langen Reise „seine Arbeiten" nicht überreichte[95].

Während der zweiten Hälfte des Monats Mai erreichte Reichardt als Wanderer zwischen mehreren Welten Halberstadt. Hier fand er Aufnahme bei dem Dichter Joh. W. L. Gleim (1719–1803), aus dessen Feder er später insgesamt 12 Gedichte vertonte. Mit besonderem Eifer durchsuchte der die „Selbstbildung" ernstlich betreibende Gast die umfangreiche Bibliothek des Hausherrn, wobei er auf dessen „Lieder der Deutschen" stieß. Bezeichnend für seine mühelose, spontane Schaffensweise während dieser Sturm- und Drangjahre ist, daß Reichardt eines dieser Gedichte las, bei der Wiederholung bereits eine Melodie dazu vor sich hinsang und flugs darauf diese niederschrieb. Dieselbe „große Schnelligkeit" bewies er auch in seinem darauf folgenden Aufenthaltsorte Braunschweig. Hier kehrte er ein bei dem Professor J. A. Ebert (1723–1795), um in Eile auf Verse von Joh. Joach. Eschenburg zur jährlichen häuslichen Hochzeitsfeier eine *Kantate* zu komponieren. Reichardt scheute keine sich ihm bietende Gelegenheit, um sich zu produzieren. Noch war er nicht mehr als ein vielgewandter, gefälliger Gelegenheitskomponist, dessen Ruf sich vornehmlich auf der ungewöhnlichen Virtuosität als Geiger gründete. Bemerkenswert ist auch, daß Reichardt in Braunschweig die Möglichkeit nutzte, um mit G. E. Lessing einen Abend zu verbringen, der sich zwar für die Musik nicht aufgeschlossen zeigte, so daß diese Begegnung nur wenig fruchtete. Einen kurzen Aufenthalt gönnte sich der mit der Postkutsche weiterreisende Reichardt in Hannover. In Celle provozierte er in seiner leidenschaftlich-leichtsinnigen Art wegen der Annäherung an ein „hübsches Mädchen" einen Streit[96], bevor er Ende Juni Hamburg erreichte.

In Hamburg wurde der Plan einer Italienreise von Reichardt endgültig aufgegeben. Er fühlte sich der Berliner Schule zugehörig, die neben Franz Benda vor allem durch das „Original-Genie" Carl Philipp Emanuel Bach (1714–1788) repräsentiert wurde. Erst dessen Bekanntschaft festigte sein Verharren im norddeutschen Raum und seine innere Abkehr vom süddeutschen Gusto vollends. Besiegelt wurde diese grundsätzliche Entscheidung bereits 1775 durch die Niederschrift seines künstlerischen „Glaubensbekenntnisses", seines *Schreibens über die Berlinische Musik* (Hamburg 1775, C. E. Bohn), das eine Verherrlichung Grauns und Bachs enthält[97]. Letzterer, der Reichardt in Hamburg eine handschriftliche Klaviersonate verehrte, erschien ihm bald als „der größte Mann unter uns". Gebannt lauschte er dessen „Phantasien", wobei in ruhiger Haltung „seine ganze Seele in Arbeit" war[98]. Reichardt hörte insbesondere auf die Bach eigene „Originalität" hin, auf seinen „deutlichen und sprechenden Vortrag", seinen „bedeutenden Gesang" und sein beseeltes Spiel am Klavier. Diese bei F. Benda auf der Violine erlebten Qualitäten demonstrierte ihm nun Bach auf einem Tasteninstrument[99], so daß er nunmehr für seine beiden Hauptinstrumente die für ihn hervorragendsten Vorbilder eindruckskräftig gehört hatte. Sie führten ihn ab von der welschen „Saitentänzerey" und hin zum lieblich-singenden Spiel. Leider störte später manche Dissonanz dieses anfänglich harmonische Verhältnis zwischen Reichardt und Bach[100].

So sehr auch in Hamburg vornehmlich der Umgang mit C. Ph. E. Bach von außerordentlichem Wert für Reichardts künstlerische Orientierung gewesen ist, nicht minder bedeutungsvoll war der Kontakt mit Klopstock, M. Claudius, Ebeling, Büsch und etlichen liberal-demokratisch gesinnten Bürgern[101], die ihm ein „bloß genießendes Leben" freigebig ermöglichten. In Hamburg wurde Reichardt erstmals vertrauter mit einer freiheitlicheren Lebensweise nach englischem Muster sowie mit einem deutschen Patriotismus, wie er ihn von Königsberg und Berlin her nicht gewohnt war. Es erwachte in ihm ein neues Bild vom Staate und der menschlichen Gemeinschaft, womit der Keim für seine späteren politischen Bekundungen und Schwierigkeiten gelegt wurde. Wichtig war zudem aber auch, daß der junge Virtuose mit Kreisen und führenden Persönlichkeiten zusammentraf, die sich nicht fachlich mit der Musik beschäftigten, was ihm weder in Dresden noch in Leipzig oder Prag vergönnt gewesen war. Hier konnte er in lebhaften Diskussionen seinen geistigen Horizont beträchtlich erweitern in einer Weise, wie er es nur von Königsberg her kannte. Insbesondere Klopstock begegnete er mit derselben Ehrfurcht vor dem schöpferischen „Original=Genie" wie Bach[102]. Obwohl Reichardt als „Singecomponist" noch unbekannt und ungeübt war, kamen sich beide Männer zu beiderseitigem Nutzen bald näher. Eine Brücke scheint dabei Klopstocks Gemahlin Johanna Elisabeth von Winthem gebaut zu haben, die Reichardt die Ode *Willkommen, o silberner Mond!* von Gluck vorsang. Der nie sich zurückhaltend äußernde Königsberger war mit dieser Vertonung nicht völlig zufrieden und schrieb für Klopstocks Lebensgefährtin außer der Ode *Schönes Bild, o Lyda* eine neue Vertonung dieses Gedichts, die fortan des Dichters Lieblingsgesang wurde. „Jene Melodie ist eine meiner besten geblieben", stellte der Komponist noch 1814 befriedigt fest. Damit war die Zuneigung dieser Familie und ihres Kreises gewonnen, Klopstock ließ sich sogar in manches Streitgespräch mit dem „aufmerksamen Reisenden" ein. Da des Dichters Musikästhetik sehr durch Joh. G. Sulzer beeinflußt, seine Musikalität indessen nicht hinreichend ausgebildet war, ergaben sich Reibungsflächen in großer Zahl. Reichardt zog es daher vor, Fachprobleme mehr mit M. Claudius zu erörtern[103], dessen „Musikheilige" Bach und Händel waren und der auch oft mit ihm zusammen sang.

Die abwechslungsreichen Wochen in Hamburg zählten zu den glücklichsten und fruchtbarsten, die Reichardt während seiner langen Reise erleben durfte. Doch auch diese endeten allzubald im Herbst 1774, denn trotz aller guten Beziehungen zu Künstlern, Wissenschaftern und Kaufleuten blieb seine wirtschaftliche Lage schlecht. In Lübeck angekommen, verwarf er den seit den Tagen in Berlin gehegten Plan einer Seereise nach St. Petersburg. Im „Wilden Mann" traf er mit C. Fr. Cramer zusammen, der sich ihm unangenehm vorstellte. Im Reisewagen fuhr Reichardt an der Ostseeküste entlang bis Stettin, wo er abermals gezwungen wurde, zu Fuß weiter zu wandern und in Scheunen zu übernachten, um sich auf diese billige Weise über Marienwerder und Mewe bis Danzig durchzuschlagen. Hier war es wie in früheren Jahren die „ganz in Musik lebende Familie Eichstädt", die den verarmten und ermatteten Künstler zur Einkehr in ihr Haus einlud. Beim Durchblättern der Hausbibliothek fand er Herders Schrift „Von deutscher Art und Kunst". Diese umwälzende, neue Wege weisende Abhandlung geriet Reichardt in einem entscheidenden Augenblick der Ratlosigkeit und Niedergeschlagenheit in die Hände; sie machte auf seine innere „Ausbildung gewissermaßen eine bestimmende Epoche". Deutlicher denn je zuvor begann er „die Irrwege seiner Kunst zu ahnen", mehr und mehr rückten die Volksmusik einerseits und die Kirchenmusik andererseits wie zwei „Angeln" (Goethe) in seinen Gesichtskreis[104]. Aus dem tändelnd-unterhaltenden Musikanten mit „langem, dicken Zopfhaar" wollte und sollte ein verantwortungsbewußterer, gediegenerer Musicus werden, nachdem eine kurze Schmerzenszeit und eine heftige innere Krisis durchgestanden war.

Im September 1774 sah Reichardt nach einer dreijährigen, erlebnisreichen Wanderung seine Heimatstadt Königsberg wieder. Aus Hamanns Feder besitzen wir über die Ankunft des physisch gebrochenen Jünglings einen authentischen Bericht; dieser schrieb am 23. September an Hartknoch: Reichardt sei wieder heimgekehrt, „aber sogl. auf das Land gegangen seine jüngste Schwester zu besuchen ... Seine Absicht ist nach einigen Monathen erst zu seiner Bestimmung nach Petersburg abzugehen. Aber, wie ich gestern gehört, liegt er an einem Fieber gefährlich krank. Seine Bestimmung geht auf kein Instrument, sondern bloß auf die Composition"[105]. Nochmals hoffte demnach Reichardt seine wirtschaftlich ruinöse Reise bis nach St. Petersburg fortsetzen zu können, um das Glück in der Ferne zu suchen. Das schwere Fieber fesselte ihn aber für drei Wochen ans Bett. Eltern und Freunde redeten auf den Enttäuschten ein, statt einer unsicheren Zukunft im Ausland nachzujagen, ein bescheideneres Wohl in der Vaterstadt bürgerlich-redlich anzustreben. Dieses Drängen verfehlte angesichts der ausweglosen Lage die beabsichtigte Wirkung nicht. Reichardt gab etliche Illusionen auf, seine Laufbahn als Klavier- und Violinvirtuose kam plötzlich zum Stillstand, die Niederschrift von Instrumentalwerken wurde immer schleppender, nachdem für den Eigenbedarf 9 Klavierkonzerte, 2 Violin- und einige Doppelkonzerte sowie Kammermusik entstanden waren[106]. Dennoch trat nun nicht eine Periode der Resignation und Leere ein. Reichardt nutzte vielmehr die vom geschwächten Körper geforderte Ruhepause zur

„Selbstbildung". Lavaters „Physiognomische Fragmente", Goethes „Werther" las er neben Schriften von Hamann, Kant u. a. in literarischen Abendgesellschaften. Der Kreis um Kreuzfeld nahm ihn wieder auf. Kant begrüßte ihn mit um so größerem Wohlwollen, als ihn die aufdämmernde Bereitschaft für einen bürgerlichen Lebenswandel mit Genugtuung erfüllte. Wieder diente ihm die Erteilung von Musikunterricht dazu, die finanziellen Bedrängnisse zu mildern; Freunde und Gönner bemühten sich außerdem, ihn in Königsberg mit einer wohlhabenden Ehepartnerin und einer einträglichen Beamtung im Stadtmagistrat zu versorgen und dort ansässig zu machen. Durch den im Hause des Oberhofmarschalls von der Gröben während des Winters 1774/75 verabreichten Violinunterricht ergab sich indessen die augenblicklich verlockendere Möglichkeit, in dessen Departement als Beamter einzutreten. Reichardt nahm dieses Angebot an und rückte auf zum preußischen extraordinären Kammersekretär. Die rauschhaften Anflüge der Sturm- und Drangperiode zerstoben, die letzte Phase einer bewegten Jugendzeit brach an. Reichardt zog sich im Frühjahr 1775 aus der Heimatstadt zurück aufs Land. Auf dem Domänenamte Ragnit in Litauen wandte er nun seine bescheidenen Kenntnisse aus der Zeit des abgebrochenen Jura-Studiums nutzbar an[107]. Er genoß das freie Landleben in vollen Zügen, tummelte sich gern auf Pferden und schien nach etlichen Umwegen in ruhigere Lebensbahnen einmünden zu wollen. Reichardt veröffentlichte den ersten Teil der an seine Königsberger Jugendfreunde und Lehrer Schervansky, Bock, Kreuzfeld, Hartknoch, Richter und Veichtner gerichteten *Briefe eines aufmerksamen Reisenden*[108], die angesehene Kantersche Zeitung brachte auch erstmals zwei Musikbeilagen aus seiner Feder. Die besorgten Beobachter konnten somit eine längere Periode der Läuterung und inneren Reifung erwarten, jedoch bereits im August 1775 brachte eine Visite des Geheimen Finanzrats Tarrach aus Berlin eine unerwartete Wendung im Leben des jungen Verwaltungsbeamten. Am 2. Dezember 1774 war nämlich der Hofkapellmeister Friedrichs des Großen J. G. Agricola als ein „trockener Nachfolger" von Hasse und Graun gestorben[109]. Dieses begehrte Amt war seither verwaist. Nachdem Reichardt dies durch den hohen Besuch aus Berlin erfahren hatte, eilte er zu Pferde nach Königsberg, ließ forsch handelnd sein Amt und seine noch jungen Vorsätze im Stich und erwog eine sofortige Bewerbung um die Nachfolge als Hofkapellmeister, wozu er jedoch sowohl den Rat als auch die Unterstützung Franz Bendas in Potsdam benötigte. Dieser galt es sich eiligst zu versichern, um der künstlerisch unbefriedigenden Abgeschiedenheit auf dem litauischen Lande zu entgehen.

Der letzte Kapellmeister Friedrichs des Großen
1776–1786

Bei der Bewerbung um die seit Dezember 1774 vakante Kapellmeisterstelle an der italienischen Hofoper in Berlin waren zu Lebzeiten König Friedrichs II. vor allem zwei Bedingungen unabänderlich zu berücksichtigen: 1. die Bereitschaft, eigenes Streben nach Originalität in den Hintergrund zu drängen zugunsten der „Nachahmung von Graun und Hasse" und 2. die Bescheidung mit einem relativ niedrigen Gehalt[110]. Da diesen beiden Voraussetzungen jedoch die Hauptbewerber um die Nachfolge Agricolas, nämlich Naumann aus Dresden und Schwanenberg aus Braunschweig, nicht zur allerhöchsten Zufriedenheit genügen wollten, hatte der erst 23jährige Außenseiter Reichardt das seltene Glück, sprunghaft in eines der begehrtesten Ämter aufsteigen zu können. Schon der Knabe hatte sich ja nur nach glänzenden Rollen und Stellungen gesehnt. In Berlin, der „blühenden Residenz der Tonkunst" und Hochburg des Rationalismus, wurde ihm nun dieses Sprungbrett für all seine ehrgeizigen und selbstbewußten Fernziele geboten. Reichardt gab freudig seinen kleinen bürgerlichen Beruf in Ragnit auf und folgte seiner wahren inneren Berufung. Da er ein Universitätsstudium nachweisen konnte und zudem Geiger war, konnte er, wie es seit 1619 in Berlin üblich gewesen war, mit dieser Vorbildung zum Kapellmeister berufen werden. Der väterliche Freund Franz Benda riet ihm daher zuversichtlich, die „Graunisch und Hassisch" genügend geprägte Oper *Le feste galanti* direkt an den gestrengen König zu senden, was Reichardt sogleich mit dem knappen Begleitschreiben unternahm:

Sire!
Eurer Königl. Majestät wage ich eine Oper zu überreichen, bei deren Bearbeitung mir Hasse und Graun Muster gewesen. Ein hoher Kennerblick wird entscheiden, ob der Componist derselben es verdient, die ehrenvolle Stelle eines Graun's zu bekleiden. In tiefster Ehrfurcht ...
Königsberg, den 26. Sept. 1775
J. F. Reichardt.

Der König beantwortete diese Bewerbung mit dem Kabinettsschreiben:

Seine Königl. Majestät von Preußen etc., unser Allergnädigster Herr, wollen dem Musico Reichardt zu Königsberg in Preußen, auf dessen eingesandte Oper hiermit zur vorläufigen Antwort nicht vorhalten, daß Höchstdieselbe solche vorhero probiren lassen wollen, um zu beurtheilen, ob und in wie weit

solche denen Arbeiten eines Graun's und Hasse's zur Seite gestellt zu werden verdiene.
Potsdam, den 20. October 1775

Friedrich.

Unpäßlichkeiten hinderten den Monarchen jedoch daran, unverzüglich Teile der Oper zur Kenntnis zu nehmen. Friedrich II. ließ sich einige Arien von dem Kastraten Poli zu seiner Zufriedenheit vorsingen und bewilligte Anfang Dezember ein Gehalt von 1200 Talern. Hochbeglückt über die erfolgreiche Bewerbung verließ Reichardt nach Eintreffen der Mitteilung darüber sofort seine Heimatstadt und traf am Christabend 1775 begleitet von einem seiner Freunde in Berlin ein. Am 25. Dezember erreichte er Potsdam. Auch seine Landsleute waren nun mit dieser überraschend ehrenvollen Wendung im Leben des jungen und unsteten „Virtuosen" zufrieden. Hamann z. B. schrieb am 28. Januar 1776 an Herder: Reichardt „hat die Gnade unserm Landesvater zu gefallen und den Beruff bekommen, seine Ohren zu kitzeln; welches vielleicht ein gutes Omen für die Landskinder werden kann"[111].

Kurz nach Neujahr 1776 stand Reichardt erstmals zur Vorstellung in der Potsdamer Residenz vor seinem schwer umgänglichen königlichen Herrn in Gegenwart Bendas. Er trat dort wie immer in seiner „jugendlichen, etwas frechen Art" auf. Der König lag, umgeben von laut bellenden Hunden, auf einem Sofa und redete den Debütanten in unvollkommenem Deutsch an. Er machte ihm klar, daß er als Souverän eigenwillig starr weiterhin die Lieblingskomponisten seiner Jugend bevorzuge und eine starke Abneigung gegenüber den zeitgenössischen Italienern hege. Deswegen nahm Friedrich II. auch mit Genugtuung zur Kenntnis, daß sein junger Kapellmeister bis dahin noch keine Reise über die Alpen unternommen hatte. Der Monarch wollte in seiner Metropole eine letzte Pflegestätte für den älteren italienischen Stil aus der Zeit um 1750 künstlich am Leben erhalten, weswegen er auch dem Neuling vorschlug, sich „Ricardetto oder Ricciardini" zu nennen[112], was dieser jedoch mit der patriotisch betonten Antwort ablehnte: „Ew. Majestät! ich bin stolz darauf ein Preuße zu seyn, und möchte meinen deutschen Nahmen nicht gerne italiänisieren."[113] Reichardt trat nach Beendigung des Karnevals seinen Dienst als Kapellmeister der italienischen Hofoper unter der Oberaufsicht des Barons von Arnim an, den Karl Friedrich Fasch (1736 bis 1800) interimistisch nach Agricolas Tod versehen hatte[114]. Reichardt rückte damit gleichsam in den musizierenden Stab seines Königs auf; er sollte fortan seine „Musikanten" befehligen. Eine der ersten militärisch strengen Anweisungen an ihn lautete: „exercier er die alten Musikanten recht tüchtig." Die frohgemute Aufnahme der Reichardt anfänglich reich erscheinenden Tätigkeit an diesem mächtigen Königshofe wurde von auswärtigen Gönnern mit vielen guten Wünschen und Hoffnungen begleitet. So schrieb z. B. Chr. D. F. Schubart 1776: „Berlin lebt jezt durch seinen Kapellmeister Richardt (sic), der so glücklich Grauns Pfad, und zugleich den Mittelweg zwischen steifer, todthalber theoretischer Gravität und zwischen dem Harlekinsgenius der neuesten Zeit auffand, auch wieder ein neues musikalisches Leben ... Kurz, meine Prophezeyung wird eintreffen, und die gewünschte heilsame musikalische Revolution in Berlin gewis erfolgen."[115]

Das indessen nur wenige Wochen dauernde hoffnungsfreudige Beginnen versandete sehr bald in unfruchtbarer Untätigkeit und Resignation, denn bereits nach kurzer Zeit richtete sich gegen den jungen und forschen Kapellmeister eine einflußreiche Front von Neidern und Feinden auf. Obgleich Reichardt in seinem *Schreiben über die Berlinische Musik* diese als die „wahre, edle, die unübertreffliche und unsterbliche" ungebührlich hoch eingeschätzt hatte, war es einer ihrer Wortführer, der seine Berufung und Tätigkeit von Anfang an scharf bekämpfte: Johann Philipp Kirnberger. Dieser vertrat in Berlin neben der Vorliebe für italienische Opernmelodien und französische Galanterie die strenge deutsche Tradition im kontrapunktisch durchwirkten Satz, er verteidigte reaktionär das hochbarocke Erbe gegen Rokoko und Sturm und Drang. Reichardt anerkannte Kirnbergers „tiefe Theorie", sein Wissen und seine Verstandesklarheit[116], dennoch fand er mit diesen auch gedruckten achtungsvollen Äußerungen keine Gegenliebe. Kirnberger war die simple homophone Satzweise des Kapellmeisters verhaßt, er versuchte vor allem mit Unterstützung durch die Prinzessin Amalie den erhabenen, rationalistischen „alten Stil" gegen die naturhafte Simplizität der jüngeren Generation zu behaupten. Kirnberger beschimpfte Reichardt als einen Exponenten dieser neueren Strömungen heftigst; er bezeichnete ihn als „elenden Sünder", „Ertzbetrüger", ja sogar als „gewesenen Landstreicher, den Gott im Zorn zum Kapellmeister uns gegeben; er ist ein Schandfleck für das ehemalige berühmte musikalische Berlin bis in undenkliche Zeiten"[117]. Eine Möglichkeit der Verständigung zwischen diesen beiden Kontrahenten war insbesondere deswegen nicht gegeben, weil Reichardt einem Brief Kirnbergers an Forkel vom 13. Juni 1779 zufolge „im Grunde nichts mehr weiß, als nur viel zu reden und dumm von der Musik zu raisonniren, aber mit Noten schlechter als der ärgste Dorfmusikant umzugehen weiß"[118]. Reichardt war für ihn lediglich ein „Ignorant", „eine Schande für die Wissenschaft", der mangels einer gediegenen Ausbildung des Erbes von Graun und C. Ph. E. Bach nicht würdig war. Kirnberger mußte daher in ihm trotz aller Bekenntnisse für die „berlinischen Tonkünstler" den Totengräber seiner altehrwürdigen Kunstideale fürchten, weswegen er auch mit allen Kräften den jungen Kapellmeister in seiner Aktivität zu hemmen suchte. Die „Ungelahrtheit" mußte Reichardt zwangsläufig an einem Orte zum Verhängnis werden, wo das Regiment nüchterner Theoretiker wie Marpurg, Nichelmann, Kirnberger, Agricola, Quantz u. a. übermächtig war.

Hemmnisse erwuchsen Reichardt auch bald während seiner Tätigkeit im Theater. Zu forsch hatte er den königlichen Befehl befolgt, das überalterte Orchester „tüchtig zu exerziren", so daß die Musiker passiven Widerstand leisteten. Diese spielten damals zwar akkurat, einheitlich, die Präzision allein genügte Reichardt jedoch nicht. Er wollte zudem als kühner und zielstrebiger Neuerer die in Dresden gehörte Orchesterdynamik, feinere Schattierungen der Stärkegrade, crescendo und diminuendo seinen „Musikanten" einüben, damit vor allem „Berlinische Stücke auch berlinisch vorgetragen werden" konnten[119]. Dieses neue Klangideal gefiel aber weder den Orchesterspielern noch dem königlichen Herrn, so daß er sich zunächst nicht durchzusetzen vermochte. Auch auf der Bühne wollte der stürmische Kapellmeister mit feurigem Kunsteifer manch zopfige Manier beseitigen, was ihm zusätzliche erhebliche Schwierigkeiten bereitete. So ließ er z. B. Frauenrollen nicht mehr wie üblich von „feinen Kastratstimmen" singen und versuchte die künstlerischen Forderungen des Komponisten und Kapellmeisters der Selbstgefälligkeit der Primadonnen überzuordnen. Diese übereilten Reformen machten ihm insbesondere die seit 1771 in Berlin auftretende Sängerin Gertrud Elisabeth Mara-Schmeling (1749–1833) zur gefährlichen Widersacherin[120]. Bereits die ersten gemeinsamen Proben führten zum Zerwürfnis. Reichardt sollte mit Bravour-Arien der stolzen Sängerin dienen; in ihrer Macht war es gelegen, ob der unbekannte junge Reichardt in Berlin sich erfolgreich einführen würde oder aber von vornherein scheitern mußte. Wie sehr die begabte Primadonna auf die letztere Möglichkeit hinwirkte, belegt ein Abschnitt aus ihrer Autobiographie, in dem sie schreibt: „Des Königs Erlaubniß gemäß hatte ich ein paar Arien, worin ich meine Fähigkeiten zeigen konnte, ausgesucht; als ich dieselben aber zur ersten Probe brachte, so widersetzte sich Reichardt sehr heftig (denn er war ein aufgeblasener Egoist). Mara mischte sich in unsern Streit, und da mich meine Cameraden schon immer wegen dem Vorzug, eigene Arien einlegen zu können, beneidet hatten, so freuten sie sich heimlich, daß dieses nun ein Ende haben würde, und ermangelten nicht, durch ihre Anmerkungen die Sache zu verschlimmern, und den Director aufzuhetzen, Mara wurde wieder arretirt als ein Störer der Königl. Probe, zwar nur auf einige Tage, ich glaube auch nicht, daß man dem König gesagt hat, worüber eigentlich der Streit entstanden war. Ich mußte mich also bequemen, des Herrn Reichardts Arien zu singen. Er gewann aber nichts dabey, denn ich sang sie Note für Note, aber so steif als sie geschrieben waren, und als ich zur Cadenz der Bravour-Arie kam, so hielt ich den Ton sehr lange aus, spannte dadurch die Erwartung des Publicum und fing endlich an, 8 Tacte vom Thema der Arie (welches in Halbschlägen bestand und keineswegs geeignet war, eine geschmackvolle, angenehme Phantasie vorzustellen; man sagte, er hätte es von einer alten Sinfonia genommen) zu singen, und endigte es mit einem langen Triller. Reichardt, welcher den $^6/_4$-Accord angeschlagen hatte, konnte denselben nicht auflösen, denn ihm fielen die Hände herunter. Als der Act aus war, lief er wie ein besessener oder verrückter Mensch heraus, der Concertmeister Benda ihm nach, um ihn zu besänftigen, er unterbrach ihn aber: ‚Haben Sie es denn nicht gehört? sie hat mich ja vor dem ganzen Publicum lächerlich gemacht‘“.[121] Derartige „kleine Bosheiten" wiederholte die Sängerin mehrmals. Über Reichardts Debut im Theater berichtet Frau Mara-Schmeling sodann, daß seine Operndarbietung „nicht gefiel, denn wenn die erste Sängerin die Oper nicht hebt, so ist alles verloren. Ich rathe auch einem jeden Capellmeister, es nicht mit der Primadonna zu verderben, besonders wenn dieselbe eine musikalische Unabhängigkeit besitzt". Der auf diese unwürdige Weise um das Prestige ausgefochtene heftige Streit schwelte bis zur Karnevalssession 1777/78. Er wurde seitens der eitlen Sängerin in Freundschaft beigelegt, „denn er [Reichardt] war ein geistreicher, angenehmer Gesellschafter"[122]. Der brüskierte Kapellmeister seinerseits war ebenfalls an einem guten Einvernehmen lebhaft interessiert, denn noch in späteren Jahren war er entzückt und gebannt von dieser „herrlichen Sängerin", die „den Ton einer Stainer Violine" hatte, schön vermischt mit dem „Ton einer Cremoneser"[123].

Die widrigsten Hemmungen gingen bis 1786 in Berlin gegen die jugendliche Aktivität Reichardts von Friedrich II. aus. Dessen absolutistisches Regiment über alle Lebensgebiete seiner Untertanen hatte zwar politisch und wirtschaftlich dem preußischen Staat manchen Nutzen gebracht[124], das Musikleben indessen stagnierte zumindest während der letzten Jahre seiner Regierung bis zur völligen Verödung. Des Königs Devise war: „so soll es nun damit bleiben", d. h. nur das musikalisch Altbekannte und ihm Vertraute ließ er in seiner Umgebung zu. Jede Reform, Wiederbelebung oder gar Neuorientierung, wie sie einem jungen ideenreichen Hofkapellmeister am Herzen liegen mußte, wurde im Ansatz bereits unterbunden. Des Monarchen Kunstanschauung war unabänderbar gefestigt, die ihm dienenden Künstler hatten sich danach zu richten. Die anfänglich servile Anschmiegung Reichardts an den Geschmack des Monarchen und den französischen Hofstil konnte aber nur eine kurzzeitig wirksame Täuschung über dessen wahre Kunstabsichten bewirken. Friedrich II. erwartete von den „Künsten und Wissenschaften nur Erholungsgenuß nach Regierungsgeschäften und Heldenarbeit"[125]. Diesen zum Ausgleich notwendigen Genuß bereitete er sich z. T. selbst als komponierender und spielender Flötist, z. T. ließ er sich diesen durch eine befriedigend musizierende Dienerschaft darreichen. Reichardt, der sich das seltene Vorrecht erwirkt hatte, den Kammerkonzerten in Potsdam beiwohnen zu dürfen, lobt insbesondere das Adagiospiel des Königs als „vollkommen gut ... mit sehr vieler Empfindung und starkem Ausdrucke"[126]. Dabei „machte er sich aus dem Urtheil der Menge nichts"[127], er spielte und komponierte als routinierter Musikliebhaber seine Lieblingsstücke im Rahmen eines engen Schematismus nach einer „eigenen Königlichen Art". Diese im Laufe der langen Regentschaft gleichbleibende Eigenart mußte von den Untergebenen respektiert werden. Schmähte doch der Monarch vorurteilsvoll alle Musikwerke, die nicht den Kompositionen Hasses und Grauns ähnlich waren, als „musique de cabaret". Er bestimmte in Konzerten und Opernaufführungen laut vernehmlich die Wahl der Tempi, er bevormundete die Komponisten seines Hofes bei der Findung und Ausarbeitung der Werkthemen, er verbot den Gebrauch von Moll-Tonarten oder die Abänderung der traditionellen Arien-Typen, seiner Billigung unterlag auch die Besetzung der Opernpartien oder die Ausführung von Orchester-Ritornellen. Nichts war seinem despotischen Zugriff entziehbar, Widersetzungen wurden hart bestraft. Der aufwendige Betrieb der italienischen Hofoper wurde fast ausschließlich für die persönlichen Unterhaltungsbedürfnisse Friedrichs II. eingerichtet und am Leben erhalten, woran der gestrenge Herrscher keinerlei negative Kritik duldete.

Die berliner Theaterverhältnisse unterschieden sich von denen mancher anderer Städte nachteilig für die Mitwirkenden vor allem dadurch, daß hier ein breiter musikbegeisterter Adel fehlte und das Bürgertum an diesem fremdartigen Bühnenspiel kaum Anteil nahm. Das Parterre der Oper blieb daher oft leer. „Laute Äußerungen des Beifalls" waren kaum zu vernehmen, so daß Reichardt 1776 in der preußischen Hauptstadt keine sonderlich produktive, zum Schaffen aneifernde Atmosphäre antraf. Er mußte daher viel Mühe darauf verwenden, wenigstens die engere Mitwelt für sich zu gewinnen. Da es zu dieser Zeit noch allerorten üblich war, daß der Hofkapellmeister den Musikbedarf des Tages und insbesondere den der Karnevalszeit mit eigenen Werken deckte, hatte der junge schreibfreudige Königsberger die selbstverständliche Hoffnung, nun viel beschäftigt zu werden und aus der Fülle des Herzens und Empfindens heraus schaffen zu können. Diese hohe Erwartung wurde indessen nicht erfüllt, zumal er die von seinem Brotherrn hochgeschätzte Flötenmusik nicht liebte. Der senile König gestattete ihm lediglich, alte bekannte Opern neu vorzuführen mit nachkomponierten Arien „für neue Sänger", da es nicht gelang, durch schroffe Urteile und barsche Befehle den jungen Kapellmeister zur völligen Botmäßigkeit in Geschmacksfragen zu bewegen. Reichardt „flickte und verstümmelte", durfte indessen offiziell kein gänzlich eigenes großes Werk zur Vorstellung bringen. Er war zum Handlanger im „italienischen Opernflickwerk für das Carneval" herabgesunken, sein feuriges, schöpferisches Beginnen wurde unterdrückt. So konnte sein Hauptgegner Kirnberger am 26. Oktober 1779 an Forkel befriedigt schreiben: „Reichardt hat seine Rolle hier ausgespielt. I. Maj. wollen von seiner Composition nichts hören. Für kommenden Carnevall sind vom Graun die Rodelinde und vom Hasse die Ditone abandonnate aufzuführen befohlen. Reichardt ließ anfragen, ob er nichts ändern oder einrücken sollte, erhielt aber Befehl, gar keinen Antheil daran zu nehmen, sondern beide Opern sollten buchstäblich wie sie beide Componisten gesetzt, aufgeführt werden."[128] Als Reichardt am 7. Oktober 1782 seinen König um die Erlaubnis bat, die Oper „Sylla" für den Karneval zu komponieren, machte Friedrich II. die ungnädige Randbemerkung: „Er soll keine Oper komponieren, denn das versteht er nicht oder macht er nicht recht." Reichardts Werke waren dem König nicht „angenehm" genug, starke Erschütterungen durch Musik, „sprechende Melodie" und die Vorliebe für den „Parlantestil" fanden keine Resonanz bei Hofe.

Im Einstandsjahr 1776 bot sich für Reichardt lediglich eine Gelegenheit, vor der Öffentlichkeit mit einem eigenen Werk aufzutreten. Es war ein *Prolog auf die Verlobungsfeier des Großfürsten Paul Petrowitsch aus Rußland* mit einer württembergischen Prinzessin, die im Juli jenes Jahres in Berlin prunkvoll gefeiert wurde. Der Arbeitsauftrag dazu wurde im Januar vergeben. Den Text entwarf der König in französischer Sprache, die Ausarbeitung in der italienischen Endfassung besorgte der Hofpoet Abbate Antonio Landi. Diesen mußte Reichardt als gehorsamer Diener in Potsdam vorlegen und sich den Kompositionsplan diktieren lassen. Der Monarch stimmte gar die von ihm gewünschten Themen „mit hohler Stimme" an und überwachte die Ausführung. Ein von Reichardt vorgesehenes Orchestercrescendo mißbilligte Friedrich II. als „ganz curiosen Feuerlärm". Dennoch fand die gesamte, in Sanssouci entstandene Komposition ebenso seine Zustimmung wie eine Einlegearie in die Oper „Angelica und Medoro" von Graun, die am 24. Juli 1776 zu Ehren des russischen Staatsgastes gegeben wurde[129]. Am darauf folgenden Tage fand im Opernhause eine Redoute statt, am 26. d. M. wurde „La Ritorna di Londra" gegeben, während am 30. Juli im Schloß ein glanzvolles Hofkonzert zu Gehör gebracht wurde[130]. Beschäftigungsreiche Tage wie diese blieben aber für Reichardt bis 1786 in Berlin

Lied eines Mädchens

Klagend

Schon im Lenz von sech-zehn Jah-ren sah ich dich und lieb-te dich! ach was wir da glück-lich wa-ren, wie der Tag uns da ent - wich! doch ver - schwun-den ach! ver-schwun - den ist dies all - zu kur - ze Glück! Und in je - ne Won - ne-stun-den denk ich kum-mer-voll zu - rück.

seltene Höhepunkte. Wenn er sich unter diesen hemmenden Umständen als leidenschaftlicher Künstler sein schöpferisches Vermögen und die Verehrung der „Werke der besten berlinischen Componisten, die den wahren, edlen Endzweck der Musik erfüllen"[131], bewahren wollte, dann mußte er sich außerhalb des stagnierenden Hofes ein weiteres Tätigkeitsfeld suchen.

Reichardt konnte sich über die Dürre des letzten Regierungsjahrzehnts Friedrichs II. nur dadurch unbeschadet hinwegretten, daß er Kontakt fand zum Bürgertum Berlins, zur Vorklassik Gesamtdeutschlands und zu bedeutenden Dichtern und Denkern. Die Basis dazu gewann er vor allem mit der Begründung eines eigenen Hausstandes im Jahre 1777[132]. Er heiratete die außergewöhnlich musikbegabte Tochter seines väterlichen Freundes Franz Benda namens Juliane, die ihm die drei Kinder Luise, Wilhelm und Juliane schenkte[133]. Diese die Einbildungskraft beflügelnde Frau war nicht nur eine „vorzügliche" Sängerin und Klavieristin, die „mit einer Fertigkeit und Sicherheit spielte, die bey dem Frauenzimmer sehr selten angetroffen wird, und dabey mit vieler Nettigkeit und vielem Ausdruck", sondern zudem auch eine beachtliche Komponistin, die Werke „voll Erfindung und warmen Ausdruck" schuf[134]. Öfters trat sie in Berlin in Liebhaberkonzerten im Corsicaschen Hause auf und sang „mit vielem Ausdruck, in der edlen und rührenden Manier ihres Vaters"[135]. Seit 1775 hatte Juliane im Göttinger Musenalmanach, im Vossischen Musenalmanach sowie in selbständigen Sammlungen reizvoll-schlichte „Lieder und Clavier-Sonaten" veröffentlicht, die als gediegene Hausmusik der frühen Goethe-Zeit in viele norddeutsche Bürgerfamilien aufgenommen wurden (Bsp. 2)[136]. Die bedauerlicherweise nur kurze Ehe wurde überaus glücklich. Dank Julianes Einfluß wurde in dieser Zeit Reichardt noch mehr als bisher zum einfachen deutschen Lied hingeführt, womit sich ihm abseits von der unbefriedigenden Kapellmeistertätigkeit ein großes, fruchtbares Schaffensfeld eröffnete. Ihr Charme und Ansehen öffnete ihm aber zudem viele Türen von berliner Häusern, in denen er in reichem Maße „Bildung und Erholung" fand, denn Reichardt wollte kein nur dürftig gebildeter „Virtuose" bleiben, sondern allseitig orientiert zu sämtlichen geistigen Strömungen seiner Zeit einen lebendigen Kontakt gewinnen. Diesen fand er aufklärend und anregend bald im literarisch-wissenschaftlichen Leben der Stadt, was insbesondere seinen schriftstellerischen Neigungen Auftrieb gab. So wurde er z. B. durch die Vermittlung der Familie Benda „Freund des Hauses" der Dichterin Caroline Rudolphi, deren kindlich-naive und religiös-besinnlichen Gedichte er nach 1776 gern in der einfachsten Weise vertonte (Bsp. 3)[137]; als vertrauter Förderer kommt ihm gar das Verdienst zu, „sie zuerst in die große Öffentlichkeit eingeführt zu haben"[138]. Rasch fand er auch Zugang zu dem Aufklärer striktester Observanz Christoph Friedrich Nicolai[139], dessen verderbliches Eifern gegen die aufkeimende Volksliedbegeisterung er gar aktiv unterstützte

Bsp. 3

Langsam und Feierlich

Hal - le - lu - ja! brin - get Eh - re, Preis und Ruhm ihr

Ju - bel - chö - re ihr Be - se - lig - te des Herrn!

brin - get Ruhm ihr Er - den - söh - ne, sin - get eu - re

Ju - bel - tö - ne; er, der Herr, be - glückt uns gern.

durch die Lieferung von Kompositionen zum „Feynen kleynen Almanach vol schönerr echterr liblicherr Volckslieder" (Berlin 1777 und
1778)[140]. Beiträge zu Nicolai's „Allgemeiner Deutscher Bibliothek" und
die gemeinsame Mitgliedschaft bei dem 1749 von Johann Georg Schult-
heß gestifteten Montag-Club, dem auch Quantz und Sulzer angehört
hatten, vertieften die nicht beständige Freundschaft[141]. Zu bald verkehrte
sich nämlich dieses anfänglich enge Verhältnis in erbitterte Feindschaft,
denn stärker als die Beziehungen zu Aufklärern wie Th. J. Engel (1741
bis 1802), Joh. Biester (1749–1816), Markus Herz (1747-1803) oder

Moses Mendelssohn (1729–1786)[142] erwiesen sich die geistigen Bindungen an Hamann, Herder, Klopstock und Lavater, deren Ideen Reichardt auf die Dauer mehr bedeuten mußten.

Neben dieser Betriebsamkeit im geselligen Verkehr mit dem angesehenen Berliner Bürgertum, dem sich Reichardt als angehender Schriftsteller, „Anekdotenkrämer" (J. J. Engel) und unterhaltender Musiker eifrig widmete, trat sein Dienst bei Hofe völlig in den Hintergrund. So mußte er als gelegentlich nur herangezogener Lohndiener „auf Befehl Sr. Majestät des Königs eine Aria di Bravura für die Kehle der Madam Mara setzen"[143], andere Singstücke richtete er mehr oder minder geschickt für die wenigen übrigen namhaften, in Berlin verbliebenen Sänger ein. Betätigte er sich gelegentlich einmal „ohne Ordre I. Maj.", wie z. B. am 12. Januar 1780, dann erregte dies den Zorn des Königs wegen solcher „Infamie" maßlos[144]. Die veralteten Opern „Artemisia" von Hasse sowie dessen „Rodelinde", den 1752 entstandenen „Orpheo" von Graun und ähnliche Werke führte er trotz aller persönlichen Hochachtung der verstorbenen Meister lustlos vor. Mit den ihm vergönnten wenigen Gelegenheitswerken, wie etwa einer *Cantate zum Geburtstag des Königs* im Jahre 1778 leistete er gegenüber seinem Brotherrn das Notwendigste[145]. Wegen des Bayerischen Erbfolgekrieges ruhte zu Reichardts Erleichterung der Opernbetrieb vom März 1778 bis zum Dezember 1779 völlig. Etliche Mitwirkende wechselten wegen der aufgezwungenen Untätigkeit zum Doebbelin'schen Theater in die Behrensstraße über, wo nunmehr durch diesen willkommenen Zuwachs vermehrt und vollkommener Operetten aufgeführt werden konnten[146]. Selbst der Hofkapellmeister folgte diesem Abwanderungszuge, indem er auf dieser nunmehr bedeutendsten Bühne Berlins sein Melodrama *Cephalus und Procris* am 25. Februar 1779 aufführen ließ. Dadurch gewann er einen stärkeren Anschluß an das deutsche Singspiel und an Gluck, dessen Opern in der preußischen Hauptstadt erstmals auf dieser Privatbühne zur Vorstellung gebracht wurden[147]. Diese nunmehr auch für die Öffentlichkeit deutlich gewordene Abkehr wurde Reichardt dadurch sehr erleichtert, daß der König 1781 letztmals sein Opernhaus betrat. Der somit fast aller Verpflichtungen entledigte Reichardt genoß die ihm aufgezwungene Muße jetzt willig. Offenbar befriedigt von seinem Los schrieb er z. B. am 9. November 1782 an Jenny v. Voigts: „... Mein Amt läßt mir 9 volle Monath im Jahr Musse, und meine freiwilligen Kunstarbeiten geschehen immer nur in glücklichen Geistesstunden. Die meiste Zeit des Tages bring ich zu in Gesellschaft meines lieben Weibes und Mädchens, das treflich gedeiht, und eines Zöglings, eines herrlichen Jungen, sein Vater war der Sindicus Hensler in Stade [† 29. 7. 1779], sein Onkel der Doktor Hensler in Altona ist mein herzlichster Freund, an diesem lieben Jungen hab' ich ganz einen höchsterwünschten Sohn, u. bald Freund u. Gefährten, obgleich er erst 8 Jahr alt ist [gemeint ist Gustav Wilhelm, geb. 6. 11. 1774]. Einen andern großen Theil des Tages bring' ich mit Bestellung für meine auswärtigen Freunde u. Landsleute zu, ich bin ein Preusse; und den Abend gemeinhin mit Lesen."[148] Reichardt wurde häuslicher, beständiger und besonnener. Er beherzigte in diesen geruhsamen Jahren das Xenion Goethes:

> Wie fruchtbar ist der kleinste Kreis,
> Wenn man ihn wohl zu pflegen weiß.

Diese beglückende Umgebung wirkte sich vor allem in dem mehr und mehr anwachsenden Liedschaffen produktiv aus. Auch die Abklärung mancher Kunstprinzipien kam ihm während dieser Zeit zugute, als die noch aus dem Kapellmeister, dem Konzertmeister Franz Benda, 2 Sängerinnen und 6 Sängern (davon 5 Kastraten), 6 ersten Violinisten, 5 zweiten Violinen, 4 Bratschen, 6 Celli, 2 Bässen, 3 Flöten, 2 Oboen, 4 Fagotten, 2 Hörnern, 2 Klavieristen, einem Harfenisten und 24 Chorsängern bestehende „Königliche Capelle" meist unbeschäftigt auf den Beginn einer neuen Ära wartete[149].

Reichardt wartete jedoch nicht nur untätig sinnend, denn dazu war er nicht bestimmt. Er suchte nach Kräften neue, anderweitige musikalische Wirkungsstätten, die ihn aus seiner künstlerischen Notlage befreiten. Bevor er diese jedoch auswärts anging, erschloß er für seine künstlerischen Ziele die ihm am nächsten liegenden unentwickelten Möglichkeiten. So fand er aus einer leidvollen Bedrängnis zu neuen, in Berlin noch unbetretenen Ufern und Ideen, er gewann für sich und die Kunstmusik eine bisher nicht angesprochene Hörerschicht hinzu. Dem von Kirnberger an Forkel gerichteten, oben S. 43 abgedruckten Brief zufolge, dachte Reichardt erstmals 1779 daran, „Concerts spirituels" nach französischem Vorbild in Berlin einzuführen[150]. Damit erstrebte er nicht nur die Gewinnung einer privaten Darbietungsgelegenheit, sondern vor allem auch eine Verbreiterung des Musikinteresses innerhalb der Mittelschichten. Bis um 1780 waren die Liebhaber Berlins am Konzertleben der Stadt nur wenig beteiligt gewesen. Außer den Kammerkonzerten des Königs für wenige geladene Gäste gab es nur Liebhaberzusammenkünfte, die höheren Kunstzielen nicht vollends genügten. Männern wie Marpurg, Fr. Nicolai und den „ehrenwerten Herren Räten, die neben ihren Dienstgeschäften rühmliche Konzerte hielten", war es bis dahin überlassen, zu musikalischen Veranstaltungen einzuladen. Da es zudem vor 1803 in Berlin an geeigneten Konzerträumen mangelte und man sich mit Behelfssälen im Wirtshaus zur Stadt Paris[151], im Englischen Hause oder

48

im Gebäude zur Loge „Royal York" begnügen mußte, war ein allgemeiner Aufschwung nur dadurch zu erwarten, daß eine begeisterte und begeisternde Triebkraft sich rührig einschaltete. Diese Möglichkeit beflügelte Reichardt zu emsiger Aktivität. Er wollte fortan nicht mehr zur nur angenehmen Unterhaltung musizieren, sondern überdies „ein feines, geschmackvolles Auditorium" heranbilden, also organisierte er während der 6 Fastenwochen Dienstag abends von 17–20 Uhr seine geistlichen Konzerte, wozu er Mitglieder der kgl. Kapelle sowie durchreisende Virtuosen heranzog. Da die Eintrittspreise recht hoch waren, ein Einzelbillet kostete 1 Taler, konnten sich nur „bemittelte und angesehene Leute dabei einfinden, und das legte der Versammlung etwas vorzügliches bei". Der Zuspruch aus dem „vornehmsten" Bürgertum war lebhaft, zumal jeder Zuhörer ein Textbuch ausgehändigt erhielt, „damit die Aufmerksamkeit nicht auf heterogene Dinge gerichtet werde". Diese Einführungen in das Programm waren für Berlin gänzlich neu, ungewöhnlich war aber auch das Bemühen eines noblen Hofkapellmeisters, einem Abonnentenpublikum in gemeinverständlicher Sprache den Zugang zu musikalischen Kunstwerken erleichtern zu helfen. Neu war schließlich auch die Programmfolge und die strenge Gestaltung der Konzerte. Reichardt wollte seinen Hörern mittels dieser Einrichtung nicht als niederer Vergnügungsbereiter dienen, er beabsichtigte vielmehr, die Kenner und Liebhaber zu sich und seinen Kunstanschauungen heranzuziehen. Der erste Teil der „Concerts spirituels" war stets geistlichen Werken vorbehalten. Er spielte Werke zeitgenössischer und alter Meister; vornehmlich führte er jedoch sein eigenes instrumentales und vokales Schaffen vor, wobei zu bemerken ist, daß manche seiner Symphonien und Kammermusikwerke lediglich in diesen Konzerten von 1783–1784 erklangen[152]. So brachte z. B. das sechste Konzert vom 15. April 1783:

Extrait de la Passion de Metastasio, mise en Musique par J. F. Reichardt. – Simphonie de J. F. Reichardt. – Sonate pour le Violon, composé par François Benda. – Aria, composée par Piccini. – Concert pour l'Obois, joué par Mr. Ebeling. – Aria, composée par Gazaniga. – Concert pour le Violon, composé et joué par Mr. Haak. – Simphonie de J. Haydn[153].
Auf dem Programm des „Concert Spirituel" vom 25. März 1784 standen folgende Werke:
„Partie I, Carmen Saeculare d'Horace composé par Philidor. Partie I. II. & III., Monsieur Concialini chantera la Partie du Soprano, Monsieur Grassi celle du Tenor, et Monsieur Franz celle du Basse." [Darauf folgt eine Einführung in das Werk, beginnend mit dem Satz: „Die Musik kann an und für sich selbst durch eine angenehme Folge und Mischung von Tönen durch

sanfte oder lebhafte, oder vermischte und abstechende Bewegung, durch Mannigfaltigkeit der Stimmen und Instrumente sehr ergötzen ohne eben bestimmte Leidenschaften ausdrücken oder erregen zu wollen . . .", darauf folgt der Text des Werkes in Latein und Deutsch.] „Partie II. Simphonie de Dittersdorf. Scene de l'Opera Didone abandonata composée par J. F. Reichardt. chanté par Msr. Concialini [Folgt Text]. Quartetto pour le Piano Forte l'Obois et 2 Corps de Chasse par J. F. Reichardt. Aria de Majo chanté par Msr. Grassi [Folgt Text]. Concert pour le Basson composé par Msr. Eichner joué par Msr. Knoblauch. Simphonie de Vanhall."

Mit einer derartig anspruchsvollen Werkfolge eröffnete Reichardt dem Publikum Berlins neue Gehörseindrücke und unbekannte musikalische Gehalte. Die klassische Symphonie Haydns führte er wirkungsvoll ein, er warb für das Oratorienschaffen Händels und die altklassische Polyphonie Leonardo Leos sowie anderer verehrter „Musikheiliger".

Diese für Berlin nützliche Tätigkeit befriedigte Reichardts Kunstabsichten nur teilweise. Reisen in die nähere und fernere Umgebung erweiterten sein Gesichtsfeld und milderten die in Berlin zu erduldenden Belastungen. Da die Dienstverpflichtungen an der Hofoper nur wenige Wochen im Jahr beanspruchten, konnte sich Reichardt nebst seiner wachsenden Familie oft und ausgiebig an anderen Orten umsehen. Gern fuhr er nach Hamburg, wo er sich z. B. von Mai bis Juni 1777 aufhielt. M. Claudius berichtet über diesen Besuch an Hamann: „Der Kapellmeister Reichard ist seit 14 Tagen in Hamburg und bleibt noch 14 Tage da. Seine Frau ist sehr schwächlich und mit Krampf und Gicht beladen und daher etwas pipig, sonst aber ein sehr natürliches gutes Ding, das auch brav singen kann."[154] Mitte Januar 1779 weilte Reichardt in Dessau und Wörlitz. Die Fürstin von Dessau war eine besonders vertraute Gönnerin Reichardts, die ihn auch finanziell unterstützte. Sein Klavier- und Violinspiel schätzte das Fürstenpaar sehr. Reichardt wurde aber nicht deswegen und wegen der humanen, aufgeklärten Gesinnung des Regenten zu häufigen Besuchen in Dessau veranlaßt, sondern zudem auch wegen des dortigen Philanthropins. Mindestens sieben Mal war er Gast bei Hofe bevor die Freundschaft zerfiel, denn die Fürstin hatte u. a. mit dem Dichter F. Matthisson freundschaftliche Beziehungen angeknüpft, die den weiteren Umgang mit Reichardt behinderten[155]. Im August 1780 besuchte er M. Claudius in Wandsbeck[156], Herder, Goethe und andere spätere Freunde in Weimar[157]. Über den letzteren folgenreichen Antrittsbesuch im Zentrum der mitteldeutschen Klassik berichtete Caroline Herder am 20. September 1780 an Karl Ludwig v. Knebel: „Wir haben . . . auch einen Menschen kennengelernt, Capellmeister Reichart aus Berlin, eine treue, warme Seele – er liebt Klopstock u. Claudius gar innig u. componirt Klopstockoden mit großer Liebe u. Glück. Er hat zwar am Hof keinen Beifall gefunden u. ihn auch durch nichts zu erstreben gesucht, er verlangte nur nach näherer Bekanntschaft mit Goethe, die ihm aber nicht gewährt werden konnte. Wir waren zweimal mit ihm in Difurt (der Prinz war nie da) u. er hat den Geist dieses Schattenhains voll u. ganz eingesogen . . ." (Goethe-Schiller-Archiv I, b, 5/24). Auch Verwandtenbesuche hatte Reichardt in Weimar abzustatten, denn der hier seit 1768 waltende Hofkapellmeister Ernst Wilhelm Wolf (1735 bis 1792) hatte 1770 seine Schwägerin Maria Carolina aus dem Hause Benda geheiratet[158]. Er war einer der Günstlinge der Herzogin Anna Amalie, verkehrte auch im Hause Herders, konnte jedoch zu Goethe keinen Zugang finden. Reichardt hatte mit seinem Schwager erstmals 1771 auf Empfehlung des späteren gemeinsamen Schwiegervaters hin Bekanntschaft gemacht; „in kaltem, stolzen Tone" war er von diesem empfangen worden. Diese anfängliche Kühle der Begegnung erwärmte sich später nicht. Obgleich auch Wolf eine Vorliebe für das deutsche Singspiel hegte und andere künstlerische Übereinstimmungen bestanden[159], kamen sich diese beiden Musiker menschlich nicht näher. Die charakterlichen Schwächen des Schwagers, seine Eitelkeit und Arroganz, sein allzu betont „originales" Gehabe trotz nur schwachem schöpferischem Vermögen verwehrten eine Annäherung. Reichardt stand daher auch trotz der verwandtschaftlichen Bindungen nicht davon ab, seinen Schwager öffentlich zu kritisieren[160]. Mit all diesen vielfältigen auswärtigen Kontakten gewann Reichardt vor allem den Zugang zur Weimarer Klassik und damit einen notwendigen Ausweg aus dem engen Denk- und Kunstgehäuse Berlins. Schrittweise entwuchs er der rationalistischen Kunstästhetik und französischen Geistesprovinz im Umkreis Friedrichs II. Er gewann dafür eine größere Freiheit im Schaffen und Leben.

Die beachtenswerteste Reise des Jahres 1782 war die Fahrt mit der Frau und den beiden Kindern Luise und Wilhelm in die Heimatstadt Königsberg. Auf dieses Wiedersehen freute sich insbesondere Hamann[161]. Anfang Februar hatte der Hofkapellmeister Urlaub erhalten und sogleich diese recht beschwerliche Reise angetreten. Th. G. v. Hippel schreibt am 13. Februar über die erste Begegnung: „Reichardt ist hier und bleibt einige Wochen hier. Er ist bey mir gewesen und ich bey ihm. Wir haben uns gesehen, das ist alles, was ich sagen kann. Seine Frau und Kinder hat er auch mit. Wie es heißt hat er auf einige Monate Urlaub."[162] Diese überaus kühle Aufnahme wurde aber gänzlich in den Schatten gestellt durch die herzliche Begrüßung im Hause Hamanns. Hamann hatte um so mehr Grund zu einer freundschaftlichen Bewirtung, weil er der Hilfe Reichardts in seinen „häuslichen und thätigen Verhältnißen" viel verdankte. Der junge Landsmann war ja nicht nur sein „herzlich geliebter Freund", sondern auch sein „Wohltäter" und „Agent in Berlin". Seit 1776 hatte er mehrmals seinen „Eifer zu nützlichen Aufträgen" für sich genutzt; seiner Vermittlung verdankte er die Pachthofverwalterstelle und die Erfüllung etlicher anderer privater Wünsche seines „zeitlichen Glücks"[163]. Fruchtbare Gespräche wurden geführt, die in Hamann „mehr als eine Seelenwanderung" bewirkten und auch Reichardts geistige Neuorientierung im Erscheinungsjahr des ersten Bandes des „Musikalischen Kunstmagazins" wesentlich beeinflußten[164]. Der Gastgeber ließ sich von Reichardt und dessen Frau Lieder vorführen, wobei er besonders das Talent Julianes so hoch schätzen lernte, daß er am 17. November 1782 in Erinnerung an die glücklichen Stunden dem Kapellmeister schrieb: „Ein Tombeau von eines Kgl. Preuß. Capellmeisters Gemahlin oder Tochter würde mir mehr Unsterblichkeit zuziehen als das kostbarste Monument der grösten Kayserin in Europa und Asia."[165] Besuche bei der Herzogin von Kurland, der Reichardt seine *Six Sonates pour le Clavecin (ou Pianoforte)* (Berlin 1782, Hummel) widmete, bei Freunden und Gönnern, wie z. B. dem Verlagshaus Dengel, das 1783 seine *Kleinen Klavier- und Singestücke* veröffentlichte, machten den Aufenthalt in Ostpreußen recht abwechslungsreich und ersprießlich. Nach einem fröhlichen Abschiedsmahl mit Hamann trat die beglückte Familie am 17. April die Rückreise nach Berlin an[166], die man in Rheinsberg jedoch unterbrach, um den dort seit 1780 tätigen Kapellmeister des Prinzen von Preußen J. A. P. Schulz zu besuchen. Es begegneten sich außerhalb der Hauptstadt zwei Freunde und Leidensgenossen, die seit 1770 in engem Kontakt miteinander gestanden hatten. Beide waren zunächst durch eine für das Schaffen wenig förderliche „Rechtgläubigkeit an die durch die Berlinische Schule geheiligten Formen" befangen gewesen, sie gingen nun aber miteinander „auf einer Bahn mit Liebe und gegenseitigem Genuß zu gleichem Ziel"[167], das außerhalb Berlins lag. Nachdem Schulz 1776 dank der Vermittlung des Freundes zum Directeur de Musique am neugegründeten kgl. französischen Theater in Berlin ernannt worden war, das nur bis 1778 bestand, kam man sich auch räumlich näher. Da jedoch beide den Dienst bei den Hohenzollern bald als harte Fron und „saure Arbeit" empfanden und beider „musikalisches Notengekleckere" wegen der zu schlichten und volkstümlichen Schreibweise bei Hofe kein Gefallen fand, war ihr Unbehagen das gleiche. Es ist daher anzunehmen, daß sie sich gegenseitig in ihren „Meinungen in Beziehung auf die Kunst" trotz der Mißbilligung durch die widrige Umwelt bestärkten und im Einvernehmen miteinander die Bindungen an die Berliner Schule mehr und mehr lockerten zugunsten einer wirklichkeitsechteren Natürlichkeit. Diese beiden jungen Freunde waren als künstlerisch Einsame aufeinander angewiesen, ihr Schaffensziel wurde ihnen immer deutlicher in dieser Zeit der Gärung und Umschau.

Kurz nach der Heimkehr in die preußische Hauptstadt wurde die junge Familie Reichardt von einem ersten harten Schicksalsschlag getroffen. Der Sohn Wilhelm starb. Hamann tröstete die Eltern mit den sinnreichen Worten: „. . . wehrt ihnen nicht, denn solcher Kleinen ist das Himmelreich."[168] Doch Reichardt bereitete der Tod bald darauf ein noch schwereres Leid. An den Folgen der Geburt der zweiten Tochter Juliane, deren Patenschaft Hamann am 24. April 1783 angenommen hatte, starb am 9. Mai „die durch Lieder, Kompositionen und Klaviersonaten rühmlich bekannte" Mutter[169]. Reichardt war Witwer, seiner teuren Lebensgefährtin beraubt.

Ob solch schweren Mißgeschicks verzagte indessen Reichardt nicht. Auch ließ er sich seine Aufbruchstimmung nicht nehmen. Im Gegenteil, er suchte nach Ablenkung in größerer Fülle des Lebens. 1787 schrieb er rückschauend auf diese entscheidenden Jahre: „Selbstgewählte Kunstbeschäftigungen gaben mir zwar Bildung und Erholung: aber der Kunstgeist litt. Große Veranlassungen für meine Kunst wurden mir Bedürfnis."[170] Da ihm diese in Berlin oder Potsdam nicht geboten wurden, erbat er von seinem König einen längeren Urlaub für seine erste Italienreise. Dieser wurde dem kaum mehr beachteten Hofkapellmeister gnädig gewährt. Nachdem Reichardt Ende Mai seinen Freund Schulz in Rheinsberg und am 2. Juni Rust in Dessau besucht hatte, fuhr er erlebnishungrig ab gen Südwesten. In Darmstadt suchte er den allbekannten Kriegsrat Johann Heinrich Merck (1741–1791) auf, um mit diesem am 20. Juni nach Mannheim zur Versteigerung von Bildern des Malers Joseph Fratrel weiterzureisen[171]. In Heidelberg traf Reichardt gegen Monatsende sodann mit „einem seiner edelsten herzlichsten Freunde", mit Johann Kaspar Lavater (1741–1801) zusammen, mit dem er seit 1781 „in Menge" Briefe gewechselt hatte[172]. Obwohl ihm der persönliche Umgang mit dem Züricher Mystiker und Pietisten wegen dessen unangenehmer „Schweizersprache" erschwert wurde[173], verbrachten die Freunde einige Tage der Entspannung und Zwiesprache in Bad Teinach, bevor sie gemeinsam nach Zürich fuhren. Reichardt wurde stark ergriffen von dem „erklärten eifrigen Christenleben" Lavaters und von der intendierten Verinnerlichung der im 18. Jahrhundert allzu sehr veräußerlichten Religiosität. Die zu dieser Zeit viel gelesenen „Physiognomischen Fragmente" und die daraus wirkende „Macht der deutschen Sprache" begeisterten Reichardt ebenso sehr wie die besinnlich-stillen geistlichen Gedichte des Zürichers[174], die ihm zum idealen Erbauungslied wurden. 22 Gedichte Lavaters hat Reichardt zum Zwecke der „häuslichen Erbauung" insgesamt vertont (Bsp. 4)[175]. Er war Gast in des Dichters Heim, erkundete das umliegende Land nach weltlichen und geistlichen Volksgesängen und war hoch beglückt über die Fülle erhebender Eindrücke[176]. Dankbar schrieb er am 4. August aus Mailand an den verehrten Gesinnungsgenossen: „Du Lieber bleibst meinem Herzen ewig theuer, Du bist der wahrste, unverschrockenste, liebevollste Mensch, den ich kenne."

Bsp. 4

Einem Briefe an einen unbekannten Adressaten zufolge dürfte Reichardt sich am 13. Juli von Zürich aus auf den Weg nach Mailand begeben haben[177]. Das von vielen deutschen Künstlern ersehnte und aufgesuchte Kunstland Italien war bald erreicht. Reichardt betrat voll hoher Erwartungen diese Heimat des schönen Gesanges und einer heitren Natur, dieses Land der Gärten, Ruinen und vielen alten Musikhandschriften. Ähnlich wie Händel eilte er in dieses vermeintliche Ursprungsland des Musikalisch-Komischen jenseits der trennenden Alpen wegen „der großen unbeschreiblichen Aufmunterung, die ein junger genievoller Tonkünstler in Italien" findet[178]. Er hoffte noch wie 1722 Mattheson, dort „die wahrhaften fontes und ungezweifelte hohe Schulen aller Musik" zu finden. Schon in seinem „Musikalischen Kunstmagazin" von 1782

54

hatte er das bemerkenswerte Programm entworfen, daß man in Italien neben dem Wohlklang des Bel Canto insbesondere „die gründlichen und fleißigen Komponisten" alter Schule studieren müsse. Reichardt fuhr mithin nicht in den Mittelmeerraum, um dort wie Mozart die Fülle des gegenwärtigen Musiklebens begierig kennenzulernen, ihn zog vielmehr das „altertümliche" Italien an, das Italien der Renaissance. Er pries die Kunststätten Florenz, Venedig, Rom oder Neapel, weil von dort „die wahre Kunst in alle Lande ausging", aber bedauerlicherweise nicht mehr ausgeht, denn: „Das gründliche Studium der Kunst geht in Italien immer mehr verloren und es scheint den Deutschen aufbewahrt zu sein, den Italienern, deren Schüler sie bisher waren, jetzt ein Muster im Kunststudio zu werden." Somit war Reichardt einer der ersten Reisenden aus dem Norden, die den Hegemonieanspruch Italiens nicht mehr anerkennen konnten, für die die Kirchenmusik im alten Stil mehr bedeutete als die modische Opera Buffa. Insofern wurde auch Reichardts Bekenntnis zu den Stilprinzipien der Berliner Theoretiker hier besonders stark erschüttert, wo er den mächtigen Chorwerken Palestrinas und anderer alter Meister als einer der ersten historisch interessierten Sammler erstmals begegnete. Zwar konnte er als reisender Hofkapellmeister keine Sänger für die Oper in Berlin anwerben oder gar für sein eigenes Schaffen in diesem Lande Sympathien gewinnen, dennoch war die Fahrt nicht nutzlos unternommen worden. Ihn ergriff nämlich eine Wandlung, wie sie Goethe und Herder auf diesem altehrwürdigen Boden während dieser Jahre in ähnlicher Weise durchlebten. Die zur Andacht bewegende Musik erschien ihm bald gewichtiger und bedeutungsvoller zu sein als die, welche nur das Gemüt ergötzt.

Während der Rückreise von Italien nach Berlin im Spätsommer 1783 verweilte Reichardt einige Wochen in Wien. In dieser Hochburg der süddeutschen Klassik wurde er u. a. von Kaiser Josef II. empfangen, der das *Musikalische Kunstmagazin* bereits kannte und lobend erwähnte. Hier hörte er im Kleinen Redoutensaal erstmals Bläser-Serenaden und andere Werke Mozarts, ohne zwar dem Meister persönlich zu begegnen. Hier fesselte ihn aber insonderheit die Person und das Werk Ch. W. v. Glucks. In dieser machtvollen Persönlichkeit begegnete ihm faszinierend „eine ganz eigene Kunstnatur". Gluck, der ebenfalls sein *Musikalisches Kunstmagazin* gelesen hatte, wies ihm in wenigen Tagen neue Leitbilder vom Wahren und Schönen in der Musik vor, von klassizistisch-maßvoller Melodik, „edler Einfalt" und einem tragischen Vokalstil, den die Qualitäten „groß, rührend und kräftig" auszeichnen[179]. Der überragende wiener Meister fand eine derart herzliche Zuneigung zu seinem Gast aus Berlin, daß er ihm zur Erinnerung nicht nur eine Kopie seines von Duplessis gemalten Porträts dedizierte, sondern ihn überdies mit gelähmter Zunge einweihte in seine letzten, nur wenigen Kennern eröffneten, „fast ganz declamatorischen" Klopstock-Oden. Reichardt durfte eine Ode aus der „Hermannschlacht" und die Ode „An den Tod" hören, die nur dadurch für die Nachwelt erhalten blieben, daß er sich aus dem Gedächtnis Niederschriften davon machte. Seine frühe, durch Friedrich II. jedoch gedämpfte Begeisterung für das eigentümliche Schaffen Glucks wurde schier überschwenglich. Wie gebannt nahm er die neue Musiksprache auf und richtete danach sein Lied- und Opernschaffen. Emsiger denn je zuvor war er darum bemüht, die Bühnenwerke Glucks als ein „edler Kunstbruder" nach Norddeutschland und Skandinavien verbreiten zu helfen[180]. Zusammenfassend kann man mithin feststellen, daß während der ersten Italienreise die Begegnungen mit Lavater, der altklassischen a-cappella-Kunst und Gluck den gewichtigsten Ertrag bildeten.

Von Wien aus fuhr Reichardt 1783 über Weimar eiligst nach Hamburg. Der Augenzeuge Pieter Poel schreibt über den Ankömmling: „Er war in der vollen Kraft männlichen Alters, von auffallender Schönheit, dreist bis zur Unverschämtheit, anmaßend und ungründlich in seinen Urtheilen nach Art der Künstler, leichtsinnig und unzuverlässig in Geldgeschäften und schwärmerisch in seinen Meinungen; dabei aber ein liebevoller Hausvater, treu gegen seine Freunde."[181] In der geliebten Hansastadt schloß er am 14. Dezember den zweiten Ehebund mit Johanna Wilhelmina Dorothea Alberti (geb. 3. Juni 1754), die in erster Ehe seit 1772 mit dem Syndikus und Dichter Peter Wilhelm Hensler (1742–1779) verheiratet gewesen war. Diese überraschend schnell nach dem Tode Julianes gefundene schlanke und anspruchsvolle Lebensgefährtin war nach dem Urteil Goethes eine „vortreffliche Frau". Sie entstammte dem kinderreichen Hause des angesehenen freisinnigen Pastors Julius Gustav Alberti (1723–1772) und der am 24. Juli 1809 in Schmiedeberg verstorbenen Dorothea Charlotte geb. Offeney. J. H. Voß, Lessing, Klopstock und viele andere berühmte Gäste kehrten dort gern ein[182]. Eine Tochter, Johanna Luise, war mit dem Hamburger Maler Christian Friedrich Heinrich Waagen verheiratet, eine andere, Maria Amalia (genannt Malchen), verehelichte sich 1798 mit dem Dichter Johann Ludwig Tieck, eine dritte, Maria Agathe (1767–1810), war Malerin besonders von Madonnenbildnissen und wurde nach der Konversion Ordensfrau. Die Söhne Johann Gustav Wilhelm und Friedrich taten sich als hervorragende Industrielle in Schlesien hervor[183]. So war Reichardts zweite Frau Johanna trotz der 10 Geschwister und des frühen Todes ihres Vaters eine in sehr gepflegter Umwelt aufgewachsene, „durch das Glück verzogene" und an „bequeme Ruhe" gewöhnte Dame, deren Bildung und Schönheit viele Bewunderer anzog[184]. Sie brachte drei Kinder aus erster Ehe mit in das Berliner Haus Reichardts: den Stiefsohn Wilhelm (1772–1835)[185], die Stieftöchter Charlotte (1776–1858), die später in Berlin den Geheimen Postrat Karl Philipp Heinrich Pistor ehelichte, und Wilhelmine (* 1777). Da sie außerdem noch fünf Kinder gebar, hatte der an ein abwechslungsreiches Leben gewöhnte Vater und Stiefvater für 11 Kinder zu sorgen[186]. Daß er diesen Kinderreichtum begrüßte und nicht bedauerte, geht z. B. aus der Bemerkung hervor, „lebhafte Künstler" pflegten gern große Familien zu gründen[187]. In einem Brief vom 12. Juli 1783 empfiehlt er einem Bekannten Kinder als „die schönste Gottesgabe auf Erden" (Original im Schiller-Nat.-Mus. Marbach).

Das Jahr 1784 verlief für Reichardt ohne sonderlich große Ereignisse. Reichardt stillte seinen Erlebnishunger während kleinerer Reisen nach Lüneburg, wo er die biederen Eltern von J. A. P. Schulz besuchte, oder in den Harz, wo er im Sommer mit Goethe und dem Herzog von Weimar zusammentraf. Auch Matthias Claudius suchte er in Wandsbeck auf, wo er für den Herzog Friedrich Franz I. von Mecklenburg-Schwerin und dessen Gemahlin Luise Friederike (1722–1791) den 65. Psalm vertonte[188]. Dieses in Ludwigslust residierende Herrscherpaar war Reichardt wohl gewogen. Es lud den Komponisten mehrmals gastfreundlich ein und unterstützte besonders sein kirchenmusikalisches Schaffen mit echter Anteilnahme[189]. Auch wertvolle Geschenke wurden ihm hier überreicht, so erhielt Reichardt z. B. für den 65. Psalm, den Claudius offenbar unbefriedigt in Empfang nahm[190], eine goldene Dose, eine Uhr sowie 40 Louisdor. Häufig wurden seine Motetten, Kantaten und Oratorien, von denen der Hof etliche besaß, in Schloßkonzerten aufgeführt[191]. Auch als Liederkomponist wurde er sehr geschätzt. Reichardt erwies sich für diese Zuneigung dadurch als ein dankbarer Diener, daß er bedeutende Musiker, wie z. B. 1787 den Violinisten Johann Friedrich Marpurg oder 1788 den schwedischen Kammersänger Karstens, an den Schweriner Hof zur Anstellung vermittelte[192].

Nachdem Reichardt im Januar 1785 in der Hofoper Berlin pflichtgemäß aber lustlos die Oper „Orpheus" von Graun so gut als mit den verbliebenen mittelmäßigen Kräften noch möglich aufgeführt hatte, ertrug er diesen ihn demütigenden Zustand nicht länger. Er erbat abermals einen sechsmonatigen Urlaub für eine Reise nach England und Frankreich, womit „die schönste und höchste Periode seines Künstlerlebens" begann[193]. Als international bekannter Komponist und Schriftsteller trat er im Februar in Begleitung seiner Frau und eines „Lohndieners" diese weite Reise an, die ihn dem Gipfel seiner bis dahin glänzenden Laufbahn entgegenführen sollte. Einem Brief an Hamann vom 5. Februar 1785 kann man entnehmen, daß das Ehepaar in der zweiten Monatshälfte über Hamburg nach London fuhr. Dort traf man am

11. März ein mit Empfehlungsschreiben des Königsberger Freundes sowie des Herzogs Friedrich Franz I. von Mecklenburg-Schwerin in der Tasche, der als des „sehr werthen Herrn Kapellmeisters ergebener Freund" huldvoll signiert hatte[194]. „Noch im Reisefrack" beeilte sich Reichardt kurz nach der Ankunft im Drury Lane Theatre einer Aufführung von Händels Oratorium „Samson" beizuwohnen, denn sein Englandaufenthalt stand völlig im Zeichen der Erwartung mächtiger Klangeindrücke von diesem „Musikheiligen" aus Sachsen[195]. Die ihm dargebotenen musikalischen Erlebnisse waren derart stark, daß seit diesen Wochen in London Händel „Spuren eines neuen Geistes" in ihm wachrief, ihn zur Abfassung einer Kurzbiographie über den Altmeister veranlaßte[196] sowie zur Komposition einer *Cantate in the Prise of Handel* für Sopran, Chor und Orchester[197]. Diese Kantate überreichte Reichardt dem Kronprinzen von Preußen mit dem folgenden aufschlußreichen Begleitschreiben:

> Durchlauchtigster
> Gnädigster Cronprinz und Herr!
> Eurer Königlichen Hoheit haben an meiner Reise einen viel zu gnädigen Antheil genommen, als daß ich London auch nur auf einige Zeit verlaßen könnte ohne Bericht von meinem bisherigen Aufenthalt abzulegen. Der Großbrittanische Hof hat mich wieder mit ganz außerordentlichen Zeichen der Gnade aufgenommen, hat mir in Westminster Abtey die beste selbstgemachte Auswahl aller Händelschen Meisterwerke hören laßen, und ich muß gestehen die großen Händelschen Chöre haben bey der gewaltigen Besetzung von sechshundert Sängern und Spielern eine außerordentliche Wirkung auf mich gemacht; auch habe ich bey all den Proben und Aufführungen für das Studium des Effekts Bemerkungen gemacht, die für meine künftigen Arbeiten von Nutzen seyn müßen. ich wäre sehr glücklich wenn Ew. Königlichen Hoheit in der englischen Ode auf Händel, die ich hier komponirt habe, und hiemit zu überreichen wage, Spuren eines neuen Geistes bemerkten!
> Man hat meinen Oratorien die Ehre erzeiget, sie im Pantheon zu wiederholen und auch im Königlichen Operntheater aufzuführen und der wiederholte Beyfall hat gemacht daß der Hof und Adel sich izt äussert bemühen die italiänische Oper aus den Händen der schlechten Leute zu reißen in denen sie izt noch ist, sie alsdann selbst zu administriren um mich für den nächsten Winter selbst dabey als Componist zu emploiiren. Marchesini der von den izigen Entrepreneurs schon so gut als engagirt war geht izt zwar, da diese Entreprise nicht länger bestehen kan, nach Petersburg, so bald die Oper aber in den Händen des Adels ist läßt man ihn oder Rubinello kommen. Ihro Majestäten der König und die Königinn haben gestern

bey einer sehr gnädigen und langen Abschiedsaudienz, da ich auf einige Monathe nach Paris zu gehen denke um dort die Opern zu hören, mich versprechen laßen im September wieder hier zu seyn und mir alle Versicherung gegeben daß ich alsdann die Oper in beßern Händen und die Mara dabey engagirt finden würde.

Man erzeigt mir hier die Ehre mein italiänisches Oratorium, la Passione di Gesù von Metastasio in voller Partitur in Kupfer stechen zu lassen: so schmeichelhaft mir aber auch der Beyfall des hiesigen Hofes und Publikums ist, so wünsch ich doch nichts mehr als öffentlich zeigen zu dürfen daß mir der Beyfall Eurer Königlichen Hoheit über alles geht: deshalb bitte ich unterthänigst um Erlaubnis das Oratorium Eurer Königlichen Hoheit öffentlich dediciren zu dürfen.

Wollten Ew. Königliche Hoheit die besondere Gnade für mich haben mir unter der Adresse des Königlich preußischen Gesandten Baron Golz einige Empfehlungsschreiben nach Paris zu geben und von Sr. Königlichen Hoheit dem Prinzen Heinrich zu verschaffen, so würde ich mich unendlich glücklich darinnen finden.

In tiefster Devotion ersterbe ich
Eurer Königlichen Hoheit
unterthänigster Knecht
Reichardt.

London, den 24. Junius 1785.

Dieser Brief (Original im Deutschen Zentralarchiv Merseburg aus Rep. 94 A F 18 Q 9 Lit)[198] ist neben vier im „Musikalischen Wochenblatt" von 1791 (17., 18., 19. und 22. Stück) veröffentlichten Schreiben die einzige Quelle für diese beflügelnde Reise nach London[199], denn neben dem authentischen Kennenlernen der Großwerke Händels gab es hier für Reichardt auch noch weitere Ereignisse von Gewicht. So gelang es ihm, am 12. März einem der exklusiven „Concerts of Ancient Music" beiwohnen zu dürfen, nachdem die „herrliche Sängerinn" Elisabeth Mara-Schmeling „all ihr Ansehen bei der Direktion angewandt" hatte, um dem Freund aus Berlin den Zutritt zu verschaffen. Im Hause von Mistres Banks hatte dieser das Vergnügen, mit dem berühmten Musikhistoriker Charles Burney zu diskutieren. Am 23. März wurde im Buckingham-House Reichardts *64. Psalm* sowie das Oratorium *Le Passione di Gesù Cristo* aufgeführt[200], woraufhin der Komponist „mit dem allgemeinen Beifall der hohen Kenner beehrt" wurde. Der englische König ordnete gar für den 25. März eine Wiederholung dieser Passion sowie des 65. Psalms an, so daß der Gast nach der Wiederholung des Händelfestes von 1784 am 26. und 28. Juni befriedigt nach Paris weiterreisen konnte in der Hoffnung, bald nach London zurückkehren zu können.

Paris als Kunststadt wirkte auf Reichardt wie ein starker Magnet, zumal ihm Gluck dringend zu einer Reise dorthin geraten hatte. Insbesondere das reiche Theaterleben, die Opernaufführungen von Gluck, Piccini, Sacchini und Salieri beschäftigten ihn dort fast täglich trotz des schlechten Gesanges, den er allgemein bei den Franzosen wegen des Fehlens eines „recht freien, offnen, sonoren Organs" ebenso sehr kritisierte wie den Mangel an „freier Phantasie" und an „Mittelempfindungen"[201]. Wenn er in London hauptsächlich gebannt wurde von dem mächtigen Chorklang der Oratorien Händels, so verwies in Paris das Erlebnis des „wahren großen Opernstyls" Glucks alle übrigen Eindrücke in den Hintergrund. Es offenbarte sich Reichardt eine eigentümliche Kunst, „die an Großheit und ächtem Kunstwerth alles, was man in Italien und Deutschland und England sieht und hört und denkt, so unendlich weit übersteht"[202]. All diese „ein neues Kunstleben" ihm persönlich eröffnenden Klangeindrücke entfremdeten ihn dem Hofe Friedrichs II. immer mehr[203]. Berlin konnte ihm fortan nicht mehr als die alleinige Hochburg der wahren Musik gelten, weswegen er auch vielerlei Anstrengungen unternahm, um in den ausländischen Metropolen mit seinen Werken Anklang zu finden und damit auch materiell Boden zu gewinnen. Doch dies gelang ihm 1785 weder in London noch in Paris. An der Seine konzipierte er Teile von zwei Opern, die eigens für den Gebrauch in Paris unter Mitverwendung der Erfahrung Gluckscher Bühnenwerke angelegt waren: die lyrische Tragödie in 4 Akten *Panthée* sowie die Oper *Tamerlan*[204]. Da Reichardt jedoch trotz dieser anpassungsgewandten Bemühungen 1785 nur Achtungserfolge erzielen konnte, setzte er all seine ehrgeizigen Hoffnungen in eine Wiederkehr im darauf folgenden Jahre.

Man kann sich ohne kühne Phantasie vorstellen, welche Qualen es Reichardt bereitet haben muß, als er am 5. November 1785 gedrückt nach langer Abwesenheit wieder in Berlin eintraf, um dort „sein altes italienisches Opernflickwerk für den Karneval zu besorgen"[205]. Kurz nach der Rückkehr hatte er wie üblich Vorsorge zu treffen für die wenigen Aufführungen altbekannter Opern und sich darüber bis in nichtigste Details mit seinem König auseinanderzusetzen, wovon etwa der folgende Brief zeugt:

Sire.

Da sich nach der sorgfältigsten Untersuchung weder hier noch in Dresden eine Hassische Oper Oreste e Pilade findet und nur eine solche Oper von Agricola da ist, so sehe ich mich endlich gezwungen die Persohnenliste von dieser nebst der von Artemisia Eurer Königlichen Majestät hiemit zu gnädigster Aprobation zu überreichen.

Auch bitte ich unterthänigst zu befehlen ob die Sängerin Eickner in dem bevorstehenden Carneval wiederum die Zweyten Rollen singen soll.

Mit tiefster Devotion ersterbe ich
Eurer Königlichen Majestät
unterthänigster Knecht
Reichardt.[206]

Berlin, am 8. November 1785

Trotz der formelhaften Bekundung der knechtischen Untertänigkeit scheint indessen Reichardt selbstsicherer und anmaßender in Berlin wieder aufgetreten zu sein, voll rosigster Zukunftsvorstellungen, denn besorgt schreibt Friedrich v. Gentz am 17. November 1785: „Herr Reichardt ist wieder in Berlin, aber – er ist ein Thor geworden. Schade! Schade!"[207]

Erwartungsgemäß ersehnte Reichardt mit Ungeduld das Ende des leidigen Karnevals, um bereits am 10. Januar 1786 den preußischen Monarchen wiederum um 6 Monate Urlaub für eine Reise nach Paris zu bitten, wo ihm für die beiden entworfenen Opern 3000 Livres als Belohnung in Aussicht gestellt worden waren. Am 11. Januar antwortete der König auf dieses an ihn gerichtete letzte Gesuch mit den folgenden Zeilen:

> Se. Kgl. Majestät von Preußen, Unser Allergnädigster Herr, ertheilen Dero Kapellmeister Reichardt auf seine Anzeige vom 10. d. Mts. die gnädige Erlaubniß, auf sechs Monate nach Paris zu gehen. Jedoch muß er wohl wissen, daß 3000 Livres nur ungefähr 800 Thlr. unseres Geldes machen, davon wird er eben nicht reich werden und hat er dieses wohl zu überlegen.
> Potsdam, 11. Jan. 1786
> Friedrich.

Am 24. Januar verließ Reichardt Berlin und fuhr zunächst in die liberalere und ihm angenehmere Bürgerstadt Hamburg, um im Hause der Schwiegermutter die Oper *Tamerlan* zu vollenden, zumal ihm dort stets ein „bloß genießendes Leben" in Muße vergönnt war. Schnell gedieh das Werk, so daß er frohgemut am 23. März in Paris eintraf, wo ihm aber nur schmerzliche Enttäuschungen bereitet wurden[208]. Die zugesagte Aufführung seiner Oper wurde auf Wunsch der Königin zurückgestellt bis zum Monat Oktober oder November. Da er sich aber nur bis Juli in Paris aufhalten konnte, beendete er in der Zwischenzeit die Oper *Panthée*. Weder Einkünfte noch Erfolge wurden ihm zuteil. Reichardt mußte einsehen, daß es in Frankreich für ihn nicht viel zu gewinnen gab. Trotzdem plante er im September dorthin zurückzukehren, als er am

26. Mai an Lavater ohne sichtliche Niedergeschlagenheit schrieb: „ich kan Dir nun mit Gewisheit sagen, lieber, daß ich den 29. dieses von hier abreise. den 5–6 Junius in Strasburg u. den 8–9 Juni in Carlsruh seyn werde: ist es dir irgend möglich, Bester, so laß uns da einander treffen." Diese Begegnung kam am 15. Juni in Heidelberg zustande. Beide Freunde fuhren gemeinsam nordwärts bis Seesen. In Mannheim sah Reichardt erstmals den großen Schauspieler Iffland, der jedoch leider zu „wenig Kenntniss der Musik besaß"[209]. In Frankfurt stattete er Goethes Mutter einen Besuch ab. Am 26. Juni trennten sich die Wege. Während Lavater über Dessau wieder nach Zürich zurückfuhr, kehrte Reichardt in Hamburg bei seinen Verwandten ein. Hier bemühte er sich als der stets Hilfsbereite um die Berufung Herders auf eine frei gewordene Hauptpastorenstelle, was indessen nicht gelang[210]. Der Sohn Hermann wurde geboren. Lavater beglückwünschte die Eltern in einem Brief vom 19. August mit den Worten: „Lieber! Gott lob! Daß Deine Frau glücklich war! Heil dem jungen Reichardt – Vaters Treu, und Mutters Sanftmuth dem Hoffnungsvollen!" Zu diesem reichen häuslichen Segen gesellte sich jedoch kein finanzieller, denn der aus Paris sehnlichst erwartete Kontrakt wurde nicht nachgesandt, die kurze Glückssträhne in seinem Leben schien bereits abzureißen. So sah er sich auch aus wirtschaftlichen Gründen gezwungen, seine schriftstellerischen Fähigkeiten mehr zu nutzen. Doch da starb noch vor seiner bereits beschlossenen Rückkehr am 17. August König Friedrich II. Als Hofkapellmeister mußte er sich unverzüglich nach Berlin begeben, um bei den Trauerfeierlichkeiten musizierend mitzuwirken. Der Tod seines ersten königlichen Gebieters setzte auch in seinem Leben eine markante Zäsur. Voller Erwartungen eilte er daher heimwärts, wo ein neuer und verglichen mit dem verstorbenen Oheim völlig anders gearteter, ebenfalls selbst musizierender Regent ihn erwartete. Die Ära Hasse – Graun – Agricola ging nunmehr endgültig zu Ende; ob in Berlin eine Ära Reichardt Gluck – Händel – Palestrina beginnen könnte, war die große Frage und Hoffnung des diensteifrig durch Brandenburg in die preußische Hauptstadt eilenden Hofkapellmeisters.

Erster Kapellmeister unter Friedrich Wilhelm II.
1786–1794

Kurz nach der Ankunft in Berlin hatte Reichardt sich dem neuen König Friedrich Wilhelm II. vorzustellen. Darüber berichtet die Hamburger Zeitung vom 15. September 1786: „Se. Majestät, der König, haben

den hiesigen Kapellmeister, Herrn Reichardt, bey seiner Rückkunft aus
Paris sehr gnädig empfangen, und ihm die Direction über Höchstdero
beyden nunmehr vereinigten Kapellen zu übergeben geruhet. Gleich nach
seiner Ankunft trugen Se. Majestät ihm auf, die von dem Königl. Kam-
merherrn, Herr Marquis von Lucchesini, verfertigte Lateinische Trauer
= Cantate zu dem Leichenbegängnisse des höchstsel. Königs in Musik
zu setzen, und waren mit seiner Composition und Aufführung derselben
so zufrieden, daß Höchstdieselben ihm nicht nur persönlich den gnädig-
sten Beyfall darüber bezeugten, sondern auch mit 100 Friedrichsd'or ihn
zu beschenken die Gnade hatten." Von frischer Tatkraft beseelt schrieb
Reichardt binnen sieben Tagen und Nächten den später viel beachteten
*Cantus lugubris in obitum Friderici Magni Borussorum Regis ad voces
alternas magnamque Orchestram accomodatus et in sollemnibus Exse-
quiis die V ante Idus Septembris 1786 Potsdami celebratis peractus
praecipiente Joanne Friderico Reichardt.* Ein Handschreiben des Königs:

> Als mein Kapellmeister haben Sie die Direction über alle
> meine Musici, Benda bleibt bei der ersten Violine, Duport beim
> ersten Violoncell, alle Uebrigen rangiren Sie nach ihrem Talent.
> Berlin, den 5. September 1786
>
> Friedrich Wilhelm

räumte ihm ein bis dahin ungewöhnliches Maß an Handlungsfreiheit
ein. Da außerdem die königliche sowie die kronprinzliche Kapelle unter
seiner Leitung vereinigt wurden, eröffneten sich ihm auch künstlerisch
erweiterte Möglichkeiten, die bereits bei den Proben zur Trauerkantate
am 7. September zur Geltung kamen, an denen die zur „Königl. Kapelle
gehörigen Virtuosen, mit 40 Chorschülern, welche auf Königl. Kosten
schwarz gekleidet worden", teilnahmen[211]. Darüber berichtet die Hamburger Zeitung am 8. September: „Gestern ward im Hause des Königl.
Kapellmeisters, Herrn Reichardt, die Probe von dessen Composition der
Lateinischen Trauercantate, die am 9ten bey dem Leichenbegängniß in
Potsdam aufgeführt werden soll, gehalten. Des Herrn Marggrafen von
Schwedt, Kön. Hoheit, viele Standespersonen und andere Liebhaber der
Kunst, waren dabey gegenwärtig, und bewunderten die vortrefflichen
Gedanken des Gedichts und die höchst glückliche Composition desselben,
welche durch unsere vorzügliche Meister aufs beste executirt ward." Bei
der prunkvollen Aufführung am 9. September in der Schloßkirche zu
Potsdam musizierten mehr als 100 Instrumentalisten mit etwa 50 Sän-
gern. Nach dieser eindrucksvollen Feierlichkeit trat eine verordnete
Trauerzeit ein, während welcher die Musen ruhten, jedoch die begonnene
Reorganisierung des Berliner Kunstlebens zügig weiterbetrieben wurde,

so z. B. durch die Erhebung der Doebbelin'schen Komödianten-Truppe zum kgl. Nationaltheater[212]. Auch wurde ein Befehl zur gründlichen Renovierung des großen Opernhauses gegeben, wobei das Innere des Gebäudes nach Besichtigung der Theater in Turin und Lyon umgestaltet wurde. Als neuer Hofpoet wurde Filistri de Caramondani in Dienst gestellt.

Leider wußte Reichardt diese Monate der Wiederbelebung und Neuorientierung in der nun etwa 150 000 Einwohner zählenden Hauptstadt nicht für sich zu nutzen[213]. Statt an den eingeleiteten Umwandlungen aus der Nähe teilzunehmen, jagte er unbesonnen dem Glück in der Ferne nach. Bereits am 14. September ließ sich die Hamburger Zeitung aus Berlin berichten: „Herr Kapellmeister Reichardt hat Erlaubniß erhalten, noch auf 3 Monat nach Paris zurück zu gehen, um bey der Aufführung seiner großen Opern daselbst gegenwärtig zu seyn."[214] Obwohl der neue König ihm den lang ersehnten Opernauftrag erteilte mit der wohlwollenden Bestimmung, daß künftig jährlich eine Oper von seinem Kapellmeister und ein Werk von einem anderen Komponisten aufgeführt werden solle, schlug Reichardt, die Gunst der Stunde nicht erkennend, diese Angebote zunächst aus. Er setzte sich wieder einmal in den Reisewagen ohne den Zielort Paris zu erreichen, da ihn eine schwere innere Erkrankung zur Umkehr zwang[215]. Die Concerts spirituels wurden daraufhin bis 1787 abgesagt[216]. Wegen der allzu häufigen Abwesenheit des Kapellmeisters wurde diesem der Violoncellist Duport übergeordnet, während die „Partei der Italiener" an Einfluß gewinnen konnte. Selbst die Einführung der Opern Glucks geriet merklich in Verzug, obwohl der neue Monarch der von Reichardt betriebenen „Entwelschung" keine Hindernisse in den Weg legte. Wohnte Friedrich Wilhelm II. doch gar Aufführungen von Singspielen bei, „belebte und benutzte jedes Talent" und „ließ beliebte Werke der allerverschiedensten Meister auf seinem großen Operntheater aufführen"[217]. Im Gegensatz zu der durch Vorurteile einspurig verengten Kunstpflege Friedrichs II. wurden nunmehr aufgeschlossener Werke „aus allen Schulen und Stylen" geduldet[218]. Der König spielte selbst mit großer Fertigkeit Violine, Gambe und Violoncello[219] und ließ anstelle der Instrumentalwerke „der Bache, Graune und Bendas" nach und nach „ganz die genialischen, romantischen Werke Haydns, Mozarts und ihrer Nachfolger" in Berlin zur Geltung kommen[220]. Er hatte eine „unbegränzte Neigung für diese schöne Kunst"[221], er gab jedoch der Konzertmusik den Vorrang vor der Theatermusik. Auch diesem Wandel mußte sich Reichardt anpassen. Da er jedoch zu seinem Vorteil einsah, daß er mit dem Vordringen der Wiener Klassiker nicht Schritt halten konnte, schrieb er fortan symphonische und kammermusikalische Werke nur mehr selten. Stattdessen widmete er sich fast ausschließlich dem Lied-, Singspiel- und Opernschaffen. In jeder Beziehung hub mithin eine neue Ära an, die Reichardt mit Genugtuung in einem Brief vom 6. November 1786 an Lavater begrüßte: „. . . Unser izige, brave, herzgute König ist in allem, was Religion und Publicität über Religionssachen betrifft, ganz das Gegentheil von dem vorigen. Er äußert sich darüber frey und öffentlich wie ein braver Mann und Du kannst dir denken, wie die egoistischen politisch-oekonomistischen Geistesaufklärer zittern und beben, daß ihr Reich zu Ende geht . . ."[222] Reichardts eigenes Umschwenken ins aufklärungsfeindliche Lager unter dem Einfluß des „aktiven Christen" Lavater wurde bei der Wahrung seiner königstreuen, konservativen preußischen Staatsgesinnung dadurch nicht unwesentlich erleichtert.

Das Weihnachtsfest 1786 feierte Reichardt in Weimar[223]. Auch zu Anfang des Jahres 1787 lebte er dort 8 Tage lang, wobei er zur Vertiefung seiner Kunsteinsichten und um der Kritik an seinem Schaffen willen besonders den Umgang mit Herder suchte[224], was diesen indessen nicht sonderlich erfreute, denn er arbeitete an seinen „Ideen zur Philosophie der Geschichte der Menschheit", welche neben Kants „Kritik der Urteilskraft" zu den Grundbüchern Reichardts während seiner zweiten Lebenshälfte zählten. Herder schrieb an Hamann: „Als ich das 4te Buch geschloßen hatte, kam Reichard, der 8. Tage lang hier blieb und deßen Gegenwart, so angenehm sie mir übrigens seyn mochte, einen gewaltigen Halt in meiner Gedankenreihe machte, so daß ich nachher bei dem 5. Buch wie in eine neue Welt kam."[225]

Hamann kehrte „auf seinem letzten Ausflug in die Welt" am 27. Juni 1787 auf der Durchreise nach Münster in Reichardts Hause in Berlin ein[226]. Der Kapellmeister bot alles ihm zur Verfügung Stehende auf, um in freigebiger Gastfreundschaft seinem hochverehrten Landsmanne und Mentor recht angenehme Tage zu bieten. Hamann schrieb darüber am 18. Juli an F. H. Jacobi: „Ich bin dort nicht aus dem Hause gewesen; mein treuer Landsmann und Wirth, Reichardt, hat alles für mich abgemacht. Ich habe ihn noch mehr schätzen und lieben gelernt, als aus den Freundschaftsdiensten, die ich ihm schuldig bin. Seine Frau, ihre Mutter, beide Schwestern und Bruder sind ein Ausbund guter Menschenseelen, die mich mit Berlin beynahe ausgesöhnt haben."[227] Bei dem Gastgeber bedankte er sich mit den trefflichen Worten: „Es war kein bloßer Schein, sondern baare That, die mir Ihr Haus zeitlebens unvergeßlich gemacht hat."

Nach Beendigung der Trauerzeit um das Ableben Friedrichs des Großen begannen für die kgl. italienische Oper „die ersten vier Jahre einer neuen glänzenden Epoche". Bedeutende Kräfte konnten angeworben werden, darunter auch der erste Bassist Ludwig Fischer (1745–1825) mit dem ungewöhnlichen Stimmumfang von D bis a'. Dieser hervorragende Sänger bezog in Berlin ein Jahreseinkommen von 2000 Talern[228]. Für ihn setzte Reichardt etliche Lieder und Bühnenrollen. Am 3. September 1787 wurde das Singspiel *Der Hufschmied* gegeben, 1788 auch erstmals Mozarts „Entführung aus dem Serail" sowie am 11. Januar als erste der vom Hofkapellmeister für das kgl. Nationaltheater komponierten Opern *Andromeda*, ein Drama per Musica in 2 Akten[229]. Vor der prunkvollen Uraufführung, deren Ausstattung 14 492 Taler kostete, hatte der König befriedigt sämtlichen Proben beigewohnt. Die Hauptrolle sang die Mme Todi. Das Werk wurde bis zum 28. Januar sechsmal aufgeführt, obwohl es betreffs der Instrumentation, der im Gluckschen Sinne konzipierten Rezitative und Chöre ungewohnt neu war für das Publikum in Berlin. Dieser neue Stil fand einen so guten Anklang, daß daraufhin Reichardts Gehalt auf 2000 Taler erhöht wurde. Der so Geehrte reiste stolz, hoffnungsfroh und begierig nach Fürstengunst am Vorabend der großen Revolution zum dritten Mal nach Paris, statt daheim die Anfangserfolge auszubauen. So vergab er ungenutzt manchen Prestigegewinn, ohne indessen aus Paris ruhmvoller heimkehren zu können[230]. Selbst eine Reise nach Rom mit Engagementsaufträgen glaubte er unternehmen zu müssen, doch wurde dieses Unternehmen bis 1790 aufgeschoben[231]. Währenddessen war der Baron von der Reck in sein Amt als Directeur des Spectacles (= Intendant) eingeführt worden, mit dem sich bald wegen eigenmächtigen Handelns Zwistigkeiten ergaben[232]. Auch entspannen sich mit Duport, dem Vertrauten, Intendanten der Kammermusik und Cellolehrer des Königs, über die Abgrenzung der Befugnisse Differenzen, die sogar wegen der sich ereignenden „harten Scenen" ein schlichtendes Eingreifen des Monarchen notwendig machten[233]. Wie sehr trotz dieses Eingreifens die Rivalität weiterschwelte, beweisen die schulmeisterlichen Bemerkungen Reichardts über seinen Rivalen in der „Musikalischen Monatsschrift" von 1792 (S. 20): „Wenn aber Hr. D. gegen den Willen seines Königs, der überall Ordnung und Gerechtigkeit will, nach der gänzlichen Direction der Musik strebt und die große Oper dirigiren möchte, wie er die Cammermusik des Königs dirigirt: so handelt er gegen seinen eigenen Vortheil; macht sich unnöthig Feinde und setzt sich jeden Augenblick in die Gefahr, in solche Lagen zu kommen, wo seine Kenntnisse nicht hinreichen und wobei das Ende immer seyn muß, daß er durch ungetreue Berichte häufige Fehler zu verdecken suchen muß . . ."

Unbeeindruckt von solchem und anderem Hader öffnete indessen der König kräftig die Pforten Berlins für den Einzug der musikalischen Klassik. Als Kammermusiker hatte er zu den Instrumentalwerken der Wiener ein besonders enges Verhältnis gewonnen. Unter seiner Regentschaft wurde eifrig „gemozartet" und auch Mozart und Dittersdorf 1789 nach Berlin eingeladen. Während letzterer in Reichardts glanzvollem und weltoffenem Hause „äußerst höflich" aufgenommen wurde[234], kam eine Begegnung mit Mozart nicht zustande, da sich Reichardt seit dem 23. April in Weimar aufhielt. Dadurch verpaßte er den zwar möglicherweise fruchtbaren Musik- und Gedankenaustausch mit dem tonangebenden Repräsentanten aus der Donaumetropole, dafür gewann er jedoch den endgültigen Anschluß an die Weimarer Klassiker. Reichardt wurde Freund und Berater Goethes. Obwohl Schiller und Caroline Herder vor seinem Eintreffen ungünstig über ihn geurteilt hatten, bestellte ihn der Dichterfürst am 23. April nachmittags zu sich[235]. Das intensive Gespräch entwickelte sich während der folgenden Tage derart anregend im Geben und Nehmen, daß Goethe daraus für sich den geschätztesten musikalischen Ratgeber gewann, bevor er mit Zelter engere Beziehungen anknüpfte. Gemeinsam gedachte man gar eine „Akustik" wissenschaftlich zu erarbeiten. Viel wurde über „Musik mit ihm abgehandelt"[236]. Reichardt beschloß die Komposition des Singspiels *Claudine von Villa Bella*, das am 29. Juli in Berlin zur Geburtstagsfeier des Kronprinzen uraufgeführt wurde und sich bis 1799 auf dem Spielplan des Nationaltheaters halten konnte. Damit war jedoch nur der Anfang einer zahlreichen Werkreihe gemacht, denn nun setzte Reichardt in rascher Folge Musik zu mehreren Singspielen und Dramen Goethes. Er wurde gleichsam der Hauskomponist des Dichters, der all seine Intentionen willig aufnahm und kein ihm erreichbares Gedicht unvertont ließ[237]. So konnte Goethe Anfang Mai 1789 befriedigt äußern: „Reichardt hat mir wohlgetan." Er hatte endlich einen schaffensfrohen, findigen Tonsetzer gefunden, dessen Stärke das Lied und die einfache Melodie war, der sich aber außerdem als befähigt erwiesen hatte, über wesentliche Fragen der Kunstauffassung und Humanität zu diskutieren. Für Reichardt und die „Berliner Schule" bedeutete diese Anbahnung eines produktiven Verhältnisses zu den Weimarer Dichtern außerordentlich viel, denn die Wiener Klassiker fanden vor Beethoven diesen engen Kontakt zur hohen Dichtung nicht. Sie blieben führend im Konzert und auf der Bühne, die Höherentwicklung des Liedes blieb jedoch kraft dieser Verbindungen den Norddeutschen wesentlich vorbehalten. Reichardt bedauerte diese merkliche Kluft zwischen Nord und Süd zutiefst, als er 1796 seine gemischte Sammlung *Lieder geselliger Freude* herausgab, ohne darin Vertonungen der „mit Recht so hoch verehrten Männer wie Haydn, Mozart, Dittersdorf" aufnehmen zu können (I, S. VIII f.), denn deren lyrische Gesänge entsprachen nicht den literarischen Erfordernissen seiner näheren Mitwelt.

Nach diesen überaus glücklichen und ersprießlichen Frühlingstagen wurde Reichardts Stellung in Berlin weiter gestärkt durch die Hinzugewinnung eines komponierenden Gesinnungsfreundes: Friedrich Ludwig Aemilius Kunzen (1761–1817). Dieser aus Lübeck stammende Lied- und Singspielkomponist von der Art Schulzens kam über Kopenhagen nach Berlin mit der Hoffnung, daß ihm Reichardt hier eine dauerhafte Stellung verschaffen könne[238]. Dieser Versuch mißlang zwar, indessen konnte er eine Musikalienhandlung und eine Notendruckerei begründen, woraufhin Kunzen und Reichardt gemeinsam 1791–1792 ein *Musikalisches Wochenblatt* herausgaben. Auch konnte nun endlich der allzu lang verschmähte Hofkapellmeister Bühnenerfolge buchen, die ihn zu dem kühnen Plan antrieben, für Berlin eine deutschsprachige Karnevalsoper zu schreiben, deren Ausführung jedoch unterbleiben mußte. Im Januar und Februar dieses Jahres war die gemeinsam mit J. G. Naumann komponierte Oper *Protesilao* insgesamt fünfmal aufgeführt worden[239]. Den Höhepunkt bildete die zum Geburtstag des Königs am 16. Oktober 1789 uraufgeführte heroische Oper *Brenno,* deren Titelrolle Ludwig Fischer begeisternd sang. Eine erschütternd-große, von Gluck inspirierte Oper wurde damit den Berlinern vorgestellt, die auf lange Zeit im Gedächtnis haften blieb. Eine Konzertfassung in deutscher Sprache brachte Reichardt am 24. Januar 1798 heraus. Der Komponist hatte sich mit diesem mächtigen Werk vom herkömmlichen, einseitig italienisch orientierten Operngusto seiner Wirkungsstätte befreien können und war damit in das Stadium der künstlerischen Reife eingetreten. Auch seine Aktivität als Schriftsteller diente zu dieser Zeit z. T. der Bekämpfung der welschen Gegenpartei, die um so härter gegen ihn agitierte, je vernehmlicher sich Stimmen für ihn äußerten wie etwa im „Nachtrag zu den Büsten Berlinischer Gelehrten, Schriftsteller und Künstler" von 1792 (S. 2): es „müssen die italiänischen Componisten, in jeder Rücksicht, gegen einen Naumann, Heyden, Schulz, Reichardt und Schuster verlieren". Auch von E. L. Gerber und anderen Zeitgenossen gerühmt, schwelgte Reichardt nicht nur in seinem ihm endlich holden Glück, sondern auch in materiellem Wohlstand. Reichlich teilte er als Gastgeber an üppig gedeckten Tafeln aus. Sein Haus in der Friedrichstraße war eine Stätte vollendeter nobler Geselligkeit großen Stils geworden, wo man die vielseitigsten Anregungen gewinnen konnte. „Der frische Geist der dichterischen und künstlerischen Erhebung, der Deutschland seit zwei Jahrzehnten durchzog und es fast zu verjüngen schien, wirkte hier lebendiger als irgendwo."[240] Eine weltoffen-humane Gesinnung bestimmte die viele illustre Besucher anziehenden Gespräche, aus denen alles Gemeine ferngehalten wurde. Nun fühlte sich Reichardt wohl in der „berlinischen guten Gesellschaft", in der „eine Masse von Kenntnissen aller Art durch alle Classen verbreitet ist und sich selbst bei'm mechanischen Geschäftsmann häufig findet", was er z. B. in Paris vermißte[241]. Jede gesellschaftliche Unterhaltung lief bei ihm stets auf Kunstübung hinaus, so daß vor allem auch viele Jugendliche um Aufnahme in seine Runde baten. Neben dem Musizieren wurde besonders das Haustheater gepflegt, das auf liebhabermäßige Spielleistungen junger Menschen sehr anspornend wirkte. Hiervon profitierte kein geringerer als Ludwig Tieck, der als Mime in des Schwagers Hause die für seine dichterische Laufbahn wegweisende „Kunstschule" fand[242].

So wie Reichardt zeitlebens im Wechsel zwischen Wohlstand und Elend lebte, so wurde aber auch sein Hochgefühl, im Mittelpunkt des gesellschaftlichen Lebens von Berlin zu stehen, jäh gestört durch den Fall in die kompromißlose Ungnade Friedrich Wilhelms II. Dieser Abstieg von der Höhe allgemeiner Anerkennung, herbeigeführt durch eine starke Gegenpartei von Neidern und intrigierenden Höflingen, setzte bereits Anfang des Jahres 1790 ein. Zwar war nach dem 4. Januar die Oper *Brenno* noch sechsmal gespielt worden, die zweite Oper dieses Karnevals „Il ritorno d'Ulysse a Penelope" entstammte jedoch schon der Feder des neuen, Reichardt an die Seite gestellten Kapellmeisters Felice Alessandri, der ein Jahresgehalt von 3000 Talern bezog. Er beargwöhnte in diesem wenig befähigten Italiener mit Recht einen um den Vorrang ringenden Konkurrenten.

Erbittert durch diese und andere Widrigkeiten trat Reichardt am 8. März über Augsburg und München fahrend seine zweite, bereits 1788 geplante Italienreise an. Neben der Absicht, dort Sänger und Sängerinnen anzuwerben, drängte es ihn aber insbesondere „alte Meisterwerke" in Rom, Neapel oder Venedig zu hören bzw. zu lesen. In der Lagunenstadt traf er mit Goethe zusammen und trug im April, damit Angelika Kauffmann viel Freude bereitend, „seine Opera vor"[243]. Die Karwoche verlebte er in Rom, worüber er in „Briefen aus Rom" ausführlich berichtet[244]. Die hier in abwechslungsreicher Folge gehörten musikalischen „Stümpereien" enttäuschten ihn jedoch zutiefst. Während er das Musikleben in London, Paris oder Wien meistens lobte und vieles von dem dort Erfahrenen zur Nachahmung in Deutschland empfahl, kritisiert er die römische Musizierpraxis „à l'arabesque" durchweg scharf. Nicht nur geißelt Reichardt das römische Publikum, weil es die „tollsten buntesten Verzierungen und ganz ungeheure Cadenzen" im Gesangsvortrage rasend beklatschte und keinen Sinn für das schlichte Singen erkennen ließ, auch und vor allem der Chorgesang in der Capella Sistina erregte sein Mißfallen. Reichardts Abneigung gegenüber dem Katholizismus trübte bedauerlicherweise erheblich sein Bild vom musikalischen Leben Roms. Die katholische Liturgie war ihm zuwider, das lateinische Rezitieren im Vatikan vernahm er als langweilendes „Geplapper", die Sänger der päpstlichen Kapelle schalt er gar verächtlich als „Papagaien"[245]. Auch

„das Orgelspiel war unter aller Kritik"; „die Feldmusik bei den Aufzügen und vor der Engelsburg war ächt päbstlich, und klang nicht viel
imposanter als wenn in einer großen deutschen Stadt ein Gewerk die
Herberge verändert ... Die Märsche, die sie bliesen, waren ohne Spur
von Charakter. Doch welchen Charakter hätte diese Musik der Diener
des Papstes, dem Diener der heiligen Jungfrau, auch wohl haben sollen?"[246] Der a-cappella-Gesang genügte ihm nicht, da er zu schnell, zu
sehr in den Oberstimmen zum Ergötzen von „schwärmerischen Layen"
verziert vorgetragen wurde. Reichardts Vorstellung zufolge fehlte ihm
„der große Charakter". Lediglich in Privatkonzerten bot sich ihm in
Rom trotz der „allgemein völlig lautgeführten Gespräche der Gesellschaft" ein befriedigender Musikgenuß. Desungeachtet war für ihn das
Ergebnis dieses Aufenthaltes ernüchternd negativ, was der folgende
Briefausschnitt beklagend ausdrückt: „Wenn ich nun nach all diesen
mannichfaltigen Verhunzungen alter Meisterwerke und all den verfehlten Nachahmungen bedenke, welchen hohen Genuß mir oft der bloße Anblick eines Leoschen Miserere gegeben, ... so habe ich für meinen künftigen Kunstgenuß durch diese neuen Erfahrungen an Ort und Stelle eher
verloren als gewonnen. Wie man sich hier an allem ärgern muß! ...Wohl
mir, daß ich mit mehr als Einem Sinne in dieses köstliche Land gekommen bin. Ganz Ohr würd' ich bis hieher eine sehr unglückliche Reise gemacht haben."[247] Mithin befriedigte er seinen künstlerischen Erlebnis-
drang beim Betrachten von Bauwerken, Statuen und Bildern, bevor er
nach Neapel weiterreiste, wo er im Mai u. a. auch mit der Herzogin-
Mutter aus Weimar zusammentraf[248].

Im Juni 1790 kehrte Reichardt unbefriedigt nach Berlin zurück. Mehr
als die Erinnerung an die römische Kirchenmusik beschäftigte ihn nunmehr die Lektüre von Kants „Kritik der Urteilskraft", anhand derer
sich nach gründlicherem Studium seine ästhetischen Grundansichten und
Meinungen z. T. erheblich änderten. In einem Brief an Kant vom
28. August kündigt er an, er wolle das vorbereitete *Musikalische Kunstmagazin* Band II, „das mit mancher, gutgemeinten aber luftigen Phantasie anhub, mit Wahrheit [d. h. mit dem Abdruck einiger Hauptsätze
aus der „Kritik"] beschließen"[249]. In dem 1791 erschienenen Band
schreibt er S. 87: „Herr Professor Kant hat in jenem vortrefflichen
Werke über die Critik des Geschmacks und der Kunst ein Licht verbreitet, das, wohl und ganz benutzt, zum größten Gewinn für Geschmack
und Kunst gereichen muß. Ich widme mich jetzt um so eifriger dem
Studium und der bestmöglichen Nutzanwendung dieses vortreflichen
Werks, da es, außer dem großen unschätzbaren Lebensgewinn, den ich
für mich und die Meinen aus dem Studio der Kantischen Philosophie
ziehe, auch noch ein Mittel wird, ächte Dankbarkeit zu üben."

Das Jahr 1790 endete für Reichardt mit bedrückenden Vorzeichen des Niedergangs. Im Oktober befiehl ihn eine „fast tödliche Krankheit". Eine Erkrankung der Atemwege beeinträchtigte nachhaltig sein Singvermögen und zwang ihn, von öffentlichem Auftreten einstweilen Abstand zu nehmen[250]. Die für den Karneval auf Wunsch des Königs geschriebene Oper *Olimpiade* konnte er nicht einstudieren[251], so daß in dieser Periode der notwendigen Untätigkeit die Front seiner Neider und Nebenbuhler an Einfluß gewann. Besonders gereizt war der Hofpoet Filistri, weil er nicht das Libretto für die Hauptoper des Jahres hatte schreiben dürfen, denn man hatte einen Text von Metastasio gewählt. Je mehr Reichardt gezwungen war, wegen seines körperlichen Leidens sich aufs Land zurückzuziehen, um so dichter wurden die Hofintrigen gegen ihn gesponnen. Davon angewidert erbat er seinen Abschied mit dem folgenden Schreiben an den König:

Sire.
Mein Verhältniß mit dem Baron v. d. Reck und dem Intendant Duport unter dem ich Vier Jahre, oft stillschweigend gelitten und endlich meine bis dahin unerschütterte Gesundheit eingebüßt habe, vereitelt mein eifrigstes Bestreben zum Vergnügen Eurer Königlichen Majestät und zur Vervollkommnung der Oper nach meinem Vermögen zu wirken und es bleibt mir nichts übrig als Eu. Majestät unterthänigst zu bitten mir die Gnade zu gewähren, deren sich der Concertmeister Benda und und viele andre aus der Capelle erfreuen:
Mir in Betracht meiner funfzehnjährigen treuen Dienste und meiner Acht unerzogenen Kinder mein altes Königliches Gehalt von 1200 Thaler für mich und meine Frau als lebenslange Pension gnädigst zu ackordiren und zu erlauben daß ich solche da, wo ich es meiner Gesundheit und meiner Familie am zuträglichsten finde, verzehren darf.
Durch meine Compositionen, über die Ev. Majestät lebenslang zu gebieten haben, werde ich dieser Wohltat stets würdig zu seyn streben.
Mit der tiefsten Verehrung ersterbe ich
Eurer Königlichen Majestät
aller unterthänigster Knecht.
Reichardt.[252]
Berlin, den 23. Januar 1791.

Nach einem Aufenthalt in Dessau im April 1791 betrat Reichardt im Mai dieses Jahres erstmals den Boden von Halle und Giebichenstein, wo er seine zweite Heimat fern der preußischen Hauptstadt finden sollte. Mit ernsten Absichten wollte er dem großstädtischen Leben sowie dem

Ruhm bei Hofe entsagen und konzentrierter schaffend und denkend zu sich selbst finden. In Giebichenstein pachtete er zunächst ein im Besitze des Amtmanns Christian Friedrich Stöcklein aus Gutenberg befindliches Gut und richtete sich ländlich darin ein. Bezeichnenderweise schmückte er sein neues Heim mit den Bildern zweier seiner verehrtesten „Musikheiligen": den Porträts von J. S. Bach und Chr. W. v. Gluck[253].

Der erwünschte Abschied von Berlin war Reichardt im Jahre 1791 jedoch noch nicht vergönnt, denn im August nahm er dort seine Kapellmeistertätigkeit wieder auf. Nun wurde die im Frühjahr abgesetzte italienische Oper *Olimpiade*, die Reichardt „für seine beste und größte Arbeit" hielt[254], einstudiert und anläßlich der Vermählungsfeierlichkeiten des Herzogs von York und des Prinzen von Oranien am 3. Oktober „mit großer Pracht und sehr glücklicher Wirkung" uraufgeführt[255]. Es war der letzte große Auftritt Reichardts in der kgl. italienischen Oper, denn die fortdauernden Ränke gegen ihn vereitelten ein ungestörtes Wirken. Nach langem Warten gewährte der König dem körperlich Geschwächten und seelisch Angegriffenen „auf die gnädigste Weise" bei vollem Gehalt einen dreijährigen Urlaub. Damit wurde Reichardt zwar nicht der erbetene Abschied zuteil, es trat jedoch für ihn eine kurze Zeitspanne der von allen Anfeindungen in Berlin Abstand nehmenden Befriedung ein, die wohltuend war. Nach der Aufführung der Oper *Olimpiade* (am 7. Oktober) verließ der Hofkapellmeister am 14. Oktober nach fast fünfzehnjähriger nur selten produktiver Tätigkeit seine Wirkungsstätte, um fortan „sich selbst" zu leben in dem heilsamen Wechsel zwischen Abgeschiedenheit und dem Genuß großstädtischen Lebens. Noch deckte er zwar die wahren Gründe für sein einstweiliges Zurücktreten von der Bühnenrampe nicht vollends vor der Öffentlichkeit auf, denn in dem „Nachtrag zu den Büsten Berlinischer Gelehrten, Schriftsteller und Künstler" von 1792 (S. 176 f.) ließ er die Nachricht abdrukken: „Aus Liebe zu seinem Sohne, der jetzt in Halle studiert, soll er [Reichardt] sich auf 3 Jahre dahin begeben haben, und jetzt in Giebichenstein, zur näheren Aufsicht über denselben, wohnen. Heil ihm für dieses seltsame Beispiel väterlicher Besorgniß!"

Nur kurz war das Verweilen in der ländlichen Umgebung von Giebichenstein, denn den Rastlosen trieb es bereits Anfang Januar 1792 zum vierten Male nach Frankreich. Diese Reise stand indessen unter anderen Zeichen als die vorausgegangenen, war doch inzwischen radikal und die Grundfesten des bisherigen Gesellschaftslebens erschütternd die große Revolution über dieses Land hinweggefegt. Der ehemalige Feudalstaat war zerstört worden. Freiheit, Gleichheit und Brüderlichkeit verkündeten pathetisch die neuen, häufig wechselnden Machthaber für diejenigen, welche die ersten Schreckensjahre überlebt hatten. Reichardt

72

trieb angesichts dieser Vorkommnisse nicht mehr seine Geltungssucht oder seine Theaterleidenschaft über den Rhein, zumal viele alte Freunde inzwischen verschwunden oder zur Machtlosigkeit verurteilt worden waren, sondern vornehmlich die politische Neugier. Er machte sich auf, um sich „auf alle mögliche Weise von der Stimmung und Gesinnung des Volkes und von der gegenwärtigen politischen Lage des Landes zu unterrichten". Am 6. Januar passierte er Frankfurt, neun Tage später, begleitet von einem „Lohnlakey", Straßburg. Am 2. Februar sah er sich in Colmar um, bevor er in Lyon zu einem dreiwöchigen Studienaufenthalte verweilte. Über Moulins gelangte er schließlich am 4. März nach Paris. Hier sah er mit offenen Augen all die zerstörerischen Auswirkungen der Revolution, Elend und Angst. Trotzdem gab er seine Hoffnung nicht auf, daß auch in Deutschland baldigst die Republik eingeführt würde. Reichardt fand seine politischen Ziele bestätigt, als er im April bereits Frankreich wieder verließ. Den hohen Idealen der Revolution hing er trotz des erlebten Grauens unbeirrt an. Ja, als Komponist ruhte er nun für längere Zeit aus, um all seine Kraft als politisierender Journalist und Schriftsteller außerhalb Preußens verwenden zu können.

Es wurde merklich stiller um Reichardt. Je mehr er sich innerlich vom aufgeklärten Rationalismus seiner Umgebung in Berlin entfernte, um so näher rückte er an die junge Romantikergeneration heran, die bald in Giebichenstein ein stets für sie offenes Asyl, eine „Herberge" fand. Tieck war hier im Umkreise von Halle einer der ersten namhaften Gäste. Er berichtet am 12. Juni 1792 an Wackenroder über eine in der Familie Reichardt erlebte Geburtstagsfeier: „Am Sonntag vor acht Tagen war ein kleiner Ball bei Reichardts, ein Gartensaal ward sehr poetisch mit Tannenzweigen und Blumenkränzen ausgeschmückt, ich half mit daran arbeiten, am Sonntag früh aber ward ich von Jasmin und von Zugluft so schwach, daß ich kaum aufrecht stehen konnte, alle meine Glieder zitterten ... Der Ball endigte sich um 11 Uhr, ich hatte ziemlich viel, aber ohne alle Teilnahme getanzt ..."[256] Bald darauf gesellte sich der misanthropisch-isolierte Empfänger dieses Briefes ebenfalls in den Kreis der großen Familie. War es doch Wackenroders sehnlichster Wunsch, möglichst bald genießend und von erhebenden Stimmungen trunken an den abendlichen Zusammenkünften teilnehmen zu können, denn er schrieb an Tieck: „Diese Familie liebe und schätze ich innig. – O ich sehe es schon im Geist, wie wir in ihrem romantischen Garten wandeln, und vom Giebichensteiner Felsen herab die Landschaft unter uns liegen sehen!"[257] Reichardt nahm den sensiblen, schüchtern-verschlossenen und an der Außenwelt leidenden Jüngling liebevoll in seine ländliche Wohngemeinschaft auf. Er nahm sich seiner so sehr an, daß er Wackenroders Grundausbildung im Klavierspielen sowie in der Harmonielehre und in

Kontrapunktübungen leitete[258], ja sogar die 1797 in Berlin bei Unger erscheinenden „Herzensergießungen eines kunstliebenden Klosterbruders" in förderlicher Absicht mit dem Autor durchsprach, für den Druck empfahl und schließlich den Titel des Werkes bestimmte. So wurde Reichardt zum Förderer der deutschen Romantik, ohne indessen sich selbst ganz dieser jugendlichen Strömung anschließen zu können[259].

Das Jahr 1793 verbrachte Reichardt in Giebichenstein, Hamburg und in Skandinavien[260]. Er mied den Umkreis Berlins und beging den taktischen Fehler, statt in Berlin aktiv seine Wiederverwendung zu sichern, sich abseits im Schmollwinkel zu vergraben. Als man nach dem Abgang des zweiten Kapellmeisters Alessandri den nicht sonderlich profilierten Vincenzo Righini (1756–1812) mit 4000 Talern Gehalt nach Berlin berief, riß ihn sein Zorn zu unbedachten Äußerungen hin[261]. Bei einem Kartenspiel soll Reichardt gar unvorsichtigerweise den Kartenkönigen die Köpfe abgeschnitten haben mit der Bemerkung: „So müßte man es mit allen Königen machen!" Dieser nicht zureichend verbürgte Ausspruch wurde, wie nicht anders zu erwarten, mit Schadenfreude begleitet in Berlin in Umlauf gebracht, wodurch seine entschädigungslose Entlassung aus dem Hofkapellmeisteramte bedrohlich näher rückte. Sein offenes Sympathisieren mit den Zielen der französischen Revolution unterstützte die Absichten seiner Widersacher.

Während des Hochsommers brach Reichardt von Giebichenstein aus zu einer Reise in den Norden Europas auf. Am 30. Juli kehrte er gemeinsam mit der Fürstin Gallitzin, Stolberg und anderen Bekannten bei J. H. Voß in Eutin ein. Dort komponierte er das *Begräbnislied* des Dichters[262]. Vor der versammelten Gesellschaft sang er seinen *Gesang der Deutschen*[263]. Den Monat August verbrachte Reichardt in Dänemark in den Stadt- und Landhäusern der angesehensten Familien. An Goethe schrieb er beglückt am 29. September: „In oder vielmehr bei Kopenhagen, in Schimmelmanns, Bernstorffs und Reventlows Familien und Landhäusern lebte ich den August über so glücklich wie noch nie außer meinem Hause . . . Und wie ich Ihrer in den romantischen schwedischen Cullafelsen gedacht!"[264] Graf Schimmelmann war dänischer Finanzminister, Graf Reventlow Präsident der dänischen Rentkammer und Graf Andreas Petrus v. Bernstorff (1735–1797) ein dem Göttinger „Hain" nahestehender Außenminister, der für Pressefreiheit und allgemeine Volksbildung in seinem Lande eintrat sowie erfolgreich gegen den unmenschlichen Sklavenhandel in Afrika focht. Reichardt verkehrte demnach in den besten Familien; wie wenig er hier jedoch Sympathien zu erwerben vermochte, zeigt eine Tagebuchnotiz von Fr. v. Matthisson vom 29. 3. 1794 aus Kopenhagen: „Gespräch mit der Gr. Bernstorf über L - r und R - t – letzteren hält sie für einen schlechten Menschen und hat

ihn selbst auf mehreren Lügen ertappt." Über die mutmaßliche Aus-
weitung dieser Reise bis nach Stockholm sind verläßliche Belege bisher
nicht bekannt geworden[265].

Nach kurzem Aufenthalt in Giebichenstein bewog Reichardt Ende
September seine Familie, sich vorübergehend in außerpreußischem Ge-
biet niederzulassen, da er als „Jakobiner" bei Hofe verleumdet worden
war und um seine Sicherheit fürchten mußte. Des Brustleidens wegen
lebte er mit den Seinen im Monat Oktober auf dem holsteinischen Land-
gut Rethwisch bei Eutin, bevor er im November nach Hamburg übersiedelte[266], wo er fast zwei Jahre lang blieb. Klopstock, dessen zweite
Frau „Windeme", Joh. G. Büsch, Chr. D. Ebeling, der Übersetzer Ch.
Burneys, J. A. H. Reimarus und viele andere liberal-aufgeklärte und
demokratisch gesonnene Bürger der Stadt pflegten während dieser Zeit
regen Kontakt mit dem von Gesinnungsschnüfflern in preußischen Diensten Verfolgten[267]. Seine offenen Reden hörte man zwar in der gegenüber Frankreich neutralen, weltbürgerlich eingestellten Hansestadt Hamburg mit Begeisterung an, in Berlin jedoch boten diese den willkommenen
Stoff für Denunzianten, die um so leichter bei Hofe Gehör fanden, weil
die Gräfin Lichtenau Reichardt nicht mehr wie früher als Fürsprecherin
vor Nachstellungen schützte.

Herbergsvater der Romantik und Salineninspektor
in Giebichenstein 1794–1806

Während des Jahres 1794 zeichnet sich in vieler Hinsicht ein deutlicher
Wendepunkt im Leben und Wirken Reichardts ab. Es begann mit einer
Reise von Hamburg nach Berlin, wo er trotz geschmälerter Sehkraft
mit strahlendem Optimismus nach langer Abwesenheit wieder auftrat[268].
Bestrickend wie eh und je wirkte er auf die Damenwelt der Stadt, wofür
ein Brief von Rahel an David Veit vom 4. Januar zeugen möge, in dem
diese schwärmerisch schreibt: „Mein geliebtes Genie Reichardt ist hier ...
Sie glauben gar nicht wie schön Reichardt geworden ist ... alle Züge
haben sich verrundet und verschönert. Kurz, Reichardt ist so jetzt mein
größtes Plaisir!"[269] Da des Kapellmeisters Petitionen um Pensionierung
aus der Ferne abgesandt ohne Resonanz geblieben waren, versuchte dieser nunmehr mittels persönlicher Vorstellungen „auf eine gute Art" von
Berlin „ganz loszukommen"[270]. Statt dessen wurde er aber „auf die beste
Art wieder festgemacht", indem er die Erlaubnis erhielt, vom Frühjahr
bis zum Herbst ungestört in Giebichenstein zu wohnen und lediglich
während des Winters als Kapellmeister in Berlin zur Verfügung zu

stehen[271]. Die Familie lebte währenddessen weiterhin in Hamburg, wo die Ehegefährtin Reichardts u. a. am 7. März mit Friedrich v. Matthisson, der mit 24 vertonten Gedichten zu den bevorzugten Lyrikern des Komponisten zählte, zusammentraf.

Trotz der überaus günstigen Vereinbarungen in Berlin war Reichardt nicht der Unsicherheit entronnen, denn unvermindert heftig wurde gegen ihn wegen seines „Demokratismus" intrigiert. Die Anfeindungen der Gegner aus den Reihen der Italiener und des Opernpersonals hatten nicht ausgereicht, um ihn zu Fall zu bringen, denn noch im Oktober 1794 gab der König den Befehl, daß eine Oper Reichardts „die erste im bevorstehenden Carnevale seyn solle". Also mußte seine angeblich staatsgefährdende politische Gesinnung dazu ausgenützt werden, ihm die Gunst des Monarchen zu entziehen, da dieser Reichardts künstlerische Bestrebungen wohlwollend duldete. Gegen die neuerlichen Angriffe versuchte sich der Betroffene zu wehren, indem er z. B. am 12. April an den Kanzler von Hoffmann protestierend schrieb, er habe ihn wegen seiner demokratischen Einstellung denunziert. Der Kanzler antwortete darauf am 15. April zwar „mit Nein", er betonte jedoch, daß wenn ihm jemand mit solcher Überzeugung begegnen würde, er diesen warnen müsse, „sich zu hüten, durch dergleichen schädliche Unterredungen die Sache der Gesellschaft und des Staates zu stöhren". Erreicht hatte mithin Reichardt mit diesem Einspruch nichts, denn von nun an war der Kanzler weit stärker gegen ihn eingenommen als früher, zumal man in Berlin seine politischen Intentionen genauestens kannte und verfolgte. Kurz nach diesem ungeschickten Geplänkel reiste Reichardt nach Giebichenstein, wozu man damals im Postwagen 2 Tage und eine Nacht benötigte. Hier richtete er sich nun zuversichtlich ein mit dem Ziel, in diesem „gelobten Land" behaglich lebend auf Dauer zu bleiben. Die Voraussetzung dazu war der Ankauf des Kästnerschen Gutshofes nebst dem umliegenden 2,089 Hektar großen Gelände an der Seebener Straße am 4. Juli 1794[272]. Reichardt zahlte von der Kaufsumme von 9300 Reichstalern 2000 Taler an, die ihm die Fürstin Luise von Anhalt-Dessau zur Verfügung gestellt hatte[273].

Reichardt zog in ein sagenumwobenes Land an der Saale unterhalb des schöngeformten, mächtigen Porphyrfelsens Giebichenstein, der in der Frühzeit als Göttersitz verehrt worden war, dann als trutzige Grenzfestung abschreckend gedient hatte, später erzbischöfliche Residenz und Domänenhof gewesen war[274]. Dieser idyllisch-liebliche Ort im Herzen Deutschlands, wo fern von höfischem Zeremoniell der Ruf „Zurück zur Natur" geradezu zur Verwirklichung einlud, begeisterte viele Wanderer und Reisende dieser Zeit. Einer von denen, der Student Joseph von Eichendorff, saß oftmals sinnend und lauschend auf der Gartenmauer des Reichardt'schen Besitzes[275]. Die dabei gewonnenen träumerischen Erlebnisse hafteten so stark in ihm, daß er noch 1841 in wehmütiger Rückerinnerung das stimmungsvoll-verklärende Gedicht „Bei Halle" niederschrieb:

Da steht eine Burg überm Thale
Und schaut in den Strom hinein,
Das ist die fröhliche Saale,
Das ist der Gibichenstein.

Da hab' ich so oft gestanden,
Es blühten Thäler und Höh'n,
Und seitdem in allen Landen
Sah ich nimmer die Welt so schön!

Durchs Grün da Gesänge schallten,
Von Rossen, zu Lust und Streit,
Schauten viel schlanke Gestalten,
Gleichwie in der Ritterzeit.

Wir waren die fahrenden Ritter,
Eine Burg war noch jedes Haus,
Es schaute durchs Blumengitter
Manch schönes Fräulein heraus...

Diese schönen Burgfräuleins erschienen dem jungen Dichter in der Gestalt der Töchter Reichardts, die den Garten mit ihrem lieblichen Gesang belebten. Darüber schreibt Eichendorff in Prosa: „wie völlig mystisch der am Giebichenstein gelegene Reichardtsche Garten mit seinen geistreichen und schönen Töchtern erschienen sei, von denen die eine Goethe'sche Lieder komponiere, die andere sogar Steffens' Braut sei. Dort aus den geheimnisvollen Bosketts schallten oft in lauen Sommernächten, wie von einer unnahbaren Zauberinsel, Gesang und Guitarrenklänge herüber, und wie mancher junge Poet blickte da vergeblich durch das Gitterthor oder saß auf der Gartenmauer zwischen den blühenden Zweigen die halbe Nacht, künftige Romane vorausträumend." Giebichenstein wurde mithin durch Reichardt zu einer beseelten Musenstätte, wachsend aus der Einheit von ehrwürdigen Altertümern, idyllischer Gartenlandschaft, lieblichen Flußufern und einem gediegen-schlichten, bürgerlichen Wohnsitz. Noch am 16. Oktober 1829, als all dieser Glanz bereits verblichen war, wanderte Friedrich v. Matthisson nach Giebichenstein, um „unstreitig den schönsten Punkt der ganzen Umgegend" still zu genießen[276].

77

In diesem abgelegenen und dennoch geistig zentral bedeutsamen Giebichenstein vor den Toren der rührigen Stadt Halle gab sich nun nach vielen Enttäuschungen Reichardt der ersehnten „ländlichen Muse" hin, in „schöner häuslicher Ruhe und Eintracht". Er verfiel indessen nicht in den unproduktiven, bedrückten Zustand der Untätigkeit, vielmehr entfaltete er hier mit einem bewundernswerten Geschick sein bis dahin unentdecktes Talent als Gärtner. Es zeigte sich seine Pflanzernatur, es offenbarte sich die Echtheit seiner vielen Worte über die Natur im Innern und außerhalb des Menschen, denn rührig legte er selbst Hand an bei der Anlage des großen, harmonisch in die abwechslungsreiche Landschaft eingefügten Gartens. Unter seiner Obhut entstand ein Naturpark von seltener Schönheit und Stimmung. Baumgruppen, Rasenflächen, Gemüsebeete wurden so vollkommen aufeinander abgestimmt, daß Wilhelm Dorow gar behaupten konnte: „Reichardt's Garten ist wohl die schönste Komposition seines Lebens und seines Geistes; nicht allein ist es der herrliche Geschmack, der darin herrscht, welcher unwiderstehlich anzieht, sondern man hat aus demselben die schönste Aussicht in Giebichenstein; wenn man weiß, daß er Alles selbst gepflanzt und geordnet hat, so kann man leicht schließen, wie schön und poetisch die Anlagen sein müssen."[277] Der spätere Schwiegersohn H. Steffens schreibt zutreffend über dieses Gelände, in dem Nachtigallen und andere Vögel in reicher Zahl nisteten, Hasen und Rebhühner durch Jäger ungestört sich bewegen konnten: „... eine stille friedliche idyllische Ruhe herrschte auf dieser geweihten Stätte und es war als sollte hier das unruhige und unstete Leben des Besitzers eine versöhnende Vermittlung finden"[278]. Der Garten war ein paradiesisch anmutendes Schmuckstück „ohne alle Ziererei". Es war kein stilisierter französischer Park, jedoch ein heimeliger großer Hausgarten mit vielen lauschigen Plätzen. Spielereien der Rokokoepoche und die damals üblichen künstlichen Ruinen fehlten darin[279]. Dagegen ließ Reichardt dem üppigen natürlichen Wachstum freie Entfaltung. Bezeichnend für diese konsequente Verwirklichung seiner grundsätzlichen, vom Rousseau'schen Naturerlebnis her gewonnenen Überzeugungen ist seine Bemerkung: „Jede Allee ist mir ein eben so großer Gräuel, als eine Fronte von zu Maschienen verkrüppelter Menschen."[280] Reichardt wollte nicht herrisch die Natur in ihrer vollen Pracht nach seinem Willen einzwängen und zu einem geometrisch beschnittenen Zuchtgebilde umgestalten. Garten bedeutete ihm vielmehr eine auf die Beschaffenheit des natürlichen Wuchses Rücksicht nehmende Verschönerung der wilden Landschaft in „ungezwungener" Anlage. Er sieht fern dem Barock und Rokoko die Natur als Organismus und nicht als einen logischen, herrichtbaren Mechanismus. Zu dieser naiv-urwüchsigen Offenheit für landschaftliche Schönheiten und natürliches Dasein gesellte sich bei Reichardt selbstverständlich auch ein sentimentalisch-reflektierendes Stimmungsbedürfnis, das sich in dem fortan oftmaligen Wechsel zwischen Stadt- und Landleben deutlich ausprägt.

Trotz dieses starken Dranges zur Natürlichkeit und zur Verwirklichung des Ideals einer natürlichen Humanität entwickelte sich bei Reichardt nicht wie bei Rousseau ein Haßkomplex gegen Kultur und Zivilisation. Reichardt bejaht beides, denn nur so konnte Giebichenstein rasch den Ruf einer „Herberge der Romantik" und vornehmlich bis 1806 eines „Treffpunktes bedeutender Männer aus der Nähe und Ferne" (Goethe) erwerben[281]. Eingerahmt von herrlichsten Pflanzen, Steinen, Wasser und Tieren vermochte nämlich der aus Berlin verdrängte Hofkapellmeister eine „für einen Privatmann großartige Geselligkeit" zu beleben[282], eine Kultur- und Geistesstätte mit einer selten produktiven Atmosphäre zu schaffen. In Giebichenstein blühte bei einem „höchst einfachen und ungenierten Leben"[283] der denkende und fühlende Geist auf. Männer wie L. Tieck wurden hier in „einsamen Nächten" zu ihren romantischen Träumereien „in die fernste Vergangenheit" verleitet und zu manchem guten Vers inspiriert, während drinnen im Hause Wissenschaften und Künste rege zur Geltung und Aussprache gebracht wurden. Reichardt war gesprächig und gastfrei bis zur Verschwendung. Meist nahm er keine Rücksicht auf den leeren Geldbeutel, unbedenklich gab er und ließ sich beglücken durch die Anwesenheit schöpferischer Menschen. Jeder Fremde, der etwas zur geselligen Runde beizutragen hatte, war „gern aufgenommen"[284]. Reichardts schier unerschöpflicher „Anekdotenfluß" belebte die abwechslungsreichen Gespräche. Dem stets geschäftigen Hausherrn wurde es zur Gewohnheit, „in freundlichen, herzlichen Verbindungen zu leben, in welchen offene und freie Mittheilung der Gefühle und Ideen, rücksichtsloser und liberaler Wechsel der gegenseitigen Ansichten und Urtheile das Leben zu einem genuß- und gewinnbringenden, lebendigen Verkehr machen"[285]. Hier vollendete sich sein Leben und künstlerisches Schaffen, hier fand er nach hartem Ringen zu „sich selbst", indem er aller Einseitigkeit abhold sein Heim zu einer Bildungsstätte der Begegnung werden ließ. Musiziert wurde täglich. Volkslieder und Chorgesänge standen im Mittelpunkt des geselligen Treibens, des tätigen Miteinanders, dem sich kein Gast gänzlich entziehen konnte. Ein großer Liedersegen entstand aus dieser anregenden Aura heraus. Das Leben im Garten belebte den Spieltrieb, so daß Reichardt gar „seinem Kutscher und seinem Bedienten Unterricht hatte geben lassen im Waldhornblasen"[286]. In Giebichenstein erschallte während des Sommers unter rauschenden Bäumen bereits viele Jahre vor dem Auftreten C. M. v. Webers und F. Schuberts der romantische Waldhornklang zur Ohrenweide Goethes, Tiecks, Schellings und vieler anderer Besucher. Reichardts Goethe-

und Herder-Vertonungen waren dabei „allen im Hause Lieblingslieder"[287]. Diesen abwechslungsreichen Verkehr genoß die viel bewunderte Gastgeberin indessen „in bequemer Ruhe, alles Unangenehme wurde ihr verschwiegen". Johanna Reichardt verließ Giebichenstein nur selten, da sie von einer „grenzenlosen Aengstlichkeit" gehemmt war[288]. Die häuslichen Verrichtungen überließ sie zumeist den Töchtern, die „in ihrer einfachen Weise großen Eindruck machten".

Das Jahr 1794 ging für Reichardt nach dem glücklichen Erwerb des Giebichensteiner Gutes zur Neige mit der tiefsten Demütigung aus Berlin, die ihm je zuteil wurde. Der König hatte am 28. Oktober überraschenderweise den folgenden schroffen Beschluß unterzeichnet:

> Se Königl: Majestät von Preussen etc. Unser allergnädigster Herr! Ertheilen hiemit dem Capellmeister Reichardt den Abschied, dessen bekantes Betragen, besonders in Hamburg ist die Haupt-Veranlaßung dazu.
> Gegeben Potsdam den 28. October 1794
> Fr. Wilhelm.

Dieser Schlag traf Reichardt um so härter, da er kurz zuvor noch nach Berlin zurückberufen worden war, um die für den Karneval des Jahres 1787 bereits vorgesehen gewesene Oper *Andromeda* nunmehr zur Aufführung zu bringen. Aber offenbar hatte ihm plötzlich sein ungezügeltes Politisieren bei Hofe alle Sympathien gekostet, wodurch Friedrich Wilhelm II. zur fristlosen und entschädigungslosen Entlassung seines Kapellmeisters veranlaßt worden war. Der Monarch verdächtigte ihn wie viele andere Zeitgenossen auch als einen potentiellen Staatsfeind, der politisches Unheil anstiften konnte. Zu lautstark hatte Reichardt seine Ansichten geäußert, zu sehr hatte er sich, in seinem Ehrgeiz gekränkt, gehen lassen in großsprecherischen Anklagen, denen jedoch keine den Staat gefährdende Taten folgten. Leider schwand zu dieser Zeit aber auch zusehends Reichardts Anziehungskraft auf das Theaterpublikum, so daß er nicht nur menschlich, sondern auch künstlerisch manchen Gönner bitter enttäuschte. Berichtet doch G. v. Göckingk am 24. Mai aus Berlin: „Der große Haufe hier in B. vergißt Krieg und alles über die neue Operette, die Zauberflöte. Sieben male ist das Stück schon gegeben, und doch muß der, der einen Platz haben will, 2 Stunden vor dem Anfange hingehen."[289] Einen derartigen Erfolg hatte Reichardt während der langen Dienstjahre in Berlin nie erringen können, Mozart jedoch gewann die Herzen der berliner Musikliebhaber spontan. Mit der „Zauberflöte" bewirkte er für die Durchsetzung einer deutschen Oper mehr, als Reichardt während jahrelanger Bemühungen zu erreichen vermocht hatte.

In seiner schier ausweglosen Not schrieb Reichardt, sich verzweifelt gegen die Entlassung wehrend, am 1. November 1794 aus Giebichenstein an seinen König die folgende unterwürfige Bittschrift:

> Sire
>
> In vollem Bewußtseyn meiner Unschuld, in dem ich mir nicht die mindeste pflichtwiedrige Handlung vorzuwerfen habe, darf ich Ew. K. M. als meinen Landesherrn bitten mich nicht auf eine bloße heimliche Angabe zu verurtheilen, sondern mich der Gerechtigkeit gemäß, meinem Verläumder gegenüber zu stellen, und meine Vertheidigung anzuhören. Ich bin nicht nur mir selbst, und meinen Acht, zum Theil noch unerzogenen Kindern, die ich künftig von Arbeiten fürs Publikum ernähren muß, die vollkommene Erhaltung meines guten Nahmens schuldig, selbst alle brave Unterthanen Ew. Maj. die durch dergleichen heimliche Angaben von den Feinden ihrer Redlichkeit und Freimüthigkeit ins Elend gebracht werden können, haben das Recht zu erwarten, daß mir ein Verbrechen, welches eine so harte Strafe verdiente, bewiesen wird, oder ich meine Unschuld möglichst zu erweisen suche. Und kann ich dieses, wie mir meine innigste Ueberzeugung sagt, so werden Ew. Maj. einen achtzehnjährigen treuen Diener gewiß nicht den Abschied geben, ohne ihn wenigstens in Rücksicht seiner zahlreichen Familie eine seinem Dienste u. seinem bisherigen Gehalte von 2000 Talern angemessene Pension zu ertheilen ...

Dieses Ersuchen fand keinen Widerhall, so daß Reichardt eiligst noch vor dem 10. November nach Berlin fuhr, wo er indessen bei Hofe nicht empfangen wurde. Eine zweite Petition vom 11. November an den Kronprinzen wurde damit vom Empfänger beantwortet, daß dieser seine Hilfe verweigerte, da er nicht befugt sei, „danach zu forschen"[290]. Auf diese abschlägige Mitteilung hin versuchte Reichardt mit einem weiteren Brief vom 12. November den König zu bewegen, seinen Fall gerichtlich untersuchen zu lassen; in einem Begleitschreiben dazu mußte er gar den Geheimen Kabinettsrat Beier inständig bitten, seinen Brief an den König weiterleiten zu wollen. Friedrich Wilhelm II. bekräftigte jedoch unbeugsam am 14. November mit nur einem Satz seinen Entlassungsbeschluß. Reichardt wiederum gab der ihm drohenden materiellen Not wegen seine Anstrengungen um Rehabilitierung nicht auf und setzte noch am gleichen Tage hastig einen dritten Brief an den König auf, in dem er nicht mehr um die Wiedereinsetzung in sein Amt, sondern lediglich noch um die „allerstrengste" gerichtliche Untersuchung der gegen ihn erhobenen Beschuldigungen durch eine Kommission sowie die Namensnennung der Verleumder bat. Ein langes Schreiben von 6. Dezember schließlich beendete das fruchtlose Erflehen königlicher Gnade.

Reichardt rang vergebens als treuer Staatsdiener um „Gerechtigkeit", wobei er sich „auf das Zeugniß des ganzen berliner Publikums" berief mit den pathetischen Worten: „ganz Deutschland kennt mich als einen ehrlichen, zum Guten treu wirksamen, den Schwächern und Aermern gerne beyspringenden Mann...".[291] Auch seine engsten Freunde versuchten vergebens auf den König Einfluß zu gewinnen, damit dieser sein hartes Urteil revidiere, so berichtet z. B. G. v. Göckingk aus Berlin am 10. Februar 1795: „Die Fürstin von Dessau ist in einem traurigen Gemüthszustande. Reichardt's Schicksal geht ihr sehr nahe... Er war der einzige vertraute Freund der Fürstin, hat sich aber so unvorsichtig betragen, daß die gute, edle Seele schmälig durch ihn ist compromittirt worden. Dennoch nimmt Sie sich seiner mit einem Enthusiasmus an, der ihrem vortreflichen Herzen Ehre macht, aber nicht ihrer Klugheit. Sie schickte vor einiger Zeit eine Estaffete an Bischofswerder [bis 1794 Gesandter in Paris] und bat ihn dringend, sich R's bey dem Könige anzunehmen, damit er eine Pension erhielte."[292]

Leider konnte es der sehr gekränkte und verachtete ehemalige Hofkapellmeister nicht unterlassen, anonym eine 40 Seiten umfassende Schrift *Über die Schändlichkeit der Angeberei* (Berlin 1795, bei Joh. Fr. Unger) zu veröffentlichen, in der er das Denunziantentum bei Hofe scharf anprangert. Er richtete seine Vorwürfe direkt gegen seine persönlichen Widersacher, unter denen er insbesondere den Kanzler Hoffmann vermutete: „Ein Hoffmann z. B. glaubt sich itzt bei seinem Fürsten nicht sicherer liebes Kind machen zu können, als wenn er ihm Männer von eignem freiem Urtheil, wie enragirte Democraten bezeichnet."[293] Vom Schmerz gequält konnte er sich als schlechter Verlierer auch nicht einiger um Mitleid flehender Sätze enthalten, in denen er z. B. die Seinen schildert „als eine brave Familie, die mit langem Fleiße und redlichem Bestreben endlich zu einem erwünschten Grade des Wohlstandes und der Ruhe gekommen wäre, die den seltnen Anblick hoher Einigkeit und Liebe, ungetrübter Heiterkeit und Zufriedenheit gewährte...", wenn nicht dieses große Glück durch die Entlassung zerstört worden wäre[294]. Mit dieser weiteres Mißfallen erregenden Broschüre versperrte sich Reichardt selbst die letzten Möglichkeiten einer Rehabilitierung.

Niedergeschlagen und mittellos, auf die Hilfe von Freunden angewiesen, wandte sich Reichardt abermals zu längerem Aufenthalt nach Hamburg, wo er in Neumühlen bei Altona einen Unterschlupf für seine vielköpfige Familie fand. Trotz bitterster Armut verzichtete er als stolzer Künstler hier indessen nicht auf eine „eigene Equipage"[295]. „Reichardt zeigte sich als den zärtlichsten Ehemann und las jeden Wunsch" aus den Augen seiner ebenfalls anspruchsvoll bleibenden Frau ab; die Mißerfolge hatten ihn „zwar in der Heftigkeit seines Benehmens gemildert, aber nicht niedergebeugt"[296], wie der weimarer Gymnasialdirektor Carl August Böttiger (1760–1835) nach einem Besuch berichtet[297]. An Anziehungskraft auf Künstler und Gelehrte hatte er ebensowenig verloren wie an Selbstbewußtsein. Selbst im Exil konnte man bei ihm unter drückenden Verhältnissen „alle merkwürdigen Männer kennenlernen", wie einer seiner auch im Elend treu verbunden bleibenden Freunde, J. A. P. Schulz, am 4. September 1795 an J. H. Voß schreibt[298]. Selbst der ihm persönlich nicht wohlgesonnene Dichter Fr. v. Matthisson reihte sich im September in die große Schar der Gäste ein. Die Anteilnahme an Reichardts Mißgeschick war in der Gebildetenschicht Nord- und Mitteldeutschlands allgemein groß[299]. Trotzdem blieb es dem teils durch eigenes Verschulden so tief Gefallenen nicht erspart, sich demütig um irgendeinen auch berufsfremden Broterwerb bewerben zu müssen. Der dänische Hof lehnte ein Anstellungsbegehren des politisch Verfehmten ab[300]. Reichardt ersuchte Goethe am 7. April 1795 um seine Fürsprache bei Herzog Carl August von Weimar, damit dieser ihn als „Correspondenten oder Comissionar" für in der Presse nicht erscheinende Nachrichten und Kunstgegenstände in Dienst stelle, mit dem Hinweis: „Bei der seit zwanzig Jahren gepflogenen vertrauten Bekanntschaft mit den angesehensten Häusern Hamburgs stehn mir die ausgebreitetesten Correspondenzen nach allen Ländern Europas offen; posttäglich erfahr' ich von allen Seiten her, was irgend Wichtiges in den Hauptstädten Europas sich ereignet."[301] Im gleichen Brief berichtet er außerdem von seiner nicht erlahmenden Rührigkeit: „Ich benutze die Local- und Zeitumstände und fange ein Journal an, zu welchem mich alles einladet." Diese „mit Lerm angekündigten" Journale *Frankreich* und *Deutschland* fanden zwar viele politisch interessierte Abnehmer[302], sie zogen dem Herausgeber jedoch die erbitterte Feindschaft Schillers und auch Goethes zu. Außerdem machten diese wenig erfolgreichen Unternehmungen alle Aussichten auf eine Sinnesänderung Friedrich Wilhelms II. völlig zunichte.

In diesem Augenblick wog der Verlust der noch jungen Freundschaft Friedrich v. Schillers besonders schwer. Der in Jena wohnende Dichter kannte den Exkapellmeister mindestens seit 1789. Er hatte es jedoch vermieden, daß dieser sich ihm näherte. 1789 äußerte Schiller schroff abweisend: „Dieser Reichardt ist ein unerträglich aufdringlicher und impertinenter Bursche, der sich in alles mischt und einem nicht vom Halse zu bringen ist." An Lotte v. Lengefeld schrieb er am 30. April desselben Jahres: „Noch ein Fremder ist hier, aber ein unerträglicher, über den vielleicht Knebel schon geklagt hat, der Kapellmeister Reichardt aus Berlin. Er componirt Goethens Claudine von Villabella, und wohnt auch bey ihm. Einen impertinentern Menschen findet man schwerlich. Der

Himmel hat mich ihm auch in den Weg geführt, und ich habe seine Bekanntschaft ausstehen müssen. Kein Papier im Zimmer ist vor ihm sicher.
Er mischt sich in alles und wie ich höre muß man sehr gegen ihn mit
Worten auf seiner Hut seyn."[303] Seit der ersten Begegnung empfand
mithin Schiller gegenüber Reichardt nur Mißtrauen, Verachtung, ja sogar Haß, obgleich er dessen gute Eigenschaften, wie z. B. seine Hilfs-
bereitschaft „für seine Freunde", sehr wohl anerkannte und zuweilen
auch für sich nutzte[304]. Dazu bot sich 1795 eine besondere Gelegenheit,
als nach einem Anerbieten Reichardts im Mai „durch Hufeland zu einem
Mitarbeiter an den Horen" herangezogen zu werden[305], Schiller wegen
des Gelingens des ersten Bandes seines „Musenalmanachs" die persönlichen Voreingenommenheiten zurückstellte und aus Jena am 10. Juli
schrieb:

> H. Buchhändler Michaelis aus Neustrelitz, der einen Musen-
> Almanach von mir für dieses Jahr verlegt, sagte mir, daß er
> Sie ersuchen würde, einige Lieder für denselben in Musik zu
> setzen. In der Voraussetzung, daß er Sie auf dieses Gesuch
> werde vorbereitet haben, nehme ich mir die Freyheit Ihnen
> einige Stücke von GehRat Göthe zuzusenden, und werde, wenn
> Sie es erlauben in einigen Wochen noch einige Lieder von mir
> selbst nachfolgen lassen. Wie sehr es mein Interesse ist, daß Sie,
> mein vortreflicher Freund, die Musik zu meinem Almanach ge-
> ben, brauche ich Ihnen nicht zu sagen.
> Darf ich Sie zugleich ersuchen, mich in nur 2 Worten zu
> benachrichtigen, ob Sie meine Bitte erfüllen, und ob ich Ihnen
> noch einiges zuschicken darf.
>
> Hochachtungsvoll
> Der Ihrige
> F. Schiller[306].

Aus diesem an Reichardt gerichteten Brief geht eindeutig hervor, daß
es der Dichter war, der den „vortreflichen Freund" um rege Mitarbeit
ersuchte und nicht sich der „aufdringliche und impertinente Bursche" aus
Giebichenstein dazu anbot. Außerdem bekundet Schiller mit diesem
Schreiben, daß er Reichardt zu den „besten Köpfen" seiner Zeit zählte,
denn nur diese wollte er ja als Autoren für den „Musenalmanach" und
die „Horen" gewinnen. Er achtete ihn als einen „Meister" seiner Kunst
und als einen würdigen Komponisten für seine schwer vertonbare Lyrik.
Dies ist deswegen besonders bemerkenswert, weil die späteren Angriffe
gegen den Komponisten und sein Schaffen damit in sichtlichem Widerspruch stehen.

Reichardt nahm Schillers Angebot mit Freuden auf, zumal er als Komponist nur ungenügend beschäftigt im Exil von Neumühlen lebte und

nach Aufträgen begierig war. Bereits am 20. Juli sandte er an den Dichter das folgende Schreiben:

> Ihr Andenken hat mich herzlich erfreut, edler Freund. Urtheilen Sie aus den musikalischen Beilagen, ob ich Ihre Wünsche gerne erfülle und schicken Sie mir ja alles was Ihre Muse dem Gesange darbietet. Wenn's nicht zu anmaßend klänge möcht' ich von nun an bis in Ewigkeit auf Ihre wie auf Goethe's komponablen Gedichte Beschlag legen. Doch meyne ich ohne stolze Anmassung sagen zu dürfen, daß Keiner meiner Brüder in Apollo sie mit herzlicherer Liebe und Treue umfassen mag. Sie schicken mir recht viel von Ihrer Muse, nicht wahr? Lieber.
>
> Die Composition des Liedes: Nähe des Geliebten, die sich den schönen Worten ganz anschließt, wünscht, daß in der dritten Strophe der Einschnitt auch, wie bei der vorigen Strophe, nach Hain stehen möge; schlagen Sie es doch G[oethe] vor, daß er der zweiten Hälfte des Verses noch eine Sylbe, ein Da oder dergl. hinzufüge und dieses abgebißne e gut heisse... Hat Ihnen Hufeland nichts von mir und meinem Journal Frankreich gesagt? ich denke Ihnen das erste St. durch ihn gesandt zu haben und lege die Folge davon hier bey. Möchten Sie mir doch bald ein liebendes Wort darüber sagen! Gewiß ich erwarte nicht daß Sie mir sagen sollen, es gefalle Ihnen; aber daß Sie mir sagten, wie ichs machen solle, um Ihnen zu gefallen, das wünsch ich sehr. Wenn ich die Materialien nicht gut und zweckmäßig wählte, so ist das ganz meine Schuld, und lag gar nicht darinnen, daß ich doch einmal versprochenermaßen alle Monate 6 Bogen füllen mußte. Ich sitze hier in einem so unabsehlichen Reichthum von Materialien für die französische Sache, daß ich eben so gut alle Monathe 6 Stücke füllen könnte und nur der große Reichthum und allenfals noch die Concurrenz andrer Journalisten, welche neben mir für die Leser, die nur immer umgerührt seyn wollen, interessanteren Jahre von 93–94 klug benutzen, setzt mich hie und da in Verlegenheit. Ich darf es Ihnen wohl sagen daß ich fast alles was die Minerva und die Beiträge bisher von französischen Sachen lieferte, bereits bei Seite gelegt hatte. – Aber über die Behandlung des Ganzen, das eine treue Darstellung des gegenwärtigen Jahres von Frankreich seyn soll, darüber sagen Sie mir doch ja wohlmeinend ein belehrendes Wort, lieber edler Freund. Ich ehre und liebe auch das harte Wort vom guten Manne...[307]

Diese Übersendung der ersten Lieferungen der Zeitschrift *Frankreich* war unklug, zumal Reichardt in dem Begleitbrief seine Unsicherheit offen preisgab. Schiller reagierte auf diese ihm ungenehme Sendung jedoch noch nicht postwendend, so daß sich während der folgenden Wochen ein zwar kurzer aber inhaltreicher Briefwechsel über das Verhältnis von Wort und Ton im Lied entwickeln konnte. So bittet der Dichter am 3. August, Reichardt möge das Gedicht „Der Tanz" so vertonen, daß „die Musik zu diesem Stück einen ordentlichen Tanz ausdrückte, nur in einer mehr idealischen Manier gedacht und ausgeführt", die „ins philosophische gehenden Stellen" sollten nur rezitiert werden[308]. Der dafür dankbare Komponist ging willig auf alle fruchtbaren Anregungen ein und übersandte bereits am 26. August die Kompositionen von „Macht des Gesanges", „Minnelied" und „Frühling" mit folgendem Begleitschreiben:

Ich hätte Ihnen gerne Ihren schönen Tanz mitgesand, das Wesen will aber keine musikalische Gestalt gewinnen und so leg' ichs lieber für itzt bei Seite. Auch würd' es für einen Allmanach eine zu große musikalische Composition werden, wenn es überall eine giebt: denn noch weiß ich in die Mannigfaltigkeit, die der unmusikalische Zuschnitt durchaus erfordert, keine Einheit zu bringen. Diese Schwierigkeit u. dies Verlangen hat meine Antwort bis heute verzögert; ich wünsche daß die beikommenden drey Stücke nicht zu spät anlangen mögen. Erlauben Sie mir ihnen einige Anmerkungen beizufügen. Wenn Sie sich Ihr herrliches Gedicht Die Macht des Gesanges vorsingen lassen wollen, so werden Sie vielleicht mit mir fühlen, daß sich am Ende die kalten Regeln, mit den kräftigen Tönen, die den übrigen Strophen zukommen, nicht recht singen lassen, und so ändern Sie vielleicht noch dem Gesange zu Liebe, die beiden letzten Verse, in welchen auch In und zu zu viel Accent erhalten; wie in der 2. Str: Und u der in der 3. Und u in der 4. Es.
In dem Minneliede hab' ich die ersten 3 Sylben des letzten Verses: Heut ist mein etc. als einen Dactyl behandeln müssen, weil der musikal. Rythmus ein solches Gemisch von Versen mit u ohne Aufschlag nicht recht verträgt. Das geht nun auch so leidlich durch alle Strophen bis auf die Dritte wo die Tŭgen/den all/ nothwendig geändert werden muß.
Daß der Frühling mich glücklich gemacht hat, werden Sie hoffentlich der Melodie anhören. So nennen Sie mir doch die tieffühlende heißgenießende Sapho.
Wollen Sie mir noch etwas sangbahres von Ihrer Muse schikken, so wird es mich bereit und meine Leyer gestimmt finden. Doch besorg ich fast Sie haben schon zuviel von mir für Einen Allmanach. Herzlichen Dank für das Horenstück: Die Liedermelodieen sind recht gut u sauber abgedruckt...[309]

In diesem ausführlichen Schreiben zeigt sich Reichardt als kein bequemer und nur dienender Komponist, der sich dem überragenden Dichter kritiklos anschließt. Vielmehr macht er selbst gegenüber einem der Größten seine eigenen künstlerischen Ansprüche voll geltend, er ringt auch mit um die gültige Gestalt der Verse als ein echter Künstler mit „Geist und poetischem Gefühl", das ihm kein geringerer als Christian Gottfried Körner (1756–1831) zubilligen mußte, der im übrigen Reichardt nicht schätzte[310]. Reichardts Zaudern vor einer Vertonung des problemreichen Gedichtes „Der Tanz" wurde leider von Schiller nicht recht verstanden, denn dieser äußerte sich am 31. August 1795 gegenüber seinem Freunde und musikalischen Ratgeber Körner: „Die Macht des Gesanges hat Reichardt componirt; aber an dem Tanz, den ich sehr gern componirt gewünscht hätte, verzagte er. Er meint, daß derselbe nur im Großen und mit ganzer Partitur könne ausgeführt werden."[311] Die wahren Nöte des Komponisten blieben ihm offenbar verschlossen, so daß ein enger gegenseitig befruchtender Kontakt während dieser wenigen Wochen der Annäherung nicht zustandekam.

Nachdem Reichardt für den ersten Band des „Musenalmanachs" und den 3. Band der „Horen" als „vortrefflicher Freund" seinen nicht unwesentlichen Teil beigetragen hatte, zerbrachen alle Bindungen an Jena und Weimar jäh[312]. Unmerklich hatte sich Goethe von dem „politischen Schwärmer" und „Widersacher" zurückgezogen; er mißbilligte Reichardts offenen „Sansculottismus" und journalistische Betriebsamkeit in seiner maßvollen, bedächtigen Art[313]. Schiller schien indessen noch dem unglücklichen Streiter für die Menschheitsideale der französischen Revolution wohlgesonnener zu sein, denn an ihn richtete Reichardt am 4. September die Bitte: „Ich höre Sie haben iezt viel mit Göthe, sagen Sie mir doch etwas von ihm; er verstumt mir ganz..."[314] Diese Vermittlung übernahm Schiller jedoch bereits nicht mehr, denn auch er hatte insgeheim bereits mit Reichardt wegen dessen jüngster Journale, die seinen eigenen Publikationsplänen entgegenwirkten, gebrochen und den heftigsten Federkrieg gegen den Exkapellmeister vorbereitet, dem dieser je ausgesetzt gewesen ist. Während Goethe vornehmlich den vermeintlichen politischen Unruhestifter, dessen Wirkung in Deutschland kaum nennenswert war, zwar verurteilte, ihn indessen duldsam lediglich durch Mißachtung zu strafen gedachte, ging dagegen Schiller agressiv-unerbittlich gegen Reichardt vor. Während Goethe nur den unstet-unbesonnenen Politiker mit seinem Vertrauensentzug treffen wollte, griff Schiller diesen als Mensch und Künstler hart an. Er beabsichtigte, ihn „auch in den Horen bitter [zu] verfolgen" und ihm den völligen Ruin zu bereiten[315], indem er zu Anfang des Jahres 1796 den Xenien-Streit eröffnete und gleichsam zum Sturmangriff aufforderte[316]. Am 5. Februar 1796 schrieb der Dichter unduldsam an Goethe: „Reichardt ist gut recommandirt [in den Xenien], aber er muß es noch mehr werden. Man muß ihn auch als Musiker angreifen, weil es doch auch da nicht so ganz richtig ist, und es ist billig, daß er auch bis in seine letzte Festung hinein verfolgt wird, da er uns auf unserm legitimen Boden den Krieg machte." Unter den gemeinsam verfaßten 925 Xenien waren nicht weniger als 76 „zerstreut", die wie „Hiebe" den Demokraten, Schmeichler, Freiheitsapostel und literarischen „Großsprecher" aus Giebichenstein treffen sollten. Schiller legte bei dieser publizistischen „Verfolgung" strenge ethische Maßstäbe an, die ihm ein Ausweichen oder ein Verschweigen des Konfliktes nicht gestatteten. Er verachtete Reichardt wie einen „Teufel"[317]. Blitzartig schleuderte er seine Verse gegen ihn, so z. B.:

> Deine Collegen verschreist und plünderst du! Dich zu ver-
> schreien,
> Ist nicht nöthig, und nichts ist auch zu plündern an dir.
> (Nr. 227)

oder:

> Schreib' die Journale nur anonym, so kannst du mit vollen
> Backen deine Musik loben, es merkt es kein Mensch. (Nr. 222)

oder:

> Frankreich faß er mit einer, das arme Deutschland gewaltig
> Mit der andern; doch sind beide papieren und leicht!
> (Nr. 208)[318]

Goethe trug zu diesem unfruchtbar-polemischen Federkrieg u. a. die Epigramme bei:

> Erst habt ihr die Großen beschmaust, nun wollt ihr sie stürzen;
> Hat man Schmarotzer doch nie dankbar dem Wirthe gesehn.
> (Nr. 216)

oder:

> Nein, das ist doch arg! da läuft auch selbst der Cantor
> Von der Orgel, und ach! pfuscht auf den Klaven des Staats
> (Nr. 219)[319].

Das deutsche Lesepublikum verfolgte diese Angriffe gegen den schwer getroffenen Komponisten und Schriftsteller mit lebhafter Anteilnahme[320]. Diese kam aber mehr dem Betroffenen als den Angreifern zugute, so daß das unergiebige Geplänkel bald abgebrochen wurde. Nur wenige persönliche Gegner, wie z. B. Wilhelm Heinse[321], billigten die Heftigkeit der Anwürfe. Die Mehrzahl der einsichtigen Leser äußerte sich dagegen „höchst unzufrieden" darüber, so etwa Kant, J. H. Voß oder Jean Paul Richter, der am 22. Oktober 1796 an Friedrich v. Oertel schrieb: „...

Fürchterlich weh that es meinem Herzen, daß [Goethe] ein so nahes wie das des guten Reichardt durchlöchern konnte . . ."[322]

Reichardt wehrte sich gegen die Xenien so gut er es vermochte mit einer nicht minder spitzen Feder in seinem Journal *Deutschland*[323]. Jedoch erlosch das aus gekränktem Ehrgeiz, Mißverstehen und Unduldsamkeit entfachte Strohfeuer bald, da auch die Dichterfürsten in Weimar und Jena bemerken mußten, daß sie einen hilflosen, um die Sicherung seiner Existenz ringenden Gegner angriffen, der trotz aller Beschimpfungen sich nicht davon hatte abhalten lassen, weitere Verse von Schiller zu vertonen. Diese lautere Haltung spricht in besonders einnehmender Weise für den viel geschmähten Komponisten, der vom Tagesstreit nicht seine künstlerischen Pläne und schöpferischen Notwendigkeiten anfechten ließ. Dies blieb auch auf Schiller nicht ohne starken Eindruck, denn am 4. November 1797 schrieb er ohne Groll an Amalie v. Imhoff: „. . . Die Freuden der Gegenwart sind von Reichardt componirt; wenn wir wieder zusammenkommen, hoffe ich diese in Gesellschaft singen zu hören."[324]. So war er fortan wenigstens bereit, Reichardt zu dulden, wenngleich er ihn niemals wieder zum persönlichen Freunde gewann, als welchen er ihn in den oben zitierten Briefen doppelzüngig angesprochen hatte. Reichardt begrub später die Erinnerung an diesen unnützen Zwist so sehr, daß er 1810 gar mit der gesammelten Herausgabe all seiner Vertonungen unter dem Titel:

Schillers lyrische Gedichte
in Musik gesetzt
und
Ihrer Königlichen Hoheit
der Prinzessin Wilhelmine von Preussen
gebohrnen Prinzessin von Hessen-Homburg
zugeeignet

der allzu kurzen fruchtbaren Begegnung das würdigste Denkmal setzte. An die Witwe Charlotte v. Schiller schrieb er am 4. Januar 1810 aus Giebichenstein:

Im Begriff meine Compositionen zu den sangbaren Gedichten Ihres verewigten Gemahls, gleich den kürzlich herausgekommenen Götheschen herauszugeben: wage ich die Anfrage an Sie, edle hochverehrte Frau, ob sich in Ihren oder Ihrer edlen Schwester Händen wohl noch einige nicht bekanntgewordene Gedichte des Verewigten befinden, die einer musikalischen Bearbeitung empfänglich wären; und ob Sie wohl die Güte für mich haben wollten, sie mir für meine neue Samlung, die ich gerne so reich und vollständig als möglich machte, anzuvertrauen. Sie würden mich dadurch höchlich verpflichten und es bliebe mir dann nur der Wunsch je wieder im Stande zu seyn, durch die treuste Erfüllung irgend eines Ihrer Wünsche und Befehle die Verehrung thätig bezeugen zu können mit der ich verharre

Ihr

ganz ergebenst gehorsamster Diener

Reichardt.[325]

Die Gesamtausgabe der Schiller-Vertonungen ließ Reichardt im Juli 1810 durch Christiane v. Goethe an die Witwe des Dichters als Geschenk überreichen[326]. Sieben Gesänge wurden bald in den großen Schatz der volkstümlichen Lieder der Deutschen aufgenommen[327], so daß die Melodien Reichardts zur Popularisierung der Lyrik Schillers erheblich beigetragen haben.

Trotz des gesunkenen Ansehens und einer drückenden politischen Belastung wagte Reichardt nicht nur im Oktober 1795 die Rückkehr in sein Gut Giebichenstein, sondern im November gar ein abermaliges demonstratives Auftreten in Berlin. Er ließ sich nicht zurückschrecken oder gar entmutigen. Im Gegenteil, er trat beherzt an ihm bisher unbekannte Männer und Frauen der Hauptstadt heran und bewegte sich ungezwungen in vielen einflußreichen Gesellschaften. Er traf dabei mit Wilhelm von Humboldt zusammen und gewann vor allem am 10. November im Hause des Justizrates Graun, eines Sohnes des früheren Hofkapellmeisters, die Freundschaft einer seiner anhänglichsten Verehrerinnen, der Königsbergerin Elisabeth v. Stägemann (geb. Fischer, 1761–1835)[328]. Sie war eine vorzügliche Sängerin und anregende Gesellschafterin, die wenige Jahre später in Berlin einen der glänzendsten schöngeistigen Salons unterhielt. Sie berichtet am 15. 11. 1795: „Reichardt ändert einige seiner Lieder für meine Stimme ... im Concert lief neulich alles mit offenen Armen auf ihn zu, und es scheint als ob er eben so viel Freunde als Feinde hat."[329] Derartig erfreuliche private Sympathiebekundungen änderten indessen an seiner traurigen Lage nur wenig. Lediglich Trost vermochte der aus der Öffentlichkeit ansonsten Verbannte daraus zu gewinnen. Ihm blieb auch nach dieser Reise in die preußische Hauptstadt nur die Möglichkeit, geduldig in Giebichenstein zu „erwarten, ob der König von seinem Zorn nachlassen werde"[330]. Jegliche Aktivität in eigener Sache verschlechterte nur die geringen Aussichten.

Immer weiter dehnte sich in diesen mußereichen Jahren der Kreis der Bekannten aus. Im April weilte in Giebichenstein der Philosoph J. G. Fichte als ein hochgeschätzter „lieber Herzensfreund". Er wurde begleitet von seiner Frau, die eine alte Freundschaft mit der Gastgeberin aus der gemeinsamen Hamburger Jugendzeit verband[331]. Man diskutierte eifrig in ländlicher Abgeschiedenheit und sagte sich die gegenseitige Zusendung von Schriften zu. Fichte versprach gar zudem die Mitarbeit an der politischen Zeitschrift *Deutschland*[332]. Gelegentlich eines Besuches in Leipzig traf Reichardt auch mit einem weiteren Mitarbeiter dieses Journals zusammen, mit Friedrich Schlegel[333]. Vorher hatte man bereits „in literarischer Verbindung" miteinander gestanden[334]. Beide Gesprächspartner profitierten offensichtlich von diesem Zusammentreffen[335], wenngleich man sich nach einem Jahr bereits wieder wegen politischer und persönlicher Differenzen verfeindete[336]. Indessen brach Schlegel nicht gänzlich die Beziehungen ab, wie Reichardt 1797 an Friedrich August Eschen mitteilte und Fr. Schlegel im Intelligenz-Blatt der Allgemeinen Literatur-Zeitung vom 16. 12. 1797 (Nr. 163, Sp. 1352) glaubte öffentlich bekunden zu müssen[337], denn nach 1798 verkehrten beide wieder miteinander reserviert-höflich. Besonders der Bruder August Wilhelm pflegte später den Kontakt mit Reichardt[338].

Im Herbst 1796 begann sich für den „hastigen Exkapellmeister" (Fr. Schlegel) wieder ein bessere Zeiten verheißender Silberstreifen am Horizont abzuzeichnen. Am 25. September und 4. Oktober wurden nämlich dem preußischen König zwei Berichte über Reichardt zugeleitet, die seine Begnadigung erwirkten und die Einsetzung als Salinendirektor in Schönbeck bei Halle zur Folge hatten. Als Sonderabteilung des bedeutenden hallischen Salzamtes wurde am 26. Februar 1798 eine „Fränkische Salzexpedition" eingerichtet, der die Versorgung des Raumes von Ansbach und Bayreuth mit diesem Grundnahrungsmittel oblag. Die Leitung des umfangreichen Geschäftsverkehrs wurde Reichardt übertragen, wobei man dessen Erfahrungen als Verwaltungsbeamter in Ragnit und als geschickter Organisator bestens zu nutzen beabsichtigte. Eine Instruktion vom 5. August 1797 legte bindend sein Dienstverhältnis fest bei einem Jahresgehalt von 612,50 Talern. Obgleich damit von Friedrich Wilhelm II. lediglich die Betreuung mit einem „Ehrenamt" beabsichtigt war, nahm sich der von seiner erfolglosen Journalistentätigkeit befreite Komponist der neuen nüchternen Aufgabe mit einem derartigen Eifer und Geschäftssinn an, daß der Salzabsatz nach Franken bald beträchtlich gesteigert werden konnte[339]. Reichardt bewährte sich damit mustergültig im praktischen Leben und mehrte den Reingewinn seiner Behörde mit Hilfe von zwei assistierenden Beamten, die an den Tantiemen beteiligt waren, recht erheblich[340].

Sogar der verblichene Glanz früherer ruhmreicher Jahre in Berlin stellte sich langsam wieder ein. Der Exkapellmeister rückte wieder vernehmlicher in den Mittelpunkt des Kulturlebens in Preußen vor. Im Juli des Jahres 1797 kehrte bei ihm in Giebichenstein dank der Vermittlung Friedrich Schlegels der begabte junge Dichter Friedrich August

Eschen (1776–1800) ein, den er bald als Mitarbeiter für die Zeitschriften *Frankreich* und *Lyceum der schönen Künste* gewann. Da dieser Lieblingsschüler von J. H. Voß zudem zu Reichardts ältester Tochter Luise eine herzliche Zuneigung an den Tag legte, wurde er bis zu seinem frühen Tode bei einer Bergwanderung in der Nähe von Bern einer der beliebtesten Gäste des Hauses[341]. Als geübter Geiger nahm Eschen gern an der Hausmusik teil. Luise komponierte und sang oft Gedichte aus seiner Feder, während Reichardt das Sonett „Freude lächelt, kehrt der Frühling wieder" musikalisch bearbeitete[342]. 1799 wurde er gar als Hauslehrer für den in der Erziehung bis dahin sehr vernachlässigten Sohn Hermann gewonnen[343].

Am 16. November 1797 starb Reichardts zweiter oberster Dienstherr König Friedrich Wilhelm II. Ihm folgte auf dem Thron der nur 27 Jahre alte König Friedrich Wilhelm III. (1770–1840). Dieser Regentenwechsel weckte in Reichardt naturgemäß neue Hoffnungen auf eine völlige Rehabilitierung und Wiedereinsetzung als Hofkapellmeister. Diese wurden jedoch nur teilweise erfüllt, denn der junge Monarch war ohne sonderliche Musikinteressen. Er kürzte gar die Zuwendungen für das Theater und ergötzte sich vorzugsweise an Musik im heroischen Stil sowie an Ballettdarbietungen[344]. August Kotzebue war sein Lieblingsdichter. Die von Reichardt seit vielen Jahren verfolgte „Entwelschung" des Musiklebens von Berlin behinderte er nicht, er beförderte diese jedoch auch nicht. Wiewohl Friedrich Wilhelm III. vom Anfang seiner Regierungszeit an dem Salinendirektor wohlgesonnen war, war es doch mehr die neue junge und musikliebende Königin Luise, die ihm wieder eine herzlichere Aufnahme bei Hofe bereitete. Sie erschien Reichardt bald wie ein „lieblicher Mond" neben der ihm freundlich scheinenden „neuen Sonne", die der Monarch verkörperte[345]. Zwar durfte er diesem nicht als Kapellmeister dienen, jedoch konnte er der reizenden Landesmutter als Musikmeister und Gesangslehrer sich nützlich erweisen, da diese seine Lieder sehr schätzte und oft sang. Das königliche Schloß stand ihm nunmehr wieder offen, auch in Konzerten begegnete sein Name häufiger auf den Programmzetteln. So berichtet z. B. G. v. Göckingk am 27. Januar 1798: „Reichardt hat von dem Concert das er am Mittwoch im Opernhause gab, einen Ueberschuß von mehr als 1200 Thlr. gehabt. Seine Haupt-Absicht war, dem Könige zu zeigen daß er schon mit den jetzigen Operisten deutsche Opern würde geben können. Es war daher zu bedauern daß der König durch Krankheit abgehalten wurde dem Concert bey zu wohnen. Vom Hofe war Niemand da als die Prinzessinnen Heinrich und Ludwig."[346] Friedrich Wilhelm III. verlieh Reichardt zwar huldvoll wieder den Titel eines königlichen Kapellmeisters, der Zugang zum Dirigentenpult der Hofoper blieb ihm indessen versperrt, da hier

Righini und Friedrich Heinrich Himmel (1765–1814) walteten. Daß diese Ernennung lediglich honoris causa gemeint war, geht auch daraus hervor, daß Reichardt bis zum Februar 1801 auf eine „jährliche Gehaltszulage von 800 Thalern" warten mußte[347]. Obwohl sich dieser nur mehr in Giebichenstein recht „zu Hause" fühlte und diesen romantischen Ort ungern verließ[348], verbrachte er von nun an trotzdem wieder häufiger insbesondere die Wintermonate in der Haupt- und Großstadt Berlin[349]. Dieser oftmalige Wechsel des Wohnsitzes wurde ihm dadurch sehr erleichtert, daß er gern einen Teil des Jahres in unmittelbarer Nähe des verehrten jungen Königspaares verbrachte. 1803 schreibt er aus Paris: „Unser Hof, an welchem Tugend und Schönheit, Humanität und Grazie alles veredlen und mildern, ist der humaneste, der jetzt vielleicht besteht, und sicher so human, wie es mit der Würde des Regenten und seiner Familie, die imposante Formen und eine bestimmte Absonderung von der Menge nothwendig macht, nur irgend bestehen kann."[350] Feste und Bälle besuchte er fortan in der Hauptstadt um so lieber, als „der König und die Königin und die ganze Königliche Familie auf die liberalste und ungezwungenste Weise an der allgemeinen Fröhlichkeit Theil nehmen, mit jedem, der sich ihnen nähert, gleich human und artig sind"[351]. Viel von den zopfig-engen Gepflogenheiten der Ära Friedrichs II. war somit überwunden worden, was den insgesamt besonnener und gemäßigter werdenden Reichardt mit der Monarchie aussöhnte. Trotz dieser neuen, belebenden Anziehungskraft, die Berlin auf ihn ausübte, konnte er der ländlichen Muße nicht mehr entbehren, denn erleichtert schrieb er z. B. am 4. Februar 1798 aus Giebichenstein an Fr. A. Eschen: „Eben kehr' ich wieder aus dem Stadt- und Hofgewühle sehr wohl und glücklich zu meinen Lieben zurück . . ."[352]

In seinem Landsitz war während des Sommers 1798 neben Karl Gottlob von Anton[353], dem Begründer der Oberlausitzischen Gesellschaft der Wissenschaft, der prominenteste Gast Jean Paul Richter (1763–1825). Anfang Mai war dieser in Leipzig während der Frühjahrsmesse „Reichardt und seiner Frau mit der schönen Nase" erstmals begegnet[354]. Da Jean Paul auch während des Xenien-Streites treu zu dem Angefeindeten gehalten hatte, lud man ihn herzlich ein nach Giebichenstein, wo der Dichter vom 16. bis 20. Juli „sehr froh" lebte, „von den Gaben der Humanität und der botanischen Natur und der Tonkunst umgeben"[355]. Am 28. Juli kehrte er nach seinem kurzen Besuch bei Gleim in Halberstadt für weitere 3 Tage dorthin zurück[356]. Als bedeutendster Ertrag dieser Reise für den Gast und darüber hinaus für die junge Romantik ist das Angebot zu bewerten, daß Reichardt all seine Schriften von Hamann diesem zum Studium auslieh. Auch auf diese Weise wirkte der Kapellmeister und Salinendirektor als einer der tatkräftigsten Mittler zwischen der ostpreußischen Aufbruchbewegung aus der Mitte des 18. Jahrhunderts und der geistigen Elite Mitteldeutschlands um 1800.

Ende November 1798 stellte sich Reichardt wieder in Berlin ein. Er hoffte durch seine Anwesenheit sein künstlerisches Ansehen wieder heben zu können, „wenn er gleich für die Oper nichts zu thun" bekam, denn es wurden lediglich zwei Werke Righini's wiederholt[357]. Dennoch verzagte er nicht, sondern gab Konzerte, „um die Kosten seines Winter-Aufenthalts zu gewinnen", und verkehrte so emsig und geschäftig in den Häusern der tonangebenden Gesellschaft, daß er „fast täglich zu Gast gebeten" wurde[358]. Je weniger Betätigungsmöglichkeiten sich ihm in den Theatern Berlins boten, um so engeren Anschluß suchte er an die Singakademie, die aus „reiner Liebe zur Sache" und ohne Eitelkeit oder Gewinnsucht Karl Christian Friedrich Fasch (1736–1800) als „ruhmvoller Künstler" leitete[359]. Reichardt schrieb etliche größere religiöse Werke für diesen 1790 gegründeten und im Jahre 1799 bereits aus 94 Musikliebhabern bestehenden vorzüglichen Chor. Er verehrte „den großen bescheidenen Künstler" sehr und liebte „den höchstliebenswürdigen, herzlichen Mann, der mit seltenem Glück und Geschick bei den zartesten feinsten Formen die vollkommenste Redlichkeit durch sein ganzes Leben so rein zu erhalten wußte"[360]. Obwohl sich beide Komponisten bereits seit 1776 persönlich kannten, kamen sie sich doch erst nach 1783 innerlich näher, nachdem Reichardt für Fasch aus Italien eine sechzehnstimmige Messe von O. Benevoli mitgebracht hatte, deren Studium den Beschenkten „zu einem radikalen Bruch mit seiner kompositorischen Vergangenheit veranlaßte"[361]. Immer mehr rückte während der folgenden Jahre auch bei Reichardt die Kirchenmusik und das Vokalschaffen im alten Stil in den Mittelpunkt seiner künstlerischen Bestrebungen, zu deren stilechten und „reinen" Ausführung schließlich die Berliner Singakademie begründet wurde, deren erfolgreicher Leiter Fasch bis zum 3. Juni 1800 blieb. Reichardt besuchte die erbaulichen Singabende so oft als möglich, da er hier versunken lauschend sowohl eigene Werke als auch Chöre von J. S. Bach, Palestrina u. a. teilweise erstmals hören konnte. Während der Feier des 62. Geburtstages von Fasch am 18. November 1798 machte er die denkwürdige Bekanntschaft mit Carl Friedrich Zelter (1758–1832), der nach 1800 die Leitung der Singakademie übernahm und an Reichardts Stelle zum intimsten Ratgeber Goethes in musikalischen Fachfragen aufrückte. Brieflich waren beide Meister bereits seit 1788 „in künstlerische Verhältnisse" getreten[362]. Zelter wurde 1791 auch als Rezensent für das *Musikalische Wochenblatt* gewonnen, Reichardt hatte außerdem seit 1792 einige Lieder des Maurermeisters in seine Veröffentlichungen aufgenommen[363]. Die Verstimmung mit Goethe und Schiller seit 1795 hatte dieses gute Einvernehmen nicht trüben können. Zelter gefielen zwar nicht alle Werke und Äußerungen Reichardts, doch trat er oft selbstbescheiden in den Hintergrund, wenn er z. B. als Konkurrent mit Goethe-Vertonungen die Meisterschaft des Kapellmeisters neidlos anerkannte[364]. An Goethe schrieb er am 5. März 1828 über Reichardt: „Sein Talent war echt musikalisch, nur nicht hinlänglich hier für ihn zu tun [in Berlin]. Darüber hat ihn sein politisches Treiben ersäuft. Wasser hat keine Balken; er wollte steigen: wie? wo? und – versank."[365] Unverständlich an diesem Verhältnis ist indessen, daß Reichardt zwar den ehemaligen Maurermeister, der in der preußischen Kulturpolitik gewichtige Aufgaben und Ämter übernahm, z. B. am 6. Mai 1805 um rege Mitarbeit an der *Berlinischen Musikalischen Zeitung* bat[366], er ihn trotz seiner Legitimierung als „feiner Kunstrichter und gründlicher Komponist" doch lediglich unter die „Dilettanten" einzureihen gewillt war[367]. Den hohen Rang eines „Musikheiligen" vermochte er Zelter nicht zuzubilligen, für ihn blieb er ein sehr achtbarer Außenseiter, deren es damals in allen Schichten viele gab.

Während der Winterwochen 1798/1799 taucht ein weiterer führender Kopf des frühen 19. Jahrhunderts erstmals im Blickfelde Reichardts auf: Ernst Theodor Amadeus Hoffmann (1776–1822). Daß sehr bald zwischen beiden Musikern und Schriftstellern persönliche Beziehungen aufgenommen wurden, steht außer Zweifel; fraglich ist nur, ob diese so weit gediehen, wie dies in der 5. Auflage des Konversationslexikons von Brockhaus aus dem Jahre 1817 hervorgeht, wo zu lesen ist: „Seine Lehrer im Generalbaß und Contrapunkt waren der Organist Podbielski in Königsberg, und später in Berlin der Capellmeister Reichardt, der sich seines Landsmanns getreulich annahm." Sicherlich haben beide Ostpreußen etwa über Fragen der Reinheit der Kirchenmusik und der Palestrina-Renaissance, der Gluckschen Opernreform und des romantischen Weltbildes miteinander lebhaft diskutiert, denn Hoffmann rühmte 1814 besonders diese kenntnisreiche Seite Reichardts, während er dessen späte Instrumentalwerke einer scharfen Kritik unterzog. Er schrieb im Todesjahr: „Selten gab es einen Componisten, der so, wie R., mit reichen musikalischen Kenntnissen, mit einem tiefen Gemüth, mit einem lebhaften, reizbaren Geiste, eine vollendete ästhetische Ausbildung verband, so daß er nicht allein die Dichtung, welche er musikalisch auszuschmücken unternahm, ganz durchdrang, sondern zugleich als Herr und Meister darüber schwebte, und sie unumschränkt beherrschte."[368] Das Jahr 1799 verlief für Reichardt ohne bewegende äußere Ereignisse, dafür bescherte es ihm aber um so mehr an geistigem Gewinn und Auftrieb. Drei Dichter nahmen in dieser schaffensarmen Zeit für mehrere Wochen seine Gastfreundschaft an: Johann Heinrich Voß, Ludwig Tieck und Friedrich Georg Freiherr von Hardenberg, genannt Novalis

(1772–1801). Voß beehrte ihn in Begleitung seiner Frau Ernestine geb. Boie, die eine gute Sängerin war, im Juli mit seinem Besuch[369]. Seit dessen erstem Aufenthalt von 1794 im „paradiesischen Giebichenstein" zog es den Dichter immer wieder dort hin[370], denn seiner gleichförmig-stillen Lebensweise entsprach dieser idyllische Ort abseits vom hektischen Getriebe der Revolutionszeit ganz besonders. Da Voß ein Gegner der Volksliedbegeisterung sowie der romantischen Mystik war und noch 1787 Reichardt als „Ohrenbläser", „Aufwiegler" und „unruhigen Geist" charakterisierte, liegt die Vermutung nahe, daß er mehr wegen der Schönheit der Landschaft als wegen eines regen Umgangs mit dem Gastgeber nach Giebichenstein kam[371]. Diesen Argwohn unterstützt ein Brief von Ernestine Voß vom 31. Juli, in dem die Schreiberin u. a. berichtet: „Unser hiesige Auffenthalt hat so manches was einen nicht zum inneren Frohsein gelangen läßt. Reichhard ist bei all seiner scheinbaren natürlichkeit, ein sehr strenger Haus Despot. Diesmahl verstimmt ihn noch dazu die schlimme Lage seiner ökonomischen Umstände, er braucht jehrlich sehr viel mehr als er einimt, und diesen Winter ist er in Berlin mit seinem Concert unglüklich gegangen, das erste brachte wenig, und das zweyte kam nicht zu Stande. Die Mädchen sind fast alle erwachsen, und haben einen starken Hang zur Eitelkeit, für ihre Bildung geschieht gar wenig. Der 13jährige Knabe läuft den ganzen Tag auf den Hof und im Felde herum, und die wenigen Stunden Unterricht die er hat, treibt er Nachlässig, und belügt seinen Vater und seine Lehrer. Heinrich, Langreuter und Eschen unterrichten ihn."[372] Johann Heinrich Voß äußert sich nicht minder frei am 25. Juli gegenüber Gleim: „... So oft es nur irgend sich machen läßt, steigen wir auf, und wallfahrten nach dem stillen paradiesischen Hüttchen, wo man es ganz vergißt, unter bösen oder thörichten Menschen zu leben; auch wenn der Patriarch [Reichardt] zwischendurch eine Strafrede gegen die Unmenschen hält."[373] Das stille Ehepaar nahm somit den „Patriarchen" in Kauf für den Genuß erholsamer Wochen und den gern in Anspruch genommenen Dienst, den der Gelästerte als Komponist aller angebotenen Verse stets bereitwillig leistete.

Eine engere persönliche Bindung ergab sich zwischen Reichardt und den beiden anderen illustren Gästen, die den „Wirt" gar sehr verehrten. Novalis hatte bereits 1797 gegenüber Friedrich Schlegel den Wunsch geäußert, Reichardt kennenzulernen, da er ihm vor allem „wegen seines ehrlichen Republikanismus recht gut" war[374]. Der ersehnte erste Besuch scheint jedoch erst im Sommer 1799 zustande gekommen zu sein, als Tieck einige Wochen in Giebichenstein lebte. Tieck verdankte seinem um 21 Jahre älteren Schwager für seine künstlerische Entwicklung mehr, als man gemeinhin annimmt. Er war von Natur aus „wenig musikal.", wie Reichardt 1812 schreibt. Durch die Aufnahme des Jünglings in Reichardts berliner Wohnung, wo man geradezu „Musik athmete", und durch häufige Besuche in Giebichenstein, wo er u. a. sein Drama „Genoveva" zu schreiben begann, wurde er erst zur Musik hingeführt, die in seinem späteren Schaffen und Leben eine große Bedeutung gewann. Reichardt wies Tieck ein in die Stimmbildung, womit ihm gleichzeitig der Zugang zur „reinen Vokalmusik" eröffnet wurde, die „in ihrem eigentümlichen Elemente atmet . . ."; er besorgte ihm Freibilletts zum Besuch des Nationaltheaters, womit ihm der Bereich der Oper und des Singspiels nähergebracht wurde. Reichardt dämpfte schließlich seine überreizten und überschwenglichen Jugendphantasien über Musik, indem er ihm eine klarere und einsichtigere Auffassung über diese Kunst, sowie ein nüchterneres, sachlicheres Urteilen anerzog[375]. Tiecks ablehnende Einstellung gegenüber dem durchkomponierten Lied, der italienischen Oper und dem geltungssüchtigen Virtuosentum, die Aufdeckung seiner mimischen Begabung, seine Begeisterung für Palestrina[376], und anderes mehr wurden zumindest mitbestimmt durch den rührig besorgten Schwager[377]. Da Tieck jedoch zwischen Schmerz und Begeisterung unausgeglichen exzentrisch hin und her geworfen wurde[378], er übersensibel von einem dämmernden Nachtbewußtsein umwoben war, gab es naturgemäß mit dem wirklichkeitsbezogeneren und verstandeshelleren Schwager auch manche unlösbare persönliche und künstlerische Spannung. Tieck war im Gegensatz zu seinem Gastgeber ein schwärmerischer Verehrer Mozarts, er bemängelte an Reichardt den fehlenden „Sinn für das Phantastische" und dessen „unruhige Vielthätigkeit". Vor allem sprach er ihm aber „das eigentlich dramatische Genie in der Musik" ab. Dieses harte Urteil wurde nicht nur verursacht durch die Uneinigkeit in prinzipiellen Fragen der Gestaltung komischer Opern, sondern auch durch einige gescheiterte Versuche eines Zusammenwirkens auf diesem Gebiete[379].

Wie es Reichardt bereits zur Gewohnheit geworden war, verbrachte er auch zu Anfang des Jahres 1800 einige Wochen in Berlin. Er musizierte mit der königlichen Familie, außerdem trat er in anderen fürstlichen Häusern auf, so z. B. in dem des Erbprinzen Georg von Mecklenburg-Strelitz, dem er am 23. Januar 1801 schrieb: „Ew. Durchlaucht wollten die Gnade haben mir wissen zu lassen, ob ich diesen Morgen, oder vielleicht besser den Abend, das Glück haben könte mit der Frau Herzoginn zu singen. Ich bin so frei darum anzufragen, mich unterthänig empfehlend." (Original im Staatl. Archivlager Göttingen.) Zu Beginn des Sommers kehrte er wieder nach Giebichenstein zurück, wo er eine neue Gattung schuf und benannte: das Liederspiel. Am 31. März wurde im Berliner Nationaltheater, das ursprünglich für eine Geburtstagsfeier eingerichtete anspruchslos-sentimentale Stück *Lieb und Treue* uraufgeführt[380].

Zum Karneval 1801 schrieb Reichardt sein letztes Werk für die italienische Opernbühne in Berlin, die de facto 1806 aufhörte zu bestehen, wenngleich de jure unter der Bezeichnung „Königliche Schauspiele" erst 1811 die Vereinigung der beiden Bühnen, der Hofoper und des Nationaltheaters, unter der Generaldirektion Ifflands erfolgte. Er hatte von dem ihm gnädigen König den Auftrag erhalten, die dreiaktige Oper *Rosmonda* mit vielen Tanzeinlagen zu komponieren[381]. Hierdurch veranlaßt flammte die schwelende Feindschaft des Hofkapellmeisters Himmel gegen Reichardt zu heftigen Ausbrüchen auf, denn dieser wollte seine Oper „Vasco da Gama" durchsetzen und den Rivalen damit beiseite drängen. Trotz der Veröffentlichung von bissigen Aufsätzen gegen den verächtlich so benannten „Salzdirector"[382], blieb in dieser unwürdigen Auseinandersetzung der Schöpfer der *Rosmonda* der Erfolgreichere. Er erhielt für dieses Werk von seinem König 1500 Taler als Geschenk überreicht und erfreute sich eines kurzen Glücks[383]. Der berliner Volksmund ging auf diese scharfe Konkurrenz mit dem Spottverse ein:

Als Reichardt sprach zu Rosamunden: Werde!
Da fiel der ganze Himmel auf die Erde.

Das Anerbieten von Chr. G. Schütz, eine Oper „Alceste" zu schreiben, schlug Reichardt in diesem Jahre aus wegen der Größe des gleichnamigen Werkes von Gluck[384].

Das darauffolgende Jahr 1802 war zwar arm an neuen musikalischen Werken, hingegen reich an literarischen, politischen und gesellschaftlichen Erlebnissen. Eine Schaffenskrise Reichardts ist um diese Zeit ebenso unverkennbar wie ein beginnendes allmähliches Versiegen des Schaffensstromes überhaupt. Glänzende, ereignisreiche Tage bot ihm dieses Jahr. Am 22. Mai begannen für Reichardt die wohl glücklichsten Stunden, denn Goethe kam erstmals für die Dauer von drei Tagen nach Giebichenstein. Der großmütige Dichter hatte seit 1801 die abgerissenen Verbindungen mit Reichardt wieder geknüpft und den künstlerischen Nutzen der Freundschaft den politischen sowie charakterlichen Bedenken übergeordnet[385]. Für Reichardt bedeutete dieser Besuch einen Prestigegewinn und ein hohes Fest zugleich, da er den führenden Geist seiner Zeit unter seinem wirtlichen Dache beherbergen durfte[386]. Goethe weidete sich an dem lebendigen Hausmusizieren, dem prächtigen Garten und insbesondere an der Wiedergabe seiner eigenen Verse, bemerkt er doch in seinem Tagebuch: „... Auch darf nicht übergangen werden, daß ich die Melodien, welche Reichardt meinen Liedern am frühesten vergönnt, von der wohlklingenden Stimme seiner ältesten Tochter gefühlvoll vorgetragen hörte." Am 24. Mai reiste der Dichter „um 12 Uhr von Giebichenstein ab" und erreichte gegen 15 Uhr Bad Lauchstädt. Dieser abgelegene Kurort im Bezirk von Merseburg war das eigentliche Ziel seiner Reise, denn hier gastierte seit 1791 die weimarer Hofschauspielertruppe während des Sommers von Mitte Juni bis Anfang August zur Unterhaltung der reichen Badegäste und der Hallenser, die bis 1806 hier mangels eines eigenen Theaters ihre Schaugelüste stillen mußten[387]. Am 26. Juni 1802 sollte in diesem kleinen Städtchen das neue Schauspielhaus eingeweiht werden mit Mozarts „Titus", wozu Goethe und Reichardt vorbereitend dorthin fuhren[388]. Am 27. Mai begleitete „Kapellmeister Reichardt" den Dichter zurück nach Weimar, wo dieser bis zum 2. Juni blieb. Eifrig benutzte er diesen willkommenen Besuch, um alte Bekanntschaften wieder zu erneuern und neue zu schließen. U. a. traf er mit Amalie v. Helvig erstmals zusammen, die am 29. Mai in ihr Tagebuch schrieb: „Mittag wurde uns der Kapellmeister Reichardt vorgestellt; da er bei Tafel neben mir saß, wurden wir bald bekannt. Er bat mich, mir seine Composition vorspielen zu dürfen; daß ich sie ihm gewährte, kannst Du begreifen. Er ist in den fünfziger Jahren, aber noch wohl erhalten, geistig angeregt und einschmeichelnd, aber, wie mich dünkt, ebenso eitel..."[389] Weimar war für Reichardt nun auch wieder deswegen ein ganz besonders anziehender Wirkungsort, weil es hier „zahlreiche Cirkel" gab, „wo der größte Theil der Unterhaltung, nach vorgängiger Recitation der neuesten Meisterwerke unserer Lieblingsdichter, in Musik und Gesang besteht. Nicht nur bloßes Anhören, nein! auch wirklicher Genuß dessen, ... das in sie der Componist gelegt hervorgebracht, belebt diese Cirkel vortreflicher Menschen. Einen Beweiß hierzu liefert die Empfänglichkeit für Zelterische, Reichardische und anderer vorzüglicher Meister, Compositionen. Man muß geradezu selbst in diesen Cirkeln gegenwärtig gewesen seyn, um das tiefe Stillschweigen, das kein Athemzug verräth, bemerken zu können..."[390] In Weimar fand Reichardt vor allem das aufgeschlossene, verständige Publikum, das er sich für seine Lieder, „Deklamationen" und Balladen vorzüglich wünschte. Hier war außerhalb seines Hauses der ideale Ort für seine Kunst und Wilhelm Ehlers (1774–1845) der geeignetste Sänger. Dieser Hannoveraner „mit seiner volltönenden Stimme" wurde von Goethe mehrmals zum Gesangsvortrag eingeladen, zumal dieser Kunstlieder und echte Volkslieder zur Guitarre als einer der ersten auch in öffentlichen Konzerten sang. Reichardt lud Ehlers zu sich ein und weihte ihn tiefer speziell in seine Kunst der Goethe-Vertonungen ein[391], von denen der Sänger 1804 neben Gesängen Zelters, Winters, Hurkas, Martins, Zumsteegs und Luise Reichardts etliche mit Guitarren-Begleitung herausgab[392].

Goethe muß der erste Besuch in Giebichenstein sehr befriedigt haben,

7 *

denn vom 17. Juli bis zum 20. Juli 14 Uhr kehrte er dort abermals ein, nachdem er vorher in Halle einige Tage im „Goldenen Ring" gewohnt hatte[393]. Reichardt war über diese ihm erwiesene Ehre so hoch beglückt, daß er zur Erinnerung an Goethes Anwesenheit in seinem Garten Gedenkstätten errichtete, darunter den „Nachtigallenstein", womit er den Lieblingsplatz des Dichters markierte[394].

Nach diesen erlebnisreichen Sommertagen im Umkreis Weimars brach Reichardt zu seiner letzten Reise nach Paris auf. Dorthin lockte ihn nicht mehr seine inzwischen erheblich abgekühlte Begeisterung für die Ziele und Taten der Französischen Revolution, auch nicht mehr der private Ehrgeiz, hier neben Gluck als Opernkomponist gefeiert zu werden. Als gereifter Mann wollte er nur noch die Fülle und Reize dieser kunstreichen Stadt genießen, jeden Abend ein Theater besuchen gemäß dem Vorsatz: „Künste und Kunstwerke, und immer wieder Kunstwerke und Künstler, dessen muß man sich hier ganz widmen; so lebt man nicht nur mit Sinn und Gewinn, für die Zeit seines hiesigen Aufenthalts, sondern nimmt auch einen Schatz der schönsten, wohlthätigsten Eindrücke und Erinnerungen mit sich fort, nach der Heimath."[395] Offenbar war ihm diesmal also die Zerstreuung wichtiger als die Stillung der Wißbegier und das Wirkenwollen als schaffender Künstler. Während der zweiten Hälfte des Monats Oktober machte er sich auf den Weg und verweilte zunächst wiederum einige Tage in Weimar, wo auch Tieck und die Tochter Luise sich einfanden. Wie immer so wurde er auch dieses Mal zu mehreren gesellig-musikalischen Zusammenkünften eingeladen. Amalie von Helvig berichtet am 22. Oktober in ihrem Tagebuch über einen dieser Zirkel: „Diesen Morgen ward Reichardt zur Herzogin-Mutter berufen, er ließ mir sagen, daß er wünsche, mich Abends besuchen zu dürfen, ich lud meine musikalischen Bekannten dazu ein. Reichardts Tochter ist nichts weniger als hübsch, aber sie gefällt durch ihr einfaches Wesen und die ungesuchte Grazie einer harmonischen Natur. Es wurde viel gesungen und gespielt und erst um zehn Uhr verließen mich die lieben Gäste."[396] Während der Weiterreise verfehlte Reichardt in Frankfurt nicht, der Mutter Goethes seine Aufwartung zu machen, die ihn und seine „Romanzen" sehr schätzte und mit dem Gast „vergnügt" war[397]. Am 4. November schrieb er bereits aus Paris den ersten seiner Vertrauten Briefe[398]. Viele vornehm gebliebene Salons von Diplomaten und Adeligen konnte er besuchen und sich an Billard, Journalen, Konversation oder unterhaltender Musik oft ergötzen. Selbst zum Minister Talleyrand und zur Madame Bonaparte fand er bald Zutritt, der er Romanzen dedizierte[399]. Geschmeichelt von so viel unerwartetem Erfolg durch persönliches Auftreten ließ er daheim am 12. Mai 1803 in der „Zeitung für die elegante Welt" (S. 454) über die ihm zuteil gewordene „Ehrenbezeigung" den folgenden Eigenbericht abdrucken: „Nicht leicht hat ein auswärtiger Künstler hier ehrenvoller zugebracht, als der Preuß. Kapellmeister Reichardt. Während seines sechsmonatlichen Aufenthalts ist er nicht blos zu allen Konsular-Audienzen und Konsular- und Ministeriellen-Assembleen, sondern selbst zu den zeremoniellen Konsular-Diners gezogen worden, welches nur ausgezeichneten Fremden zu geschehen pflegt. Er hat für Mad. Louis Bonaparte Romanzen gesetzt, die in der Familie des ersten Konsuls mit Beifall gesungen werden, und Paris mit dem Versprechen verlassen, für das Théatre Feydeau, das einzige auf welchem hier wirklich gesungen wird, eine neue Oper vom Vicomte Segur zu komponiren. Seine Geisterinsel wird für eben dieses Theater jetzt hier übersetzt." Reichardt traf in Paris zusammen mit Paisiello, Méhul, Gossec, Cherubini, Lalande, Caillard, Rode, Erard und vielen anderen Künstlern, Wissenschaftern und Diplomaten aus fast allen Ländern Europas. Kreutzer hörte er als Geiger von „unübertreffbarer Bravour" und Romberg als „vortrefflichen Violoncellisten"[400]. Trotz der täglichen Freuden inmitten nobler Gesellschaften war aber der gewonnene Gesamteindruck vom Leben in der französischen Hauptstadt kein günstiger. Reichardt erlebte außerhalb der Theater, in denen „jetzt eine rohe, schmutzige Menge, die weder Gefühl noch Urtheil hat, und bald alle Kunst zu Grunde richten wird", beherrschend war[401], einen allgemeinen Niedergang und die Kunstfeindlichkeit des harten napoleonischen Regimes allzu deutlich. Ihm wurden während dieses letzten Aufenthaltes in Paris Illusionen genommen. Ernüchtert erkannte er nun, wie wenig durch die Revolution für „die Ruhe des Gemüths" und den feinen Kunstgenuß gewonnen worden war, wie wenig der Geschmacksverfall noch große Leistungen in den Künsten erhoffen ließ, wie allzu emsig einzelne Künstler sich mittels rauschhaft-überladener Werke bemühten, „dem Beifall der rohen, geschmacklosen Menge" nachzujagen, so daß „so leicht keiner mehr das Höchste der Kunst erreichen" wird, wie Reichardt schmerzvoll resumierend feststellte[402]. Seine Frankophilie wurde in diesen Tagen stark erschüttert, dafür nahm aber seine Zufriedenheit mit den gewandelten Verhältnissen in Preußen unter der milderen und versöhnlicheren Regentschaft Friedrich Wilhelms III. zu. Mit dem in ihm wieder erstarkenden konservativen Patriotismus schwand seine frühere „Anbetung" der französisch geprägten Kultur und Zivilisation zusehends. Bezeichnend für diesen beträchtlichen Einstellungswandel ist der Satz: „Neben jener beschränkten Idee der Mehrheit, daß alle Völker, was sie auch Gutes hätten, solches auf ihre französische Weise haben müßten, geht auch noch immer der Eigendünkel, daß sie sehr vieles hätten und verständen, wovon alle andere noch so policirte Völker nichts besäßen und nichts wüßten."[403] Selbst das Angebot eines Opernlibrettos

„La colère d'Achille" durch den Operndirektor Sarette schlug er aus, da er in Paris sich keinen „ansehnlichen und anständigen Gewinn" mehr erhoffen konnte. Reichardt reiste enttäuscht im April des Jahres 1803 über Nancy und Straßburg heimwärts[404]. Selbst der vielen prunkvollen Empfänge war er müde geworden. Am 22. April traf er erleichtert in Weimar ein, wo er stationierte, bevor er sich nach Giebichenstein begab.

Hier kehrte am 5. Mai 1803 zum dritten Male für die Dauer von 5 Tagen Goethe ein. An einem der gesellig verlebten Abende las er den ersten Akt der „Natürlichen Tochter" dem Familienkreise vor. Am 5. Juli folgte als Gast die berühmte Sängerin Karoline Jagemann, deren „Sinn und Gefühl für hohe Declamation" Reichardt besonders schätzte[405]. Auch Goethes Gemahlin Christiane wohnte bei ihm, als auch sie nach Bad Lauchstädt fuhr[406], wo gegen Schluß der Badesaison Reichardt gemeinsam mit einer alten Freundin musizierend auftrat, denn es sang „hier Mad. Mara vor einer brillanten Versammlung von viertehalb hundert Personen, nachdem sie ein kleines Demeleé mit dem Weimarschen Orchester gehabt hatte, das nicht spielte. Die hallischen Musiker wurden herbeygeholt. Capellmeister Reichardt aus Giebichenstein accompagnirte auf dem Flügel"[407]. Als weiteren neuen Gast konnte Reichardt in diesem Jahre auch den „genievollen" Prinzen Louis Ferdinand von Preußen bei sich begrüßen, der ab 1803 bis zu seinem frühen Tode 1806 in der nahe gelegenen Burg Wettin wohnte[408]. Der Kapellmeister honoris causa schätzte den komponierenden Prinzen sehr. Er beschreibt ihn als einen vorbildlichen Fürsten, der „alles kann was er will, auch zu den ersten und größten Virtuosen im Forte-Piano gehört"[409].

Auf welch biedere Weise zu dieser Zeit im Hause Reichardts Feste gefeiert wurden, geht aus einem kurzen Bericht des Medizinstudenten Adolph Müller hervor, der zum Heiligen Abend des Jahres 1803 eingeladen worden war. Außer ihm waren noch mehrere andere junge Menschen zur Feier gebeten worden, darunter auch die Tochter Mine des Hallenser Philosophen und Philologen Friedrich August Wolf[410]. „Geschwätz, Musik, gesellige Spiele" wechselten dabei in bunter Folge einander ab. Bis zur fröhlichen Bescherung des heiteren Zirkels spielte der Pianist Joh. Georg Schneider (1781–1811) eine Sonate von Mozart, die Familienangehörigen Reichardts sangen einige Chöre[411], so daß hier die Musik auf eine ideale Weise in das Leben veredelnd und ergötzend zugleich einbezogen wurde. Um Reichardt herum lebte und webte die Kunst in einem ersprießlichen Fluidum und Spielfeld, das von aktiv teilhabenden gebildeten Partnern gebildet wurde.

Herzens- und Geistesbildung konnte man im Reichardt'schen Hause zu allen Zeiten in reichem Maße erwerben, verkehrten hier doch neben vielen bedeutenden Künstlern auch etliche angesehene Gelehrte. So versammelten sich zuweilen Professorengesellschaften um den Komponisten, denen so hervorragende hallenser Gelehrte wie Matthias Sprengel, Reinhold Forster, Niemeyer oder F. A. Wolf angehörten[412], in deren Kreise der Neuhumanismus entwickelt und etliche weitere gewichtige Impulse für das 19. Jahrhundert grundgelegt wurden. Wolf insbesondere nahm seit Reichardts Entlassung aus dem Kapellmeisteramte regen Anteil an dessen Denken und Tun[413]. Obwohl er seine Tochter mehrmals gern „der Reichardtschen Familie anvertraute", begegnete aber auch er dem Hausherrn nur zurückhaltend[414]. Erweitert und belebt wurde dieser Gesprächskreis auch durch den dänischen Naturforscher und Schwiegersohn Reichardts Henrik Steffens (1773–1845), der am 4. September 1803 die schöne Tochter Johanna geheiratet hatte und 1804 an die Universität Halle für die Fächer Physiologie, Naturphilosophie und Mineralogie berufen wurde[415]. Mit ihm fuhr oder wanderte oft hinaus vor die Tore der Stadt der seit dem 12. Oktober 1804 ebenfalls in Halle lehrende Extraordinarius Friedrich Daniel Schleiermacher (1768–1834)[416], dessen Schwester eine „vertraute Freundin" von Steffens Gemahlin war. Dieser ruhige, beherrschte Theologe nahm begeistert an den bewegten Gesellschaften sowie an den Spielen teil. Insbesondere im Rätselspiel entwickelte er hier eine auffällige Virtuosität. Steffens stellte rückschauend auf diese wenigen glücklichen Jahre fest: „In der Reichardtschen Familie lebte Schleiermacher wie ich."

Noch ein weiterer prominenter Gast des Jahres 1804 muß hier eigens erwähnt werden. Außer Goethe, der am 25. August vormittags von Halle aus einen kurzen Höflichkeitsbesuch abstattete, kehrte in Giebichenstein auch der Dichter Clemens Brentano (1778–1842) ein. Brentano liebte zwar im Gegensatz zu seiner Schwester Bettina die Musik Reichardts sehr[417], an die Charakterschwächen des Komponisten konnte er sich jedoch trotz langen Zusammenseins nie gewöhnen. Gegenüber A. v. Arnim gesteht er 1808: „Es ist närrisch, aber ich kann für Reichardt keine rechte Liebe bekommen; ich glaube, daß er aus Eitelkeit oft sehr blind ist . . . Man muß den Menschen kennen wie Du und ich, und so gut sein wie Du, um ihn recht zu lieben."[418] Vor allem aber erkannte er neben E. Th. A. Hoffmann unter allen Romantikern bei aller Hochschätzung der Liedkunst am deutlichsten das Unvermögen Reichardts, den großen Schritt ins Reich der wahren Romantik zu unternehmen. Brentano drückte dies im März 1808, wiederum an seinen Freund und Mitarbeiter Arnim gewandt, in den drei treffenden Sätzen aus: „Er ist zwar im leichten Artigen, was die Liederspiele beweisen, nicht ohne Talent, im Romantischen aber ohne alles. Überhaupt fühle ich, daß schon aus seiner Ansicht der Poesie hervorgeht, daß seine Musik den neuen romantischen Schritt der Kunst nicht macht noch machen wird. Er hat ihn nur in einigen

Melodien berührt, die er stets wiederholen wird."[419] Trotz dieser gewichtigen Vorbehalte wollte Brentano indessen nicht der produktiven Atmosphäre im Umkreise Reichardts entbehren. Hier, wo das Volkslied wieder zu einem zweiten Dasein erweckt wurde, wo die alte erhabene Kirchenmusik eine echte Heimstätte wiederfand, wo das hohe Pathos Glucks verehrt wurde und der neue romantische Ton immerhin „berührt" wurde, empfing er Anregungen in Fülle. Als singlustiger Dichter fühlte er sich dort wohl, wo, wie z. B. während der Geburtstagsfeier Reichardts am 25. November 1804, Musik in reicher Fülle erklang: „... nach Tisch spielten Reichardts Bediente aus eignen Gedanken einige Waldhornlieder vor der Türe, bald darauf kam die Rede vom Singen und Arnim redete mit Reichardt zugleich von dem Lied – Semelisbirg – Arnim wußte, daß ich es kannte, und ich mußte es singen, da vergaß ich die Menschen ..."[420]

Während der Wintermonate 1804/05 weilte Reichardt wiederum in Berlin, wo er am 25. März in einem Konzert nacheinander mit Himmel auf dem Dirigentenpult gestanden hatte. In dieser denkwürdigen Veranstaltung hatte der junge Giacomo Meyerbeer (1791–1864) mitgewirkt, auf dessen Beziehungen zu Reichardt später noch hingewiesen werden muß. Nicht minder bemerkenswert war auch ein Zusammentreffen mit der diskutierfreudigen und agilen Frau de Staël (1766–1817) in diesem Jahre. Die bewährte Freundschaft mit den Mitgliedern des herzoglichen Hauses von Mecklenburg-Schwerin und Mecklenburg-Strelitz wurde weiter vertieft durch die Zueignung von Werken und gemeinsames Musizieren. Reichardt schrieb eine *Trauerode auf den Tod der Großfürstin Helena, Erbprinzessin von Mecklenburg-Schwerin, nach Klopstocks Ode: die todte Clarissa* (Penig und Leipzig 1805, bei Dienemann und Comp.) über deren Entstehen er berichtet: „Bei der zweiten Lectüre des Gedichts sang er [der Komponist] die Verse auch aus tief bewegtem Herzen, und wo die Stimme, vom Gefühl überwältigt, versagte, setzten in der Seele des Componisten die zartesten der Blasinstrumente die verstummten Melodien fort ... So entstand die kleine Composition, in welcher die Singstimme, nur mit Wahrheit deklamirt und in den einfachsten Melodien singt, durchwebt von Soloparthieen für Clarinett, Hoboe und Waldhörner."[421] An den Erbprinzen Georg von Mecklenburg-Strelitz wandte sich Reichardt in diesem Winter mit zwei Briefen in der Hoffnung, diesen neben Goethe, Zelter und anderen bekannten Persönlichkeiten als Mitarbeiter für seine *Berlinische Musikalische Zeitung* gewinnen zu können. Am 8. November 1804 sandte er das folgende Schreiben ab:

Durchlauchtigster Gnädigster Erbprinz.

Erlauben Ew. Durchlaucht gnädigst meine innige Freude über die glückliche Rückkehr von einer so langen und interessanten Reise durch Ueberreichung einiger meiner Arbeiten zu bezeigen und den Wunsch äussern zu dürfen, daß meine Rosmonda, die auf Befehl Sr. Majestät diesen Winter wiederholt wird, auch wieder in Eu. Durchlaucht einen so gnädigen Beschützer finden möchte als ehedem. Sollte mir dieses Glück hier nicht zutheil werden, so würd' ich alles anwenden Eurer Durchlaucht in Ihrer Residenz persöhnlich die tiefe Ehrerbiethung und herzliche Ergebenheit bezeugen zu können mit der ich ersterbe ..." (Original im Staatl. Archivlager Göttingen.)

Am 6. Januar 1805 schrieb er:

Durchlauchtigster Erbprinz
Gnädigster Herr.

Eu. Durchlaucht interessiren sich für alles was die Musik betrifft, und so wird auch eine eben begonnene musikalische Zeitung, deren Redaction ich übernommen habe einiges Interesse für Sie haben. Das hätte nun freilich wohl Zeit gehabt bis zu der Ankunft von Eu. Durchlaucht in Berlin, der wir alle sehnlich entgegensehn. Mein eignes Interesse läßt mich aber die ersten Blätter um so lieber gleich übersenden, da mir Frau von Berg die Erlaubnis giebt sie ihr zum Einschluß zu geben und da ich über alles wünschte, daß das Unternehmen Eu. Durchlaucht genugsam interessiren könte ...[422]

Nach Beendigung des Karnevals kehrte Reichardt nach Giebichenstein zurück. Hier empfing er im Mai 1805 den Dichter der romantischen Schicksalstragödie Christof Ernst Freiherrn von Houwald, der dort „sehr froh im Grünen und Blühenden" lebte. J. H. Voß kehrte Ende Juni zum letzten Male bei ihm ein, bevor er nach Heidelberg übersiedelte[423]. Im Juli besuchte Reichardt in Halle die Vorlesungen des berühmten Joh. Jos. Gall über die Schädellehre, deren letzte am 15. Juli stattfand. Selbst Goethe war eigens wegen dieses Ereignisses nach Halle gekommen, „rechts neben ihm saß Wolf und links Reichardt"[424]. Dagegen trat, dem Tagebuch des Studenten J. v. Eichendorff zufolge, anschließend der Schwiegersohn Reichardts „H. Proff. Steffens ebenfalls wieder im Kronprinzen in 3 Vorlesungen öffentlich als Wiederleger gegen Gall auf. Alle, die Gallen gehört hatten, sowie auch alle seine eigenen Zuhörer u. viele andere Studenten erhielten Entrébillets. Besonders riß Steffens in seinem letzten Vortrage durch lebendige lodernde Kraft seines Entusiasmus jeden Zuhörer hin".

Dank der Vermittlung durch Steffens trat im Sommer 1805 auch der dänische Dichter Adam Oehlenschläger (1779–1850) in den Kreis um Reichardt ein. Er war in Giebichenstein jeden Sonntag zu Gast: „Sie empfingen mich Alle sehr freundlich ... Reichardt selbst war etwas kalt und zurückhaltend, aber sehr höflich; seine Töchter kamen mir ebenso wie Hanne mit schwesterlicher Freundschaft entgegen. Frau Reichardt war still und sanft ... Reichardt führte mich selbst in seinem großen Garten umher; er hatte seinen Kutscher und seinen Diener auf dem Waldhorn blasen lehren lassen und Abends bliesen sie oft im Gebüsch einige seiner Compositionen."[425] Oehlenschläger wurde hier schnell heimisch und vertraut. Für Hanne Reichardt schrieb er das erste Gedicht in deutscher Sprache[426]. Die Hausmusikabende, während deren „der Vater am Pianoforte mit seinen Töchtern" musizierte, „mehrere Gesänge von Göthe mit Reichardt's Compositionen, und alte italienische Kirchengesänge von Leonardo Leo gesungen" wurden, blieben ihm in dauerhafter Erinnerung, die er noch in den Jahren 1817 und 1818 auffrischte, als er in Berlin und Hamburg die Witwe und die Töchter Reichardts besuchte[427]. Wie Eichendorff besang auch Oehlenschläger Giebichenstein in wehmütig-verträumten Versen[428]. Seine Musikanschauung und späteren Kompositionsversuche wurden von den hier gewonnenen lebendigen Eindrücken wesentlich geprägt[429]. Bestärkt wurde er durch Reichardt besonders in seiner Wertschätzung der „alten dänischen Kämpeweisen", von denen Oehlenschläger 1806 in Gegenwart des Kapellmeisters, Wielands und der Witwe v. Schillers vor der herzoglichen Familie in Weimar einige vorsingen mußte. Auch seine Ablehnung der „zu sinnlichen" katholischen Kirchenmusik seiner Zeit stimmte mit der Ansicht Reichardts überein[430]. Der Gastgeber versuchte als stets hilfsbereiter Förderer junger aufstrebender Künstler dem damals noch unbekannten Dichter vornehmlich in Berlin den Zugang zur großbürgerlich-aristokratischen Gesellschaft zu erleichtern, indem er den Dänen drei Wochen lang täglich mittags und abends zu Empfängen und ähnlichen Veranstaltungen mitnahm[431].

Achim von Arnim (1781–1831) war einer der letzten Gäste im Hause Reichardts, der sich der gepflegten und großzügigen Gastlichkeit erfreuen konnte, bevor die Plünderung Giebichensteins durch Truppen Napoleons der Glanzzeit dieser behaglichen Stätte ein allzu frühes Ende bereitete. Arnim war am 10. Mai 1798 in Halle als Student der Rechte immatrikuliert worden und hatte seither „innigen" Kontakt zu Reichardt gewinnen können[432]. Der Kapellmeister vertonte 11 Gedichte des jungen Romantikers, die in der Sammlung „Le Troubadour italien, français et allemand" (Berlin 1806) veröffentlicht sind. Arnim ließ sich insbesondere von der „wachsenden Lust an einer tiefen nationalen Erinnerung" (H. Steffens) erfassen, die Reichardt in den politisch und sozial aufgewühlten Jahren vor Napoleons Sturm über Europa hinweg belebte. Seine Begeisterung für das alte Volkslied wurde dadurch wesentlich gefördert. Das Entstehen der Aufsehen erregenden Ausgabe „Des Knaben Wunderhorn" hat Reichardt tätig mitverfolgt, so daß Giebichenstein als eine der Wiegenstätten dieser bedeutenden Sammlung genannt zu werden verdient.

Giebichenstein wurde überdies während dieses spannungsreichen Jahres aber auch zu einem der Ankerplätze für den Widerstandsgeist in Preußen gegen die andrängenden französischen Heere. Reichardts patriotische Gesinnung war nach dem Erkalten seines Revolutionseifers wieder unerschütterlich fest geworden. Sein Kosmopolitismus hatte zu keiner Zeit seine preußisch-nationale Einstellung wesentlich beeinträchtigen können, weder unter dem harten Regiment Friedrichs des Großen noch nach seiner Entlassung aus dem Kapellmeisteramte. Er blieb stets trotz mancher dem widersprechender Dokumente „ein treuer Landsmann" (Hamann).

Noch am 18. Juli 1806 konnte Eichendorff zur Entspannung nach Giebichenstein gehen und in sein Tagebuch eintragen: „Unser Ausruhen dem Felsenthale gegenüber an Reichard's Garten. – Romantische Erinnerungsblicke nach Tost". Jedoch währte diese Sommeridylle nicht mehr lange, denn die napoleonischen Heere rückten unaufhaltsam nach Mitteldeutschland vor. Hallenser Studenten warfen mutwillig Fensterscheiben am Hause Reichardts ein, weil dieser sie als „noch sehr roh und ungesittet kritisiert" hatte[433], preußische Generale zogen als Einquartierung in das gepflegte Haus und den Garten ein. Die Zeiten des „ungenierten" Lebens und ideenreicher Gespräche über Kunst gingen zuende, übermütig-stolze Reden wider Napoleon vor der Schlacht bei Auerstedt lösten diese ab. Dieser Gesprächs- und Gästewechsel scheint Reichardt nicht unangenehm gewesen zu sein, denn ihm war, nach seinen eigenen Worten, von jeher „die Gesellschaft gebildeter Krieger die behaglichste von allen gewesen. Der freie, frohe Muth, mit dem sich ein solcher in seinen Aeußerungen gehen läßt, der denn doch immer wieder durch das point d'honneur und die gegenseitige Schonung derselben in den Schranken der Anständigkeit und Ehre gehalten wird, ist mir über alles lieb"[434].

Der Einmarsch der Franzosen in Halle nötigte Reichardt zum eiligen Verlassen seiner Wahlheimat, denn der verachtete Usurpator hoffte den "professeur de musique" in seine Gewalt bekommen zu können, der in Zeitungsannoncen zum Spenden für die Verteidigung und Versorgung der preußischen Truppe aufgerufen hatte. Giebichenstein wurde im Oktober 1806 geplündert, der Garten völlig verwüstet. Damit wurde eine

Heim- und Pflegestätte der deutschen Klassik und Romantik binnen weniger Tage zugrunde gerichtet, die in der gewesenen Schönheit nicht wieder erstand, da Reichardt später sowohl die Mittel als auch die Kraft zur Wiederaufrichtung fehlten. Die Angehörigen Reichardts flüchteten nach Berlin. Auf dem Gut Sandow des Herrn von Burgsdorff in der Mark Brandenburg blieb dem Verfolgten der bestürzende Anblick seines Stiefsohnes Wilhelm Hensler nicht erspart, der als Offizier in der Armee Napoleons diente. Reichardt indessen beherzigte in dieser Zeit erbitterter Not mehr denn je seine Devise: „Für die Zeit der Gefahren thut der Bürger auf die niedrigeren Güter des Lebens Verzicht, um die höheren, Ehre und Freiheit, zu retten."[435] Er stellte sich in den Dienst seines Königs und nahm als Sekretär des General-Feldmarschalls Graf von Kalckreuth aktiv an der Verteidigung Danzigs teil. Diese ihm ungewohnten Strapazen verursachten eine schwere Erkrankung, die seinen Tatendrang beträchtlich hemmte. Abgekämpft und verarmt sah Reichardt nach der Übergabe der Stadt Danzig am 25. Mai 1807 an die französischen Truppen seine Heimatstadt Königsberg wieder[436], wo er auf dem Rückzuge mit dem Minister v. Stein zusammentraf, der nach dieser Begegnung äußerte: „Der Mann hat doch eine Gesinnung."[437] Trotz der ihm drohenden Gefahren und eines entsetzlichen Kriegselends blieb aber Reichardt auch hier auf der Flucht ein selbstbewußter, tätiger Künstler und anregender Unterhalter. Von dieser Widerstandsfähigkeit allen Schicksalsschlägen zum Trotz zeugt der folgende Bericht aus Königsberg: „In einem Kaufmannshause trippelte während des Spiels die geschäftige Hausfrau, die über der Bewirthung des Ohrenschmauses vergaß, durch das Zimmer und bemerkte nicht die Feuer schießenden Blicke, die der Künstler ihr zuwarf. Sie klapperte nicht nur mit den Schüsseln, sondern hatte auch das Unglück, einen großen Schlüsselbund fallen zu lassen. Reichardt sprang auf, alle Entschuldigungen waren fruchtlos, verstimmt und verbittert empfahl er sich und das Mahl mußte in Abwesenheit dessen stattfinden, für den es eigentlich bereitet war."[438] In Memel endete schließlich die ausweglos gewordene Flucht vor Napoleon in der Hoffnung auf ein baldiges Ende der Wirren und eine glückliche Befreiung, denn „niemals waren Volk und König inniger verbunden; die erbitterte Armee lauerte auf den Augenblick, der ihr erlauben würde, die Schmach der Niederlage zu vertilgen" (H. Steffens). Auch Reichardt war von diesem patriotischen Wunsche beseelt, wenngleich er wegen seiner körperlichen Verfassung nicht mehr fähig war, aktiv am Befreiungskampfe teilzunehmen.

Nur kurz war Reichardts letzter Aufenthalt in seiner Heimatland-
schaft Ostpreußen, denn Not und körperliche Gebrechen sowie „die
strenge Zurückberufung aller in den von preußischer Seite abgetretenen
Provinzen Angesessenen" durch die Besatzungsmacht zwangen ihn zu
einer baldigen Rückkehr nach Halle. Ein Einzug in Giebichenstein war
zunächst nicht möglich, denn noch im Jahre 1808 stand hier alles „in
einer Art von Verwüstung da" (H. Steffens). Reichardt mußte zunächst
versuchen, seine materielle Lage erheblich aufzubessern und eine möglichst feste Bestallung zu finden, bevor er wieder seinen aufwendigen
Besitz bewirtschaften konnte. Selbst persönliche Gegner, wie z. B. F. A.
v. Stägemann, verfolgten in dieser bedrückenden Zeit mit „aufrichtigem
Bedauern" Reichardts schier hoffnungslose Lage[439]. Varnhagen von Ense
berichtet als einer der ersten Besucher im Jahre 1807: „Die Reichardtsche
Häuslichkeit, in bedrängten Umständen nach Halle zurückversetzt, ent-
blößt von dem weltmännischen Treiben und Anstand ihres Hauptes und
von der geistreichen Lebendigkeit des Schwiegersohns, erwies sich als
dürftiges schmuckloses Überbleibsel eines bessern Zustandes, der dadurch
nicht zurückkehrte, daß ein ärmlicher Schein geretteter Vornehmheit
ohne die nötigen Mittel angestrebt wurde ... Wir haßten als junge Leute
redlich und heftig alle Ziererei ... Das Reichardt'sche Benehmen hatte
nichts von dieser uns versöhnenden Art."[440]

Rastlos wie eh und je reiste Reichardt bereits im November 1807 gemeinsam mit Cl. Brentano und A. v. Arnim wieder nach Weimar, um
dort die alten Freunde aufzusuchen. Die Familie litt indessen daheim
bittere Not. Die rührige Tochter Luise sammelte zwar nach Behebung
der ärgsten Schäden in Haus und Hof „ein treffliches Sängerchor um
sich ... Händels Messias, Bachsche Choräle, alte italienische Kirchenmusik wurden ausgezeichnet gesungen. Im Garten sangen sie Volkslieder"[441], doch der Zauber der vergangenen glücklicheren Jahre kehrte
nie mehr nach Giebichenstein zurück! Die Aufnahme des verarmten
Kapellmeisters honoris causa in Weimar war zwiespältig. Henriette von
Knebel schrieb z. B. darüber am 11. November an ihren Bruder:
„... Mein Unglück ist jetzt, daß der Kapellmeister Reichardt hier ist
und diesen Morgen die Prinzeß besuchen wird. Er gibt ganz den widrig
traurigen Eindruck von Memel, wo er eben herkommt."[442]. Nur der
Empfang am Hofe war herzlich. Herzog Carl August, dessen Liebe zu
„allem Schönen ... und Streben nach höherer Vollkommenheit" Reichardt ehrfürchtig bewunderte[443], war dem darbenden Gast zwar wohl
gewogen, irgendwelche praktische Hilfe wurde diesem hier aber nicht
zuteil. In den Salons der Stadt wurde er höflich aufgenommen, man ließ

sich durch ihn musikalisch ergötzen und von seinen reichen Kriegserlebnissen berichten, jedoch war niemand bereit, ihn aus seiner materiellen und damit zugleich auch aus seiner künstlerischen Not befreien zu helfen. So schrieb Goethe am 8. November 1807 in sein Tagebuch: „Ließ R. von Giebichenstein und Arnim sich anmelden, wurden aber auf morgen eingeladen ... Abends ... zu Mad. Schopenhauer, wo die sämmtlichen Fremden und sonst viele Gesellschaft war, Reichardt und Arnim. Der erstere sang einige Lieder." Unter diesen Fremden befand sich auch der berühmte Rechtsgelehrte Friedrich Karl von Savigny.

Nach der vollständigen Besetzung des zerschlagenen Deutschen Reiches durch Napoleon wurde für kurze Zeit ein Willkürregiment eingerichtet, dessen absonderlichste Ausprägung die Gründung eines Königreichs Westfalen darstellt. Hauptstadt dieses unorganisch gebildeten Staatswesens wurde Kassel, wo am 1. November 1806 Marschall Mortier mit seinen Truppen eingezogen war. Dem untüchtigen, erst dreiundzwanzigjährigen Jérôme Bonaparte sowie dessen Gemahlin Katharina von Württemberg wurde nach der Proklamation vom 18. August 1807 die Herrschaft anvertraut. Am 10. Dezember 1807 hielt der viel belächelte und unansehnliche König seinen prunkvollen Einzug in der neugeschaffenen Residenz. Halle und Umgebung wurden diesem neuen Königreiche zugeschlagen und somit Reichardt Untertan Jérômes. Der entmachteten preußischen Krone hatte er nun nicht mehr zu dienen, was ihm zunächst sehr schmerzlich war. Obwohl die Verfolgung seitens Napoleons eingestellt wurde, galt er dennoch weiterhin als ein unzuverlässiger, widerspenstiger Bürger des neuen Staates, so daß man bestrebt war, „ihn in der Nähe unter Aufsicht" zu halten, wie Heinrich Steffens berichtet. Wohl vornehmlich aus diesem Grunde setzte man den verachteten preußischen Patrioten, dessen Salineninspektorstelle in Halle aufgehoben worden war, an den Hof König Jérômes als „Directeur général des théâtres et de son orchestre" mit einem Jahresgehalt von 2500 Talern (= 8000 Liv.) ein. Außerdem hatte er als Musiklehrer der Königin sich nützlich zu erweisen und verlorene Sympathien zurückzugewinnen. Angesichts des verwüsteten Besitztums in Giebichenstein und der völligen Mittellosigkeit ist es begreiflich, daß Reichardt in Kassel der Eröffnung einer „neuen lebensvollen Kunstlaufbahn" freudig entgegensah[444]. Ihm, dem geselligen und eitlen Künstler stand letztmals das Tor zu öffentlichem Wirken und höfischem Glanz offen. Er durfte sich wieder in vornehmer Haltung und Kleidung zeigen, mit einem ansehnlichen Orchester musizieren und all seine diplomatische Gewandtheit spielen lassen, wozu ihm die Abgeschiedenheit von Giebichenstein nur selten Raum gegeben hatte.

Das Datum des Diensttantritts in Kassel ist nicht genau feststellbar.

Da Reichardt Goethes Tagebuch zufolge am 29. Dezember 1807 „auf der Durchreise nach Kassel" in Weimar kurz verweilte, darf man annehmen, daß er um Neujahr in seinem neuen Wirkungsort eintraf, wo er ohne Verzug viel Aufbauarbeit zu leisten hatte. Eine dem erwünschten königlichen Glanze angemessene Hofmusik mußte von Grund auf eingerichtet werden, da in Kassel die dazu notwendigen Kräfte fehlten. Reichardt setzte daher aus 43 Musikern verschiedenster Herkunft ein leistungsstarkes Hoforchester zusammen, in dem vor allem aus Braunschweig angeworbene, z. T. sehr gute Kräfte mitwirkten[445]. An Goethe schrieb der neu ernannte Generaldirektor am 20. Januar 1808 freudig bewegt: „. . . Ich werde das französische Theater (das hier leidlich, aber doch arm ist) und das deutsche (das recht schlecht ist) zu reformieren und zu dirigieren haben. Durch die Verschmelzung der beiden Orchester von Braunschweig und Cassel ist zwar schon ein Personale von 43 Personen zusammen, doch werden wir uns, besonders von Berlin aus, noch zu recrutieren suchen. Vielleicht bekommen wir auch mit einigen guten Schauspielern, die Talma uns aus Paris zuführen soll, auch ein Ballett von dort her. Das Stadt-Schulchor ist gut. So könnt es denn, durch ernstliches, anhaltendes Bemühn, nach und nach etwas Ordentliches werden, das wir vielleicht wagen dürften, Ihnen vorzuführen. Dieß wird gewiß bei allen meinen Bemühungen mein höchstes Ziel und Verlangen seyn. Am sichersten werden wir es erreichen, wenn Sie uns Ihrer theilnehmenden Mitwirkung würdigen wollen. Sie sind, bei Ihrem edlen Wirken für Ihre Schaubühne, immer sichern, nothwendigen Maximen gefolgt und haben nur dadurch den hohen Grad der Übereinstimmung und des sichern Effects erhalten können, der mich so oft in Ihrem Schauspiel hoch erfreut hat. Ihnen liegt das Fortschreiten der Kunst überhaupt am Herzen, und jeder reine, thätige Wille findet sicher auch Ihre Unterstützung. So darf ich denn auch wohl die Frage wagen, ob Ihre Bühne bisher nicht bloß Ihrer persönlichen mächtigen Einwirkung zu erfreuen hatte, oder ob Sie ihr auch schriftlich Regeln und Gesetze geben? Ist dieses der Fall, so erlauben Sie mir noch die kühne Bitte, mir davon, so viel Sie irgend mögen, mitzutheilen, damit ich, so geleitet, gleich von Anfang an, dem rechten Ziele auf dem rechten Wege entgegen schreite. Die treuste Aufbewahrung und Befolgung verbürgt Ihnen meine hohe Verehrung und Liebe für Sie und die Kunst . . ."[446]

Für den Betrieb des Théâtre Royal sowie der kgl. Kapelle setzte König Jérôme in Kassel ein Zehntel seiner Zivilliste (= 500 000 fr.) aus. Diese beträchtlichen Mittel verausgabte der junge Monarch indessen weniger als ein musikbegeisterter Mäzen, sondern vornehmlich mit der Absicht, durch diese Repräsentationsmittel den höfischen Glanz rasch steigern zu lassen. Reichardt meisterte die auf ihn zukommenden beträchtlichen organisatorischen und künstlerischen Aufgaben anfänglich mit viel Geschick und Begeisterung für die Sache[447]. Da er nach seiner langjährigen Tätigkeit am Hofe Friedrichs des Großen sowie nach seinen etlichen Frankreich-Reisen mit der französischen Adelskultur gut vertraut war, schien er der beste Anwalt für die umfangreichen Aufgaben zu sein. Seiner wetterwendischen Art gemäß überwand er auch angesichts der vielversprechenden künstlerischen Möglichkeiten seine Abneigung gegen die Ära Napoleons und führte sich als ein konzilianter, serviler Hofmusiker in Kassel ein. Seine Ergebenheit verleitete ihn gar dazu, das Schauspiel aufzulösen, seine „deutsche Kunstgesinnung" zeitweilig zu leugnen und sich opportunistisch dem französischen Geschmack weitgehend anzubequemen, was insonderheit Clemens Brentano mit Bitterkeit aus der Nähe beobachtete[448]. In Briefen an A. v. Arnim schildert er betrübt, wie „der leichtsinnige Mann überall schlechte Ehre einlegt" und damit seine Familie gefährdet[449], und wie wenig ihm jedoch diese Unterwürfigkeit einbrachte, denn nicht nur bildete sich auch hier rasch eine starke Front von Widersachern, auch seine Werke fanden nur wenig Anklang. Brentano schrieb im Januar 1808 an Arnim: „Reichardt ist beständig am Hofe, besorgt der Königin die Masken, komponiert Tänze für sie, spielt sie mir vor, mir gefallen sie nicht; er ist glücklich, wie sehr sie ihr gefallen hätten; er exerziert der Königlichen Familie die Tänze ein, sie tanzt so gut als möglich danach . . ." Reichardt fiel mithin in Kassel zurück in die Rolle eines den Publikumsgeschmack bedienenden Alltagskomponisten. Er gab die in Giebichenstein sich errungene künstlerische Freiheit abermals der gesellschaftlichen Geltung wegen auf. Doch genügten alle Anstrengungen nicht, um das gewagte Spiel in Kassel zu gewinnen. Zu sehr war er bereits als Fünfundfünfzigjähriger mit dem deutschen Singspiel und Lied, mit Berlin und Weimar verwachsen, um noch in dem ihm fremden Milieu Erfolg haben zu können. Seine Melodien fanden als zu wenig gefällig nur mäßige Resonanz. Die Orchestermitglieder lehnten ihn als Kapellmeister seiner unbequemen Art wegen ab. Einzig die hier still wissenschaftlich arbeitenden Brüder Grimm und andere „treffliche Literatoren" wahrten ihm in diesen nicht sonderlich ermutigenden Umständen ihre Freundschaft[450]. Reichardt führte seine Bühnenwerke *Jery und Bätely*, *Liebe und Treue* in Kassel auf, hören und sehen wollte man jedoch prächtigere Opern von Cherubini, Gluck, Grétry oder Méhul[451]. Auf dem Spielplan standen auch Mozarts „Titus" und „Don Juan", womit sich zwar für ihn persönlich ein bis dahin unbekanntes Musiktheater erschloß, seine Rolle als unterhaltender Theaterkapellmeister aber nicht an Ansehen zu gewinnen vermochte. Dieses Studium von Opern Mozarts bewirkte eine spontane Begeisterung für die Wiener Klassik auf der Bühne und damit die späte Anerkennung der Überlegenheit des süddeutschen über den norddeutschen Stil. Manche Jugendideale verfielen in diesem Jahre 1808; Reichardt mußte unumwunden das Zopfige der „Berlinischen Musik" eingestehen. Sein Verhältnis zu Mozart und Beethoven wurde positiver.

Große, rauschende, französische Opern sowie leichte italienische Unterhaltungsmusik erwartete man in der Kasseler Residenz zu hören. Da Reichardt beides nicht zur Zufriedenheit darbieten wollte bzw. konnte, durfte er dieses von vornherein aussichtslose Kapellmeisteramt lediglich zehn Monate ausüben. Sein schärfster Widersacher war Georg Christoph Grosheim (1764–1841), an dessen Entgegenwirken sich Reichardt frühzeitig zerrieb. Als Grosheim der Auftrag zur Komposition einer Festoper „Les Esclaves d'Alger" anläßlich König Jérômes einjähriger Herrschaft übertragen wurde, war der baldige Sturz des übergangenen Kapellmeisters bereits sicher. Nicht wegen seines preußischen Patriotismus, sondern wegen seines künstlerischen Versagens mußte Reichardt diese unrühmliche Bestallung aufgeben. Um Reichardt vor der Öffentlichkeit einen unauffälligen Abgang zu ermöglichen, entsandte man ihn Ende Oktober 1808 nach Wien, damit er dort Sänger für die italienische Oper engagiere. Seine Reise dorthin scheint er während der ersten Novembertage angetreten zu haben, da er am 6. November Goethe in Weimar aufsuchte[452]. Daß zu dieser Zeit Reichardt de facto bereits sein Amt als königlicher Directeur général des théâtres et de l'orchestre verloren hatte und somit ohne amtlichen Auftrag nach Österreich fuhr, beweist eindeutig ein Brief Ludwig van Beethovens vom 1. November 1808 an den Grafen Franz v. Oppersdorf, in dem der Meister schreibt: „. . . Auch bin ich als Kapellmeister zum König von Westphalen berufen und es könnte wohl sein, daß ich diesem Rufe folge . . ."[453] Ohne Wissen Reichardts war demnach noch vor dessen Abreise aus Kassel kein geringerer als Beethoven zum Nachfolger auserkoren worden, der auf der Suche nach einer gesicherten Existenz zunächst auf das Angebot willig einging und seine Annahme bei einem Jahresgehalt von 600 Dukaten in Gold in Aussicht stellte[454].

Nach Reichardts getarntem Abtritt von der Kasseler Bühne blieb der erste Kapellmeisterposten lange unbesetzt, denn Beethoven nahm schließlich das Engagement doch nicht an. Auch dessen Schüler Ferdinand Ries folgte nicht dem großzügigen Werben. Erst im November 1809 konnte König Jérôme in Paris den Italiener Felice Blangini (1781–1841) für sich gewinnen, den Reichardt bereits 1803 kennengelernt hatte. Blangini gehörte einem Erlebnisbericht von A. E. Zinserling zufolge „in die Klasse der Talente, die man in Paris zu Dutzenden findet . . . Mit dem Aeußern eines Schneiders verband er Prätensionen, die ihn zuletzt in den Augen der ganzen Welt lächerlich machten"[455]. Mit Blangini zog bei Hofe und im Kasseler Theater uneingeschränkt der gewünschte französische Gusto ein. Da jedoch die Lebensdauer dieses napoleonischen Satellitenhofes bald besiegelt war, blieb diese Episode in der Musikgeschichte Kassels ohne beachtenswerte Auswirkungen.

Die zweite Reise nach Wien im Winter 1808/09 bildete den letzten Höhepunkt in Reichardts Leben, bevor er sich in den Kreis seiner Familie gänzlich zurückzog und nur noch von Wenigen beachtet in früher Alterseinsamkeit auch an schöpferischem Vermögen allzubald verlor. Noch einmal war es ihm vergönnt, auf glattem Parkett in einer der führenden europäischen Musikmetropolen als Kapellmeister geachtet auftreten und am Leben der Aristokratie teilnehmen zu können. Nochmals vermochte er insbesondere mit seinen Gesängen gerührte Herzen für sich zu gewinnen und alle Köstlichkeiten einer üppigen Lebensweise unbeschwert zu genießen. Seine Reiseroute läßt sich sehr genau verfolgen, da er darüber in seiner letzten Briefausgabe, in den *Vertrauten Briefen geschrieben auf einer Reise nach Wien*[456], ausführlich berichtet. Erleichtert setzte sich Reichardt in den Reisewagen „nach einem Jahre der angestrengtesten Arbeit und einförmigsten täglichen Beschäftigung"[457]. Er fuhr nicht auf dem kürzesten Wege nach Wien, sondern gestattete sich einige Umwege so, als wenn er seine jugendliche Sturm- und Drangreise von 1771 wiederholen wollte, die ihn auch über Weimar, Leipzig und Dresden nach Prag geführt hatte. Aus Eisenach ist der erste seiner sehr stoffreichen Reisebriefe am 2. November datiert. Keine naturhaft gewachsene oder künstlerisch gebildete Schönheit läßt er sich während dieser Reise entgehen. Im Wilhelmsthal bei Eisenach genießt er die Pracht der lieblichen Landschaft, die ihn zu dem überschwenglichen Ausruf inspirierte: „O Natur! Natur! du ewig schaffende! nie erschöpfte, nie alternde! Wie schwindet neben dir doch alle Kunst zu nichts!"[458] In Gotha weilte er am 4. November, wo er vor allem dem damaligen Konzertmeister Ludwig Spohr (1784–1859) erstmals persönlich begegnete. Reichardt hatte bereits im Jahre 1805 dessen Violinspiel als zu „kalt u. monoton" kritisiert und den Wunsch geäußert, „daß Herr Spohr weniger ängstlich an einigen Formen der Rodeschen Manier halten und von ihnen seltener Gebrauch machen möchte"[459], so daß auch diese Begegnung keine Annäherung erbrachte. Spohr führte dem Kapellmeister seine neuesten Quartette vor, an denen Reichardt jedoch „allerhand auszusetzen" hatte, was er auch „sans gêne" aussprach[460]. Spohr dankte ihm zwar später für diese „schonungslose", offene Beurteilung, unerträglich war ihm indessen „die selbstgefällige Miene der Unfehlbarkeit, mit der dieser seine Urtheile verkündete". Bemerkenswert ist der Widerspruch, der sich zeigt, wenn man diese autobiographischen Notizen Spohrs vergleicht mit Reichardts uneingeschränktem Lob dieser „genia-

114

len und wohlgearbeiteten Quartetts" in den Reisebriefen[461]. Offenbar war Reichardts mündliche Kritik verletzender als seine geschriebene.

Mit schmerzlichen Empfindungen eilte Reichardt durch Erfurt, „das sonst in dem gastfreien Hause des ehemaligen Koadjutors, jetzigen Fürstprimas[462], dem Künstler und Gelehrten einen so angenehmen Aufenthalt darbot, und in welchem ich, besonders in Herders geist- und lebensvoller Gesellschaft, einst so köstliche Stunden verlebte"[463]. Am 6. November rastete er in Weimar, bevor er in Halle einige Tage verweilte, um seine arg vernachlässigte und in Armut lebende Familie sowie das „liebliche Giebichenstein" wiederzusehen. In dem verwilderten Garten beseitigte er die gröbste Unordnung, bevor er am 12. November nach Leipzig weiterfuhr, wo er im Verlagshause von Breitkopf und Härtel „die letzte Verabredung" für die gewichtige Gesamtausgabe seiner Goethe-Vertonungen treffen konnte[464]. In Dresden sammelte Reichardt in kürzester Zeit eine schier unfaßbare Fülle von Erfahrungen. Hier begegnete er u. a. dem Appellationsrat Christian Gottfried Körner, dessen Abhandlung „Über Charakterdarstellung in der Musik" von 1795 für die Erhellung der Musikästhetik der deutschen Klassik von großem Wert ist[465].

Am 24. November erreichte der hoffnungsfroh Reisende über Prag fahrend das Ziel seines Unternehmens. In Wien wurde er als „Kapell-Director aus Hessen-Cassel" von der Polizei sogleich nach der Ankunft argwöhnisch in „eine geheime Beobachtung genommen" und auf allen seinen Wegen bespitzelt, da man ihn wegen möglicher politischer Agitationen fürchtete. Diese Vorsichtsmaßnahme war jedoch unbegründet, denn Reichardt vertrat in Wien nicht die Interessen des Kasseler Hofes, sondern ausschließlich seine eigenen. Sein Tagesplan sah vor: Morgens komponieren, mittags den Besuch in großen Häusern, abends Konzert- oder Theaterbesuche sowie die Teilnahme an Teegesellschaften; die späte Nacht behielt er der „ruhigen Lektüre und Betrachtung" vor. Dieser Tagesablauf entsprach seinem Ideal eines freien Künstlerlebens. Sein Geltungsdrang und seine Zerstreuungssucht waren während dieser Wintermonate schier unersättlich. Er lebte unbekümmert um das Los seiner darbenden Familie, die lediglich mit Hilfe der Brüder Grimm, Steffens und Fr. A. Wolfs diese Notzeit zu überstehen vermochte. In einem wiener Polizeibericht wird der Reisende wie folgt charakterisiert: „Er verbindet Künstlertalent, einen bekannten Namen, Weltton, Gewandtheit und Dreistigkeit auf eine solche Art, die ihm überall Zutritt verschafft..."[466] Tatsächlich öffneten sich ihm bald viele begehrte Salons. Den Fürsten Lobkowitz gewann er gar als einen seiner namhaftesten Gönner für sich. Die glücklichsten Stunden verbrachte er anpassungsgewandt und vornehm auftretend in kleinen Zirkeln, wo Kammermusik und Teegenuß geboten wurde, denn dabei können nach seinen Worten

Herz und Phantasie „so lieblich verschmelzen, daß beide eins werden, und eine inniger beglückende Existenz gewähren". Er vermißte lediglich die gewohnte Auswahl an Journalen und Büchern, sowie den „feinen und innigen Genuß des Liedes, der Romanze und Kantate"[467].

Seine Zufriedenheit mit der Atmosphäre und den Lebensgepflogenheiten in dieser Stadt ist um so erstaunlicher, als er ein ihm in mancher Hinsicht ungewohntes Neuland betrat. War Reichardt doch hier in der Hochburg der musikalischen Klassik, die ihm bis dahin nur wenig bedeutet hatte. In Wien pulsierte ein frischeres Kunstleben als in Berlin, die Musikausübung war in breiteren Schichten verankert, es wurde weniger theoretisiert und literarisiert. Deshalb waren unter den vielen ihm vergönnten Begegnungen wohl die wichtigsten die Aussprachen mit Haydn und Beethoven. Während Haydn dem Ende seines langen Lebens nahe war und den Gast vor allem noch mit etlichen „humoristischen" Werken stark zu beeindrucken vermochte, stand dagegen Beethoven noch vor dem Gipfel seines reifen Schaffens. Letzterer hatte Reichardt erstmals im Jahre 1796 während seiner einzigen Virtuosenreise in Berlin gesehen, so daß das Zusammentreffen am 30. November 1808 ein beiderseits freudig begrüßtes „Wiedersehen" bedeutete[468]. Daß dieses gar recht herzlich verlief, war keineswegs selbstverständlich, denn noch kurz vor dieser Reise nach Wien hatte sich Reichardt gegenüber Clemens Brentano wenig freundlich geäußert, indem er im Februar 1808 Beethoven als „verrückt" bezeichnete[469]. Um 1800 war Reichardt allzu sehr schockiert worden von den Erstlingswerken des Bonner Meisters, gegen die er sich mit seinen veralteten ästhetischen Normen zur Wehr setzte[470]. Er fand kein Gefallen an den auf ihn „übel" wirkenden „grellen Contrasten" in den Instrumentalwerken sowie an der „Ausdehnung und Wichtigkeit" in den Liedern Beethovens. 1805 erteilte er ihm den Rat: „Herr B. muß jetzt, mit der dem ächten Künstler anständigen Selbstachtung, bei seinen öffentlich ausgestellten Werken erwägen und nie vergessen, daß er zu den Meistern gezählt wird, die sich das angehende Talent gerne zu Mustern wählt, an welchem jede Abweichung vom reinen guten Sinn und von der richtigen Kunstnorm zu tausend Verirrungen verleiten kann und muß"; Beethoven solle das „Auffallende" meiden[471]. Trotz dieser Einwände und Vorbehalte trat Reichardt seit 1805 für den originellen Klassiker als einen „genialen" Künstler ein. Er war „die erste hervorragende Persönlichkeit, welche den wahren Geist Beethovens in seiner schlechterdings singularen Originalität zu erfassen fähig war"[472]. Seiner positiven Stellungnahme war es zu verdanken, daß Beethoven in Berlin früher als in Leipzig beifällig aufgenommen wurde.

Reichardt erlebte Beethoven in Wien als einen Musiker, „der mit seiner Kunst ganz lebt und mit ihr wachend träumt und träumend wacht". Er vernahm mehrere ihm bis dahin unbekannte Werke, in denen er einen „Strom von Phantasie, eine Tiefe des Gefühls, für die es keine Worte, nur Töne gibt" fand. Das Schaffen des innerlich einsamen Rheinländers erschien ihm wie ein Haydn und Mozart noch überhöhender „Turmbau", „auf den so leicht keiner weiter etwas setzen soll, ohne den Hals zu brechen". Diese später das gesamte 19. Jahrhundert beherrschende Grundeinstellung, vor einem nicht überbietbaren titanischen Hochgebäude mehr oder weniger ohnmächtig zu stehen, wird somit von Reichardt 1808 erstmals deutlich angesprochen. Obgleich er z. B. vom zweiten Satz des Trios op. 70 so sehr gefesselt wurde, daß er vermeinte: „er hebt und schmilzt mir die Seele", blieb ihm trotzdem das eigentliche künstlerische Anliegen Beethovens, seine thematischen Durchführungen, sein klassischer Idealismus fremd und unverständlich. Nicht nur stieß sich Reichardt an der „Stärke" des Ausdruckswillens und der Orchestrierung, auch hörte er weiterhin über die wesentlichen Sonatensätze ungefesselt hinweg. An den Kammer- und Konzertwerken rühmte er meist nur die kantablen langsamen Partien, die seiner persönlichen Art am ähnlichsten waren[473]. Die wahre Bedeutung des Themendualismus ist ihm auch hier in Wien nicht nähergebracht worden.

In einen Konflikt gerieten Beethoven und Reichardt zu dieser Zeit wegen eines Opernlibrettos, um dessen Vertonung sich beide bei dem Dichter Heinrich Josef v. Collin (1771–1811) bemühten. Reichardt hatte zu diesem Poeten ein freundschaftliches Verhältnis gewonnen, denn er schätzte nicht nur dessen Libretti, sondern vor allem auch dessen patriotische Lieder für „Oesterreichische Wehrmänner", die er wie Volkslieder begeistert pries und „im nördlichen Deutschlande" verbreiten half[474]. Collin hatte ein lyrisches Schauspiel in 4 Aufzügen nach Ariost *Bradamante* geschrieben, um dessen Überlassung zur Vertonung Beethoven den Dichter dringend in einem Briefe bat: „Großer erzürnter Poet, lassen Sie den Reichardt fahren. Nehmen Sie zu Ihrer Poesie meine Noten; ich verspreche Ihnen, daß Sie nicht in Nöthen dadurch kommen sollen . . . Sollten Sie aber wirklich im Ernst gesonnen sein, Ihre Oper von Reichardt schreiben zu lassen, so bitte ich Sie, mir gleich solches zu wissen zu machen."[475] Diese Rivalität endete damit, daß Reichardt zwar die verschollene Partitur zu diesem Bühnenwerk bereits am 25. Februar 1809 nach einer überraschend kurzen Arbeitszeit beendete, indessen trotz der Gunst des Fürsten Lobkowitz keine Aufführung durchzusetzen vermochte[476]. Lediglich eine Konzertwiedergabe war diesem Werk vergönnt, welcher der vom Librettisten mißachtete Beethoven beiwohnte. Mehr Anklang fand Reichardt in Wien indessen mit seinen Liedern, Balladen und Deklamationen. Der Nachhall war gar derart stark, daß

117

Gesänge des Giebichensteiners noch in Schuberts Kreise gesungen wurden und einige Jahre später den jüngeren romantischen Liedmeister zur Anfertigung von Abschriften veranlaßten[477].

Überaus bereichert an neuen musikalischen Eindrücken, Kunsterfahrungen und „angenehmen Genüssen" von vielerlei Art, jedoch gänzlich bar jeden materiellen Erfolges war Reichardt Anfang April 1809 genötigt, diese Metropole wieder zu verlassen, in der ihm „der angenehmste, reichste und froheste Aufenthalt in Europa" vergönnt gewesen war. Nicht frei von Illusionen glaubte er hier später doch noch eine Anstellung finden und „in Zukunft mit dem guten lustigen Volke" in Wien leben zu können[478], doch ging dieser Wunsch nicht in Erfüllung. Er reiste ab in Richtung Prag und fuhr durch ein Land, das der Befreiung vom napoleonischen Joch entgegensah. Den Titel eines Salinendirektors oder eines Hofkapellmeisters in König Jérôme's Diensten durfte Reichardt nicht mehr angeben. Am 10. April verweilte er in der altehrwürdigen Hauptstadt Böhmens, von wo aus er in das „liebe, fruchtbare Schlesien" weiterfuhr[479]. Hier fühlte er sich zwar, etwa in der Gesellschaft „edler, gebildeter, mit sich selbst einiger Menschen" Breslaus, recht wohl, doch zog er es vor, bis Juni vor allem auf dem Lande im Riesengebirge, in Schmiedeberg, Schweidnitz oder Warmbrunn sich in herrlicher Natur zu ergehen. Dabei setzte er sich an die Tische etlicher kunstsinniger Landadeliger und reicher Bürger dieser Provinz, unter denen insbesondere sein Schwager Friedrich Alberti erwähnenswert ist, der als Industrieunternehmer in Schmiedeberg eine Lese- und Tischgesellschaft gestiftet hatte: „. . . die unter dem Namen Odeon einen Abend jeder Woche eine zahlreiche und ansehnliche Gesellschaft versammelt. Man versammelt sich gegen sechs Uhr, liest erst ein paar Stunden – an den Abenden, denen ich beiwohnte, wurde aus Shakespeare und Goethe vorgelesen –, dann tafelt man lustig miteinander. Bei der Tafel wurden frohe Lieder gesungen, wozu ein eifriger Kunstfreund, der Senator Fritze, ein zweckmäßiges Liederbuch veranstaltete, welches jedes Mitglied neben seinem Teller liegen hat. Angenehme Damenstimmen, an denen es hier nicht fehlt, singen die Lieder mit Klavierbegleitung, und die ganze Gesellschaft stimmt im Chor mit ein. Nach der Tafel sorgt der jedesmalige, erwählte Freudenmeister für die lustige Unterhaltung des übrigen Abends, der bald mit Tanz, bald mit allerlei gesellschaftlichen Spielen froh beendigt wird . . ."[480]. Diese Art zu leben entsprach völlig Reichardts häuslichen Gepflogenheiten, so daß er hier vor seiner Heimkehr sehr gern verweilte.

Als Reichardt nach allzu langer Abwesenheit wieder in Halle anlangte, fand er seine Familie in „gedrückter Lage" vor. Seine Angehörigen waren wegen der Not „fast beständig traurig und niedergeschlagen", wie Wilhelm Grimm am 6. Juni in einem Brief an seinen Bruder Jacob berichtet. Die Tochter Luise entwich dem jahrelangen Elend dadurch, daß sie in Hamburg ein Unterkommen suchte. Für die im Hause Verbleibenden waren die Zukunftsaussichten düster. Während Wilhelm Grimm und Clemens Brentano als Gäste bei Reichardt weilten und soweit als möglich die Not lindern halfen[481], mußte der Hausherr unverzüglich irgendeine Einnahmequelle zu erschließen suchen, um den Zusammenbruch zu verhindern. Rasch ging er daher daran, seine Reisebriefe aus Wien in 2 Bänden gegen ein Honorar von 1500 Talern herauszugeben, womit Hunger und Verelendung abgewandt werden konnten. Diese Wien und die Wiener in einem allzu schön färbenden Lichte darstellenden *Vertrauten Briefe* brachten jedoch dem Autor außer dem Geld nur Tadel und Verachtung seiner Zeitgenossen ein. A. v. Arnim warnte bereits am 29. September 1809 in einem Brief an Bettina v. Brentano eindringlich: „Er gibt vertraute Briefe über Wien heraus; wenn er sich nicht will schaden, hat er nur zwei Wege, falsch oder langweilig zu sein."[482] Goethe verurteilte diese Niederschriften ebenso scharf wie Beethoven, der an Breitkopf und Härtel die Frage richtete: „Was sagen Sie zu dem Geschmier von Reichardts Briefen? wovon ich zwar nur noch einzelne Bruchstücke gesehn."[483] Mit diesen Reisebriefen und den Gesamtausgaben seiner Vertonungen von Gedichten Goethes und Schillers nahm Reichardt Abschied von der literarischen und musikalischen Öffentlichkeit. Alle späteren Aufzeichnungen fanden weder mehr einen Verleger noch ein interessiertes Publikum. Beispielhaft für dieses rasche Verklingen seines ehedem bekannt gewesenen Namens ist die romantische Oper in 2 Akten *Der Taucher* aus dem Jahre 1810 (nach Schillers Ballade von Bürde), die zwar am 18. März 1811 in Berlin uraufgeführt werden konnte, jedoch bereits am 24. März wieder abgesetzt werden mußte, denn das Theater war „schon bey der zweyten Vorstellung leer, und auf vieles Begehren wird den Sonntag Spontini's Vestalin wiederholt", wie ein Augenzeuge berichtet[484]. Reichardt war somit von der Wiener Klassik und Romantik, von Spontini und Cherubini, von Méhul und anderen Zeitgemäßeren in den Schatten des Veralteten verdrängt worden. Er war nurmehr ein im Abseits lebender Zuschauer der politischen und künstlerischen Entwicklung, die ihm in ihren Zielen immer unverständlicher werden mußte. Wenige Auftritte waren ihm noch in Berlin, Weimar oder Leipzig vergönnt. Ob der fehlenden auswärtigen Betätigungsmöglichkeiten wurde ihm trotz der ständig drückenden Not das behagliche und eigenwillige Leben in Giebichenstein immer wertvoller. In grüner Jägerkleidung feierte er in Gegenwart Wilhelm Grimms am 25. November 1809 seinen 58. Geburtstag, wozu sich noch einmal die große Familie zusammenfand.

Nur wenige Freunde stellten sich in Reichardts „paradiesischem" Heim während der letzten vier Lebensjahre ein. Unter diesen war der anhänglichste und musikgeschichtlich bedeutendste Besucher Carl Loewe (1796–1869), der durch seinen Lehrer Daniel Gottlob Türk (1750–1813) hier eingeführt worden war. Loewe wurde durch Reichardt „gleichsam die Zunge gelöst". Er entfaltete sein Talent als Vokalkomponist und stand bis 1816 gänzlich im Banne der Lied- und Balladenkunst des giebichensteiner Meisters[485].

Am 8. März 1810 unternahm Reichardt seine letzte Reise nach Jena und Weimar. Er besuchte zwar Goethe, doch hinterließ der Dichter darüber keinerlei Notiz in seinem Tagebuch, was besonders auffällig ist. Der Stil und Inhalt der Reisebriefe aus Wien hatten Goethe offenbar zu sehr beleidigt[486]. Am 4. April traf er sodann „in sehr zerüteten Umständen" in Berlin ein. Zelter, Amalia Beer und viele andere Beobachter nahmen ihn mitleidig auf[487]. Eine wirksam helfende Hand rührte sich indessen für ihn nicht. Er mußte vereinsamt sehen, „wo er bleibt", wie Zelter am 5. 4. 1810 lakonisch an Goethe schrieb. Herzliche Aufnahme fand er vor allem im Elternhause des jungen Giacomo Meyerbeer, den er „sehr lieb" gewann und als ein „verdienstvoller Mann" durch Beratung wärmstens zu fördern suchte[488], sowie im Kreise seiner vertrauten Landsmännin Elisabeth v. Stägemann. Diese hatte als Gattin des Geheimen Staatsrats und Bankdirektors Friedrich v. Stägemann seit 1809 im Bankgebäude einen der glänzendsten Salons für die feine Gesellschaft Berlins eröffnet[489]. Der Verkehrston in dieser Gesellschaft war patriotisch bestimmt und aufs Schöngeistige gerichtet. Die Oede in der bürgerlichen Gesellgkeit der Hauptstadt während der Regierungszeit Friedrichs des Großen war überwunden, die liberal eingestellten Mittelschichten begannen sich zu regen. Im gastfreien Hause Stägemanns verkehrten der Philosoph Kiesewetter, Adam Müller, Heinrich v. Kleist, mit dem Reichardt hier „so manchen frohen Abend zubrachte"[490], und viele andere anregende Persönlichkeiten. Obgleich der Gastgeber nicht zu den Freunden Reichardts zählte, sondern im Jahre 1807 gar scharfe Xenien gegen ihn verfaßt hatte[491], verkehrte er oft und gern in diesem Hause, denn dort wurde vorbildlich musiziert. Elisabeth v. Stägemann war ebenso sehr eine begeisterte Verehrerin von Reichardts Gesängen wie ihre Tochter aus erster Ehe Antoinette v. Korff, deren „schöne Stimme und vortreffliche breite Manier ihres Vortrags" dem Komponisten besonders zusagte. Ihr widmete Reichardt einige Lieder[492], denn er erfüllte gleichsam die Aufgaben eines Hauskomponisten. Elisabeth sang oft begleitet vom Komponisten das Goethe-Lied *Im Felde schleich' ich* und die Klopstock-Ode *Willkommen, o silberner Mond*, worüber Friedrich v. Stägemann das folgende Sonett schrieb:

Ich saß am Flügel bei der holden Trauten,
Und hing entzückt an Ihrem Augenstrahle.
Sie sang zu Saitenklängen: „eure Male
Bewächst schon ernstes Moos" in ernsten Lauten.

Es war, als ob zween Engel niederschauten
Aus Ihrer Augen Paradiesesthale,
Die mir die Brust aus heißer Myrrhenschale
Mit frommer Thränen mildem Trost bethauten[493].

Während des Jahres 1810 wurden Reichardt in Berlin, wo er vom 25. Oktober bis zum April 1811 wohnte, zwei repräsentative Aufträge zuteil, mit denen er jedoch sein altes verblichenes Ansehen nicht wiedergewinnen konnte. Am. 19. Juli war die verehrte Königin Luise gestorben. Nachdem Beethoven den Kompositionsauftrag für eine *Cantate auf den Tod der Königin Luise von Preußen* (Text von Cl. Brentano) abgelehnt hatte, übernahm Reichardt diese Aufgabe[494]. Außerdem war es ihm vergönnt, ebenfalls auf einen Text seines Freundes Brentano, eine *Cantate auf die Einweihung der Berliner Universität am 15. Oktober 1810* zu schreiben[495].

Nach derart bewegten und mit Arbeit angefüllten Wochen zog sich der alternde Reichardt gern wieder nach Giebichenstein zurück, wo er sich „durch fleißiges Pflanzen" beschäftigte und stets „in seinem lieben Garten recht heiter" war[496]. Nachdem ihm 1811 endlich ein bescheidenes Ruhegehalt von 800 Talern gewährt worden war, war wenigstens der notdürftigste Erhalt seiner Familie und des Besitztums gesichert. Sein Ruhebedürfnis war fortan stärker als die rastlose Reiselust früherer Jahre. Am 17. März 1812 schrieb Reichardt an Tieck den für diese innere Wandlung bezeichnenden Satz: „Ich bin leicht bedient, wenn mir Freiheit und Ruhe vergönnt ist."[497] Der revolutionäre Schwung der mittleren Lebensepoche war verflogen, es blieb ihm nur der Wunsch nach Beschaulichkeit und Erfüllung der letzten literarischen und musikalischen Pläne. Kein öffentliches Amt erstrebte er mehr, denn an Dorow richtete er die Zeilen: „Ich wollte nach meiner jetzigen Erfahrung und Ueberzeugung lieber mit Schwefelhölzern handeln, als mich in ein Departement einpferchen lassen."[498] Reichardt wurde geduldig und gelassener, selbst auf die Rücksendung eines von einem Verleger abgelehnten Manuskripts reagierte er in einem Schreiben vom 25. Januar 1810 nur mehr lässig: „Endlich ... lassen Sie doch wieder einmal etwas von sich hören, Sie, böser, lieber Freund. Es war mir lieb Ihre Handschrift nur wieder zu sehen, wenn Sie gleich ein zurückgegebenes Manuscript begleitete, das freilich auch meinetwegen ungedruckt bleiben kann; da es nur ein Versuch war zu möglichster Benutzung der schlechten Zeit und des lesenden Publikums" (Original in der Staats- u. Univ.Bibl. Hamburg). Auch der Ehrgeiz plagte ihn offenbar nicht mehr so stark wie früher. Eine schmerzhafte Magenerkrankung zwang ihn überdies zum Maßhalten. Der Umgang mit Reichardt wurde um so schwieriger, je mehr dieser sich abkapselte, so daß natürlicherweise auch der Besucherstrom merklich abnahm. Vom 10. bis 17. September wohnten Arnim und Bettina Brentano in Giebichenstein. Letzterer „gefielen die Mutter und die drei Töchter", der Hausherr jedoch offenbar nicht[499]. Zu gleicher Zeit traf auch der Neffe Wilhelm Dorow zu einem längeren Aufenthalt dort ein, der auch an der Vermählung der Tochter Friederike mit Carl v. Raumer am 26. September 1811 teilnahm. Der in Halle wohnende Lafontaine blieb Reichardt bis ans Lebensende freundschaftlich verbunden[500].

Zu den letzten großen Schaffensplänen Reichardts gehörte neben einer Autobiographie und einer Geschichte der neuern Musik die Vollendung einer Oper *Sakuntala* mit einem Libretto von L. Tieck im Jahre 1812[501]. Der Komponist hatte die kühne Absicht, „ein völlig gesungenes Singspiel" zu schaffen, „aus dem allein ein Ganzes, ein vollendetes Kunstwerk" werden sollte, also keine Nummernoper, sondern vielmehr ein durchkomponiertes Bühnenwerk. Der Librettist diskutierte eifrig mit ihm das große Vorhaben in Gesprächen und Briefen. Reichardt schrieb u. a. in diesem Zusammenhange aus Giebichenstein am 8. Juni 1812 an Tieck:

> Du bleibst mir die Antwort auf meinen langen Brief mit dem Quasi Plan zu unserer Sacont. so lange schuldig, daß ich Dich, mein lieber Tieck, wohl daran erinnern muß. In der Einsamkeit, in der ich seit vierzehn Tagen lebe, sehn ich mich nun doppelt darnach und nach der erwünschten Beschäftigung, am 24. März fuhren Mutter und Tochter von hier ab, und Ihr wißt es vielleicht schon von dorther, daß sie den 28. wohlbehalten in Schmiedeberg angekommen sind. Bis auf den Mangel an Lust zu eigentlicher Arbeit geht es mir übrigens recht wohl – desto mehr genieß ich den lieben Garten, von dem ich auch schon manche gute Wirkung auf meine, durch die Winterlange Diarrhöe, wirkl. geschwächte Gesundheit spüre; wie wohl das Übel selbst mich immer noch nicht verlassen will. Könntest Du doch die unbeschreiblich reiche Vegetation in dem Garten sehen und mit mir genießen. Hundert und tausendmal gedenke ich dabei Deines frohen Gartens der Poesie, bei dem Du oft meines Gartens gedachtest. Auch das Chor, das Heer von Nachtigallen und tausend andere Singvögel war noch nie so reich als dieser Frühling, der in jedem Betracht wunderschön ist ... In unserer Sacont. hab' ich auch, Deinem Wunsche gemäß so manche wohl

liebliche Melodie aufgesetzt, der Du einst Worte unterlegen könntest. Aber ich getraue mir nicht recht, sie Dir von andern zu erst hören zu lassen, da Du so wenig musikal. bist, muß ich Dir auch wohl die Sylbenmasse zur paßlichen Poesie darüber schreiben? Sag mir darüber Deinen Wunsch recht ordentl...[502]

Trotz bester Absichten fehlte Reichardt jedoch bereits die Kraft zur Vollendung eines derart großen Vorhabens. Lediglich die Ouvertüre und einzelne Stücke konzipierte er zu diesem Bühnenwerk. Auch die Eröffnung eines neuen Theaters in Halle am 3. Februar 1811 gab ihm keinen Anreiz mehr, zumal auf dieser Bühne zwischen 1811 und 1814 nur sein Singspiel *Jery und Bätely* von der Weimarer Hofschauspielertruppe gespielt wurde, seine übrigen dramatischen Werke aber unbeachtet blieben[503].

In stillen einsamen Stunden wird Reichardt in Giebichenstein vielleicht oftmals wehmütig auf die ihm in jüngeren Jahren zuteil gewordenen Ehrungen und fürstlichen Dedikationen geschaut haben, denn seit 1803 war er „Korrespondent des kaiserlichen Nationalinstituts zu Paris und des königlich Holländischen zu Amsterdam, und Mitglied der königlich Schwedischen Akademie der Musik zu Stockholm"[504]. Goldene Dosen als Ehrengeschenke für hervorragende Werke bewahrte er vom Fürsten von Esterhazy, der Kurfürstin von Bayern, dem Zar von Rußland, dem Erbprinzen von Mecklenburg-Schwerin und anderen Mäzenen[505].

Vom Herbst 1812 bis zum Frühjahr 1813 lebte Reichardt in Breslau. An der dort neu gegründeten und neben Berlin fortan wichtigsten Universität in Preußen lehrte seit dem Wintersemester 1811/12 sein Schwiegersohn Steffens. In dessen Wohnung fand die Schwiegermutter in notvoller Zeit ein Unterkommen, während Reichardt mit einer seiner Töchter in dem darüber liegenden Stockwerk bei C. v. Raumer sich einquartierte. Schwiegersohn und Schwiegervater traten während dieser Monate vor der nationalen Erhebung gegen Napoleon als treibende Kräfte besonders aktiv hervor. Steffens richtete mit der Billigung des Königs ein Werbebüro zur Aufstellung von Freiwilligenverbänden ein. Dieses Vorhaben vertraute er zunächst nur seinem Schwiegervater ganz an; „er billigte alles und erkannte die Notwendigkeit, nach dem, was geschehen war, den Krieg mitzumachen". Steffens begeisterte seine Studenten mit zündenden Reden und trat als Offizier „mit seinem ganzen Auditorium, gegen 200 Studenten, auf einmal ins Jäger-Korps" ein, wie der Generalleutnant G. v. Scharnhorst am 2. Februar 1813 aus Breslau seiner Tochter berichtete[506]. Reichardt selbst war zu einem aktiven Felddienst nicht mehr fähig, denn am 23. August 1813 schrieb er an den Weimarer Verleger Carl Bertuch (1777–1815):

Schon im vorigen Jahr wollt' ich die Theatergelegenheit benutzen, um Ihnen, verehrter Freund, u. Ihren für mich so
freundl. Recensenten der Fortsetzung meines Göthe u. Schillers
zu übersenden; es ward aber leider versäumt. Erlauben Sie daß
ich es auch noch spät nachhole, u. zugl. zu gelegentlicher Anzeige
eine große Sonate beifüge.

Ich habe einen fatalen, fast ganz mit Krankheit geplagten
Winter in Breslau, bei meinen Leuten den Steffens u. Raumers
verlebt, u. bin nun seit ein paar Monathen wieder in meiner
lieben Heimath, wohl eben nicht ganz hergestellt, aber doch
sehr glücklich der ruhigen heitren Einsamkeit geniessen zu können. Möchte sie uns nur lange gesichert bleiben!... (Original
im Schiller-Nat. Mus. Marbach.)

Nach der Vertreibung der Franzosen aus Halle kehrte Reichardt laut
obigem Brief altersmüde wieder nach Giebichenstein zurück[507]. Ein Versuch Wilhelm Dorows vom 13. April 1813, ihm über den Generalleutnant v. Scharnhorst wieder sein Amt als „Salzdirektor" zu verschaffen,
„da er den Dienst und die Art der Verwaltung genau versteht", schlug
fehl[508]. So blieb ihm als Trost einzig die „heilige Muße" in seinem Garten, wie er in seinem letzten Brief vom 24. Mai 1814 an Wilhelm Grimm
schreibt. Der Garten war „zu einem Theil seines Lebens mächtig heran-
gewachsen", er war unentbehrlich geworden. Verlassen von der großen
Welt war Reichardt in seinem letzten Lebensjahre „einer der unglücklich-
sten Menschen" geworden. „Alles floh ihn, Lafontaine blieb ihm treu,
und ertrug mit bewundernswürdiger Geduld alles Lästige des jetzigen
Umgangs mit ihm. In Gesellschaften war nun öfters von ihm die Rede;
Wenige bedauerten, die Meisten sprachen über ihn wie Göthe in seinem
Briefwechsel, Einige eben so hart und wol noch härter. Da fiel Lafontaine ein: ‚Ja, meine Herren, es ist manches wahr von dem, was Sie
sagen. Wenn ich aber recht tief im Unglück wäre, und gefragt würde,
wen ich mir jetzt zum Freunde wünschte, so würde ich sagen: Reichardt!
der hat sich als Freund in der Noth bewiesen, wie vielleicht keiner von
uns gethan hätte."[509]

Als Komponist beendete Reichardt sein Schaffen kurz vor seinem Ableben mit einem wirkungsvollen *Te Deum laudamus* für zwei Chöre,
Sopran und Tenorsolo auf den Sieg in der Völkerschlacht bei Leipzig,
einer *Overtura di Vittoria*[510], sowie vier Liedern auf Texte aus der
Sammlung „Leyer und Schwert" von Theodor Körner[511]. All diese Spätwerke, mit Ausnahme von drei großen Klaviersonaten, nehmen mithin
unmittelbaren Bezug auf die großen Zeitereignisse. Es muß Reichardt
vor seinem Tode eine besondere Genugtuung gewesen sein, daß er die
Niederlage eines seiner ärgsten Feinde miterleben konnte und die Wie-

dergeburt des am Boden liegenden Vaterlandes in den Anfängen mitverfolgen durfte. Mit diesen letzten Kompositionen hoffte er, seinen Teil beitragen zu können zur erhebenden Feier des Sieges und zur Bewahrung der Erinnerung an die großen Taten des Jahres 1813/14.

Langsam siechte Reichardt nach dieser Verausgabung der letzten Schaffenskraft im Frühjahr 1814 dahin. Anfang Mai reiste die Tochter Luise von Hamburg nach Giebichenstein, da sie den nahenden Tod befürchtete[512]. Dieser befreite ihn jedoch erst am 27. Juni um 5¼ Uhr durch einen Nervenschlag von seinem quälenden Magenleiden. Der Leichnam wurde auf dem alten giebichensteiner Friedhof der St. Bartholomäuskirche beigesetzt[513]. Die Bestattung fand „in tiefer, prunkloser Stille, der Stille tiefer Rührung" statt. Auf dem Sarge lag ein „einfacher, duftender Kranz"[514]. Nur wenige Freunde gaben ihm das letzte Geleit, darunter Friedrich Rochlitz und Carl Loewe[515]. Ein Schülerchor sang unter der Leitung von D. G. Türk u. a. das Grablied „Ruhig ist des Todes Schlummer". Carl Gottlieb Bock veröffentlichte am 22. August im „Rheinischen Merkur" (1814, Nr. 106) den Nachruf:

Trauert Musen, um ihn, und ihr Freunde der göttlichen Tonkunst!
Goethe selbst winde den Flor sich um die Laute herum!
Denn entschweben läßt er auf der Töne Fittig des Dichters
Lied mit erhöhtem Reiz unter der Saiten Begleit ...

So endete ein überaus fruchtbares Künstlerleben der Goethezeit in Stille und fast völliger Vergessenheit. Nicht viele Zeitgenossen erinnerten sich später seiner, so etwa C. F. Zelter, der im September 1815 das Grab Reichardts aufsuchte, oder A. v. Arnim, der 1828 zum letzten Male im Garten des Toten wandelte, oder Carl Maria v. Weber, der im Juli 1820 nach Giebichenstein fuhr[516].

Da Reichardt mit beträchtlichen Geldschulden bei Breitkopf und Härtel sowie anderen Gläubigern diese Welt verlassen hatte[517], wurde über seinen Nachlaß der Konkurs verhängt. Die Nachlaß-Versteigerung fand am 2. Juli 1817 statt[518]. Die hinterlassenen Manuskripte wurden dabei achtlos verteilt, die laut Katalog 2607 Bücher und 569 Musikausgaben umfassende, selten reichhaltige Privatbibliothek wurde sinnlos verschleudert. Enthielt diese doch nicht nur viele bedeutende und damals bereits seltene musikgeschichtliche Quellenwerke, sondern zudem eine beachtliche Abteilung philosophischer Schriften von Plato bis Fichte, ja sogar 31 Bücher pädagogischen Inhalts und 27 Publikationen „über Oeconomie". Die gänzlich mittellose Witwe Reichardts verzog mit der Tochter Sophie nach Berlin, wo Charlotte, eine Tochter aus erster Ehe mit dem „Sonderling" und Geheimen Postrat Karl Philipp Heinrich Pistor ver-

125

heiratet lebte. Nur die Pflanzungen erinnerten nach diesem Auszug noch in Giebichenstein an Reichardts einstige Anwesenheit. Eine Musenstätte war das Haus und der Garten nicht mehr. Die Stadt Halle ehrte als spätere Besitzerin das Andenken des bedeutenden Bürgers, Künstlers, Schriftstellers und Beamten durch die Aufstellung einer Büste und die Erhaltung des Gartens als öffentlichen Bürgerpark[519].

[19] Siehe ZENTNER, Eine Musikerjugend, 1940, S. 58.

[20] Eine treffliche Abb. der Kanterschen Buchhandlung bietet NADLER, Literaturgeschichte, II, S. 99.

[21] Die geistige Umwelt in Königsberg beschreibt ausführlich NADLER, Literaturgeschichte, II, S. 98 ff.

[22] H. GÜTTLER, Königsbergs Musikkultur im 18. Jahrhundert, Königsberg 1925, S. 128.

[23] In der AMZ 16 (1814), 459 wird fälschlich das Jahr 1751 angegeben.

[24] ZENTNER, Musikerjugend, 1940, 17.

[25] ebd., S. 14.

[26] Dazu siehe H. GÜTTLER, Johann Reichardt, ein preußischer Lautenist, in KB Lüttich 1930, 122 sowie SALMEN, Johann Reichardt, 1960, S. 90.

[27] DOROW, Erlebtes, III, 1845, S. 6; NPPBll 1 (1852), 428. Sophie Reichardt war in erster Ehe mit dem Sekretär und Buchhalter Jakob Friedrich Dorow verheiratet. Dieser Ehe entsproß am 18. 12. 1780 Wilhelm Dorow, der früh verwaiste Neffe Reichardts, dessen Erlebnisberichte als eine der ergiebigsten Quellen für diese Biographie benutzt wurden.

[28] Siehe MGG V, Sp. 1744 f.

[29] DENNERLEIN, J. F. Reichardt in seinen Klavierwerken, 1929, S. 54.

[30] ZENTNER, Musikerjugend, S. 56.

[31] F. BENDA, Vierundzwanzig Capricen, hrsg. v. J. Müller-Blattau, Stuttgart 1957.

[32] ZENTNER, Musikerjugend, S. 59.

[33] Diese in Leipzig 1797 erschienene dritte Auflage „vermehrte" Reichardt u. a. durch den Zusatz von zwölf Ballettstücken aus der Oper *Andromeda* und der Oper *Brenno*; auch änderte er etliche technische Einzelheiten, wie z. B. die Beschreibungen der Haltung des linken Arms, der Kinnauflage in seinem Sinne, vgl. dazu F. v. GLASENAPP, Georg Simon Löhlein (1725–1781), Diss Halle 1937, S. 215–218 sowie A. SCHERING, Die Musikgeschichte Leipzigs von 1723 bis 1800, Leipzig 1941, S. 546 f.

[34] Über diese Stradivari-Geige schreibt Reichardt 1773: „Jedes Gefühl, jeder Jubel und jeden Kummer konnte er seiner Geige warm mittheilen und sie sprach die tiefste Tiefe des Herzens so rein und voll wieder aus."

[35] ZENTNER, Musikerjugend, S. 58.

[36] Berlin. Mus. Ztg. 1805, S. 51.

[37] J. N. FORKEL, Musikalischer Almanach für Deutschland auf das Jahr 1782, Leipzig 1782, S. 117 berichtet: Reichardt „spielt mit Fertigkeit in der Bachischen Manier, und ließt (wie er selbst sagt) auch die schwersten Stücke vom Blatte."

[38] GÜTTLER, J. F. Reichardt, 1928, S. 82 ff.

[39] GÜTTLER, Königsbergs Musikkultur, 1925, S. 127. Hamann lobte 1784: „Dieses Haus ist die Krone unseres Adels."

[40] Über das Leben in diesem reichsgräflichen Hause siehe Apr. Ms. NF 48 (1911), S. 77 ff.

[41] H. KILLER, Zur Musik des deutschen Ostens im 18. Jahrhundert, Königsberger Beitr. 1929, S. 228 ff.

[42] ZENTNER, Musikerjugend, S. 64.

[43] B. ROTTLUFF, Die Entwicklung des öffentlichen Musiklebens der Stadt Königsberg im Licht der Presse von der Mitte des 18. Jahrhunderts bis zur Mitte des 19. Jahrhunderts, Diss. Königsberg 1924 (masch.), S. 10; GÜTTLER, Königsberger Musikkultur, 1925, S. 171; NPPBll 1 (1852), 385 ff.

[44] ZENTNER, Musikerjugend, S. 50.

[45] E. v. STÄGEMANN, Erinnerungen für edle Frauen, II, Leipzig 1846, S. 233.

[46] Reichardt besaß aus Goldbergs Feder 24 Polonaisen, 1 Klaviersonate, 1 Menuett mit 12 Variationen, 6 Trios, 2 Flügelkonzerte sowie ein Präludium nebst Fuge. Er bezeichnete Goldberg als einen „äußerst melancholischen und eigensinnigen jungen Mann" (in: Musikal. Ms. 1792, 75); seine Bemerkungen in der Autobiographie sind die einzigen zeitgenössischen Aufzeichnungen über diesen begabten Bach-Schüler von Bedeutung, siehe dazu Bach-Jb. 1953, S. 58.

[47] Vgl. DOROW, Erlebtes III, 1845, 75.

[48] G. ERLER, Die Matrikel der Albertus-Universität zu Königsberg i. Pr. (1657–1829), II, Leipzig 1911, S. 507; siehe die Abb. der Alten Universität bei NADLER, Literaturgesch., II, S. 115.

[49] ZENTNER, Musikerjugend, S. 84 ff.

[50] Noch 1784 trat Reichardt für das Recht des Duellierens ein, vgl. K. v. HOLTEI, Briefe an Ludwig Tieck, III, Breslau 1864, 78.

[51] Dieser heiratete als Kriegsrat Reichardts jüngste Schwester Sophie, vgl. NPPBll 1 (1852), 428.

[52] Siehe DENNERLEIN, J. F. Reichardt in seinen Klavierwerken, 1929, Nr. 22.

[53] ZENTNER, Musikerjugend, S. 47.

[54] ebd., S. 89; vgl. auch E. G. v. HERDER, Johann Gottfried von Herder's Lebensbild, Erlangen 1846, 136. Über die übrigen dichtenden Jugendfreunde Reichardts berichtet zusammenfassend J. SEMBRITZKI, Die ostpreußische Dichtung 1770–1800, in: Altpr. Ms. 45 (1908), S. 217 ff.

[55] ZENTNER, Musikerjugend, S. 70; vgl. auch SEMBRITZKI, 1908, 221.

[56] W. ZIESEMER u. A. HENKEL, Johann Georg Hamann Briefwechsel, I, Wiesbaden 1955, S. 20 sowie ebd., II, 1956, S. 344; ZENTNER, Musikerjugend, S. 16.

[57] Vgl. F. ROTH, J. G. Hamann's Briefwechsel mit F. H. Jacobi, Leipzig 1819, S. 148; C. H. GILDEMEISTER, Johann Georg Hamann's, des Magus im Norden, Leben und Schriften, V, Gotha 1868, S. 406.

[58] J. NADLER, Johann Georg Hamann, 1730–1788, Salzburg 1949, S. 473.

[59] ZIESEMER-HENKEL, Hamann Briefwechsel, III, 1957, S. 182.

[60] ebd., S. 237.

[61] J. F. REICHARDT, Musikalisches Kunstmagazin 2 (1791), S. 87.

[62] G. WIENINGER, Immanuel Kants Musikästhetik, Diss. München 1929, S. 67.

[63] Vgl. W. WESTPHAL, Der Kantische Einschlag, 1941, S. 4 ff.

[64] J. F. REICHARDT, Über die musikalische Komposition des Schäfergedichts, in: Dt. Museum Jg. 1777, Bd. 2, S. 285.

[65] ZENTNER, Musikerjugend, S. 81.

[66] Mus. Kunstmagazin 2 (1791), S. 87.

[67] Kant's Briefwechsel, hrsg. v. d. kgl. Preuß. Akad. d. Wiss., II, Berlin

1900, S. 192 f. Nicht verschwiegen sei jedoch, daß Reichardt den Vorlesungen Kants oft nur mit halber Aufmerksamkeit zuhörte, diente ihm doch sein großer Burschenhut u. a. dazu, in dessen Schutze „manch kleines Lied" während des Kollegs zu entwerfen.

[68] J. F. REICHARDT, Briefe eines aufmerksamen Reisenden, I, Frankfurt u. Leipzig 1774, S. 114.

[69] Reichardt vertonte von Szervansky das Gedicht „Der Sommerabend", in: Gesänge fürs schöne Geschlecht, Berlin 1775, S. 22.

[70] F. RELLSTAB, Über die Bemerkungen eines Reisenden die Berlinischen Kirchenmusiken, Concerte, Oper, und Königliche Kammermusik betreffend, Berlin 1789, S. 23 urteilt über Kirnberger: „Seine Kenntnisse waren einseitig, sein Geschmack einseitig, und sein Kopf, Hand und Herz äußerst partheiisch."

[71] In: G. ERLER, Die jüngere Matrikel der Universität Leipzig, III, Leipzig 1909, S. 319 wird Reichardt nicht verzeichnet.

[72] SCHLETTERER, J. F. Reichardt, 1865, S. 102.

[73] Siehe deren Bildnis bei A. GOLDSCHMIDT, Goethe im Almanach, Leipzig 1932, S. 266.

[74] SCHLETTERER, J. F. Reichardt, 1865, S. 103.

[75] ZfMw 2 (1919), S. 8 u. 465 ff.

[76] REICHARDT, Briefe eines aufmerksamen Reisenden, I, 1774, S. 11.

[77] Berlin. Mus. Ztg. 1805, S. 61.

[78] SCHLETTERER, S. 104. Hiller förderte Reichardt u. a. auch dadurch, daß er ausgewählte Kompositionen in seine Ausgaben übernahm, so z. B. in die „Sammlung kleiner Clavier- und Singestücke" von 1774 und in die „Zweyte Sammlung der vorzüglichsten, noch ungedruckten Arien und Duetten des deutschen Theaters, von verschiedenen Componisten" von 1777/80.

[79] Reichardt erwies sich wenige Jahre später dafür nicht dankbar, als er „Heinrich und Lyda" von Neefe „aufs Keckste" rezensierte in der „Kayserlich privilegirten Hamburgischen Neuen Zeitung, 116. Stück vom 22. Juli 1777.

[80] REICHARDT, Claviersonate, der durchlauchtigsten Herzogin und Regentin von Sachsen-Weimar und Eisenach Annen-Amalien, untertänigst zugeeignet, Berlin 1772, G. L. Winter.

[81] J. J. BODE, Carl Burney's der Musik Doctors Tagebuch seiner Musikalischen Reisen, II, Hamburg 1773, S. 266. Auf diesen Satz stützt sich offensichtlich die gleichlautende Bemerkung bei GERBER, Lexikon, 1792, Sp. 251.

[82] Abgedruckt in: Vermischte Musicalien, Riga 1773, Nr. 10, verzeichnet bei DENNERLEIN, J. F. Reichardt in seinen Klavierwerken, 1929, Nr. 30.

[83] REICHARDT, Hänschen und Gretchen, Riga 1773; BODE, 1773, 261.

[84] REICHARDT, Briefe eines aufmerksamen Reisenden, 1774–1776. Diese Briefe befanden sich als „Donum Auctoris" auch in der Bibliothek Hamanns nach N. IMENDÖRFFER, Johann Geog Hamann und seine Bücherei, Königsberg 1938, 171. Kennzeichnend für den empfindsamen Stil dieser Briefe ist das folgende Zitat aus einem Schreiben an Kreuzfeld vom 13. 2. 1773: „... Da steh' ich nun gleich einem einsamen Wanderer, der seinen Weg verloren hat, starr und fast gedankenlos an dem Strande des weiten, unbegrenzten Meeres, suche einen Tröster und finde ihn erst in einer Entfernung von hundert Meilen. Eilen Sie, eilen Sie, mich zu trösten und mehr noch, mir zu rathen."

[85] REICHARDT, Briefe, II, 1776, S. 109.

[86] H. VOLKMANN, Christoph Transchel, ein Schüler J. S. Bachs in Dresden, in: Fs. M. Bollert, Dresden 1936, S. 181.

[87] REICHARDT, Briefe, II, 1776.

128

[88] Vgl. GÜTTLER, Königsbergs Musikkultur, 1925, S. 236 ff.

[89] DENNERLEIN, J. F. Reichardt in seinen Klavierwerken, 1929, S. 17 vermutet, daß Reichardt in Mannheim gewesen sei, wo er das Diminuendo und Crescendo erfahren habe.

[90] Reichardt hat „Madame Duschek wiedergefunden" während seines letzten Aufenthaltes in Prag 1808, vgl. GUGITZ, J. F. Reichardt, Vertraute Briefe, I, 1915, S. 94.

[91] Diese Bemerkung übernahm wörtlich J. N. FORKEL, in Musikalischer Almanach, 1782, S. 115.

[92] REICHARDT, Briefe, I, 1774, S. 167.

[93] Mus. Kunstmagazin 1 (1782), S. 82.

[94] REICHARDT, Briefe, II, 1776, S. 55 ff.

[95] ebd., S. 78. Vgl. auch Braunschw. Mag. 37 (1931), Sp. 59 ff.

[96] AMZ 16 (1814), S. 21.

[97] REICHARDT, Schreiben über die Berlinische Musik, Hamburg 1775, siehe auch ders., Briefe, I, 1774, S. 110 ff.

[98] REICHARDT, Briefe, II, 1776, S. 15.

[99] Vgl. Musikal. Kunstmag. 1 (1782), 24.

[100] So schreibt z. B. C. Ph. E. Bach am 9. August 1777 an Breitkopf in Leipzig empört: „Wenn Sie Herr Neefen sehen, so machen Sie ihm mein Compliment und sagen ihm: daß der K. Pr. Capellmeister Reichardt, nachdem er ohnlängst ein sehr niedrige Abbitte in unseren Correspondenten hat einrücken lassen, ein Paar Tage drauf mit dem ersten Stück seiner critischen Monatsschrift, welche mit der hiesigen Neuen Zeitung ausgegeben wird, und worin er aufs Keckste den H. Neefe recensirt, heraus rückt. Ich bin sehr böse darauf, und denke an den Splitter und Balcken p. p. p. Man muß ihm wieder eins geben...".

[101] Über die Bürgerfamilien, bei denen Reichardt Aufnahme fand, siehe BILDER aus vergangener Zeit nach Mittheilungen aus großentheils ungedruckten Familienpapieren, I–II, Hbg. 1884, sowie JENKEL, J. F. Reichardt, 1920, S. 2.

[102] Vgl. F. MUNCKER, Friedrich Gottlieb Klopstock, Berlin 1900, S. 542.

[103] Einen Besuch bei Herder in Bückeburg hat Reichardt nicht abgestattet. Daß ein solcher geplant gewesen war, geht aus einem Brief von M. Claudius hervor, in dem er schrieb: „... Die Urkunde wird Euch innerhalb 8 Tagen circa ein gewisser Reichard aus Königsberg bringen" (siehe H. JESSEN, Matthias Claudius, Briefe an Freunde, I, Berlin 1938, 99).

[104] Siehe SALMEN, Herder und Reichardt, 1960, S. 104.

[105] ZIESEMER-HENKEL, Hamann Briefwechsel, III, 1957, S. 107. Th. G. Hippel schrieb am 25. 11. an J. G. Scheffner: „Ich habe da (im Hause des Advokaten Wannovius) den jungen Reichard vorgefunden, der Beobachtungen oder empfindsame Reisen eines reisenden Musikus herausgiebt und noch mehr, und noch mehr, und noch mehr. Er spielt indessen allerliebst, und hat er mich mit einem Trio das ihn selbst zum Vater hat, überfallen. Seine Reise geht nach Petersburg, als Kapellmeister, Komponist, oder so etwas. Ehe er aber diesen Zug thut, wird er seinen Freund Hrn. Bock in Marienwerder begrüßen, wozu er eben schon in Bereitschaft schien. Auf diese Weise werden Sie seine Violine hören..." (Hippel, GW Bd. XIII, 1838, 196).

[106] DENNERLEIN, 1929, S. 20 f.

[107] Einer freundlichen Auskunft von Herrn Dr. Forstreuter zufolge enthalten die im Staatlichen Archivlager Göttingen befindlichen Akten der Kammer in Gumbinnen, bei welcher Reichardt angestellt war, nichts über dessen Tätigkeit und Aufenthalt.

[108] Vgl. FALLER, J. F. Reichardt, 1929, S. 19 ff.

[109] Berlin. Mus. Ztg. 1805, S. 1.

[110] Siehe auch S. BORRIS, Kirnbergers Leben und Werk, Kassel 1933, S. 31.

[111] ZIESEMER-HENKEL, Hamann Briefwechsel, III, 1957, S. 212.

[112] Vgl. A. v. WINTERFELD, Johann Friedrich Reichardt als Kapellmeister Friedrichs des Großen, in: Vossische Zeitung v. 23. 11. 1902, Sonntagsbeilage Nr. 47, S. 373–376.

[113] KUNZEN-REICHARDT, Studien, 1793, S. 102 f.

[114] Vgl. C. v. LEDEBUR, Tonkünstler-Lexicon Berlin's, Berlin 1861, S. 431; A. E. BRACHVOGEL, Geschichte des Königlichen Theaters zu Berlin, I, Berlin 1877, S. 254 nimmt dagegen erst den Monat Juli für den Dienstantritt an.

[115] Ch. D. F. SCHUBART, Teutsche Chronik aufs Jahr 1776, Ulm 1776, S. 356.

[116] BORRIS, S. 102; siehe auch C. BITTER, C. Ph. Bach und W. F. Bach und deren Brüder, Berlin 1868, S. 300 f.

[117] ZfMw 2 (1919), S. 19 u. 465; BELLERMANN, Briefe von Kirnberger, 1871, 662; J. Ch. BRANDES, Meine Lebensgeschichte, Leipzig 1924, S. 309.

[118] BELLERMANN, Briefe von Kirnberger, 1871, 533.

[119] REICHARDT, Schreiben, 1775, S. 13.

[120] Siehe ihr Porträt bei MANN, Musical. Taschen-Buch, 1805 vor dem Titelblatt sowie MGG VIII, Taf. 85; Abb. anderer Künstler, die z. Z. Reichardts an der Hofoper wirkten, bei H. FETTING, Die Geschichte der deutschen Staatsoper, Berlin 1955.

[121] O. v. RIESEMANN, Eine Selbstbiographie der Sängerin Gertrud Elisabeth Mara, in: AMZ 10 (1875), Sp. 561 f.

[122] ebd., Sp. 564. Wie wichtig die Beilegung dieses Zwistes besonders für Reichardts Anerkennung in Berlin war, erhellt ein Bericht über die Aufführung der Oper „Rodelinde" von Graun am 19. 12. 1777, worin es heißt: „Die Aria di Bravura, welche der itzige Königl. Kapellmeister Herr Reichardt für die Madam Mara, auf Sr. Königl. Majestät allerhöchsten Befehl darinn setzen müßen, hat den Beyfall aller Kenner, und ist von der berühmten Sängerin mit aller Kunst ausgeführt worden" (in: Litteratur- u. Theater-Zeitung I, 1, Berlin 1778).

[123] KUNZEN-REICHARDT, Studien, 1793, S. 147; REICHARDT, Briefe, I, 1774, S. 7.

[124] Dazu siehe L. BALET, Die Verbürgerlichung der deutschen Kunst, Literatur und Musik im 18. Jahrhundert, Straßburg 1936, S. 16 ff.

[125] Musikal. Ms. 1793, 69.

[126] Siehe REICHARDT, Briefe, I, 1774, 170 sowie ders., Musikalischer Almanach 1796, o. S.

[127] REICHARDT, Vertraute Briefe aus Paris, I, S. 306 ff.

[128] BELLERMANN, Briefe von Kirnberger, 1871, 616.

[129] BRACHVOGEL, Geschichte, I, 1877, 268.

[130] Die Anmerkung im Gothaer Theaterkalender 1776, S. 191: „Reichardt Johann Friedrich, ein Tonkünstler, reiset auf Kosten der rußischen Kayserin" ist offensichtlich falsch, kann auch nicht in Zusammenhang mit dem Besuch des Großfürsten gebracht werden.

[131] REICHARDT, Schreiben, 1775, S. 5.

[132] Ende 1776 war Reichardts Mutter gestorben, wozu Hamann in einem Briefe vom 16. 12. 1776 kondoliert.

[133] Siehe die Stammtafel bei RUDORFF, Aus den Tagen der Romantik, 1938, S. 143 sowie meinen Artikel „Luise Reichardt" in: MGG XI, Sp. 160.

[134] Reichardt, Briefe, I, 1774, 170; siehe auch A. Krille, Beiträge zur Geschichte der Musikerziehung und Musikausübung der deutschen Frau (von 1750 bis 1820), Diss. Berlin 1938, S. 174 f. und Stilz, Die Berliner Klaviersonate, 1930, 85.

[135] J. C. F. Rellstab, Über die Bemerkungen eines Reisenden die Berlinischen Kirchenmusiken ... betreffend, Berlin 1789, S. 17; Forkel, Musikal. Almanach, 1782, 91.

[136] In: J. H. Voss, Musen-Almanach für 1778, Hamburg 1778, S. 173; letzte Note der Oberstimme in Qu. g.

[137] In: Musikalisches Kunstmagazin 1 (1782), S. 124 f.

[138] O. Rüdiger, Caroline Rudolphi, Hamburg 1903, 34 u. 139. Noch am 23. Januar 1786 wirbt Reichardt in der „Staats- und Gelehrten Zeitung des Hamburgischen unparteyischen Correspondenten" nachdrücklich für die Gedicht-Ausgabe seiner „Freundinn". Von der engen Verbundenheit zeugen auch zwei Briefe an Gleim, abgedruckt bei Rüdiger, S. 243 f.

[139] Siehe die Abb. bei Nadler, Lit. Gesch. II, nach S. 96.

[140] ND hrsg. v. J. Bolte, Weimar 1918. Der erhaltene Briefwechsel zwischen Nicolai und Reichardt reicht vom 19. Juni 1770 bis zum 18. Mai 1792.

[141] Vgl. L. v. Göckingk, Friedrich Nicolai's Leben und literarischer Nachlaß, Berlin 1820, S. 74. Die Mitgliederzahl war auf 24 beschränkt. Man traf sich montags von etwa 18 bis 22 Uhr zu gemeinsamem Essen und Schachspielen.

[142] Reichardt griff insbesondere in den Philosophenstreit Mendelssohns mit Jacobi als ungeschickter Vermittler ein, womit er sich selbst sehr schadete, siehe Beyträge zum gelehrten Artikel des Hamburgischen unparteyischen Correspondenten 1786 sowie Roth, Hamann's Briefwechsel mit F. H. Jacobi, 1819, S. 126.

[143] Gothaer Theaterkalender 1778, S. 230.

[144] Vgl. Bellermann, Briefe von Kirnberger, 1871, S. 647.

[145] Faksimile bei E. Bücken, Die Musik des Rokokos und der Klassik, Potsdam 1927, Abb. 93.

[146] Siehe Brachvogel I, 1877, S. 287 und C. Sachs, Musikgeschichte der Provinz Brandenburg, in: Landeskunde der Provinz Brandenburg, Bd. 4, Berlin 1916, 379 ff.

[147] Brachvogel I, S. 334.

[148] E. Crusius, Der Freundeskreis der Jenny von Voigts, geb. Möser, in: Osnabrücker Mitteilungen 68 (1959), S. 269 f.

[149] Cramer, Magazin, 1783, S. 605. Die Choristen wurden aus den Schulen Berlins verpflichtet.

[150] Dazu vgl. H. E. Reeser, De Klaviersonate met Vioolbegleiding, Diss. Utrecht 1939, S. 16 und A. Arnheim, Zur Geschichte der Liebhaberkonzerte in Berlin im 18. Jahrhundert, in: Jahresber. d. Ges. z. Pflege altklass. Musik Berlin 1912/13, S. 16.

[151] Dieses Lokal wird beschrieben in den „Bemerkungen eines Reisenden über die zu Berlin vom September 1787 bis Ende 1788 gegebene öffentliche Musiken ... betreffend", Halle 1788, S. 44: „Die Stadt Paris ist schon ein Palast von außen, und eben so schön ist sie innerlich decorirt. Man geht durch 4 bis 5 äusserst geschmackvoll möblirte Zimmer, bis man in den Concertsaal tritt."

[152] Einige Programmfolgen findet man abgedruckt bei Schletterer, Reichardt, 1865, S. 654 f.

[153] Im Textbuch zu diesem Konzert schreibt Reichardt, er verzichte auf eine Kommentierung seiner eigenen Passion: „was wäre auch daran gewonnen, wenn

ich hier durch Worte ersetzen wollte, was ich in Tönen vielleicht nicht stark genug ausgedrückt?"

154 JESSEN, M. Claudius Briefe, I, 1938, S. 226.

155 Siehe W. HOSÄUS, Friedrich Wilhelm Rust und das Dessauer Musikleben, in: Mittl. d. V. f. Anhaltische Gesch. u. Alt. Kde 3 (1883), S. 308 und K. W. BÖTTIGER, Literarische Zustände und Zeitgenossen in Schilderungen aus Karl Aug. Böttiger's handschriftlichem Nachlasse, II, Leipzig 1838, S. 53.

156 Vgl. HENKEL, Hamann Briefwechsel, IV, 1959, S. 220.

157 Dazu siehe SALMEN, Herder und Reichardt, S. 98 sowie ders., Goethe und Reichardt, S. 53.

158 Siehe J. BROCKT, Ernst Wilhelm Wolf, Diss. Breslau 1927 und SCHLETTERER, Reichardt, 1865, S. 310.

159 Vgl. E. HERRMANN, Das Weimarer Lied in der 2. Hälfte des 18. Jahrhunderts, Diss. Leipzig 1925, S. 44 (masch.).

160 Siehe REICHARDT, Briefe, I, 1774, 135; ders., E. W. Wolff, 1795, S. 162 f. sowie CRAMER, Magazin, 1783, 962.

161 Siehe Hamanns Brief an Hartknoch vom 8. 2. 1782 bei HENKEL, IV, 1959, S. 366.

162 HIPPEL, GW XIV, 1839, 241.

163 Siehe J. NADLER, Johann Georg Hamann, Salzburg 1949, S. 308; GILDEMEISTER, Hamann's Schriften, V, 1868, 411; H. WEBER, Neue Hamaniana, München 1905, 90 ff.; HENKEL, Hamann Briefwechsel, IV, 1959, 398.

164 HENKEL, S. 377. Hamann erhielt die Lieferungen des „Musikalischen Kunstmagazins" laufend zugeschickt; er las darin „mit großem Vergnügen".

165 Siehe HENKEL, IV, 1959, S. 456.

166 ebd., S. 370.

167 REICHARDT, J. A. P. Schulz, NA 1948, S. 12 f.

168 HENKEL, S. 382.

169 J. G. MEUSEL, Miscellaneen artistischen Innhalts, Erfurt 1783, S. 254. Der stets treue Freund Hamann tröstete am 19. 5. 1783 abermals den jungen Witwer: „Ihr lieber Schwager und ich haben heute eine Stunde lang mit Ihrer traurigen Lage sympathisirt."

170 REICHARDT, An das musikalische Publikum, 1787, S. 5.

171 H. PRANG, Johann Heinrich Merck, Wiesbaden 1949, 243; NADLER, Lit. Gesch. II, S. 245.

172 Siehe REICHARDT, Schreiben an den Grafen von Mirabeau, 1786, Vorwort u. S. 95 sowie SCHLETTERER, Reichardt, 1865, 426 ff. und A. STERN, Mirabeau und Lavater, in: Dt. Rundschau 118 (1904), S. 434.

173 Siehe DOROW, Erlebtes, III, 1845, 27.

174 REICHARDT, Schreiben an den Grafen von Mirabeau, S. 25.

175 REICHARDT, Geistliche Gesänge von Lavater, Winterthur (1790) bei Steiner u. Comp. Dieses Bsp. druckte der Komponist ab in: Musikalisches Kunstmagazin 1 (1782), S. 173.

176 Siehe SALMEN, Die Bedeutung der Schweiz; im Musikalischen Kunstmagazin 2 (1791), S. 16 schreibt Reichardt z. B. über seine Sammelfahrten: „Sehr oft wenn ich unter Landleuten auf dem Felde und in Schenken nach alten ächten Volkliedern spürte, bekam ich einen vierstimmigen Psalm zu hören."

177 In: Schiller-Nat.-Museum Marbach.

178 REICHARDT, Händel, 1785, S. 15.

179 Über Reichardts Besuch siehe A. B. MARX, Gluck und die Oper, II, Berlin 1863, 300 ff.; AMZ 1800, 185.

[180] Vgl. Berlin. Mus. Ztg. 1806, 60.

[181] Bilder aus vergangener Zeit, I, 1884, 28.

[182] Vgl. z. B. Voss, Briefe von J. H. Voß, I, 1829, 295.

[183] Siehe GUGITZ, II, 1915, 212 ff.

[184] Vgl. NEUSS, Das Giebichensteiner Dichterparadies, 1949, Taf. V; STEFFENS, Was ich erlebte, 1842, S. 83: „Bis zu ihrem höchsten Alter [sie starb am 23. 9. 1827] imponierte die schlanke Gestalt jedesmal, wenn sie erschien". Zu ihren Jugendfreundinnen zählte auch Hannchen Rahn, die spätere Gemahlin des Philosophen J. G. Fichte, siehe dazu H. SCHULZ, J. G. Fichte Briefwechsel, I, Leipzig 1925, S. 528.

[185] Dieser studierte 1791 in Halle Jurisprudenz, begleitete 1792 seinen Stiefvater nach Paris und diente unter dem Decknamen „Richard" ab 1796 in der französischen Revolutionsarmee. 1806 zog er sogar als Offizier durch Giebichenstein. Er starb vereinsamt als Oberst in Paris.

[186] Im November 1784 wurde die Tochter Johanna geboren, die am 4. 9. 1803 Henrik Steffens (1773–1845) heiratete, 1786 der Sohn Hermann, der 1801 in Magdeburg ertrank, am 25. 6. 1790 die Tochter Friederike, die am 26. 9. 1811 Karl Georg v. Raumer ehelichte und 1869 in Erlangen starb, 1795 erblickte die Tochter Sophie das Licht der Welt, die 1826 mit Ernst Radecke den Ehebund schloß und am 13. 2. 1838 starb, sowie am 27. 6. 1802 der später im Elend endende Architekt Carl Friedrich (genannt Fritz), dessen Pate Goethe war.

[187] REICHARDT, Ueber die Schändlichkeit der Angeberei, 1795, S. 19.

[188] Abb. des Herrscherpaares bei MIESNER, in: M. Seiffert-Fs., 1938, Taf. 31/4.

[189] C. MEYER, Geschichte der Mecklenburg-Schweriner Hofkapelle, Schwerin 1913, 254.

[190] Claudius schrieb am 26. 10. 1784 an Reichardt: „... Ihre Komposition des Motetts ist zwar wohl nicht übel und hat gewisse Dinge besser getroffen als einige andre Kompositions, die ich erhalten habe; aber genügen tut sie mir doch, die Wahrheit zu sagen, nicht" (JESSEN, 1938, 314 f.).

[191] Siehe O. KADE, Die Musikalien-Sammlung des Großherzogl. Mecklenburg-Schweriner Fürstenhauses, II, Schwerin 1893, S. 140 ff.

[192] MEYER, Geschichte, 1913, 159.

[193] WERDEN, Musikalisches Taschenbuch, 1803, 278.

[194] GILDEMEISTER, Hamann's Schriften, V, S. 71; MEYER, Geschichte, 1913, 101.

[195] Siehe KUNZEN-REICHARDT, Studien, 1793, S. 130.

[196] REICHARDT, G. F. Händel's Jugend, 1785; siehe dazu auch J. MÜLLER-BLATTAU, G. F. Händel, Mainz 1959, S. 172 ff.

[197] Textabdruck bei O. E. DEUTSCH, Handel, A Dokumentary Biographie, 1955, S. 831 ff.; Ms. der Komposition in: Westdt. Bibl. Marburg in der Smlg. G. Pölchau, Nr. 9 der Abt. „Reichardt" sowie im Music Room des British Museum London. Für den Mecklenburg-Schweriner Hof verfaßte Reichardt eine Umarbeitung auf den deutschen Text von M. Mendelssohn „Cantate. Nach dem 5. Psalm" (= Mecklenburgische Landesbibl. Mus. Ms. 4408), dazu siehe RACKWITZ, J. F. Reichardt u. das Händelfest, 1960, 507 ff.

[198] Siehe auch REICHARDT, An das musikalische Publikum, 1787, S. 5 f.

[199] Die 1787 geplante Herausgabe der „Briefe aus London, die Musik betreffend" wurde nicht verwirklicht.

[200] Diese Passion war stückweise erstmals in einem Concert spirituel in Berlin

am 15. 8. 1783 aufgeführt worden, vollständig ebd. am 8. 4. 1784. Teile daraus druckte der Komponist ab in seiner Sammlung „Cäcilia" I–III sowie CRAMER, Flora, 1787.

[201] REICHARDT, Vertraute Briefe aus Paris, I, 187 u. ders., Musikalischer Almanach 1796.

[202] REICHARDT, An das musikalische Publikum, 1787, 9.

[203] Diese Wandlung zeigt sich sehr deutlich an Reichardts „Schreiben an den Grafen von Mirabeau, Lavater betreffend" (Hamburg 1786), die als Schutzschrift für Lavater verfaßt worden war, aber gleichzeitig eine Anklageschrift gegen Nicolai, der nach Lavater „beynahe keine Seele" gehabt haben soll (in: Brief an Reichardt v. 9. 4. 1785), und das geistige Berlin als dem „Sitz des plattesten gemeinen Verstandes" (H. Steffens) war.

[204] REICHARDT, An das musikalische Publikum, 1787, 14. Die Uraufführung dieser Oper erfolgte erst am 16. Oktober 1800 in Berlin, wo sie sechsmal gegeben wurde.

[205] BRACHVOGEL, I, 1877, 344; ROTH, Hamann's Briefwechsel, 1819, S. 96.

[206] Original im Dt. Zentralarchiv Merseburg aus Rep. 94 A F 18 Q 9 Lit.

[207] G. SCHLESIER, Schriften von Friedrich von Gentz, I, Mannheim 1838, S. 56.

[208] Vgl. SCHLETTERER, Reichardt, 1865, 351 f.

[209] AMZ 1814, Nekrolog.

[210] Siehe SCHÜNEMANN, Reichardts Briefwechsel mit Herder, 1935, S. 113.

[211] Das Berliner Opernorchester umfaßte 1787: 20 Violinen, 6 Bratschen, 8 Celli, 4 Kontrabässe, 2 Flöten, 4 Oboen, 4 Fagotte, 4 Hörner, 2 Clarinetten, 3 Posaunen, 2 Trompeten, 1 Paar Pauken, 1 Harfe; „der Flügel war weggelassen worden, und Herr Reichardt schlug den Takt, deswegen denn die Sänger, besonders wenn sie etwas entfernt vom Orchester waren, ganz artig herunterzogen" (siehe: Bemerkungen eines Reisenden über die in Berlin vom September 1787 bis Ende Januar 1788 gegebene öffentliche Musiken, Halle 1788, 56 f.). 1791 verzeichnete KUNZEN-REICHARDT, Studien, 1793, S. 19: 2 Capellmeister, 2 Concertmeister, 2 Clavecinisten, 1 Harfenist, 27 Violinisten, 6 Bratschisten, 9 Violoncellisten, 5 Contraviolonisten, 4 Flöttraversisten, 5 Hoboisten, 3 Clarinettisten, 5 Waldhornisten, 5 Fagottisten, 1 Serpantisten, 2 Trompeter, 4 Posaunisten und 1 Pauker.

[212] BRACHVOGEL, I, 1877, S. 354.

[213] Über die allgemeinen Verhältnisse im damaligen Berlin siehe L. GEIGER, Berlin 1688–1840. Geschichte des geistigen Lebens der preußischen Hauptstadt, I–II, Berlin 1893–1895.

[214] Zur positiven Beantwortung des Urlaubsgesuchs soll die Gräfin Lichtenau beigetragen haben mit der Bemerkung: „Majestätchen, du mußt" (GEIGER, II, 1895, S. 55); über Reichardts freundschaftliche Beziehungen zu dieser Geliebten des Königs siehe DOROW, Erlebtes, I, 193.

[215] Dazu siehe auch GILDEMEISTER, Hamann, V, S. 406.

[216] Siehe die Hamburg. Ztg. vom 21. 11. 1786.

[217] Berlin. Mus. Ztg. 1805, S. 2.

[218] Musikal. Ms. 1792, S. 69 f.

[219] Siehe die Abb. bei NADLER, Lit. Gesch. II, S. 329 sowie G. LENZEWSKI, Die Hohenzollern in der Musikgeschichte des 18. Jahrhunderts, Berlin 1926, S. 39 ff.

[220] Berlin. Mus. Ztg. 1805, S. 2. Über die Vorbereitungen zu den Kammerkonzerten des Königs berichtet Reichardt: „der König befiehlt selbst, wer zur

Musik bestellt werden soll, er wählt dann selbst einige Symphonien aus, die den Abend gespielt werden sollen, – gemeinhin wird nur eine zum Anfang des Concerts gespielt..." (in: Musikal. Ms. 1792, 20).

[221] *Bemerkungen* eines Reisenden, 1788, S. 4.

[222] A. STERN, Mirabeau und Lavater, in: Dt. Rundschau 118 (1904), S. 440.

[223] Nach GILDEMEISTER, Hamann, V, 452.

[224] Reichardt stellte fest: „Nie hat jemand richtigere Bemerkungen über meine Arbeiten gemacht, als Herder."

[225] HOFFMANN, Herders Briefe an J. G. Hamann, 1889, 226; über Reichardts Beziehungen zu Herder siehe ausführlich SALMEN, Herder u. Reichardt, 1960, 95 ff.

[226] R. UNGER, Hamann und die Aufklärung, Jena 1911, 203 u. 387.

[227] ROTH, Hamann's Schriften, 1819, 377.

[228] Reichardt schreibt: „seine Stimme hat fast die Tiefe des Violoncells und die natürliche Höhe eines Tenors" (in: Musikal. Ms. 1792, S. 67).

[229] Vgl. DENNERLEIN, 1929, Nr. 60.

[230] Siehe dazu J. GAUDEFROY-DEMOMBYNES, Les jugements allemands sur la musique française au XVIII siècle, Paris 1941, S. 65.

[231] Vgl. BRACHVOGEL II, 1878, S. 115 und DÜNTZER, Herders Reise nach Italien, 1859, 125.

[232] Über v. d. Reck siehe HARTUNG, Reichardts Entlassung, 1961.

[233] SCHLETTERER, Reichardt, 1865, 458 f.

[234] K. DITTERS VON DITTERSDORF, Lebensbeschreibung, hrsg. v. E. Schmitz, Regensburg 1940, S. 225.

[235] DÜNTZER, Herders Reise, 1859, 338 f.

[236] ebd., S. 355.

[237] Dazu siehe ausführlich SALMEN, Goethe und Reichardt, S. 54 ff.

[238] T. KROGK, Zur Geschichte des dänischen Singspieles im 18. Jahrhundert, Diss. Berlin 1923, S. 218 ff.

[239] Vgl. R. ENGLÄNDER, Johann Gottlieb Naumann als Opernkomponist (1741–1801), Leipzig 1922, S. 163 ff. u. 316 ff. sowie DENNERLEIN, 1929, Nr. 62.

[240] R. KÖPKE, Ludwig Tieck, Leipzig 1855, S. 76.

[241] REICHARDT, Vertraute Briefe aus Paris, II, S. 189.

[242] KÖPKE, Tieck, 1855, S. 86.

[243] Vgl. STÄGEMANN, Erinnerungen für edle Frauen, II, 1846, S. 221.

[244] Siehe im Musikal. Wochenblatt, 1791, S. 34 f., 66 f., 75 ff., 83 f. und S. 106 ff.

[245] So berichtet Reichardt u. a. über den Karfreitag in ungezügelter Weise: „Der darauf folgende plappernde und höchsteintönige Chorgesang der Pfaffen, gegen den das Gequäck einer Froschversammlung im Schilfe ehrwürdig ist, und wodurch die besten unter ihnen wohl gar glauben mochten unserm Herrgott einen angenehmen Freitagnachmittag zu machen, indignirte mich höchlich" (in: Mus. Wochenblatt 1791, S. 66).

[246] ebd., S. 34 ff.

[247] ebd., S. 84.

[248] Bemerkenswert ist, daß Reichardt aus Dankbarkeit für seinen Lehrer I. Kant und in Erinnerung an dessen geographische Vorlesungen in Neapel, „die ganz vortreflichen Land-Charten vom Königr: Neapel" aufkaufte, um diese durch Joh. Gottf. Kiesewetter als Geschenk nach Königsberg überbringen zu lassen (siehe: KANT's Briefwechsel, II, 1900, S. 193).

[249] KANT's Briefwechsel, II, 1900, S. 193.

[250] ebd., S. 220.

[251] HARTUNG, Reichardts Entlassung, S. 971.

[252] DZA Merseburg, H. A. Rep. 48 J. Litt. R. Reichardt.

[253] Siehe Musikal. Wochenblatt 1792, S. 53 f.

[254] Berlin. Mus. Ztg. 1805, S. 102.

[255] KUNZEN-REICHARDT, Studien, 1793, S. 7. Reichardt hatte nur 3 Orchesterproben und eine Generalprobe abgehalten.

[256] v. d. LEYEN, Wackenroder, II, 1910, S. 55; siehe die Abb. der Burg Giebichenstein bei NADLER, Lit. Gesch. II, S. 400.

[257] K. v. HOLTEI, Dreihundert Briefe aus zwei Jahrhunderten, T. 4, 1872, S. 209.

[258] Vgl. R. HAYM, Die romantische Schule, Berlin 1914, 125.

[259] Wackenroder schätzte Reichardts Musik offenbar sehr, denn er schrieb im Februar 1793 aus Berlin an Tieck: „... wie ich von Reichhards Erwin und Elmire im Konzert neulich bezaubert bin, wo jede, jede Arie den innigsten Ausdruck, jeder Ton Liebe oder erhabne Empfindung, oder romantische Schwärmerei atmet" (v. d. LEYEN, II, 1910, S. 192).

[260] Ob Reichardt im Mai 1793 eine kurze Reise nach London unternommen hat, ist nicht mit Sicherheit belegbar (vgl. PAULI, Reichardt, 1903, S. 107.)

[261] In der Anklageschrift „Über die Schändlichkeit der Angeberei" (Berlin 1795, S. 20) schreibt Reichardt erzürnt über seinen Rivalen: „... dem der fremde Nahme und eine größere Fertigkeit in Bücklingen und schmeichelhaften Redensarten schon einen artigen Vorsprung gebe, der in den Augen des Fürsten vielleicht dadurch schon noch einmal mehr wehrt ist, als der Unterthan, weil er die Klugheit gehabt hat, auf ein doppelt hohes Gehalt zu bestehen, wenn er gleich vorher in einem geringeren Amte nur die Hälfte von dem Gehalte seines langgedienten Nebenmannes hatte ..."

[262] H. GOTTWALDT u. G. HAHNE, Briefwechsel zwischen Johann Abraham Peter Schulz und Johann Heinrich Voss, Kassel 1960, S. 92.

[263] HERBST, J. H. Voss, II, 1, 1874, S. 151.

[264] HECKER, Die Briefe J. F. Reichardts an Goethe, 1925, 197.

[265] Besonderen Dank schulde ich Herrn Dr. E. Emsheimer für seine leider vergeblichen Bemühungen, aus schwedischen Quellen einen Nachweis für die vermutete Stockholm-Reise zu finden.

[266] Reichardt schrieb am 23. 11. 1793 über Rethwisch an Goethe: „der dortige Gutsbesitzer [ist] gewiß der freieste Mann, der itzt in Europa existiert."

[267] Porträts dieser Bürger bei MIESNER, in: Fs. f. M. Seiffert, 1938, Taf. 32; siehe auch KOLLER, Klopstockstudien, 1889 und HARTUNG, Reichardts Entlassung, 1961, S. 971 ff.

[268] Vgl. Briefwechsel zwischen Rahel und David Veit, I, Leipzig 1861, 107.

[269] ebd., S. 105.

[270] Siehe den Brief Reichardts an Goethe vom 8. Februar 1794 bei HECKER, Die Briefe J. F. Reichardts an Goethe, 1925, S. 199.

[271] G. v. Göckingk berichtet am 17. 1. 1794 aus Berlin: „Der Kapellmeister Reichardt der 3 Jahre Urlaub gehabt und sich in Giebichenstein bey Halle aufgehalten hat, war 14 Tage lang hier und ist heute abgereiset. Er kömmt im Herbste mit seiner Familie nach Berlin zurück, und wird dann eine neue Oper componiren" (PRÖHLE, Der Dichter Günther von Göckingk über Berlin und Preußen, in: Zs. f. preuß. Gesch. u. Landeskunde 14, 1877, S. 25).

[272] Siehe die Skizze des Geländes bei H. HAHNDORF, Die Gesch. d. Reichardtparkes, 1928, 95; NEUSS, Das Giebichensteiner Dichterparadies, 1949, 18 f. so-

wie ebd. Taf. III ein Abb. des Gehöftes im Zustande von 1890. Vgl. außerdem A. SCHARDT, Das Hallische Stadtbild, Halle 1932, S. 39 = Der Rote Turm H. 12; SERAUKY, Mg. der Stadt Halle, II, 1942, S. 341 ff. sowie E. NEUSS, Wie die „Herberge der Romantik" aussah, in: Fs. zum 200. Geburtstag, hrsg. v. Rat der Stadt Halle 1952, S. 36 ff.

[273] Das offizielle Protokoll des Amtes Giebichenstein vom 2. Juni 1794 über die notariellen Vorbereitungen des Ankaufs lautet: „Herr Kapellmeister Reichardt bittet heute nach beendigtem Gerichtstage zwei Gerichtspersonen zur Aufnahme einer gerichtlichen Handlung in seine Behausung, das ehemals Kestnersche Gut, zu deputieren. Es ist hierauf auch hierzu d. H. Justitz-Commissarius Kirchhof und ich Endesunterzeichneter Auscultator deputiert worden. (gez.) Raepprich." Vgl. dazu auch PRÖHLE, Der Dichter G. v. Göckingk, 1877, S. 45.

[274] Siehe die Abb. der Burg Giebichenstein bei FREYDANK, Die Universität Halle, Düsseldorf 1928, S. 35.

[275] Zu Eichendorffs Erlebnis von Giebichenstein siehe W. NAUHAUS, Die Burg überm Tale, in: Aurora 1960, S. 48 ff.

[276] Siehe F. v. Matthisson's Literarischer Nachlaß, Bd. 1, Berlin 1832, S. 107. Zu dieser Zeit hatte das ehemals Reichardt'sche Haus keine Anziehungskraft mehr, denn 1814 wurde der gesamte Besitz von einem Amtsrat Bartels für 8000 Taler angekauft, 1824 wurde der Geheime Justizrat Schmelzer Eigentümer. Am 30. 12. 1902 erwarb die Stadt Halle vom preußischen Domänenfiskus das Gelände und gab dies, nachdem das stattliche Haus abgerissen worden war, 1913 als „Bürgerpark" zum allgemeinen Besuch frei.

[277] DOROW, Erlebtes, III, 1845, S. 53.

[278] STEFFENS, Was ich erlebte, 1842, S. 85.

[279] Vgl. NEUSS, Das Giebichensteiner Dichterparadies, 1949, S. 34 ff. Echte Ruinen von Burgen und Klöstern bot hier die weitere Umgebung und machten so Giebichenstein für Reichardt zu einem „romantischen Fleck".

[280] REICHARDT, Offene Briefe, 1806, S. 48.

[281] Siehe dazu auch F. J. SCHNEIDER, Halle und die deutsche Romantik, Halle 1930 = Der Rote Turm H. 10.

[282] STEFFENS, 1842, S. 83.

[283] DOROW, III, 1845, S. 55.

[284] A. MÜLLER, Briefe von der Universität in die Heimath, Leipzig 1874, S. 297.

[285] REICHARDT, Vertraute Briefe aus Paris, III, 1805, S. 62.

[286] STEFFENS, 1842, S. 84.

[287] REICHARDT, Liederspiele, 1801, 711.

[288] STEFFENS, 1842, S. 82 f. In Halle bestanden während dieser Zeit noch drei weitere rege Hausmusikzirkel bei dem Direktor der Franckeschen Stiftungen Niemeyer, der auch bei Reichardt verkehrte, bei dem Postdirektor von Madeweis und bei dem Kammerrat Wucherer.

[289] PRÖHLE, 1877, S. 36.

[290] In diesem Brief stellt Reichardt vor allem seine Vaterlandsliebe heraus mit den flehenden Worten, die Entlassung abwenden zu wollen: „... wenn mein hartes Schicksal mich am Ende zwingen sollte mein Vaterland zu verlassen, daß ich immer geliebt habe und lange, als eines der glücklichsten Länder freywillig allen andern vorgezogen habe..."; siehe dazu speziell HARTUNG, Reichardts Entlassung, 1961.

[291] Siehe auch den anteilnehmenden Brief von E. v. d. Recke an Böttiger über Reichardts Entlassung vom 17. 12. 1794, in der Landesbibl. Dresden.

[292] Pröhle, 1877, S. 45.
[293] Reichardt, Über die Schändlichkeit der Angeberei, S. 5.
[294] ebd., S. 38.
[295] Böttiger, Literarische Zustände, II, 1838, 52 ff.
[296] ebd., S. 54.
[297] Siehe auch den Brief Reichardts an Goethe vom 7. 4. 1795 bei Hecker, 1925, S. 201.
[298] Über Schulzens Besuch in Neumühlen am 23. 8. 1795 siehe auch Böttiger, Literarische Zustände, II, 1838, 57.
[299] Siehe z. B. Briefwechsel zwischen Rahel und David Veit II, 1861, 75.
[300] G. v. Göckingk schreibt am 28. März und am 11. April 1795 aus Berlin: „Der Capell-Mstr. Schulz in Copenh. hat seinen Abschied genommen, wozu ihn die Ausschweifungen seiner Frau veranlaßt haben sollen. Wahrscheinlich wird Reichardt an seine Stelle kommen" (Pröhle, 1877, 48). Aus diesem Brief geht somit hervor, daß man selbst in der preußischen Hauptstadt über Reichardts Unternehmungen unterrichtet war.
[301] Hecker, 1925, S. 201. Reichardt scheint bereits in früheren Jahren, als ihn noch nicht die Not dazu zwang, gern die Rolle eines Nachrichtenübermittlers übernommen zu haben, was ihn manche Freundschaft kostete. Ein Brief an Herzog Friedrich Franz von Anhalt-Dessau, der darauf hinweist, hat folgenden Wortlaut:

„Durchlauchtigster Fürst.

Zufälliger Weise erfahr' ich ein Mißverständnis daß ich aufzuklären mir schuldig bin. Der Oberstlieutnant von Langlais trug mir auf ihn Eu. Durchlaucht, wenn ich die Ehre hätte Sie zu sehen, zu Füßen zu legen. Zu gleicher Zeit unterrichtete er mich von der izigen wahren Lage der politischen Sachen, um all seinen Gönnern und unsern gemeinschaftlichen Freunden, die darum bekümmert wären, darüber zu beruhigen.

Da ich nicht die Ehre gehabt habe Eu. Durchlaucht zu sehen, so habe ich meinen Auftrag nicht ausrichten können. Wäre mir aber etwas als ein besonders wichtiger Auftrag für Eu. Durchlaucht aufgetragen worden, so würde ich selbst den Anschein der Zudringlichkeit nicht gescheut haben um solches auszurichten.

Von der andern Seite konte mich aber auch nichts abhalten meinem Freund Runge die wichtige politische Nachricht mitzuteilen, und seinem Wunsche die Sache Sr. Durchlaucht dem Prinzen Hans Görge mittheilen zu dürfen zu willfahren.

Mit vollkommenster Ehrerbietung
verharre ich
Eu. Durchlaucht
unterthänigster
Reichardt."

Giebichenstein den 24. Nov. 1792
(Original im Staatl. Archivlager Göttingen.)
[302] Vgl. Gottwaldt u. Hahne, Briefwechsel zwischen J. A. P. Schulz und J. H. Voß, 1960, 138.
[303] Jonas, Schillers Briefe, Bd. II, 283.
[304] Vgl. ebd. Bd. VI, 361; G. Bianquis stellt in den Etudes Germaniques 14 (1959), S. 326 fest: «Ses préjugés contre Reichardt étaient anciens et semblent avoir tenu à une antipathie instinctive, peut–être mêlée de jalousie.»
[305] Jonas, IV, 173.

138

[306] K. v. RAUMER, Zu einem ungedruckten Brief Schillers an den Komponisten J. F. Reichardt, in: Neue Züricher Zeitung, Mittagsausgabe Nr. 3436/37 vom 10. 11. 1959 mit Faksimile des Briefes; siehe auch H. KNUDSEN, Schiller und die Musik, Diss. Greifswald 1908, 74 und A. KOHUT, Friedrich Schiller in seinen Beziehungen zur Musik und zu Musikern, Stuttgart 1905, S. 88 ff.

[307] W. VOLLMER, Briefwechsel zwischen Schiller und Cotta, Stuttgart 1876, S. 103 f.

[308] JONAS, IV, 217 f.

[309] Siehe O. GÜNTHER, Marbacher Schillerbuch, II, 1907, 292 ff.

[310] Körner schreibt z. B. am 28. 1. 1796 an Schiller: „... er kennt die Mittel seiner Kunst nicht genug, soviel er auch darüber geschwatzt hat. Seine Arbeiten haben für den Musiker eine Armuth und Trockenheit, die er selbst gern für Classicität verkaufen möchte, die aber wirklich die Folge eines musikalischen Unvermögens ist" (K. GOEDEKE, Schillers Briefwechsel mit Körner, Leipzig 1878, Bd. II, 189); siehe auch E. BOAS, Schiller und Goethe im Xenienkampf, Stuttgart 1851, 104.

[311] JONAS, IV, 248.

[312] Siehe den fotomechanischen Nachdruck der „Horen", Darmstadt 1959 mit 3 Liedbeilagen von Reichardt.

[313] In den „Annalen" zu 1795 schreibt Goethe: „... Nun hatte sich Reichardt mit Wut und Ingrimm in die Revolution geworfen; ich aber, die greulichen, unaufhaltsamen Folgen solcher gewalttätig aufgelösten Zustände mit Augen schauend und zugleich ein ähnliches Geheimtreiben im Vaterlande durch und durch blickend, hielt ein für allemal am Bestehenden fest ..."

[314] GÜNTHER, Marbacher Schillerbuch, II, 1907, 294.

[315] JONAS, IV. 401.

[316] Dazu vgl. PAULI, J. F. Reichardt, 1903, 116 ff.; S. P. CAPEN, Friedrich Schlegel's Relations with Reichardt and his Contributions to „Deutschland", in: Publ. of the Univ. of Pennsylvania Series in Phil. and Lit. Bd. IX, Nr. 2, 1903, 30 ff.; BOAS, 1851, S. 125 ff., sowie BIANQUIS, 1959, S. 325 ff.

[317] Siehe den Brief vom 2. 11. 1796 an Goethe bei JONAS, V, 105 sowie ebd., S. 191.

[318] BOAS, S. 125 ff.

[319] ebd., S. 128 f.

[320] Vgl. S. REITER, Friedrich August Wolf, ein Leben in Briefen, I, Stuttgart 1935, 226.

[321] W. Heinse schrieb am 15. 11. 1796 an den Anatomen S. Th. v. Sömmerring zustimmend: Goethes „Epigramme auf Reichardt gehören bey weitem unter das Beste; den kennt er mit Haut und Haar, wie von Mutterleib aus. Der wird die Beulen von den Rippenstößen nicht so bald verschwitzen" (GA Bd. X, S. 317).

[322] Vgl. K. v. HOLTEI, Dreihundert Briefe aus zwei Jahrhunderten, I, 3, Hannover 1872, 164; W. HERBST, J. H. Voss, II, 1, Leipzig 1874, S. 176; JONAS, V, 191.

[323] Dazu schrieb Georg Joachim Göschen (1750–1828) an Carl August Böttiger (ohne Datum): „... Reichardt hat im Journal ‚Deutschland' Rache geschnoben. An Goethe wagte er sich nicht, aber desto vermeßlicher geht er mit Schiller um."

[324] JONAS, V, 272.

[325] Goethe-Schiller-Archiv Weimar, aus: Schiller Ka. XVI, 8, 4.

[326] HECKER, 1925, 233.

[327] Vgl. FINK, Musikalischer Hausschatz der Deutschen, 1878, Nr. 287, 289 291, 297, 634, 703, 790.

[328] F. C. EBRARD, Neue Briefe Wilhelm von Humboldts an Schiller, Berlin 1911, S. 25 f.; DOROW, III, 27 u. ebd. IV, 1845, 87 ff.

[329] STÄGEMANN, Erinnerungen, II, 1846, 207.

[330] GOTTWALDT u. HAHNE, 1960, 138.

[331] SCHULZ, J. G. Fichte Briefwechsel, I, 1925, 528 sowie ebd., II, 23. Fichte schrieb am 23. 3. 1796 an Reichardt: „Ich kann Ihnen kaum ausdrücken, welch ein Augurium mir es ist, daß ein Mann, wie Sie, mich seiner Mittheilung würdigen will."

[332] ebd., I, 537 f.; vgl. auch J. KÖRNER, Briefe von und an A. W. Schlegel I, Zürich 1930, 82 f.

[333] Siehe CAPEN, 1903, 37 ff.; KÖRNER, I, 1930, 31 ff.

[334] M. PREITZ, Friedrich Schlegel und Novalis, Darmstadt 1957, 56; der im Juni 1796 von Schlegel geplante Besuch in Giebichenstein unterblieb, siehe seinen Brief vom 5. 9. 1796 an C. A. Böttiger im A. f. Lit. Gesch. 15 (1887), S. 415

[335] Vgl. KÖRNER, I, 1930, 30.

[336] E. SCHMIDT, Caroline. Briefe aus der Frühromantik, I, Leipzig 1913, 441. O. WALZEL, Friedrich Schlegels Briefe an seinen Bruder August Wilhelm, Berlin 1890, 309.

[337] ESCHEN, Briefe von J. F. Reichardt, 1884, 560.

[338] Siehe z. B. KÖRNER, I, 1930, 76; ebd., S. 82 f. sowie HOLTEI, Dreihundert Briefe, III, 328.

[339] Dazu siehe vor allem FREYDANK, Die Hallesche Pfännerschaft 1500–1926 Halle 1930, 264 ff.

[340] Der Umsatz betrug im Jahre 1805 etwa 72 200 Taler.

[341] ESCHEN, A. f. Lit. Gesch. 11 (1882), 560 ff., ebd. 12 (1884), 554 ff. sowie ebd. 15 (1887), S. 372; danach schrieb Eschen über seinen ersten Besuch in Giebichenstein am 14. 7. 1797 an seinen Vater: „Die wenigen Tage, die ich mit Voß, Wolf und Reichardt lebte, gehören unter die schönsten meines Lebens, und ich möchte sie nicht um alles geben."

[342] REICHARDT, Le Troubadour italien, 1806, S. 22.

[343] Siehe L. BÄTE, Briefe von Ernestine Voß an Heinrich Christian und Sara Boie (1794–1820), Bremen 1925, S. 49.

[344] Das Journal für Theater und andere schöne Künste IV, 1 (Hamburg 1797), S. 221 berichtet bereits aus der Zeit kurz nach dem Regierungsantritt: „Die Königl. Opern=Tänzer haben Befehl erhalten, auf dem National=Theater mehrere Ballette aufzuführen."

[345] ESCHEN in: A. f. Lit. Gesch. 12 (1884), 559.

[346] PRÖHLE, 1877, 67.

[347] AMZ III (Mai 1801), 547.

[348] Siehe ESCHEN, 1884, 559.

[349] Einzelheiten bei R. KÖHLER u. W. RICHTER, Berliner Leben 1806–1847, Berlin 1954, S. 4 ff.

[350] REICHARDT, Vertraute Briefe aus Paris, II, 188.

[351] ebd., S. 216.

[352] ESCHEN, 1884, 561.

[353] Anton preist in seinem Tagebuch den „schönen Garten" und Reichardt als „angenehmen Mann".

[354] Siehe die Abb. bei NADLER, Lit. Gesch. II, 493 sowie P. NERRLICH, Jean Pauls Briefwechsel mit seiner Frau und Christian Otto, Berlin 1902, S. 60.

[355] NERRLICH, S. 65 f. Jean Paul schrieb am 18.7.1798 an Christian Otto: „... Sein Bergtalgarten zerteilet sich in lauter Schönheiten, und er selbst in lauter Gefälligkeiten und Aufmerksamkeiten" (vgl. NEUSS, Das Giebichensteiner Dichterparadies, 1949, 78).

[356] Am 30.7. schrieb Jean Paul aus Leipzig: „Heute fuhr Reichard mit mir in 4 Stunden hieher. Seine Gefälligkeit für mich übersteigt meine Hoffnung und Erwiederung. Seine Frau hat die schönste und stilste Seele und die schönste Nase, die mir noch vorgekommen."

[357] PRÖHLE, 1877, S. 72.

[358] ebd., S. 74.

[359] Siehe die Abb. in MGG III, Sp. 1849 sowie das Faksimile Sp. 1853 eines Briefes an Reichardt vom 15.10.1782.

[360] REICHARDT, K. Fasch, 1797, 129.

[361] MGG III, Sp. 1860.

[362] J. W. SCHOTTLÄNDER, Zelters Beziehungen zu den Komponisten seiner Zeit, in: Jb. d. Sammlung Kippenberg 8 (1930), S. 139.

[363] Siehe: „Musikalische Blumensträuße" und „Musikalische Blumenlese" 1795, S. 5 u. S. 26; Deutschland 3 (1796), 8. Stück.

[364] Vgl. HECKER, Der Briefwechsel zwischen Goethe und Zelter, I, 1913, 77 u. 81.

[365] ebd. III, 1918, S. 21.

[366] SCHOTTLÄNDER, Zelters Beziehungen, 1930, S. 144–146.

[367] REICHARDT, Musikalischer Almanach, 1796, o. S. Auch den Komponisten und Musikschriftsteller Johann Gottlieb Karl Spazier (1761–1805) achtete Reichardt lediglich als „Dilettanten".

[368] HOFFMANN, in: AMZ 16 (1814), S. 344.

[369] Reichardt und Voß kannten sich persönlich seit 1774. Im hamburger Hause Klopstocks hatte die erste folgenreiche Begegnung stattgefunden, denn Voß beschäftigte damals sogleich den jungen „aufmerksamen Reisenden" als Komponisten für seinen Almanach (vgl. Voss, Briefe von J. H. Voß I, 1829, 180 und 247). Während der folgenden Jahre vertonte Reichardt insgesamt 60 Gedichte, womit er in Konkurrenz zu J. A. P. Schulz diesen Dichter neben Goethe besonders bevorzugte, vgl. dazu auch GOTTWALDT u. HAHNE, Briefwechsel, 1960, S. 110.

[370] Voss, Briefe von J. H. Voß, II, 1830, 388 ff.

[371] ebd., Bd. III, 1832, S. 115 u. 132.

[372] BÄTE, Briefe von Ernestine Voß, 1925, S. 51.

[373] Voss, II, 1830, S. 353. Varnhagen v. Ense beschreibt das Leben im Hause Reichardts in ähnlich abfälliger Weise; er schildert den Hausherrn als einen „Weltmann", „... der seine Nächsten auch wohl in Dingen, worin sie ihn übersahen, zu berichtigen liebte, und so auch seinen Schwiegersohn [Steffens], zu unserm großen Ärgernisse, zuweilen etwas zu hofmeistern versuchte" (siehe VARNHAGEN VON ENSE, Denkwürdigkeiten des eignen Lebens, I, Berlin 1922, S. 178).

[374] PREITZ, F. Schlegel und Novalis, 1957, S. 67.

[375] Dazu vgl. K. SCHÖNEWOLF, Ludwig Tieck und die Musik, Diss. Marburg 1925 (masch.), S. 23, 57 u. 75; siehe außerdem die Abb. bei NADLER, Lit. Gesch. II, nach S. 360 sowie ebd. S. 609.

[376] Tieck beschrieb die Musik Palestrinas als einen „Gesang ausgehalten, ohne rasche Bewegung, sich selbst genügend, ruft in unsre Seele das Bild der Ewigkeit, so wie der Schöpfung und der entstehenden Zeit".

[377] Siehe SCHÖNEWOLF, 1925, S. 129.

[378] Tiecks Musikhören war dementsprechend überspannt, z. B. schreibt er „Ich kann ein Adagio für Harmonika weit eher ohne Tränen hören als einen Psalm von Reichard ... alles Große setzt mich in eine Art von Wut."

[379] SCHÖNEWOLF, 1925, S. 60 ff.

[380] Die Publikumswirksamkeit zu Reichardts Lebzeiten wird dadurch bewiesen, daß dieses Stück z. B. in Tübingen von 1800–1816 38 Aufführungen erreichte.

[381] Siehe die Teilausgabe „Marcie e balli dell Opera Rosmonda" (Berlin 1805, bei H. Frölich).

[382] Noch im Jahre 1806 ließ Himmel nicht davon ab, „auf Reichardt zu sticheln" laut A. OEHLENSCHLÄGER, Meine Lebenserinnerungen, II, Leipzig 1850, S. 52.

[383] Siehe AMZ 3 (1801), S. 547.

[384] Reichardt schrieb u. a. am 23. April 1801 an Schütz: „Wenn meine Antwort zu lange ausgeblieben ist, so schreiben Sie es, mein theurer Freund, allein dem Umstande zu, daß ich Ihnen gern die Poesie der französischen Alceste schicken wollte, die ich vor fünfzehn Jahren von Paris mitgebracht habe, jetzt aber immer noch vergeblich suche. Ich wünschte sie Ihnen um so lieber mitzuschicken, da mein Haupteinwurf gegen das vorgeschlagene Unternehmen darin besteht, daß Ihr Plan fast gänzlich der französische ist – bis auf die Erscheinung des Apollo in Person, dessen Orakel in der französischen Alceste nur vernommen wird. – Diese ist, wie Sie wissen werden, nur eine Übersetzung aus dem Italiänischen – und hat nur die Rolle des Herkules als eigene Dichtung; – die französische Poesie ist übrigens der Gluckschen Musik, die er ursprünglich zur italiänischen Poesie machte, untergelegt. Die italiänische Alceste ist aber in Berlin mit großer Wirkung aufgeführt worden. Die Hauptsache daraus wissen alle Freunde der großen Musik auswendig. Die Rolle der Alceste wurde da auf dem italiänischen Operntheater auch von einer vortrefflichen Sängerin gesungen, und zugleich meisterhaft gespielt. Man hält die Alceste für die Hauptrolle der Marchetti, mit der die erste Sängerin auf dem deutschen Theater, so brav sie auch ist, die Vergleichung nicht aushält. – Kurz, lieber, werther Freund, ich halte es für gar zu verwegen, – wenigstens jetzt schon, da die italiänische Alceste in Berlin noch in frischem Andenken ist – dasselbe Sujet mit anderer Musik dort aufs deutsche Theater zu bringen, so sehr auch die Proben, die Sie die Güte gehabt haben, mir zu schicken, mich zur Arbeit reizen. Empfangen Sie dieselben hiebei mit herzlichem Dank zurück; doch nicht für einen andern Componisten, im Fall Sie dennoch auf die Bearbeitung des Gegenstandes ferner Bedacht nehmen wollen. Es giebt aber im Sophocles und Euripides noch andere tragische Gegenstände Ihrer Bearbeitung würdig ..." (F. K. J. SCHÜTZ, Christian Gottfried Schütz, II, Halle 1835, S. 381).

[385] Nicht zutreffend ist die Behauptung von Geneviève Bianquis: «Les relations de Goethe avec Reichardt avaient toujours été excellentes» (BIANQUIS, En marge, 1959, 325). Liselotte Blumenthal stellt dagegen fest: „Das persönliche Verhältnis zwischen Dichter und Komponist war wohl von Anfang an durch Goethes zwiespältigen Eindruck bestimmt; er fühlte sich von Reichardt angezogen und abgestoßen, und bald dominierte das eine, bald das andere" (in: Weimarer Beiträge 1, 1961, 11).

[386] Über die Besuche Goethes in Giebichenstein unterrichtet anschaulich die Teilkarte 4a im Goethe-Handbuch Bd. 4, Stuttgart 1956. Über die erste Fahrt Goethes nach Giebichenstein berichtet C. G. Carus in seinen „Lebenserinne-

rungen und Denkwürdigkeiten" (1. Teil, Leipzig 1865, S. 231): „Ein schöner Herbstmorgen wurde übrigens auch benutzt, die hübschen Saaleufer in der Umgegend von Halle zu sehen. Das alte Giebichenstein mit seiner Fensterruine, aus welcher Ludwig der Springer einst hinab zum bereit gehaltenen Kahne sich gerettet haben soll, blieb nicht ungezeichnet, und da oben in erwärmender Sonne gelagert, und hinabblickend auf die anmuthigen Flußbiegungen, umkränzt mit herbstlich buntbelaubtem Gebüsch und Bäumen, überdachte ich die mannichfaltigen Eindrücke der letzten Tage. Manche artige Gärten liegen auch da in der Nähe, man zeigte mir des nur vor kurzem verstorbenen Reil Berg, sowie den wohlangelegten Garten des ehemals gerühmten Liedercomponisten Reichardt, den auch Goethe dort zuweilen besucht hatte. Man erzählte mir dabei noch den deutsch-treuherzigen Zug von dem Musiker, daß als das erste mal Goethe dorthin kam und anfänglich, ohne sich zu erkennen zu geben, unter Leitung des Besitzers die hübschen Aussichtspunkte des Gartens besuchte, dann aber beim Fortfahren seinen Namen genannt hatte, Reichardt schnell ins Haus sprang, seine Frau rief und dieser noch den in einer Staubwolke schon weit fortrollenden Wagen zeigte, mit den Worten: ‚Frau! dort fährt Goethe!' wobei die Arme freilich nun nichts mehr von dem großen Poeten gewahr werden konnte. Indeß haben ihn doch wohl sehr viele von Angesicht gesehen, die darum auch nichts weiter von ihm gewahr geworden sind als diese Frau!"

[387] Vgl. E. Gross, Goethe und das Hallische Theater, Halle 1928, S. 4 = Der Rote Turm H. 4 sowie H. Reinhold, Bad Lauchstedt, seine literarischen Denkwürdigkeiten und sein Goethetheater, Halle 1914.

[388] Siehe den Theaterzettel bei G. Meyer, Hallisches Theater im 18. Jahrhundert, Emsdetten 1950, S. 170.

[389] Bissing, Das Leben der Dichterin Amalie v. Helvig, 1889, S. 68.

[390] Mann, Musical. Taschen-Buch, 1805, S. 226.

[391] Vgl. Hecker, 1925, 216.

[392] ebd., S. 219; W. Ehlers, Gesänge mit Begleitung der Chittarra, 1804.

[393] Hecker, 1925, S. 214.

[394] Neuss, Das Giebichensteiner Dichterparadies, 1949, S. 92.

[395] Reichardt, Vertraute Briefe aus Paris, I, S. 47 u. S. 488; ebd. S. 69 schreibt der Komponist: „Mein Hauptinteresse ist, in der Mitte aller Haupttheater zu seyn, und alles, was das gesellige Leben Angenehmes darbietet, leicht und ohne vielen Zeitverlust abreichen zu können."

[396] Bissing, 1889, S. 109.

[397] Köster, Die Briefe der Frau Rath Goethe, II, 1908, S. 101.

[398] Dazu siehe H. Conrat, Le musique à Paris il y a cent ans, d'après les «Lettres confidentielles» de J.-F. Reichardt, in: La Revue Musicale 4 (1904), S. 347 ff.; J. Gaudefroy-Demombynes, Les jugements allemands sur la musique française au XVIIIᵉ siècle, Paris 1941 sowie A. Laquiante, Un Prussien en France en 1792..., Paris 1892.

[399] Reichardt, Six Romances avec Accompagnement de Fortepiano ou Harpe, Paris 1805, chez Errard.

[400] Reichardt, Vertraute Briefe aus Paris, I, S. 156 u. ebd., III, S. 87.

[401] ebd., I, S. 245.

[402] ebd., I, S. 114 f. sowie Bd. III, S. 84.

[403] ebd., III, S. 18.

[404] ebd., III, S. 368. Die beiden ersten Bände dieser „Vertrauten Briefe" überreichte der Autor seinem König am 17. 1. 1804.

[405] E. v. Bamberg, Die Erinnerungen der Karoline Jagemann, Dresden 1926, S. 313; Hecker, 1925, S. 208.

[406] Sie schrieb am 8. Juli 1803 an den Dichter über diesen Besuch: „... und ich muß sagen, es hat mir sehr gefallen. Seine Frau hat mir, wie sie ist, sehr gefallen. Im Garten ist es sehr hübsch ..." (H. G. Gräf, Goethes Briefwechsel mit seiner Frau, I, Frankfurt 1916, S. 411).

[407] Mann, Musical. Taschen-Buch, 1805, S. 245.

[408] Siehe die Abb. der Burg Wettin bei Freydank, Die Univ. Halle, S. 64.

[409] Reichardt, Vertraute Briefe aus Paris, III, S. 240 f.

[410] Reiter, F. A. Wolf, I, 1935, S. 354.

[411] Neuss, Das Giebichensteiner Dichterparadies, 1949, S. 81.

[412] Köpke, L. Tieck, 1855, S. 135.

[413] Vgl. Reiter, I, 1935, S. 159 und R. Sellheim, Halle und der Neuhumanismus, Halle 1931, S. 4 ff. = Der Rote Turm H. 11.

[414] Siehe Reiter, II, 1935, S. 2 u. S. 17. Wolf lud J. H. Voß am 15. 9. 1803 zu sich nach Halle ein, er bemerkte dazu: „Reichardt wird den ganzen Herbst und Winter hier bleiben. Aber nicht wahr? der dürfte auf keinen Fall unsre Cirkel stören?" (Reiter, I, 1935, S. 352).

[415] Steffens lernte seinen späteren Schwiegervater 1799 während einer Fahrt von Jena nach Berlin kennen. Zunächst trat er ihm sehr voreingenommen gegenüber wegen dessen verrufener demokratischer Gesinnung. Siehe das Porträt von Steffens bei Nadler, Lit. Gesch. II, S. 391.

[416] Siehe dessen Bild bei Freydank, Die Univ. Halle, 1928, S. 16 und Nadler, Lit. Gesch. II, S. 345.

[417] Vgl. J. B. Diel u. W. Kreiten, Clemens Brentano, I, Freiburg 1877, S. 282 und R. Steig, Die Familie Reichardt und die Brüder Grimm, in: Euphorion 15. Ergänzungsheft (1923), S. 31.

[418] F. Seebass, Clemens Brentano. Briefe, I, Nürnberg 1951, S. 350.

[419] ebd., S. 360.

[420] ebd., S. 263.

[421] Berlin. Mus. Ztg. 1805, S. 60.

[422] In einem Begleitschreiben an eine Übermittlerin dieses Briefes wiederholt Reichardt seinen Wunsch, daß der Erbprinz „die Hauptresultate seiner Beobachtung und Empfindung auf ein Blatt würfe oder jemanden in die Feder dictierte und mich damit für meine Zeitung beschenkte. Alles was Künstler und Schriftgelehrte mir aus Italien melden ist voll Tadel ..."

[423] Reiter, I, 1935, S. 393; Herbst, J. H. Voß, II, 2, 1876, S. 40.

[424] Vgl. H. Schulz, Goethe und sein hallischer Freundeskreis, in: Goethe als Seher und Erforscher der Natur, Halle 1930, S. 101 ff.

[425] Oehlenschläger, Lebenserinnerungen, II, 1850, S. 10; siehe die Abb. bei Nadler, Lit. Gesch., II, S. 541.

[426] Oehlenschläger, I, 1850, S. 242–244.

[427] ebd., Bd. II, S. 11 und Bd. III, S. 109, 199 sowie S. 210.

[428] Siehe H. A. Paludan, D. Preisz u. M. Borup, Breve fra og til Adam Oehlenschlaeger, Kopenhagen 1937, Bd. I, S. 108 ff.

[429] Vgl. dazu Å. Eliaeson u. G. Percy, Goethe in der nordischen Musik, Stockholm 1959, S. 31.

[430] Oehlenschläger, II, S. 61 u. 77.

[431] ebd., Bd. II, S. 42.

[432] Siehe Neuss, Das Giebichensteiner Dichterparadies, 1949, S. 63 ff.; Reiter, I, 1935, 416; Nadler, Lit. Gesch. II, S. 603.

[433] Varnhagen von Ense, Denkwürdigkeiten, I, 1922, S. 178.

[434] Reichardt, Vertraute Briefe aus Paris, III, 1805, S. 269.

[435] ders., Vertraute Briefe geschrieben auf einer Reise nach Wien, II, 1810, S. 420.

[436] Vgl.: Die Belagerung von Danzig im Jahre 1807. Aus den Original-Papieren Sr. Exzellenz des Kgl. Preuß. General-Feld-Marschalls Grafen v. Kalckreuth, Posen u. Leipzig 1809 sowie F. Rühl, Aus der Franzosenzeit, Leipzig 1904, S. 5 u. 30.

[437] Persönliche Beziehungen zwischen Reichardt und dem „neuen Minister Stein" sind seit 1805 nachweisbar.

[438] NPPBll 2 (1852), S. 397.

[439] Siehe Rühl, Aus der Franzosenzeit, 1904, S. 35.

[440] Varnhagen v. Ense, Lebenserinnerungen, 1922, S. 212 f.

[441] K. v. Raumers Leben, von ihm selbst erzählt, Stuttgart 1866, S. 47 u. 71.

[442] H. Düntzer, Aus Karl Ludwig von Knebels Briefwechsel mit seiner Schwester Henriette, Jena 1858, S. 311.

[443] Reichardt, Schreiben an den Grafen Mirabeau, 1786, S. 39.

[444] Siehe G. Heinrichs, J. F. Reichardts Beziehungen zu Cassel, 1922; H. König, König Jerôme's Carneval, I, Leipzig 1855, S. 26 u. 350 f. und W. Brennecke, Kasseler Theaterleben in den Jahren 1785–1813, in: Theater in Kassel, ebd. 1959, S. 33–64.

[445] Ph. Losch, Felix Blangini, König Jérômes Generalmusikdirektor, in: Hessenland 28 (1914), S. 22 f.

[446] Hecker, 1925, S. 230 f.

[447] Brennecke, 1959, S. 53.

[448] Vgl. Seebass, C. Brentano, I, S. 353 u. 365.

[449] Schellberg u. Fuchs, Das unsterbliche Leben. Unbekannte Briefe von Clemens Brentano, 1939, S. 404.

[450] Siehe Steig, Die Familie Reichardt, 1923, S. 19 ff.; Hecker, 1925, S. 231 sowie Euphorion 19 (1912), S. 239; danach kam für eine Melodie-Ausgabe zum „Wunderhorn" besonders Reichardt in Betracht, Arnim schreibt jedoch am 26. 9. 1808 an Carl Hohnbaum: „Reichardt hat nicht die Geduld zu so etwas, auch ist er jetzt sehr beschäftigt."

[451] Heinrichs, 1922, S. 15.

[452] Goethe schrieb am 7. 11. 1808 an Zelter mit einem argwöhnischen Unterton: „Reichardt von Kassel ist gestern hier gewesen; er besucht die Theater des südlichen Deutschland, um für die Kasseler Bühne, die freilich seltsam genug eingerichtet werden muß, Personagen aufzusuchen..." (Hecker, Der Briefwechsel zwischen Goethe und Zelter, I, 1913, S. 224.

[453] F. Prelinger, L. v. Beethovens sämtliche Briefe und Aufzeichnungen, I, Wien 1907, S. 185 u. 189 f.

[454] Beethoven schrieb dazu am 5. April 1809 an Breitkopf und Härtel: „Dieser Antrag wurde mir gemacht, noch ehe Reichardt in Wien war, und er wunderte sich selbst darüber, wie er sagte, daß ihm von alle dem nichts zu Ohren gekommen sei. Reichardt gab sich alle mögliche Mühe, mir abzureden, nicht dahin zu gehen. Da ich überhaupt sehr viele Ursachen habe den Charakter des Herrn Reichardt in Zweifel zu ziehen und er vielleicht gar selbst so etwas aus mehreren politischen Ursachen Ihnen könnte mitgetheilt haben, so glaube ich, daß ich mehr Glauben auf jeden Fall verdiene..." (Prelinger, IV, 1909, S. 48).

[455] A. E. Zinserling, Westphälische Denkwürdigkeiten, Berlin 1814, S. 141 f.

[456] NA hrsg. v. G. Gugitz, München 1915.

[457] ebd., Bd. I, S. 5.

[458] ebd., Bd. I, S. 8.

[459] Berlin. Mus. Ztg. 1805, S. 95.

[460] L. SPOHR, Selbstbiographie, I, Cassel u. Göttingen 1860, S. 134.

[461] GUGITZ, I, S. 22.

[462] Gemeint ist der auch als Komponist bekannte Coadjutor des Kurfürsten von Mainz Reichsfreiherr v. Dalberg.

[463] GUGITZ, I, S. 25.

[464] NA hrsg. v. W. Salmen, in: Das Erbe Deutscher Musik Bd. 58/59.

[465] Dazu vgl. W. SEIFERT, Christian Gottfried Körner, ein Musikästhetiker der deutschen Klassik, Regensburg 1960.

[466] G. GUGITZ, Unbekanntes zu J. F. Reichardts Aufenthalt in Oesterreich, in: ZfMw 2 (1920), S. 530.

[467] GUGITZ, I, 1915, S. 314.

[468] Vgl. A. KALISCHER, Beethoven in Berlin, in: Nord und Süd 1886, Novemberheft u. DENNERLEIN, J. F. Reichardt, 1929, S. 39 f.

[469] STEIG, Die Familie Reichardt, 1923, S. 25.

[470] Siehe auch MÜLLER, Briefe von der Universität, 1874, S. 82.

[471] Berlin. Mus. Ztg. 1805, S. 375.

[472] A. KALISCHER, Der preußische Hofkapellmeister J. F. Reichardt und Beethoven, in: Der Bär, Illustrirte Berliner Wochenschrift 14 (1887–88), S. 215.

[473] GUGITZ, I, 1915, S. 207.

[474] GUGITZ, I, 1915, S. 263 f. sowie REICHARDT, Vertraute Briefe, II, 1810, S. 415; siehe das Porträt von Collin bei NADLER, Lit. Gesch. II, S. 644.

[475] PRELINGER, Beethovens sämtliche Briefe, IV, 1909, S. 33.

[476] GUGITZ, I, 1915, S. 118 f.

[477] Gewiß ist, daß Schubert die Sammlung „Lieder der Liebe und der Einsamkeit", T. 2, Leipzig 1804, kannte.

[478] HECKER, 1925, S. 231.

[479] Dazu vgl. auch SALMEN, Reichardt u. Schlesien.

[480] GUGITZ, II, 1915, S. 266 f.

[481] Vgl. STEIG, 1923, S. 29 und DIEL-KREITEN, C. Brentano, 1877, S. 282.

[482] STEIG, 1923, S. 31.

[483] PRELINGER, Beethovens sämtliche Briefe, I, S. 212.

[484] AMZ 13 (1811), S. 275 f.

[485] Vgl. C. BITTER, Dr. Carl Loewe's Selbstbiographie, Berlin 1870, S. 61 und K. ANTON, Beiträge zur Biographie Carl Loewes, Halle 1912, S. 46 f.

[486] Vgl. HECKER, 1925, S. 233 f.

[487] HECKER, Der Briefwechsel zwischen Goethe und Zelter, I, 1913, S. 267; H. BECKER, Giacomo Meyerbeer, Briefwechsel und Tagebücher, I, Berlin 1960, S. 63.

[488] Siehe BECKER, 1960, S. 57, 59 ff., 77 u. 109.

[489] Vgl. dazu H. v. PETERSDORFF, Elisabeth Staegemann und ihr Kreis, in: Schr. d. V. f. d. Gesch. Berlins H. 30 (1893), S. 67 ff. sowie GEIGER, Berlin 1688–1840, II, 1895, S. 470 f.

[490] STÄGEMANN, Erinnerungen, II, 1846, S. 238. Der Freitod H. v. Kleists bestürzte Reichardt sehr.

[491] Siehe RÜHL, Aus der Franzosenzeit, 1904, S. 5.

[492] PETERSDORFF, E. Staegemann, 1893, S. 76.

[493] F. A. v. STAEGEMANN, Erinnerungen an Elisabeth, Berlin 1835, S. 42 u. 105.

146

[494] DIEL-KREITEN, Brentano, I, 1877, S. 313 f. u. S. 427–441.

[495] ebd., I, 1877, S. 415–426; siehe auch GEIGER, Berlin 1688–1840, II, 1895, S. 298 f.

[496] STÄGEMANN, Erinnerungen, II, 1846, S. 239; STEIG, 1923, S. 41.

[497] HOLTEI, Dreihundert Briefe, III, 1872, S. 111 f.

[498] DOROW, Erlebtes, III, 1845, S. 105.

[499] STEIG, 1923, S. 48.

[500] W. KAWERAU, Aus Halles Literaturleben, II, Halle 1888, S. 265 f.

[501] Vgl. SCHÖNEWOLF, L. Tieck und die Musik, 1925, S. 57 ff.

[502] ebd., S. 76–78.

[503] GROSS, Goethe und das Hallische Theater, 1928, S. 10.

[504] REICHARDT, Vertraute Briefe geschrieben auf einer Reise nach Wien I, 1810, Titelblatt sowie F. K. J. SCHÜTZ, Christian Gottfried Schütz, II, Halle 1835, S. 383.

[505] Vgl. GERBER, Lexicon, 1792, S. 254; Berlin. Mus. Ztg. 1805, S. 60.

[506] Siehe K. LINNEBACH, Scharnhorsts Briefe, I, München 1914 sowie REITER, F. A. Wolf, II, 1935, S. 158.

[507] Vgl. A. SCHARDT, Das Hallische Stadtbild, Halle 1932, S. 51 = Der Rote Turm H. 12.

[508] DOROW, Erlebtes, IV, 1845, S. 77.

[509] J. G. GRUBER, August Lafontaine's Leben und Wirken, Halle 1833, S. 313 f.; HOLTEI, Dreihundert Briefe, III, S. 112.

[510] Siehe das Faksimile bei DENNERLEIN, J. F. Reichardt, 1929, nach S. 68.

[511] Diese Lieder werden im Goethe-Museum Düsseldorf aufbewahrt, deren Textanfänge lauten: „Frisch auf, frisch auf im raschen Flug", „Wie wir so treu beisammen stehn" und „Herz laß dich nicht zerspalten".

[512] M. BRANDT, Leben der L. Reichardt, Basel 1865, S. 70.

[513] Siehe die Abb. der Grabstätte bei R. BRÄUTIGAM, Althallische Musiker, Halle 1936 u. bei NEUSS, Das Giebichensteiner Dichterparadies, 1949, Taf. XI.

[514] AMZ 16 (1814), S. 458 f.

[515] Loewe schreibt in seiner Autobiographie: „Wie das Türk'sche Chor bei allen namhaften Begräbnissen sang, so begleiteten wir auch Johann Friedrich Reichardt zu seiner letzten Ruhestätte. Es war diese Feierlichkeit besonders ergreifend für mich. Denn oft hatte ich Gelegenheit gehabt, in das Haus des berühmten Liedercomponisten zu kommen. Türk correspondirte mit ihm, und oft mußte ich seine Briefe nach Giebichenstein zu dem Freunde bringen. Reichardt kannte meine musikalischen Anlagen, und es machte ihm Vergnügen, mir seine und seiner Tochter Arbeiten vorzulegen. Mit der Tochter sang ich Duette . . ." (BITTER, 1870, S. 53).

[516] C. M. v. Weber besuchte im Oktober 1820 in Hamburg auch die Tochter Luise Reichardt, als er dort am 21. Oktober ein Konzert gab.

[517] Vgl. ZfMw 2 (1919/20), S. 467.

[518] LANGE, J. F. Reichardt, 1902, S. 41.

[519] Siehe NEUSS, Das Giebichensteiner Dichterparadies, 1949, Taf. XI, 2.

AUSSEHEN UND CHARAKTER

Reichardt war ein Mann von kräftigem Wuchs, dessen stattliches Äußere nicht nur auf das weibliche Geschlecht eine starke Anziehungskraft ausübte. „Große, schöne Augen", die nach Wilhelm Dorow vor allem „in seiner lebendig begeisternden Rede leuchteten", zierten ein volles, freies und offenes Antlitz. Dies bezeugt auch Ernst Ludwig Gerber, der in seinem Lexikon schreibt: „Von Person ist er ein schöner Mann. Sein Bildniß besitzt Hr. Kapellmeister Hiller in Pastell und der Hr. Hauptmann von Wagner zu Stendal gezeichnet. Nach dieser Zeichnung soll auch bald ein Stich herauskommen. Seine Büste in Gips, ist schon beym Bildhauer Kreul in Weimar zu haben."[520] Dieses Bildnis wurde im Winter 1771 in Leipzig angefertigt, als Reichardt noch in Perücke und vornehmem schwarzen Samtanzug gekleidet seine virtuosen Musikdarbietungen gab. Es verblieb im Familienbesitz J. A. Hillers. Noch zierte Reichardt damals sein volles Haar[521], jedoch schon recht früh hatte er „eine vollständige Glatze; nur einige dünne Haare waren hinten übriggeblieben. Den kahlen Kopf pflegte er nur durch Puder und Pomade zu schützen", wie der Schwiegersohn Steffens 1806 beobachtete.

1783 entstand kurz vor der ersten Italienreise das zweite bekannt gewordene Porträt in Zürich. Der Klassizist Jacob Asmus Carstens schreibt darüber in seiner Autobiographie: „Gessner empfahl mich an Lavater, für den ich verschiedene Porträts zeichnen mußte, und unter diesen auch den berühmten Musiker Reichardt, der sich damals in Zürich befand." Diese Zeichnung ist wie auch das 1771 angefertigte Bild verschollen. Karl Friedrich Patzschke malte Reichardt ebenfalls noch als Mann im mittleren Alter mit leuchtenden Augen und verschränkten Armen in einer sehr selbstbewußten Haltung[522]. Außer diesem Bild ist vornehmlich ein Kupferstich von H. B. Bendix nach einem 1791 angefertigten Gemälde von S. Enri, ein Porträt von A. Graff aus dem Jahre 1794 sowie ein Steindruck von H. E. v. Wintter von 1816 aufschlußreich über das Aussehen des Komponisten[523]. Stets sahen die Maler und Zeichner einen strahlend-gesunden, selbstsicheren und zielbewußt schauenden Künstler, der die Welt offenbar in vollen Zügen genoß.

Bedauerlich ist es, daß von den Gemälden des Hausfreundes Franz Gareis lediglich ein Fragment erhalten geblieben ist. Dieser begabte Maler aus der Dresdener Schule war mit Reichardt bekannt. Im Jahre 1798 lebte er mit seinem jüngeren Bruder, dem späteren Kammermusiker Gottlieb Gareis, in Giebichenstein, nachdem der Gastgeber „den vortrefl. Mahler" anläßlich einer Begegnung in Leipzig herzlich dazu eingeladen hatte, „um hier unser Familiengemälde zu machen"[524]. Gareis malte in „Gibeon", wie er sein ländliches Asyl bezeichnete, Reichardt „unter einem Baume sitzend und den Seinigen Vossens Luise vorlesend". Dieses Gemälde wurde leider im Gartenhause aufgehängt, wo es durch die Unbilden der Witterung bis auf wenige Teile zerstört wurde[525]. Erhalten blieb der sehr liebevoll ausgemalte Kopf von Reichardts zweiter Lebensgefährtin. An diesem Bruchstück ist die Schönheit ihres blonden Haares und ihrer hellblauen Augen in einem wohlgestalteten Antlitz gut ersichtlich geblieben[526].

Die wenigen erhaltenen Porträts von Reichardt sind durchweg wirklichkeitsecht und entsprechen dem Bilde seines Wesens und Charakters, das sich sowohl aus Selbstzeugnissen als auch aus Berichten der Zeitgenossen formen läßt. Er führte trotz vieler harter Widrigkeiten im Alltag und trotz jahrelang währender Armut stets ein Leben voll Vergnügungen. Reichardt war eine hedonistische Natur; das Wort „angenehm" zählte zu seinen Lieblingsvokabeln. Diese Vorliebe für unbeschwerte Geselligkeit, Frohleben und Gastfreundschaft hatte er „in hohem Grade vom Vater geerbt". Dies war sein rheinisches Erbteil: die lebenslustige Unruhe, die nie erlahmende Geschäftigkeit, seine impulsive, leicht verletzbare Natur, die weltmännische Gewandtheit, seine Ehrgeizigkeit, seine Luxusliebe. Als Hofkapellmeister pflegte er in bunter Seide, gepudert und höfisch geziert einherzugehen, später trug er dagegen meist nur mehr schlichte Tuchröcke, nachdem er der Maniriertheit des Rokoko entsagt hatte. Zeitlebens achtete er auf größte Reinlichkeit, gut gedeckte Tische und erlesene Weine. Das Tabakschnupfen und -rauchen widerte ihn jedoch an, so daß die ihm zahlreich verehrten Tabaksdosen nur den Wert von Schmuckgegenständen hatten[527]. Seine Freude am unbeschwerten Wohlleben war derart groß, daß er in seinen Reisebriefen mit besonderer Sorgfalt die nichtigsten Kleinigkeiten des Alltags, jedes Diners mit seinen Spezialitäten und Mängeln in breitester Beschreibung seiner Mit- und Nachwelt schildert. 1808 schreibt er, nichts erschiene ihm erstrebenswerter, „als im Besitze aller wahrhaft beglückenden Güter des Lebens den freien Genuß seiner selbst und einer frei und sorgfältig gewählten Gesellschaft zu haben ...". Reichardt war ein viel bewunderter und geübter Gesellschafter von bestem Geschmack, der als redseliger schöngeistiger Unterhalter sich auf jedem Parkett schnell zurecht fand. Fast all sein vielseitiges Wissen erwarb er sich durch die lebhafte Konversation in anregender Gesellschaft, wo er auch seine Fertigkeiten in der französischen, englischen, italienischen, spanischen und lateinischen Sprache zu vervollkommnen pflegte[528]. Überall, wo man ihn einlud, strahlte er „Frohsinn und Vertrauen", Forschheit und unbändige Kraft aus. Da er sich noch im Jahre 1805 „einer kernfesten, dauerhaften Gesundheit und Frische" erfreute, konnte er sich allen gebotenen Annehmlichkeiten lange ungehindert hingeben[529].

Sicherlich hat Reichardt zeitlebens viel erlebt und genossen, er hat aber auch angestrengt gearbeitet. Er war kein passiv-hinnehmender Mensch, der sich bedienen ließ, sondern vielmehr ein rastlos tätiger, den sein ungestümes Temperament täglich zu irgendwelchen Leistungen antrieb. Beschauliche Ruhe behagte ihm nur in stundenlanger Dosierung. Er war ein „flinker Weltmann" (Fr. Gundolf), „geschäftig-bewandert in vielen Geistbetrieben", der immer etwas unternehmen mußte, jedoch nur wenig zur letzten Reife brachte[530]. So flüchtig wie er im allgemeinen äußere Eindrücke aufnahm, so unbesonnen verarbeitete er diese auch in seinen Schriften und Musikwerken. In seinen Zielsetzungen schwankte er häufig unsicher suchend. Zu sehr ließ er sich von Augenblicks- und Gefühlseingebungen bestimmen. Reichardt mangelte es an innerer Beständigkeit. Bis ins Alter hinein wahrte er seine jugendfrische Offenheit für alle Ereignisse, seine Experimentierlust und Gewandtheit in vielen Dingen. So erreichte er aber weder als Porträtzeichner noch als Politiker, Denker, Kritiker, Dirigent, Virtuose oder Komponist das Höchstmögliche, sondern meist nur achtbar Mittelmäßiges. Es kann daher nicht verwundern, daß ihn mancher Zeitgenosse der Ungezügeltheit, der Klatschsucht, ja sogar der Lüge zieh[531].

Obwohl sich Reichardt als Verwaltungsfachmann einige Male aufs beste bewährt hat, versagte er als Wirtschafter im eigenen Hause. Selbst in Zeiten der bittersten Not gab er sich seinen Gästen gegenüber als unbekümmert-großzügiger, generöser Wirt[532]. So vermochte er naturgemäß nur wenige irdische Güter zu häufen, dafür aber eine seltene Fülle glücklicher Stunden zu erleben. Seiner impulsiven Art entsprechend mangelte es ihm leider oft an Rücksichtnahme gegenüber dem Nächsten und an Selbstkritik. Sein starkes, zuweilen auch überheblich wirkendes Selbstvertrauen ließ ihn nicht immer die Grenzen seines Vermögens sehen, so daß ihm neben vielen Freunden auch etliche Feinde im Leben begegneten. Eitel und rastlos strebend wollte er möglichst allen großen Persönlichkeiten seiner Zeit persönlich nahestehen, weswegen er nicht nur von Schiller oder Caroline Herder als unangenehm schmeichlerischer, „aufdringlicher" Mann gemieden wurde[533]. Diese „immer hervor sich drängende, allzuliebe Ichheit" (AMZ 12, 1810, 274), gepaart mit der Pose überlegener Ironie, empfanden viele als abstoßend und bedauerlich, da seine schöpferischen Qualitäten nicht unerheblich unter diesen Haltungs- und Charakterfehlern litten. Einer seiner Besucher in Giebichenstein, Adolph Müller, schreibt am 9. Februar 1804 über seine Erlebnisse: „Reichardt trägt zu viel Eigenliebe und Höfisches in seinem Schilde, um noch eine verwischte Herzlichkeit wieder zu erkennen. Ich habe sie freilich gleich an ihm vermißt, aber seine Weise den Fremden mit aller Artigkeit zu empfangen, machte mich wieder zweifelhaft."[534] Clemens Brentano bemerkt, er sei „vor Eitelkeit oft sehr blind" gewesen; Wilhelm Grimm resümierte rückschauend im Jahre 1831: „Reichardt war bei manchen Eigenheiten und einem starken Selbstgefühl ein Mann von leicht bewegtem, edlem Herzen ...".

Bemerkenswert, wenn auch nicht unvoreingenommen verfaßt ist ein Brief von Karl Ludwig v. Knebel an seine Schwester Henriette aus Jena vom 8. März 1810, worin dieser schildert: „Stelle Dir nur meinen wunderlichen Morgen vor. Nachdem ich beiliegenden Brief geschrieben hatte, von dem ich etwas ermüdet war, ging ich aus, der freien Luft zu geniessen, und stellte bald mein Gefühl durch die edlere Natur wieder her. Ich kam zu Haus und fand in meiner Stube Gesellschaft. Meine Frau hatte nämlich die Harfenspielerin Weber nebst ihrem Vater zu sich gebeten, welche Frommanns begleiteten. Sie ließen sich's beim Glase Wein recht wohl sein, und ich mir mit ihnen, weil mich doch das gesunde Ansehen des alten achtundsiebzigjährigen Mannes erfreute. Das Frühstück war verzehrt, und sie wollten sich eben wieder fort begeben – was tritt herein? – zur Hinterthüre meiner Kammer? – Sag' es nur der Prinzessin nicht! ich schäme mich ! nein, es ist unmöglich ! – der – der große Kapellmeister Reichardt! Ganz scharmant! so biegsam und zutraulich höflich! Wer kann ihm widerstehen? Von den hohen Personen gewiß keine. Ich begab mich also zur Seite dieser, und that, als wenn ich seinen Zuspruch schon lange erwartete. Die Gegenwart der andern erleichterte mir die seinige etwas; denn die Weberischen sind seine Zöglinge und Schützlinge. Ich that ihm einige verfängliche Fragen, die er aber mit großer Leichtigkeit beantwortete. Wir gingen in der Eile alle jetzt neue und glänzende Höfe durch, den kasselschen, den bairischen, selbst jetzt den österreichischen, über die er trefflich räsonnirte, d. h. loszog. Er bemerkte in der Eile mit schmeichelhaften Worten jede Kleinigkeit in meiner Stube, auf meinem Tische, selbst an meinem Leibe, indeß ich seine glatte Rhinocerosstirne ansah, sein vorgeschobenes Untergesicht und den vorragenden Schweinszahn, auch den häßlichen Spitzbauch u. s. w. Ich vermuthete, er würde sich bei mir gleich zu Mittag einladen, nahm mir aber vor, bis 3 Uhr dazustehen, ohne ihm einen Bissen anzubieten – bis er mich versicherte, er müsse heute wieder zurück nach Weimar; der Herzog habe ihn so dringend auf diesen Abend eingeladen, und da ich schon wüßte, wie er wäre, und daß man ihm nichts abschlagen könne, so habe er es versprochen. Gottlob! ich begleitete ihn mit vieler Höflichkeit zur Stube hinaus und – übergab ihn allen hohen Personen."

Obwohl Reichardt in seinen Schriften sehr oft prahlsüchtig über sich selbst berichtet, schreibt er 1787: „Unangenehm ist es immer von sich selbst zu sprechen: ist man dazu aber einmal gezwungen, so muß man auch für sich selbst ganz wahr seyn."[535] Er muß somit mit einem falschen Bewußtsein gelebt haben, führt er sich doch 1796 in dem von ihm herausgegebenen *Musikalischen Almanach* selbst ohne Scheu zum 25. November als „Musikheiligen" an. Aus dieser an sich unauffälligen Handlung erkennt man seine selbstüberhebliche Wertschätzung, man begreift aber auch manches abwertende Urteil, das er über zeitgenössische Musiker gab.

Es wäre sicherlich ungerecht, wenn man unbedenklich in den Chor seiner Widersacher einstimmen und lediglich diese seine z. T. zweifellos erheblichen Charakterschwächen zur Kennzeichnung seiner Person anführen würde. Denn Reichardt war ein zu vielseitiger und schöpferisch bedeutender Mann, als daß die negativen Werturteile über ihn allein ausreichen könnten. So ist z. B. nicht zu übersehen, daß er selbst während der Jahre des äußeren Glanzes trotz eines starken leidenschaftlichen Dranges ehelich treu blieb sowie als Freund und Helfer nie an seiner Verläßlichkeit zweifeln ließ. Dies bezeugen nicht nur Hamann und Herder, die sich öfters seine Dienste zunutze machten, sondern selbst seine erbittertsten Gegner, wie z. B. Schiller, der sich nicht scheute, Bittsteller an ihn zu verweisen. Reichardt gab materiell und geistig gern, was er besaß. Er unterstützte Notleidende, Schulen und gewährte insbesondere jungen Künstlern oft wochenlang ein wirtliches Dach[536]. So konnte Herder am 9. September 1780 an Hamann guten Grundes schreiben: „Er [Reichardt] ist ein herzlich guter Mensch, ein lieber treuer Junge, der die Wahrheit sehr liebt."[537] A. v. Arnim stellt in einem Brief an Clemens Brentano vom 6. Februar 1808 seine „unglaubliche, gutmütige Dienstwilligkeit gegen alle Leute besonders heraus", die auch durch das folgende Schreiben Reichardts vom 11. April 1806 an den Erbprinzen Georg von Mecklenburg-Strelitz eindrücklich bezeugt wird:

> „Eine unglückliche Persohn in dem Lande Eu. Durchlaucht, die Madame Möller, eine Tochter des ehemaligen braven Concertmeister Kreß in Goettingen, hat sich mit einem Gesuch an mich gewand, das ich leider nicht gewähren kann. Da Sie aber die gültigsten Zeugnisse von unverdientem großen Elend bei-

zubringen vermag, so darf ich sie wohl Eu. Durchlaucht nun nennen, um ihr zu der sichersten und wohlthätigsten Hülfe zu verhelfen. Ueberzeugt daß Eu. Durchlaucht im Wohlthun einen Theil Ihrer glücklichen Bestimmung sehen, fürchte ich nicht zu viel gewagt und eine Fehlbitte gethan zu haben..." (Original im Staatl. Archivlager Göttingen). Hamann schließlich bekundet am 7. Juli 1782 in einem Schreiben an Herder: „Sie wissen, daß ich dem braven Reichardt mein zeitliches Glück zu verdanken habe, und alle seine etwanigen Menschlichkeiten aufs genaueste genommen, bleibt er immer ein verdienter Mann in häuslichen und thätigen Verhältnissen."

So gab es etliche Freunde und Vertraute, die zwar einhellig Reichardts Charakterschwächen bemerkten, diese jedoch nachsichtig hinnahmen angesichts der vielen Vorzüge, die ihn auszeichneten und zum Schaffen großer Werke befähigten. Geltungsdrang, Geschwätzigkeit, Wendigkeit und Betriebsamkeit wirkten sich bei ihm oftmals als förderliche Antriebskräfte aus, auf die der stetigere, anspruchslosere und isolierter lebende Künstler verzichten muß. Dank dieser „Untugenden" lebte Reichardt stets im vollen Zugwind der Zeit, er verschanzte sich nicht in abseitigen Gehäusen und vermied ein Verdorren als fruchtloser Epigone der Berliner Schule. Trotz der Verwurzelung im höfischen Lebensstil vermochte er sich den Zugang zum bürgerlichen Zeitalter voll zu öffnen. Wenn trotz seiner egozentrisch-hedonistischen Natur viele Künstler und Wissenschafter seine Bekanntschaft und dauerhafte Freundschaft suchten, dann kann seine Person und sein Charakter nicht derart abstoßend gewesen sein, wie es manche Brief- und Tagebuchschreiber darzustellen suchen.

[520] GERBER, 1792, Sp. 258.
[521] Vgl. die Lithographie bei FREYDANK, Die Hallesche Pfännerschaft, 1930, Taf. 45, Abb. 3.
[522] P. O. RAVE, Das geistige Deutschland im Bildnis. Das Jahrhundert Goethes, Berlin 1949, Abb. 157.
[523] Siehe H. W. SINGER, Allgemeiner Bildniskatalog, Bd. 10, Leipzig 1933, S. 161; AMZ 16 (1814), Titelbild; Smlg. Kippenberg Nr. 8169 sowie außerdem W. BODE, Der weimarische Musenhof 1756—1781, Berlin 1918, S. 311; RUDORFF, Aus den Tagen der Romantik, 1938, nach S. 80 und NEUSS, Das Giebichensteiner Dichterparadies, 1949, Taf. XI, 2. Der Stich von Bendix erschien gedruckt in Berlin 1796 bei Schropp.
[524] ESCHEN, Briefe von J. F. Reichardt, 1884, 562.
[525] R. FÖRSTER, Franz Gareis, in: NLM 89 (1913), S. 20; Allgem. Lexikon der Bildenden Künstler 13 (1920), 190–192.
[526] Siehe die Wiedergabe bei FÖRSTER, NLM 92 (1916), Taf. II.

[527] Beim Tafeln zeigte sich Reichardts auf höchsten Genuß gerichtete Einstellung bisweilen besonders deutlich, vgl. den Brief von A. v. Arnim an W. Grimm vom Januar 1811 bei STEIG, 1923, S. 43 oder REICHARDT, Vertraute Briefe aus Paris, III, 1805, S. 127. Dennoch sollte man ihn nicht wie H. ABERT, Mozart, II, S. 630 als einen Mann von „höchst zweifelhafter Art" geringschätzig aburteilen.

[528] Möglicherweise verstand Reichardt außerdem holländisch, dänisch und polnisch. A. Müller schrieb am 12. 11. 1803 aus Halle: „Seine Gewandtheit mit Fremden umzugehen, habe ich bei Reichardt bewundert."

[529] Siehe dazu auch STEFFENS, Was ich erlebte, 1842, S. 87.

[530] In: Jb. d. Freien Dt. Hochstifts 1929, S. 102. Herder meinte 1782 Hamann gegenüber: Reichardt „ist ein treuer guter Gesell, wenn er nur nicht so entsetzlich viel schriebe und componirte". Tieck bemängelte: „Seine unruhige Vielthätigkeit zersplitterte seine Kräfte und beförderte ein starkes Selbstvertrauen, welches, da er alles kennen und verstehen wollte, ihn bisweilen über seine Grenzen hinausführte."

[531] Vgl. dazu BRACHVOGEL, Gesch. d. Kgl. Theaters, 1878, 322; STEFFENS, Was ich erlebte, 1842, 81; SCHÜNEMANN, Reichardts Briefwechsel mit Herder, 1935, 116; REITER, F. A. Wolf, II, 1935, 293.

[532] Diesem Charakterbilde entspricht auch seine Handschrift, die flüchtig, großzügig, ohne Sorgfalt in der Linienführung ist, siehe z. B. das Faksimile bei E. BÜCKEN, Die Musik des Rokokos und der Klassik, Potsdam 1927, Abb. 93.

[533] Vgl. z. B. die Briefprobe bei SCHÜNEMANN, Reichardts Briefwechsel mit Herder, 1935, 116.

[534] MÜLLER, Briefe von der Universität, 1874, 58; siehe auch VARNHAGEN VON ENSE, Die Versuche und Hindernisse Karls, Berlin und Leipzig 1808 sowie SCHILLING, Encyclopädie, 1837, 679.

[535] REICHARDT, An das musikalische Publikum, 1787, S. 4.

[536] Vgl. dazu A. SCHERING, Die Musikgeschichte Leipzigs von 1723 bis 1800, Leipzig 1941, S. 593, wonach Reichardt z. B. dem notleidenden Leipziger Orchesterinstitut 1786 den Erlös von 6 Sonaten als Zuschuß zusagte.

[537] O. HOFFMANN, Herders Briefe an Joh. Georg Hamann, Berlin 1889, S. 155.

DIE EINSTELLUNG ZU RELIGION UND KIRCHE

Reichardt hat zahlreiche religiöse Werke geschaffen, jedoch keine Kirchenmusik geschrieben, da er sich als „freier, liberaler Geist" niemals irgendeiner kirchlichen Obrigkeit unterstellt hat. Trotz der starken Gläubigkeit und der pietistischen Neigungen seiner Mutter blieb er, auch darin mehr dem Beispiele seines der Religion nie gewiß werdenden Vaters folgend, schon als Jüngling fern kirchlicher Bindungen. Vergebens drang Hamann in Briefen oder Gesprächen oftmals auf ihn ein, daß er sich an Religion und Kirche erinnern möge[538]; so schreibt er z. B. am 17. Juni 1782: „Im Kreutz, wie es unsere Religion schön sinnlich und bildlich nennt, liegt ein großer Genuß unserer Existenz und zugleich das wahre Treibwerk unserer verborgensten Kräfte." Auch J. G. Kreuzfeld bat 1774 inständig darum, daß Reichardt „wirklich ein Christ werde",[539] doch geriet der junge Künstler vor allem unter dem Einfluß der Berliner Gesellschaft zu sehr in unmystisch-aufgeklärte Bahnen, als daß er zur protestantischen Kirche das innige Verhältnis eines demütig Glaubenden hätte gewinnen können. Die Existenz eines „vernünftigen Christen" hielt er für ebenso unmöglich wie das Dasein eines „hellsehenden Blinden". Die Mystik, die Hamann und Herder zutiefst durchdrang, blieb für Reichardt ein ihn nur äußerlich berührendes Stimmungserlebnis. Die Herrnhuter Sekte stieß ihn bereits 1773 derart ab, daß er gelobte, niemals sich dieser anzuschließen. Gegen die katholische Kirche und ihre Repräsentanten hegte er gar eine offensichtlich feindliche Abneigung. Bereits in seinem Künstlerroman *Leben des berühmten Tonkünstlers Heinrich Wilhelm Gulden* von 1779 schildert er beispielsweise das Klosterleben in einer verletzend karikierenden Weise[540]. Der „blinde Mönchsglaube", die „Fuchtel der Kirche", die Pfaffen als „bequeme Herren" waren ihm ein Greuel, an dem er oft Anstoß nahm[541]. Auch den Deutschen Ritterorden bezog er mehrmals in seine Polemik gegen den Katholizismus ein, wenn er diesen als „Unterdrücker der braven Preußen" hart anprangerte. Aber auch zum Freimaurertum wahrte Reichardt eine abweisende Distanz, obwohl viele seiner Freunde wie z. B. Herder, Schiller, Claudius, Voß aktive Logenmitglieder waren und z. T. auch Freimaurerlieder verfaßten[542]. So konnte er am 6. Dezember 1794 in einem Brief an seinen König freimütig beteuern, daß er aus selbst gewähltem Grundsatz „niemals zu irgendeiner Sekte, Verbrüderungen, irgendeinem Orden, oder politischen Clubs gehört" habe. Selbst die Zugehörigkeit zu Vereinen lehnte er konsequent ab, denn: „Die Gränzen des bürgerlichen Lebens sind eng genug für einen freien Geist gezogen, als daß dieser sich noch in besondere Verbindungen einlassen dürfte." Reichardt wollte „sich selbst leben", gänzlich „freier Geist" sein. Er nahm das in jeder Hinsicht unabhängige Denken als ein unveräußerliches „Vorrecht" von vernunftbegabten Menschen für sich voll in Anspruch. „Freiheit zu denken und zu urtheilen" gehörte seiner Überzeugung nach zur „Würde eines Menschen"; daher muß jedem freiheitlich Gesinnten auch „eines jeden redliche Gesinnung und Meinung dem anderen heilig sein"[543]. Reichardt forderte und achtete eine allseitige religiöse Duldung, die er auch gegenüber den jüdischen Mitbürgern praktizierte[544]. Er entwickelte sich so zu einem aus religiöser Ergriffenheit zuweilen schaffenden Künstler, der an ein „ewiges Leben" glaubte und Gott in mächtig-erhabenen Werken pries. Seine Frömmigkeit, sein Verhältnis zur Transzendenz war aber ganz persönlich. Sie erhielt sich ohne den geistlichen Beistand von Theologen und deren Segnungen, ohne die Zugehörigkeit zu einer Glaubensgemeinde aus eigenem Antrieb über viele Klippen des Lebens hinweg in der Einsamkeit des Herzens lebendig. Da er nicht wie seine Tochter Luise „mächtig zur Religion [d. h. zu den Kirchen] zurückgelenkt wurde", was Friedrich Schlegel allgemein für seine Zeit als bestimmend feststellte, blieb ihm auch diesbezüglich der Anschluß an die romantische Strömung um ihn herum versagt. Trotzdem war er „kein Freigeist", wie der Neffe Wilhelm Dorow als Verteidiger seines Oheims gegen viele Verleumder zurecht betont, sondern vielmehr „ein freier Geist, der Handeln für besser hält als Augen verdrehendes gen Himmel Schauen"[545]. Die religiösen Grundphänomene waren ihm durchaus nahe; sie ergriffen ihn zuweilen mit Allgewalt und Schaudern, aber zur Andacht fand er nicht in Kirchen oder Kapellen, sondern daheim im Kreise seiner Familie, entzündet durch Bilder, geistliche Erbauungsgesänge oder einstimmende a-cappella-Werke von Palestrina bis Leonardo Leo. Der sakrale Raum fesselte sein Augenmerk zwar als Kunstwerk, so etwa das „alte herrliche" Straßburger Münster, nicht jedoch als Kultstätte. Die zum Kirchenraum gehörige Musik vernahm er ebenso gern in einem nüchternen Konzertsaal. Der lutherisch-protestantischen Kirche stand er innerlich und äußerlich am nächsten, gehörte doch z. B. Schleiermacher zu seinen engsten Freunden. Auch seine Kinder ließ er im Geiste des aufgeklärten, später zur Mystik hinneigenden Protestantismus erziehen.

[538] Siehe dazu auch WESTPHAL, Der Kantische Einschlag, 1941, S. 36 f.

[539] SCHLETTERER, J. F. Reichardt, 1865, S. 152.

[540] REICHARDT, Leben des berühmten Tonkünstlers, 1779, S. 85 ff.

[541] Trotz seiner antikatholischen Einstellung verschmähte Reichardt nicht den Umgang mit Theologen; z. B. schrieb er am 16. 11. 1782 an Hamann, er gedenke in Berlin öfters mit dem Jesuiten und libertinistischen Schriftsteller Guillaume Th. F. Raynal (1713–1796) zusammen zu treffen, vgl. HENKEL, J. G. Hamann Briefwechsel, IV, 1959, S. 453.

[542] Vgl. dazu F. SCHNEIDER, Die deutsche Dichtung der Geniezeit, Stuttgart 1952, S. 33 f. Trotz seiner Abseitsstellung blieb Reichardt als Komponist von Freimaurergesängen nicht untätig, Melodien aus seiner Feder finden sich z. B. in F. M. BÖHEIM, Auswahl von Maurer-Gesängen mit Melodien der vorzüglichsten Componisten, Berlin 1798/99.

[543] REICHARDT, Vertraute Briefe aus Paris, III, 1805, S. 370 und GUGITZ, I, 1915, S. 320.

[544] Siehe SCHLETTERER, 1865, S. 100 und 121.

[545] DOROW, Erlebtes, III, 1845, S. 151.

DER KUNSTBETRACHTER

Als sinnenfreudiger, alles Angenehme des Lebens genießender Weltmann hatte Reichardt neben einem vortrefflichen Gehör auch große strahlende Augen, mit denen er die Schönheiten der Natur sowie die Reize der bildenden Künste kennerhaft wahrnahm. Er war kein Nur-Musiker, der in jedweder Behausung konzentriert nur nach Innen lauschend hätte schöpferisch tätig sein können. Befriedigt und zum Komponieren angeregt war er erst in behaglichen Räumen, in denen sich ihm hohe Dichtung neben wohlgestalteten Bildwerken mitteilten. Schon früh war sein Blick insbesondere für die Malerei gebildet worden. Die großen Galerien in Dresden, Rom, Paris und Wien sowie viele Privatsammlungen waren ihm durch viele genußreiche Besuche bekannt[546]. In den Kunstsammlungen Dresdens erging er sich während mehrerer Wochen gar täglich; darüber schrieb er am 25. Juni 1772 an seine Jugendfreunde in Königsberg: „Ihre Größe und Fülle hat mich zuerst so übernommen ja betäubt, daß mir Mittheilung noch nicht möglich ist." Vor allem die dortigen Antiken zogen ihn so sehr an, daß er später etliche Male in die Elbmetropole fuhr ausschließlich des höheren Kunstgenusses wegen. Bereits als Knabe hatte er Zeichenunterricht nehmen wollen. Diesen hatten ihm jedoch die Eltern nicht gewährt, so daß er nur liebhabermäßig Pinsel und Feder zu führen vermochte und sich mit dem passiven Beschauer begnügen mußte. Ausdrucksstarke Bilder erregten bei ihm einen wahren Sinnenrausch und Verzückung. Seine Vorliebe galt entsprechend der Hochschätzung der Musik Palestrinas den Werken der italienischen Hochrenaissance. In Raffaels Bildern ahnte er geradezu ein göttliches Wirken, er verehrte diesen Künstler wie einen Heiligen[547]. Michelangelo erschien ihm als „Universalgenie der Kunst", während er den Bildern Leonardo da Vincis, „dem heilig Reinen", nur sich „mit wahrer Andacht" näherte[548]. Die Bildwerke dieser Italiener nahm er mit der gleichen religiösen Versenkung und feierlich gestimmten Inbrunst auf wie die a-cappella-Musik des Settecento. Sein Farbsinn war so gut entwickelt, daß er in seinen musikästhetischen Schriften bei der Beschreibung von musikalischen Kunstwerken oft auf Analogien zur Malerei hinwies und etwa die „Farbgebung" in Kompositionen von Franz Xaver Richter, die „ganze Schattirung einer hellen oder dunklen Farbe" in der

Dynamik der Mannheimer begrifflich zu fassen suchte[549]. Diese Art des Musikhörens bei gleichzeitiger Umsetzung des Aufgenommenen in Farbeindrücke ist als ein vorromantisches synästhetisches Hören besonders beachtenswert.

Unter den Malern des 17. und 18. Jahrhunderts schätzte Reichardt insbesondere die Franzosen David, Gérard, Poussin, Lebrun[550], die Niederländer Rubens, van Dyck und Wouwerman, die Spanier Velasquez und Murillo sowie die Deutschen Holbein und Dürer. Für die Überladenheit des späteren Barock und den Zierat des verspielten Rokoko hatte er nur wenig Sinn, so daß auch z. B. die Dresdener Hofkapelle als „häufig und fast überflüßig mit Statüen geziert" nur einen geringen Eindruck auf ihn machte[551]. Klassizistische Bauten und Gemälde bannten ihn dagegen mehr wegen ihrer strengeren und nüchterneren Formung. Unter den lebenden deutschen Künstlern waren ihm persönlich bekannt in Berlin Bernhard Rode und Johann Christ. Frisch, in Leipzig Ad. Fr. Oeser, Joh. Friedr. Bause, Chr. Gottl. Geyser. Deren Werkstätten besuchte er oft. Neben Philipp Otto Runge, der später im Kreise der Familie eine beachtliche Rolle spielte[552], und Daniel Chodowiecki[553] ist aber insbesondere auf den allzu früh in Rom verstorbenen Maler Franz Gareis zu verweisen. Dieser lebte häufig in seiner Umgebung und nahm am täglichen Musizieren gern teil. Reichardt war diesem als Schwiegersohn auserkorenen Maler insonderheit religiöser Bilder so sehr zugetan, daß er ihn im Jahre 1800 mitnahm nach Berlin, wo er ihm die Erlaubnis erwirkte, den Kronprinzen malen zu dürfen[554]. Die enge freundschaftliche Verbundenheit mit Gareis zeigt besonders die Bedeutung, die die bildenden Künste für Reichardts Leben und Schaffen hatten.

[546] Siehe etwa REICHARDT, Vertraute Briefe über Frankreich, I, 1792, S. 192.

[547] REICHARDT, Vertraute Briefe aus Paris, I, 1805, S. 129.

[548] ebd., I, S. 131.

[549] Vgl. dazu SIEBER, J. F. Reichardt als Musikästhetiker, 1930, S. 80 ff.

[550] REICHARDT, Vertraute Briefe aus Paris, I, 1805, S. 32 ff. und GUGITZ, I, 1915, S. 180.

[551] REICHARDT, Briefe eines aufmerksamen Reisenden, II, 1776, S. 115.

[552] STEIG, 1923, S. 41 f.

[553] Ein Brief Reichardts an Chodowiecki aus Gotha vom 15. 11. o. J. hat folgenden Wortlaut: „Je le crois devoir de vous en avertir mon cher ami, que je partirai samedi pour Berlin et de vous demander vos ... Je m' etois proposé hier de le faire en personne, mais une occupation au Salzhof qui m'arretoit trop longtems me priva de ce plaisir.

Presentés donc mes Respects a Madame et dites lui qu'elle peut garder le petit extrait de mon Opera Die Geisterinsel. Louise en a reçu une autre exemplaire.

Adieu mon tres cher ami.
Tout a Vous
Reichard."

[554] Vgl. NLM 89 (1913), S. 20 sowie S. 82 ff.

DER DICHTER

In der Lebensbeschreibung wurde bereits darauf hingewiesen, daß Reichardt das Glück beschieden war, seine Jugend- und Studentenzeit in der produktiven Atmosphäre Königsbergs verbringen zu können, die damals neue geistige Strömungen kräftig nach allen Seiten hin ausstrahlte. Der von früh an für alle Künste aufgeschlossene junge Musiker verkehrte hier mit mehreren Dichterfreunden, die ihn nicht nur dazu bestimmten Singekomponist zu werden, sondern überdies auch zu eigenen dichterischen Versuchen anregten. In literarischen Zirkeln, Freundeskreisen oder bei gesellschaftlichen Plaudereien in adeligen Salons wurde der Vortrag von mit „Sinn und Geschmack" wohlgesetzten Versen damals gern genossen. Vor dem gewichtigen Auftreten Klopstocks und der Klassiker waren die an dazu geeignete lyrische Dichtung gestellten Ansprüche im allgemeinen keine sonderlich hohen, so daß auch Reichardt mit seinen Versen Anklang erhoffen durfte. Man dichtete gern und viel zur Kurzweil und angenehmen Beschäftigung in vertrauten Schablonen, wobei Johann Friedrich als ausdruckslockerer geselliger Unterhalter selbstverständlich gern mitmachte. Für die von Kreuzfeld vorbereitete „Preussische poetische Blumenlese" lieferte er gar 9 Gedichte[555], die neben denen seiner Königsberger Freunde durchaus nicht abfallen. Reichardt versuchte außerdem aus der Personaleinheit von Dichter und Komponist in sich völlig geschlossene Lieder zu entwerfen, um damit einem Ideal wieder nahe zu kommen, das in der gesamten deutschen Liedgeschichte vielmals angestrebt wurde. Mit diesen Versuchen setzte er sich aber selbst bei seinen heimischen Freunden „in Miscredit", zumal er sich nicht scheute, deren Dichtungen wie ein Experte „zu recensiren", was sogar Hamann mißfiel[556]. Insgesamt verfaßte er in Wort und Weise 10 Werke[557], darunter das 1784 erschienene Lied *An einen Veilchenstrauß vor Minna's Brust* (Bsp. 5)[558]. In diesem damals Jedermann vertrauten, gängigen Tone sind fast alle diese Strophen gesetzt. Reichardts Verse sind empfindsam, rührselig, schlicht und wenig anspruchsvoll für den Gebrauch in intimer Behausung bei zartem Clavichord- oder Fortepianoklang.

Da Reichardt nach seiner Sturm- und Drangreise und insbesondere nach den erfolgreichen Begegnungen mit Herder, Klopstock und Goethe

Sanft

Ster-bet nie an Min - nas Brust, lie - be süs - se Veil - chen!

ach es thut so lieb, so wohl, wenn ihr schö-nes blau-es Au-ge

sich dem mei-nen leis' ent - zieht, dann mein Aug' voll

Lie - bes-seh-nen still auf euch sich senkt,

lie-be süs- se Veil-chen! sanf - te Schat-ten ih - res Blicks!

einsah, daß er „nie glücklich genug" sein werde, „um Gedichte von blei-
bendem Werte hervorzubringen"[559], ließ er nach 1780 fast gänzlich davon ab. Alle tragen den Stempel von Gelegenheitswerken; manche da-

von sind gar nur einer Augenblickslaune entsprossene, belanglose Reimereien ohne künstlerische Bedeutung. So widmete er z. B. 1779 den Dichtern seiner Oden und Lieder den Vierzeiler:

> Dank Euch, Freunde, für Euern Gesang,
> In Melodien tön' Euch mein Dank
> O wär' er Euch süß, dieser Dank,
> Wie mir Euer Gesang![560]

In einem „Musen Almanach für 1784" ließ er die *Grabschrift eines Kleinmütigen* abdrucken:

> Hier liegt ein Mann, der, als er lebte,
> Stets zwischen Glaubenszweifeln schwebte;
> Er schied, den Kopf von Skrupeln voll,
> Aus dieser Welt, um von den Schaaren
> Des Todtenreiches zu erfahren,
> Was man im Leben glauben soll[561].

In der Bibliothek Schlosser (jetzt in der Smlg. Kippenberg, Düsseldorf) fanden sich die folgenden, durch Luise Reichardt aufbewahrten Verse:

> O seelige Wonne,
> Dich seh' ich bald wieder;
> Es stocket der Athem
> Es beben die Glieder!
> Die eilenden Schritte
> Verfehlen den Steg,
> O Liebe; geleite
> Des Sehnenden Weg.
> Schon seh' ich das Schimmern
> Des freundlichen Lichtes,
> Das himmlische Lächeln
> Des holden Gesichtes:
> Schon fühl' ich den Athem
> Der innersten Brust,
> Mir bebet die Seele
> Vor himmlischer Lust.

Angeregt durch die Lektüre von „Werthers Leiden" (Goethe), ließ sich Reichardt ein Epigramm *An einen Liebhaber, der sich tödtete, Weil seine Lotte gezwungen wurde, einen andern zu heirathen* entgleiten, das nur zur Vervollständigung des Bildes von der Mittelmäßigkeit dieser Dichtungen hier wiedergegeben sei:

Aus Liebe nahmst Du Dir das Leben, guter Mann?
Verzeih! Du wusstest nicht zu lieben.
Wer recht liebt, so wie ich es kann,
Wird nie sein Mädchen so betrüben.

Auch in die hymnisch hochgestimmte Besingung der Großen seiner Zeit stimmte Reichardt unbekümmert ein. Feierlich-erhaben, überschwänglich im Ton verfaßte er unter Verwendung wohlbekannter poetischer Floskeln einen Nachruf *Auf den Tod des Ritter Gluck's. Des Schöpfers des höchsten lyrischen Schauspiels:*

Der Schöpfer so schöner Schöpfung! auch er liegt im öden Grab'!
Der für die Schönste der Zauberkünste sich schwang auf die Höhe,
Die vor ihm Keiner erstiegen; der ihr zeichnet' die Bahn,
Die sicher führt durch Labyrinthe hindurch zum Ziele,
Die nur des kühnen Meisters Aug' von solcher Höhe
Mit freyem festen Blick durchschauet und festet auf immer –
Ach er mußte hinunter ins öde Grab, eh' Einer
Von uns ihn erreichte auf seinem Wege, der so viel leichter
Befolgt, als durchgebrochen wird! – Nun unser Dank
Und mehrerer Nationen Dank bleibt Dir gewiß,
So lang der Zauber unsrer schönen Kunst bestehet.
O daß nun auch ein deutscher Mann sich für die Künste
Edelste und Größte zu jener Himmelshöhe,
Von welcher die Erdenlabyrinthe alle und aller
Zauberkünste Bahnen nicht mehr gesehen werden,
Auf Händels Hallelujahschwingen kühn aufschwänge,
Und so der heiligen Kunst die ganze Vollendung gäbe,
Der Händel schon mit Riesenschritt entgegen ging!
Den segnen dann noch tausend seelige Menschengeschlechter,
Wenn aller Künste Zauber lange nicht mehr besteht,
Den segnet dann auch droben der Geist des von uns Geschiedenen
In jenen Welten des höheren Strebens und der Vollendung[562].

Auch als Librettist, Übersetzer und Lustspieldichter hat Reichardt sich betätigt. Doch reichte zu umfangreicheren dramatischen Werken die Kraft seiner Wortgestaltung in keiner Weise aus. Die flotte journalistische Feder stand ihm besser an[563]. So ist etwa *Der Rheingraf, oder das kleine deutsche Hofleben. Ein Schauspiel in fünf Aufzügen. Allen ver-*

liebten Prinzen und betrübten Prinzessinnen zu Nutz und Frommen an's Tageslicht gestellt (Germanien = Hamburg 1806) nur ein recht kümmerliches Machwerk, das aus dem Groll über die politisch stagnierenden Verhältnisse in Deutschland entstand und daher auch anonym erschien. Die darin auftretenden Personen sind Zerrbildern ähnlich, da es Reichardt vornehmlich um die tendenziöse Bekundung seiner Zeitkritik ging. Deren Darlegung in Form eines Schauspiels diente offenbar nur der Verkleidung und Verharmlosung der eigentlichen, außerkünstlerischen Absichten[564].

[555] SEMBRITZKI, Die ostpreußische Dichtung, in: Altpreuß. Ms. (1911), S. 505.

[556] ZIESEMER-HENKEL, III, 1957, S. 182. Hamann bezeichnet Reichardt am 22. 5. 1775 in einem Brief an Claudius als „Virtuosen und Dichter".

[557] Vgl. das Verzeichnis bei FLÖSSNER, Beitr. z. Reichardt-Forsch., 1928, S. 54.

[558] In VOSS u. GOEKING, Musen Almanach für 1784, Hamburg 1784, S. 181.

[559] ZENTNER, Eine Musikerjugend, 1940, S. 89.

[560] REICHARDT, Oden und Lieder von Klopstock, Stolberg, Claudius und Hölty, Berlin 1779, S. I.

[561] VOSS u. GOEKING, 1784, S. 56.

[562] Abgedruckt in: Musikal. Kunstmagazin 2 (1791), S. 41.

[563] Bezeichnend dafür ist das Scheitern seines Versuches, 1783 die „Chöre und Gesänge zur Athalia von Racine", die J. A. P. Schulz vertont hatte und 1786 in Kiel mit der Übersetzung von C. F. Cramer herausgab, ins Deutsche zu übertragen. Über den Anfangschor hinaus gedieh das Unternehmen nicht, vgl. dazu Nordelbingen 13 (1937), S. 447.

[564] DOROW, Erlebtes, III, 1845, S. 122 berichtet, daß ein Buchmanuskript mit dem Titel *Der Junker auf Reisen* vorhanden gewesen sein soll, das jedoch bereits der Neffe nicht einsehen konnte.

DER SCHRIFTSTELLER, JOURNALIST UND PATRIOT

Reichardt war ein „denkender Künstler" (Goethe). Er begnügte sich nicht damit, mittels seiner Kunst nur zu „amüsiren", vielmehr gedachte er damit in Erfüllung eines „höheren Berufs" veredelnd auf die Mit- und Nachwelt zu wirken[565]. Ein solches Vorhaben ließ sich gegen Ende des 18. Jahrhunderts nur dann verwirklichen, wenn der Komponist durch Unterweisungen und Erläuterungen seine Intentionen dem Publikum nahebrachte und verständlicher machte. Der nach einem eigengesetzlichen Kunstschaffen und Originalität drängende Musiker hatte für diese größere Freiheit und Selbstverantwortung zu zahlen mit dem Preis größerer Unsicherheit im Leben und Schaffen. Je mehr Bindungen an die Mitwelt er aufgab, um so weiter rückte er auch von dieser ab, um so fragwürdiger wurden traditionelle Stile, Praktiken, Gewohnheiten. Die festgegründete Gewißheit, die z. B. das Werk J. S. Bachs auszeichnet, ging verloren. Aufklärung, Kritik, Anweisung in der „wahren Art" oder im „rechten Gebrauch" wurden Begriffe in einer sich nicht mehr selbstverständlich verstehenden Welt, denen sich auch kein „wahrer Künstler" insonderheit in Norddeutschland mehr entziehen konnte. Die ungesicherten Gesetze der Musik, die zuweilen quälende Frage nach dem Sinn und Zweck des Schaffens, das Beispiel altehrwürdiger Meisterwerke und viele andere Probleme mehr bewogen daher auch den jedes Mittel der Darstellung und Äußerung nutzenden Ostpreußen Reichardt zu schriftstellerischer Tätigkeit. Außerdem verführte ihn der Zwang materieller Not oft dazu, mehr Worte als notwendig über sich und andere niederzuschreiben. Insofern als das theoretisch-ästhetische Erörtern und Planen von Musik nicht selten das praktische Tun überwucherte, muß man Reichardt neben Mattheson und Hiller das Vorleben eines neuen, auch journalistisch gewandten Typs unter den schöpferischen Musikern zubilligen. Dieses Übermaß an verbalen Äußerungen kam zwar der musikalischen Entwicklung zugute, indessen gereichte es ihr nicht stets zum Segen. Helle des Wissens ist zumal dann nicht förderlich für die Kunst, wenn die Einsichten in deren Fundamente nicht ausreichend sind, was bei Reichardt leider der Fall war[566]. Manchen seiner kühn-verwegenen Behauptungen fehlte oft „das tieftheoretische Studium"[567]. So stand nicht selten „der Gelehrte in der Musik" dem Komponisten „als ein Holz-

bock gegenüber" (Bettina Brentano). Auch dieses zuweilen nur oberflächlich in eine Sache eindringende Literatentum versperrte Reichardt
den Weg zur eigentlichen Klassik und zu den Klassikern, die allesamt
nicht theoretisierten. Sie bedurften keiner eigenen literarischen Recht-
fertigung und Auslegung, ihre Spitzenwerke sprachen aus sich selbst.
Wenn Reichardt dagegen z. B. über seine Goethe-Vertonungen meint,
daß diese „für so viele Menschen eines Kommentars bedürften, um sie
auf die tiefe, innere Wahrheit und Deutung und ihre echte Schönheit
aufmerksam zu machen"[568], dann gesteht er damit sich selbst und seinem
Publikum einen den Werken innewohnenden Mangel ein, den auch
Worte nicht zu beheben vermögen.

Reichardt unterschied 1796 den theoretischen Schriftsteller vom praktischen, historischen und kritischen. Er behauptete von sich selbst, drei
dieser Möglichkeiten zum Nutzen seines Werkes und für die interessierte
Mitwelt erfüllt zu haben. Lediglich als „praktischer Schriftsteller" hielt
er sich zurück, da er auf diesem Gebiete C. Ph. E. Bach und Quantz als
überragende und ihm überlegene Tonkünstler achtete[569]. Nur als Herausgeber von G. S. Löhlein's „Anweisung zum Violinspielen" hat er auch
diesem Tätigkeitsfeld seinen Tribut gezollt[570]. Im übrigen bildeten „vertraute Briefe", „zum Guten lenkende" Schreiben, Biographien, „men-
schenfreundliche" Monographien, Zeitschriften, Almanache, Rezensionen und Romane die breite Palette seines Literatentums.

Reichardts Schreibstil entspricht völlig seiner gesellig-mitteilsamen
Natur. Es ist der Stil eines geborenen Rhetorikers, der in seiner „zu-
dringlichen Art" so schreibt wie er redet. Er entspringt „aus einer unmittelbaren, mit einer gewissen Leidenschaft angeschauten Gegenwart",
wie Goethe treffend bemerkte. Daher spricht er auch aus dem erlebten
Augenblick unmittelbar-persönlich zur Gegenwart, so etwa 1774 in der
Broschüre *Über die Deutsche comische Oper* in dem Satze: „Wie groß
muß aber nicht Ihre Verwunderung seyn, meine Herren und Damen,
wenn ich ihnen sage, daß die Deutschen die erste comische Musik gehabt
haben ... Wollen Sie wissen, meine junge Herren Componisten ..."[571]
Das ist der Ton des redegewandten und selbstbewußten „Lehrers, Ge-
setzgebers und Richters, so daß man die Stimme eines Predigers in der
Wüste zu hören glaubt"[572], der nur ungern auf sein Gegenüber hört,
statt dessen aber mit Genuß sich selbst vernimmt. Dieser besonders in
den Jugendschriften zum Ausdruck kommenden weitschweifig-feuilleto-
nistischen und allzu freimütigen Redseligkeit haftet bei viel vitalem,
enthusiasmierendem Schwung ein Mangel an Konzentration und weit-
blickender Überschau an[573]. Manches bleibt bloßer Einfall, ungestalteter
Entwurf und ein ungefüge improvisiertes Vielerlei. Reichardt gesteht
dies selbst zu, wenn er z. B. im „Nachbericht" zu seinem Büchlein *Ueber*

die Pflichten des Ripien-Violinisten sich entschuldigend bemerkt: „Es ist dieses ein blos flüchtiger Entwurf, die Arbeit zwoer Stunden, den ich weiter auszuführen willens bin."[574] Seine *Briefe eines aufmerksamen Reisenden* von 1774 und 1776 weist er als einen Niederschlag von zufälligen Augenblicksimpressionen aus mit den Worten: „Erwarte aber keine Ordnung in diesem Briefe, sondern lasse Dir vielmehr den überströmenden Fluß meines äusserst erfüllten Herzens gefallen."[575] Hier gab sich somit Reichardt noch der schwülstigen Ausdrucksweise einer sentimental-empfindsamen Epoche hin, der es an scharf umrissenen, durch Überlegung verdichteten Aussagen mangelte[576]. Er überläßt sich unkontrolliert seiner stets affektiven Erregtheit, dem „Feuer seiner Empfindungen" ohne eine sachgerechte Mäßigung durch die „gehörige Kühle des Nachdenkens"[577]. So wird mancher zufällige Eindruck wahllos registriert und im raschen „Herschreiben" bedenkenlos hingenommen. Gerüchten geht Reichardt selten auf den Grund, Fehler und Flüchtigkeiten in der Beobachtung sowie in der Berichterstattung begegnen sehr häufig[578]. So waren viele seiner Schriften nur während einer kurzen Zeit lesenswert. Sie genügten einigen Tageserfordernissen. Wenn Reichardt bereits 1781 im *Deutschen Museum* (S. 351) aus seinen Schriften Zitate über die Kirchenmusik zusammenstellte, „die vermuthlich nicht mehr gelesen werden", dann war er sich der Kurzlebigkeit zumindest seiner Jugendschriften wohl bewußt. Deutlich erkannte er auch die Grenzen seines sprachlichen Ausdrucks- und Darstellungsvermögens. Wenn er musikalische Erlebnisse nicht in Worte gefaßt mitzuteilen imstande war, dann suchte er Ausflucht beim Gefühl, etwa mit der formelhaften Bemerkung: „Das fühlt sich nur, das sagt sich nicht", oder: „Ich mag nichts weiter darüber sagen, weh' dem, der's nicht fühlt." Hier räumte Reichardt stets dem Gefühl den Vorrang vor dem Verstand ein. Dieses insbesondere in den Jugendschriften zutage tretende Unvermögen wird nach 1780 durch eine Läuterung der Ausdrucksweise, einen klareren, sachlicheren und ausgefeilteren Stil teilweise überwunden[579]. Eine wissenschaftlich nüchterne Darstellung tritt anstelle der allzu subjektivistischen „Empfindelei und Winselei". Die Aussagen und aus der Erfahrung gewonnenen Feststellungen werden sachlich bestimmter und gewinnen mit zunehmendem Alter sichtlich an Gründlichkeit. Die Xenie aus Goethes Nachlaß:

Meister und Dilettant
Melodien verstehst du noch leidlich elend zu binden,
Aber gar jämmerlich, Freund, bindest du Wort und Begriff.

trifft in dieser Schärfe der Aburteilung nicht für sämtliche Schriften Reichardts zu.

Reichardts ungrüblerisch-journalistischer Art war die Brief-Form die gemäßeste. „Vertraute Briefe" stehen am Anfang und am Ende seiner schriftstellerischen Tätigkeit. Um 1770 war der Brief ohnehin eine der beliebtesten literarischen Gattungen für das schöngeistige, lesehungrige Publikum. Es bestand ein „wahrer Briefkultus"[580]. Selbst Romane wurden in Briefform abgefaßt, aufklärende, belehrende, satirisch beschreibende oder unterhaltende Schriften wurden in dieser lebendigen, das Gefühl am unmittelbarsten widerspiegelnden Form dargeboten. Man schwelgte in diesem homozentrischen Drange, sein befreites Ich und sein Fühlen spontan zu enthüllen. Herder achtete den Brief als einen „Abdruck der Seele", Goethe äußerte: „Briefe gehören unter die wichtigsten Denkmäler, die der einzelne Mensch hinterlassen kann." Der temperamentvoll verfaßte Brief bringt den Autor mit dem Leser in den engsten Kontakt, in ihm spiegeln sich am unverhülltesten die Sehnsüchte, Wünsche und Erfahrungen. Es wurde im späten 18. Jahrhundert geradezu zur Verpflichtung gemacht, daß man insbesondere als Reisender über die Beobachtungen und Empfindungen täglich Buch führte und diese der Öffentlichkeit preisgab[581]. Reichardt, der sich gern Moden und gesellschaftlichen Gepflogenheiten anschloß, begann seine Laufbahn nach Verlassen der Heimatstadt Königsberg daher auch geradezu zwangsläufig damit, daß er seine damals noch unmaßgeblichen Reiseeindrücke so oft und ausführlich als möglich notierte. Die *Briefe eines aufmerksamen Reisenden die Musik betreffend* (I–II, Frankfurt und Leipzig 1774 u. 1776) sind direkt an die Freunde in der Heimat gerichtet, wenden sich aber darüber hinaus an alle „musikalischen Leser zum eigenen Nachdenken und zur Untersuchung"[582]. Kritik aus dem Publikum an diesen Gefühlsergüssen, altklugen Belehrungen und Reiseberichten, die „auf eine angenehme Art" angeboten werden, weist der Autor brüsk zurück. Jugendlich-überheblich fragt Reichardt z. B. am Schluß des 8. Briefes im 2. Bande: „War das nicht ein interessanter Brief, mein Liebster? Lauter Nachrichten von geschickten Künstlern und Künstlerinnen!"[583] Mittels dieser Schilderungen eines bunten, zusammenhanglosen Vielerlei von Begebenheiten wollte der ungestüme Reisende aber nicht allein „den Kunstverständigen und Künstler", sondern vor allem auch den „blossen Liebhaber der Musik deutlich und unterrichtend" für sich gewinnen und auf sich aufmerksam machen[584]. Auf diese Weise sollte den geneigten Liebhabern geholfen sein, Kenner zu werden und gleichzeitig dem jugendlichen Autor neben der Komposition eine zusätzliche Gelegenheit geboten werden, seinen „jugendlichen Enthusiasmus" öffentlich kundzutun[585]. Auch das 1775 bei Carl Ernst Bohn in Hamburg veröffentlichte *Schreiben über die Berlinische Musik* ist im Umfange von nur 32 Seiten in Briefform abgefaßt. Reichardt schreibt zu dieser Zeit noch keine durchgearbeiteten, wohldurchdachten Abhandlungen, er veröffentlicht vielmehr An- und Aufrufe, Bekenntnisse oder gar rührselige Ermahnungen.

Von fast jeder größeren Reise sandte Reichardt nach seiner ersten Vermählung in kurzen Abständen Berichte heimwärts, in denen neben geschichtlich bedeutsamen Begebenheiten und Begegnungen auch die belanglosesten Alltagserlebnisse mitgeteilt werden. Da der Briefschreiber nichts Geschriebenes „vertraut" in der Schublade seiner Frau belassen wollte, sondern für all seine Niederschriften die größtmögliche Publizität suchte, wurden viele davon der Öffentlichkeit zum Lesen übergeben. Während Reichardt jedoch ein größeres Buch über seine Italien-Reisen nicht drucken und auch über seine Aufenthalte in England nur wenig verlauten ließ[586], gab er dagegen *Vertraute Briefe über Frankreich* gar zweimal heraus[587]. Der vornehmliche Zweck der Briefsammlung des Jahres 1792 war ein politischer; sie erschien anonym. Die Berliner Zensur passierte das Buch ohne Beanstandung, obwohl der Verfasser ein leidenschaftliches, jedoch allgemein-menschliches Bekenntnis für die französische Revolution darin offen bekundete und die Absicht äußerte, durch diese Briefe „mit der wahren Lage der sehr wichtigen Französischen Sache näher bekannt zu machen". Er verhöhnte sogar die kleinen katholischen Höfe am Rhein, der sogenannten „Pfaffengasse", und ließ sich manche ungeschickte Formulierung entgleiten. Seine Berichterstattung über Sitzungen der Nationalversammlung oder der Jakobiner, die er eifrig besuchte, ist unkritisch und nicht stets zuverlässig, da er zwar nicht gänzlich befriedigt war über die Zustände in Straßburg, Lyon oder Paris, jedoch voll Hoffnung auf spätere, die Menschheit veredelnde Wirkungen der „Constitution". Dieser, trotz aller Lebendigkeit der Schilderung offenkundige Mangel an Glaubwürdigkeit beeinträchtigt auch den Quellenwert der 1804 veröffentlichten *Briefe aus Paris*, mit denen Reichardt einen „äct moralischen Zweck" zu erfüllen vorgab[588]. Goethe schrieb über diese stoffreiche Briefsammlung eine ausführliche Rezension[589]. Der Dichter lobt darin zwar die „lebhafte Darstellung", er weist jedoch auch auf die „rasch dahinfließende Schreibart" hin und kritisiert: „Sie würden noch mehr Vergnügen gewähren, wenn man nicht öfters durch Nachlässigkeit gestört würde. So wird zum Beispiel das Wort fein so oft wiederholt, daß es seine Bedeutung am Ende selbst aufzehrt..." Offener noch nimmt Julius von Voß in einer Gegenschrift von 1804 dazu Stellung[590]. Er tadelt das Verhaftetsein am „Äußerlichen" und an belanglosen Ereignissen im Leben der Hocharistokratie, statt daß er über die Ergebnisse der Großen Revolution in allen Bereichen seine Leser erschöpfend informieren würde. Voß verteidigt zudem das französische Theater gegen die Anwürfe des Berliner Kapellmeisters und hebt hervor, daß „Kunstnachrichten die dem, der selbst sah, nichts, dem der nicht sah, wenig gewähren"[591], womit er diese Briefausgabe als unnütz herabsetzte.

Heftigere Ablehnung zog Reichardt jedoch auf sich durch die Veröffentlichung der *Vertrauten Briefe geschrieben auf einer Reise nach Wien und den Oesterreichischen Staaten* gegen Ende des Jahres 1809[592]. Die darin in zuweilen unerträglicher Weise zum Ausdruck gebrachte Genußsucht und greisenhaft-quietistische Umschmeichelung des Wiener Adels empfanden viele Zeitgenossen als abstoßend. Die jungen Romantiker, wie z. B. A. v. Arnim, bespöttelten ihn daraufhin als „den genialen Reisebeschreiber". Cl. Brentano schrieb am 22. Dezember 1809 an Savigny: „Wenn Ihr Reichardts ‚Vertraute Briefe über Wien' durchblättern wollt, werdet Ihr alle Eure Bekannte wie in einem Adreßkalender bei Euch vorüber gehen sehen und ich glaube, es könnte Euch deswegen Spaß machen."[593] Beethoven bezeichnete den Inhalt der Briefbände als ein „Geschmier", Goethe nahm das ihm vom Autor zugesandte Exemplar ohne Dank in Empfang, kommentierte aber am 13. Januar 1810 in einer Tischrunde: „In seinen Briefen über Wien hatte sich Reichardt gerühmt, er habe nie einen verdorbenen Magen gehabt. Darum hat er auch alle Nationen so beschmausen können."[594] Reichardt bekümmerte diese an ihm geübte harte Kritik in keiner Weise, denn am 10. Februar 1810 schrieb er an seinen Neffen Wilhelm Dorow über diese musikgeschichtlich bedeutsamen Briefe: „Uebrigens setz' ich auch weiter keinen Werth darauf, als daß sie mich auf ein gutes Jahr recht reichlich mit Geld versorgt haben."[595]

Neben der Briefform bevorzugte Reichardt als Schriftsteller das historische Porträt. Hierin konnte er geniale Menschen als überzeugende Vorbilder und Mittelpunkte geschichtlichen Geschehens lebhaft beschreiben. Fast allen großen Musikern, denen er künstlerisch oder persönlich nahestand, hat er durch kurze Biographien eine Würdigung zuteil werden lassen. Viele kennzeichnete er außerdem mit meist nur flüchtig hingeworfenen Skizzen in seinem *Musikalischen Wochenblatt* von 1792 oder in dem von ihm herausgegebenen *Musikalischen Almanach* von 1796[596]. So ehrte er vor allem Georg Benda[597], C. Ph. E. Bach, seinen Schwager E. W. Wolf, Händel, Fasch, J. A. P. Schulz[598], Hamann[599]. Eine 1809 geplante Lebensbeschreibung Glucks blieb neben vielen anderen Entwürfen aus Mangel an Konzentration und Ausdauer unvollendet[600]. Viel Anekdotisches sammelte er in Gesellschaften und Plaudereien über Friedrich den Großen, Wilhelm Friedemann Bach und andere Musiker, womit er den Betreffenden mehr schadete, als daß er damit unser musikgeschichtliches Wissen wesentlich bereichert hätte[601].

Bekenntnisdrang, Geltungsbedürfnis und gehobenes Standesbewußtsein ließen für Reichardt wie für viele andere Musiker des 18. Jahrhunderts die Autobiographie zu einem gewichtigen Aussagemittel werden. Man beschrieb sich selbst und seine eigene Entwicklung in dem Bewußtsein, eine vom normalen Bürger sich abhebende Persönlichkeit zu sein, die der gegenwärtigen und zukünftigen Menschheit etwas Bedeutendes zu vermitteln hat. Vom Ruhm nach dem Tode ist man überzeugt, sonst würde man nicht wie Reichardt sein Leben beschließen wollen mit einer dreibändigen eigenhändig geschriebenen Vita „in Großoktav", in der man sich so schildert, wie man zu sein vermeint oder zu sein wünscht. Dieses das gesamte Lebenswerk beschließende selbstreflektive Werk blieb wohl wegen des unerwartet frühen Todes unausgeführt, jedoch gibt es etliche Bruchstücke, die gleichsam als Vorstudien auf dieses Endziel hinweisen. Als Frühreifer begann Reichardt bereits in einem ansonsten nicht üblichen Entwicklungsabschnitt seines Werdens sich selbst in Form eines Erziehungsromans zu reflektieren. 1779 erschien als bittersatirische Abrechnung mit seiner unbefriedigend verlaufenen Jugendzeit der erste und einzige Teil des Romans *Leben des berühmten Tonkünstlers Heinrich Wilhelm Gulden nachher genannt Guglielmo Enrico Fiorino* als „eine Art von musikalischen Emil in Nuce"[602]. In einer recht formlosen Schreibweise versucht er hierin kritisch, „die elende Erziehung und Lebensart der meisten Tonkünstler in ein helles Licht zu setzen und auf eine bessere Erziehung und edlere Kunstbildung aufmerksam zu machen"[603]. Dieses „Licht" entfachte er jedoch zu grell, denn grimmig beschreibt Reichardt nicht nur seine eigenen, z. T. traurigen Jugenderlebnisse als fahrendes Wunderkind, er schont auch nicht seine nächste Umgebung in der Heimatstadt[604]. Vorrevolutionär gestimmt greift er rücksichtslos den „dummen Adelsstolz" an und macht kirchliche Einrichtungen lächerlich. Die Schilderung eigener Erlebnisse verquickt er mit allgemeinen Belehrungen im Sinne Rousseaus und mit stürmisch vorgetragenen Anklagen. Reichardt offenbart hierin sein ihm tief eingewurzeltes Unbehagen an den zopfigen Zuständen seiner Zeit, die noch absolutistisch regiert wurde. Inhaltlich verbindet er in sonderbarer Weise die höfisch-empfindsamen Redewendungen mit derben Zitaten aus der ostpreußischen Mundart. So bedient er sich gern sentimentaler Ausdrücke, wie „feine Seele", einerseits und plattdeutschen Provinzialismen, wie etwa „Eck was enn beeten met dermanck schloagen", andererseits[605]. Außer durch viele Reisebriefe und etliche Verteidigungsschriften[606] setzte Reichardt diesen autobiographischen Frühversuch später fort in Form von abschnittsweise erscheinenden „Bruchstücken" über seinen weiteren Lebensweg, die in der Berlinischen Musikalischen Zeitung 1805 sowie in der Allgemeinen Musikalischen Zeitung ab 1813 erschienen[607].

Reichardts Stil und Arbeitsweise war die rastlose Tätigkeit als korrespondierender und schriftstellernder, wirtschaftlich so weit als möglich unabhängiger Journalist eine besonders gemäße[608]. Da er nichts Wissenswertes für sich behalten konnte, ja sogar über jedes vernommene Musikwerk innerlich gedrängt war, seine „Bemerkungen darüber zu machen", bewarb er sich oft bei etlichen Redakteuren von Zeitschriften verschiedenster Art um Mitarbeit. Er schrieb Verlagsanzeigen[609], „Beurtheilungen und Zergliederungen", Abhandlungen und Berichte, Nachrichten und Anekdoten in Tageszeitungen, Modejournalen und in der Fachpresse. So steuerte er viele, oft anonym erscheinende Beiträge bei insbesondere zur „Allgemeinen Deutschen Bibliothek"[610], zum „Deutschen Museum", dem „Berlinischen Archiv der Zeit und ihres Geschmacks", der „Allgemeinen Jenaer Literaturzeitung", zur „Allgemeinen Musikalischen Zeitung", den „Ephemeriden der Menschheit", zum „Lyceum der schönen Künste" u. a.[611]. Jedoch genügte ihm die stets pünktliche Erfüllung derartiger Zubringerdienste allein nie, so daß er mehrere Versuche unternahm, selbst musikalische und allgemein zeitkritische Fachzeitschriften trotz des damit verbundenen finanziellen Risikos zu begründen.

Als Herausgeber von Zeitschriften gelangen Reichardt Pionierleistungen von weittragender Bedeutung. 1782 erschien „im Verlag des Verfassers" der erste Band des *Musikalischen Kunstmagazins* mit einer Widmung „An Großgute Regenten". Dieses respektable Unternehmen bewies den Wagemut Reichardts, aber gleichzeitig auch seine überragenden, vielseitigen Fähigkeiten, denn diese noch von Robert Schumann gern gelesene Publikation muß zu den historisch-kritischen Standardwerken der deutschen Musikgeschichte gezählt werden[612]. Es offenbart seinen Ideenreichtum am gewichtigen Wendepunkt seines Lebens. Zur Begleichung der Selbstkosten war er auf 500 Subskribenten angewiesen, gewinnen konnte er jedoch für dieses Periodikum lediglich 327 feste Abnehmer vornehmlich aus Mittel-, Nord- und Ostdeutschland[613]. Die Bezeichnung „Magazin" fand für Fachzeitschriften während des 18. Jahrhunderts häufig Verwendung und war aus England übernommen worden. Während jedoch die Musikjournale dieser Epoche gewöhnlich nur neben Berichten aufklärenden oder belehrenden Gehalts Favoritgesänge den Liebhabern vermittelten[614], wendet sich Reichardt mittels dieses nur von ihm selbst ideell und wirtschaftlich getragenen Organs auch an die Kenner, indem er darin den gesamten Bewußtseinsinhalt der Zeit, die großen Leitgedanken im Musikleben einzufangen suchte[615]. So wurde das *Musikalische Kunstmagazin* sein mit einem wegweisenden Gedicht Herders auf der Titelseite geziertes literarisches Hauptwerk. Die Erörterung von Tagesfragen und musterhafte Analysen werden verbunden mit grundsätzlichen Betrachtungen, die in Neuland vorweisen. C. D. Schubart setzte sich daher zu Recht mit Nachdruck für diese Publikation ein, indem er das Kunstmagazin anpries als die „unstreitig beste musikalische Zeitschrift, die jetzt im ganzen aufgeklärten Europa herauskommt... Hieher deutscher Tonkünstler und schöpf aus diesem Borne, wenn du nicht ohne solides Studium deiner Kunst zum blosen grundlosen Fiedler, Klimperer und Leyersmann herabsinken willst"[616]. So wie Schubart benutzten es viele Leser als einen reich fließenden Born anregender Gedanken. Künstler wurden begeistert durch große, ihnen unbekannte Musikwerke oder aufgeweckt für die „edle Einfalt und Wahrheit des volksbeglückenden Volksgesanges". Den Kennern zeigte Reichardt Wege zu einem rechten Kunstverständnis, während er der Geschmacksbildung der Liebhaber zu Hilfe kam durch seine „Zergliederungen", Literaturhinweise und Kunstnachrichten. Probleme der Raumakustik erörterte er ebenso wie die Affektenlehre in ihrer problematischen Anwendung auf Instrumentalmusik, die Veredlung der Kirchenmusik wird neben der „besseren, zweckmäßigeren, edleren Erziehung des Künstlers" oder dem Charakter der Idylle angesprochen. Fast sämtliche großen Leitgedanken der Zeit an der Wende zur musikalischen Klassik greift der umfassend orientierte Herausgeber auf, begründend, verfechtend, kritisierend. Leider gedieh dieser erste verheißungsvolle Jahrgang nur bis zur Auslieferung des 4. Stücks. Der am 1. Oktober 1783 angekündigte zweite Band erschien erst im Jahre 1791[617]. Vornehmlich finanzielle Gründe verzögerten die Fortsetzung des bedeutenden Unternehmens. Carl Friedrich Cramer begründete die kurze Lebensdauer der Zeitschrift damit: „Herr Reichardts Kunstmagazin war sehr individuell und von äußerer Form zu prachtvoll."[618] Außerdem war aber auch in dem ersten Bande bereits das Wesentlichste ausgesagt. Reichardt hatte zu den Kernfragen seiner Generation bestimmt Stellung genommen und somit den geistigen Grund seines Schaffens und Wollens so weit als ihm möglich dargelegt. Es kann daher nicht verwundern, wenn der zweite Band des *Musikalischen Kunstmagazins* gegenüber dem ersten gehaltlich abfällt und das Schwergewicht des Inhalts vom Autor auf die Mitteilung und Kommentierung „merkwürdiger Stücke großer Meister" verlagert wurde.

Auch die darauf folgenden Unternehmen gerieten kaum über die Anfänge hinaus. Das hauptsächlich von F. Ae. Kunzen und B. Spazier redigierte *Musikalische Wochenblatt* von 1791 wurde bereits im Juli 1792 in *Musikalische Monathsschrift* umbenannt. Aber auch diese Titeländerung vermochte trotz aktiverer redaktioneller Anteilnahme Reichardts deren Einstellung im November 1792 nicht aufzuhalten. Selbst die Zusammenfassung beider Zeitschriften 1793 unter dem Titel *Studien für Tonkünstler und Musikfreunde* vermehrte nicht das öffentliche Interesse daran. Beide Journale enthalten: „1. Ausführliche Beurtheilungen und Zergliederungen der wichtigsten musikalischen Werke und Schriften, welche in Deutschland, Italien, Frankreich und England herauskommen. 2. Kürzere Anzeigen aller von irgend einer Seite bemerkenswerthen musikalischen Werke und Schriften jener Nationen. 3. Abhandlungen über theoretische und praktische Gegenstände der Tonkunst und der musikalischen Poesie. 4. Nachrichten von dem jedesmaligen Zustande der Tonkunst in jenen Ländern. 5. Nachrichten von vorzüglich braven Tonkünstlern und Tonkünstlerinnen. 6. Lebensläufe von merkwürdigen verstorbenen Tonkünstlern. 7. Kleine Gedichte, Einfälle, Anekdoten u. d. gl. 8. Kleine Lieder und Musikstücke aus angezeigten noch nicht allgemein bekannten Werken."[619]

Groß war die Erscheinungszahl handlicher, kleinformatiger Almanache gegen Ende des 18. Jahrhunderts. Diese dienten vorzüglich der Unterhaltung und Geschmacksbildung von Kunstliebhabern und verbreiteten Verse, Bilder und Melodien überall dorthin, wo man den Musen gern lauschte. An der Gestaltung dieser häuslich-intimen Taschenbücher hatte sich Reichardt durch die Lieferung von Liedern schon von früh an beteiligt[620], bevor er selbst 1796 im Verlage von Johann Friedrich Unger in Berlin einen *Musikalischen Almanach* herausgab. Das Manuskript dazu beendete er am 15. Oktober 1795 in Giebichenstein[621]. Johann Nikolaus Forkel hatte 1782 erstmals einen musikalischen Almanach veröffentlicht; diesem Beispiel schloß sich Reichardt an[622]. Er beginnt mit dem Abdruck eines Kalenders der Mondphasen, der Finsternisse und einem sogenannten „Musikheiligen Kalender". Diesen hatte er an Hand der Schriften und Lexika von Walther, Mitzler, Rousseau, Sulzer, Marpurg, Gerber, Burney, Hiller, Cramer und La Borde zusammengestellt, geleitet von dem „bestimmten Urteil", „nach festen Grundsätzen den Werth der wirklich verdienten Männer zu würdigen". Anekdoten, eingestreute Strophenlieder verlebendigen dieses Büchlein.

Zu Beginn des Jahres 1805 unternahm Reichardt einen letzten Versuch, als musikalischer Journalist Resonanz zu finden. Im Verlage der Frölichschen Buch- und Musikverlagshandlung zu Berlin und in der Werckmeisterschen Musikverlagshandlung in Oranienburg begann er die wöchentlich erscheinende *Berlinische Musikalische Zeitung* herauszugeben, die unter seiner Leitung mit insgesamt 156 Nummern in zwei Jahrgängen erschien[623]. Dieser mehr informierenden, denn belehrenden Zeitschrift gedachte Reichardt „so gerne dauernden Werth" zu beschaffen, indem er etliche prominente Zeitgenossen um ihre Mitarbeit bat[624]. Obwohl dieses Journal eine gute Aufnahme im Publikum fand und später auch fortgesetzt wurde, mußte Reichardt dennoch bereits am 24. Juni 1806 das weitere Erscheinen abbrechen angeblich wegen des Todes eines der beiden Verleger „und meine Reise nach Rußland", womit er seine Flucht vor den Truppen Napoleons meinte[625].

Reichardt war niemals ein esoterisch in einem ästhetischen Sonderreich schaffender Künstler, vielmehr ging es ihm stets darum, tatkräftig einzuwirken in viele Bereiche des öffentlichen Lebens. Seine Schriften über Musik wurden daher auch in ihm eigentümlicher Weise ergänzt durch ein umfangreiches zeitkritisch-politisches Schrifttum. Da Reichardt als Volkserzieher nicht nur den Einzelmenschen bessern und humanisieren wollte, sondern optimistisch hochgestimmt die gesamte menschliche Gesellschaft zu neuen Lebensidealen hinzuleiten gedachte, konnten ihn die politischen und sozialen Tagesgeschehnisse nicht unberührt lassen. Im Gegenteil, er verstrickte sich mit seinem impulsiven Feuereifer in die Wirrnisse seiner Zeit mehr als jeder andere schaffende Musiker vor ihm. Da ihm außerdem die sittlichen Grundsätze der Aufklärung tief eingewachsen waren und die ebenmäßige, von keiner Seite her gehemmte Entfaltung aller Kräfte in den Völkern zu seinen Hauptanliegen gehörte, mußte er sich begeistert und begeisternd fern aller „dumpfen Behaglichkeit" der hohen Entwicklungsziele seiner Zeit annehmen. Er mußte offen bekennen und zu den Hauptproblemen Stellung beziehen. Dies hat er mannhaft getan, obgleich er sich damit seine gesicherte Existenz insbesondere durch schriftstellerische Taktlosigkeiten selbst untergrub, denn um zwei Probleme kreiste vornehmlich sein Denken und Handeln: um die gesellschaftlichen Wandlungsprozesse im Innern, die aus der Stagnation der absolutistischen Ära herausführen mußten, sowie um das Verhältnis der deutschen zur französischen Nation im Spannungsfelde der Großen Revolution von 1789. Manche persönliche Krise hatte er dabei zu überwinden und manche schmerzliche Aufgabe erhärteter Standpunkte unter dem Druck der Verhältnisse zu vollziehen. Er trug wie viele deutsche Bürger des späten 18. Jahrhunderts schwer an dem Zwiespalt, einerseits die Monarchie und ständisch geschichtete Gesellschaft bewahren zu helfen, andererseits aber erregt, ja zuweilen gar hitzig-demagogisch mit radikalen Freiheitsforderungen für alle Bürger des Staates vorzuprellen[626]. Zu diesem windungsreichen Schwanken zwischen den Idealen der Demokratie und der konstitutionellen Monarchie, zwischen königstreuer Loyalität und revolutionärem Idealismus kam noch erschwerend hinzu die Kluft zwischen der angestammten preußischen Vaterlandsliebe und frankophiler Begeisterung, denn die französische Nation „ficht für die Freiheit schlechthin", was seine Hochachtung erregte. Reichardt hatte schwer zu tragen am National- und Traditionsbewußtsein sowie dem diese Bindungen lockernden, chaotisch gärenden Gedankengut der vorrevolutionären westlichen Intelligenz, zu der er früh Kontakt gewann. Wie konnte man die Obrigkeiten ehrlichen Herzens weiterhin achten und dennoch die völlige Selbständigkeit und Mündigkeit für Jedermann fordern? Mit dieser Antinomie mußte Reichardt ähnlich schwer ringen

Fr. Reichardt.
ferstich von
I. Bendix, 1796

Reichardts zweite
Frau Johanna,
geborene Alberti.
Ausschnitt aus
einem Gemälde
von F. Gareis

Brief Reichardts an Goethe vom 22. 12. 1801

wie der Dichter-Musiker Chr. D. F. Schubart, der sein Bewunderer war. Seiner inneren Spannkraft wurde zeitweise, z. B. 1808 in Kasseler Diensten, das Äußerste abverlangt, obwohl er im Grunde nur ein zu aufgeregter Wortradikaler war, den kein Tatendrang zu blinder Zügellosigkeit hinriß. So muß man Friedrich Jenkel durchaus recht geben, wenn er feststellt: „Er hatte seine Zunge nie im Zaume und sein Unglück war, daß seine Worte und Bilder für Taten genommen wurden."[627]

Reichardts politische Leidenschaften entzündeten sich erstmals vollends angesichts der ihn befremdenden Lebensumstände am Hofe König Friedrichs II., dem er ergeben in einer Lakaienposition zu dienen hatte. Da er aber als „guter Preuße" in Königsberg aufgewachsen war, was Hamann noch 1787 an ihm lobt[628], war ihm von Kindesbeinen an jegliche ungesetzliche oder disziplinlose Handlung zuwider. Er rieb sich auf an der Verwelschung des Potsdamer Hofes, an der Unterdrückung aller freiheitlichen Regungen und sah ähnlich wie Herder mit idealistischer Gespanntheit der französischen Revolution entgegen[629]. In dem Künstlerroman *Leben des berühmten Tonkünstlers Heinrich Wilhelm Gulden* schaffte er 1779 erstmals seinem gemäßigten Schwärmen für die Gewährung der natürlichen Menschenrechte und die Entwicklung sittlicher Gesellschaftsverhältnisse unverhohlen verbal Luft. Es brodelte in ihm, dem königlich bestallten, in Perücke und Seide gekleideten Hofkapellmeister, ein weltbürgerliches Feuer, das durch den Eindruck des amerikanischen Freiheitskrieges heller entfacht wurde[630]. Da er Künstler war, nicht selten Utopien mit sentimental-moralisierenden Wunschträumen verquickt nachjagte und die praktische Tagespolitik ihn nur dann zur Aktivität reizte, wenn diese seine reiche Phantasie anregte, blieb vieles von dem, was er an Gedanken ausstreute, wirkungslos und unbeachtet. Sein Erstlingsroman fand nicht einmal die Anerkennung seiner Jugendfreunde. Auch spätere gelegentliche sozialkritische Bemerkungen erregten keine sonderliche Beachtung, wie z. B. die bittere und unvorsichtig laute Feststellung: „Musik, und musikalische Schauspiele sind den Fürsten ein nothwendiger Zeitvertreib und fast unentbehrlicher Hofpracht geworden; mancher Fürst wendet so viel an Geiger und Pfeiffer daß diese mit ihrem Getöne das allgemeine Nothgeschrey seiner hungernden Unterthanen überschallen können."[631]

Als politisch gefährlich und die bestehende Ordnung potentiell gefährdend wurden Reichardts zeitkritische Äußerungen erst nach 1790 von einer breiteren Öffentlichkeit erachtet. Nach der anonymen Veröffentlichung der ersten Reisebriefe aus Frankreich in den Jahren 1792 und 1793 sowie der Zeitschriften *Deutschland* und *Frankreich* 1796 von dem liberaleren Boden der Hansestadt Hamburg aus wurde Reichardt manchen Zeitgenossen und Brotgebern verdächtig. Sein darin bekundeter

„Sansculottismus" (Goethe) wurde ihm verübelt. In diesen wenigen Jahren der offenen Parteinahme für seine „Idole" Rousseau[632], Mirabeau[633] und die Wortführer der Großen Revolution bestritt er die Vorrechte des Geburtsadels und pochte auf die natürliche Gleichheit aller Menschen[634]. Er forderte im Ton eines Agitators „Freiheit für alle! Für Alle – welche in vollem Ernste wahre Freiheit wollen"[635], allgemeine Gerechtigkeit, Wohlstand und Zufriedenheit. Trotz vieler lauter Worte war Reichardt jedoch kein draufgängerischer Jakobiner, sondern vielmehr ein „gemäßigter Monarchist", der es sehr begrüßt hätte, wenn die politischen Verhältnisse Englands sich auf das europäische Festland hätten übertragen lassen. Eine Durchsicht seines gesamten politischen Schrifttums weist seine uneindeutige, schwankende Haltung auf, die mal der Revolution und dem Weltbürgertum, oder mehr einer preußisch-konservativen, königstreuen Gesinnung zuneigte[636]. 1785 z. B. umwarb er noch die „holden edlen Fürstenworte"[637], 1795 bezeichnete er sich dagegen als „enragirten Democraten", 1810 wiederum bekundete er in tiefster Devotion seine warmherzige Treue zum preußischen Königshause[638].

Reichardts Äußerungen zur Politik nehmen, von zusammenhanglosen älteren Bekundungen abgesehen, erstmals in dem *Schreiben an den Grafen von Mirabeau, Lavater betreffend* (Hamburg 1786, in Commission bey Benjamin Gottlob Hoffmann und bey Mazdorf in Berlin, 96 Seiten umfassend) eine verbindlichere Form an. In diesem offenen Briefe ging es zwar vornehmlich um die Klärung theologisch-weltanschaulicher Fragen und um ein Bekenntnis zu dem Freunde Lavater, indessen verknüpfte Reichardt diese Verteidigungen mit Darlegungen seiner, zu dieser Zeit noch konservativen Staatsgesinnung und seines stolzen deutschen Selbstbewußtseins[639]. Mit „warmem Eifer" verfocht er hierin nationalistisch voreingenommen deutsche Art und Tüchtigkeit gegenüber französischen Hegemoniebestrebungen.

Wenige Jahre später bereits wandelte sich Reichardts politische Grundhaltung in etlicher Hinsicht. Die französische Revolution von 1789 hatte ihn „von Anfang an übermächtig an sich gezogen" (Brief an Goethe vom 7. 4. 1795). Ähnlich wie Klopstock huldigte er ihren Idealen, er schreckte aber mit Abscheu vor ihrer Erscheinung und den chaotischen Folgen zurück. 1792 schrieb er die *Vertrauten Briefe über Frankreich* mit dem Ziel, in Deutschland für Frankreich und den revolutionären Aufbruch des Geistes in diesem Lande zu werben. Er beobachtete von Mitte Januar 1792 an die Ereignisse in Lyon, Paris, Straßburg, Colmar und anderswo als Künstler und als vornehmer reisender Höfling aus einer gewissen Distanz heraus. Genießerisch schaute er gleichsam einem gigantischen Schauspiel zu, an dem er sich ästhetisch weidete ohne selbst mitleiden zu müssen. Seine Frankophilie ließ ihn leidenschaftlich für die konstitutionelle Monarchie eintreten. Für Deutschland lehnte er jedoch ähnlich umstürzlerische Prozesse ab, da seine Landsleute angeblich weder „gedrückt genug" noch „aufgeklärt genug" seien, „um die großen Vorteile einer bessern Constitution hinlänglich einsehen zu könnnen"[640]. Auch die Einbeziehung der Volksmassen bei der Durchsetzung der Reformen lehnte er heftig ab, denn das Volk erschien ihm als zu wenig mündig und als dauerndes Objekt der Politik[641]. Für ihn waren daher auch die Jakobiner der „niedrigste Pöbel", „höchst widrig, schmutzig und ekelhaft", das tumultuarische Treiben in der Nationalversammlung ohne Würde und Anstand verletzte sein Standesbewußtsein sehr. Trotzdem jedoch nahm er aus Paris eine Jakobinermütze mit auf die Reise, die ihm „zur Schlafmütze dienen" sollte. Solche und andere unbegreifbare Widersprüche befremden den unvoreingenommenen Leser. Schon die Zeitgenossen wußten diese nicht aufzulösen. So schrieb z. B. Friedrich Schlegel am 31. Oktober 1797 an seinen Bruder: „Der Mann hat viel Gutes, aber da er nicht liberal ist, so würde es thöricht seyn, wenn ich mich entetiren wollte, in litterarischer Gemeinschaft mit ihm zu bleiben. Sein soidisant Republikanism politisch und litterarisch ist alles Aufklärungsberlinism, Opposizionsgeist gegen Obskuranten, und Franzosenhang, die er als Deutscher haßt und verachtet, ohne doch von ihnen lassen zu können, so wie er die Deutschen wiederum völlig wie ein Franzose verachtet."[642]

Auch die Verteidigungsschrift *Über die Schändlichkeit der Angeberei* (Berlin 1795, J. F. Unger, 40 Seiten) enthält politische Meinungsäußerungen. Diese Broschüre zeigt vor allem deutlich, wie sehr bei Reichardt Politik und persönliche Anliegen eng und unglücklich miteinander verquickt waren. Durch die Entlassung aus dem Hofkapellmeisteramte war er in seinem Künstlerehrgeiz tief betroffen worden. Schon die Zurücksetzungen am Hofe seit 1791 hatten ihn mehr und mehr in die Reihen der Unzufriedenen gedrängt und damit gleichzeitig seine Interessen an einer Umwälzung der Verhältnisse vermehrt. Verbitterten Gemüts hatte er all seine gegen den „Despotismus" gerichteten Hoffnungen an den ihn blendenden demokratischen Leitgedanken aufzurichten versucht. Nun jedoch, als ihm in Berlin das Vertrauen entzogen wurde, verleugnete er seine früheren politischen Stellungnahmen. Er vollzog damit eine aus der Not erwachsende Selbstdemütigung, die in Loyalitätsbezeugungen gegenüber dem König gipfelten.

Wie labil, ja doppelzüngig in dieser schwersten Krisis seines Lebens Reichardt taktierte, zeigt ein Vergleich dieser nutzlosen Schrift mit der im gleichen Jahre ebenfalls anonym von ihm herausgegebenen Monatsschrift *Frankreich*, die von dem Altonaer Gelehrten Peter Poel begründet worden war und in 32 Bänden bis 1805 erschien[643]. Demonstrativ beginnt diese auf der Titelseite mit dem französischen Zeugeneid: „La verité, rien que la verité, toute la verité". „Frankreich, das von Natur herrlichstbegabte, mit den glücklichst organisirten Menschen wohlthätig bevölkerte Land" wird darin literarisch oft leichtfertig und politisch wenig wirksam den Deutschen vorgestellt[644], die Revolution als „die wichtigste Epoche, die die Menschheit vielleicht je erlebt hat", zum Ausgangs- und Mittelpunkt der Berichterstattung erhoben[645]. Betont antiklerikale Beiträge stehen neben Theaternachrichten, revolutionären Gesetzen u. a.[646]. So enthält z. B. das 4. Stück des 1. Bandes aus dem Jahre 1795: „Sieyes Bericht über das grosse Polizeygesetz; II. Gesetz der allgemeinen Staatspolizey zur Erhaltung der öffentlichen Sicherheit, der republikanischen Regierung und der Freyheit der National-Repräsentation; III. Auszüge aus den Briefen eines Nordländers bey der westlichen Pyrenäen-Armee; IV. Das Concert im Feydeautheater. Ein satyrisches Schauspiel; V. An den Herausgeber. B = = x den 10ten Praireal; VI. Gefängnißscenen. Aus den Memoiren eines Verhafteten; VII. Zwey Briefe der Bürgerin Roland, im Gefängnisse geschrieben; VIII. Der Bürgerin Roland letzte Gedanken; IX. Neue Musikalien; X. Neue französische Bücher; XI. Pariser Theater-Vorfälle; XII. Le Salpêtre republicain! Zur Beylage die Musik dazu fürs Clavier". Diese stets zuletzt angefügten „Beylagen" sind musikgeschichtlich besonders beachtenswert und in ihrer Bedeutung nicht so harmlos zu bewerten wie manche anderen Seiten der Zeitschrift, denn diese Klavierlieder sind stets zündende, „republikanische Kraftgesänge"[647]. Die Marseillaise, patriotische Hymnen und Romanzen von Méhul, Gossec, Cherubini machte Reichardt auf diese Weise zum ersten Male in Deutschland bekannt. Der aggressive Ton des rauhen, massenwirksamen, bombastisch-pathetischen „revolutionären Kraftgesanges" wurde gleichzeitig damit über den Rhein verbreitet. Ein neuer Abschnitt in der Geschichte des deutschen Massenliedes begann. Insofern sollte man dieses Journal in seiner damaligen Wirkung nicht unterschätzen und als „politisch harmlos" abtun[648]. Derartig mundgerecht gemachte Töne, Klänge und Stoßrhythmen setzen sich oft leichter durch als wohlgesetzte programmatische Reden. Schiller rät daher auch in einem Jugendgedicht den „schlimmen Monarchen":

... Aber zittert für des Liedes Sprache ...!

Wie sehr Reichardt selbst davon begeistert war, geht aus einem Bericht von Karl August Böttiger hervor, wonach er 1795 als gelegentlich „heftiger Republikaner" in Hamburg selbst „einige Freiheitslieder" komponierte[649], von denen er ein kraftloses mit dem Titel „Vaterlandsliebe" (Text v. J. H. Voß) 1796 in seinem zweiten politischen Journal *Deutschland* als Musikbeilage zum ersten Stück abdruckte (Bsp. 6).

Männlich

Ein ed-ler Geist klebt nicht am Stau-be; er raget über Zeit und Stand.

Die ebenfalls anonym bei J. F. Unger in Berlin 1796 herausgegebene Zeitschrift *Deutschland* entfachte den bereits oben erwähnten Xenien-Streit mit Schiller und Goethe. Dieses zum Zwecke der Beförderung des „wahren Gemeinsinns, der uns guten Deutschen mehr als alles andere fehlt"[650], nach der Aufgabe der Redaktion der Zeitschrift *Frankreich* nur kümmerlich zu kurzem Leben erweckte Publikationsorgan stand zu sehr in Konkurrenz zu den „Horen"[651]. Zwar arbeiteten Autoren wie Herder, F. A. Wolf, A. W. Schlegel daran mit[652], dennoch lebte diese Zeitschrift nur aus zweiter Hand. Ihr fehlte ein originelles Gepräge. Auszüge aus Druckwerken, Plagiate, Rezensionen füllten allzu dürftig die Seiten, wogegen sich scharf Goethes Xenie wendet:

> Auszuziehen versteh' ich, und zu beschmutzen die Schriften;
> Dadurch mach' ich sie mein, und ihr bezahlet sie mir.

Das Journal *Deutschland* war für Schiller „unendlich miserabel" und literarisch nicht beachtenswert; er dichtete darüber die Verse:

> Alles beginnt der Deutsche mit Feierlichkeit, und so zieht auch
> Diesem deutschen Journal blasend ein Spielmann voran.

Zusätzliche Schwierigkeiten und keinerlei materieller Gewinn waren das Ergebnis dieses mißlungenen Unternehmens. Wie viele Zeitgenossen so verachtete z. B. Friedrich Perthes den gescheiterten Zeitschriftenredakteur als „sybaritischen Demagogen".

1804 erschienen abermals in Hamburg bei B. G. Hoffmann *Vertraute Briefe aus Paris geschrieben in den Jahren 1802 und 1803.* Wenngleich diese die „große und galante Welt" der Seine-Metropole vornehmlich beschreibenden Briefe nur aus der engen Sicht eines eifrigen Salon- und Theaterbesuchers entstanden sind, ist ihr politischer Gehalt dennoch unübersehbar. Zwar suchte Reichardt während dieser letzten Paris-Reise nach Möglichkeit der Tagespolitik und den Problemen der Revolution aus dem Wege zu gehen und Kontakt zu gewinnen zu den gesellschaftlichen Überresten aus der absolutistischen Ära, trotzdem konnte er nicht umhin, seine tiefe Enttäuschung über die Fortentwicklung des Großen Umsturzes oftmals zum Ausdruck zu bringen[653]. Seine früheren Schwärmereien vom „glücklichen Vaterland" wurden angesichts der nüchternen Realitäten desillusioniert. Resignierend und geistig wieder engeren Anschluß an Preußen suchend gewahrte er die „Zerstörung aller Aufklärung und feinern Bildung". Im Pantheon wurde ihm am 19. März 1803 „recht lebendig vor der Seele, was die Zerstörer der ersten guten Absichten der Revolution ganz Europa für einen unersetzlichen Schaden gebracht haben. Wäre die Nation damals weise und gerecht genug gewesen, sich mit der Reform einer gemäßigten constitutionellen Monarchie zu begnügen, und alle die großen, seitdem so schändlich verschleuderten Kräfte der energischen und empfänglichen Nation wären benutzt worden, für bessern Unterricht, für ächte Kunstbildung und Errichtung großer Nationalmonumente, im edlen Sinne der Römer und Griechen – Was für eine hohe Schule, für ein begeisterndes Beispiel für ganz Europa geworden wäre!"[654] Überdies überzeugten ihn in diesen Tagen die soziale Not, „die abscheuliche, zahllose Bettelei auf den Straßen" hinlänglich von der Sinnlosigkeit revolutionärer Erschütterungen[655]. Auch aus seinem Abscheu vor dem Ideal der Gleichheit aller Menschen macht er keinen Hehl, denn dadurch, daß „eine tolle Mischung des Höchsten und Niedrigsten... auf eine unsinnige Weise erzwungen wurde, um dem Pöbel eine erlogene, widersinnige Gleichheit vorzuspiegeln..."[656], wurde die Ordnung des Ständestaates zerstört. Wie sehr Reichardt diesen aber fortan konservativ eingestellt verteidigte, geht aus den *Vertrauten Briefen geschrieben auf einer Reise nach Wien* deutlich hervor. Darin schreibt er: „Jeder Stand gewinnt unleugbar durch eine weise Abgeschlossenheit an Würde und echtem Lebensgenuß... Die Damen des hohen Adels mischen sich aber außer den großen, öffentlichen Veranstaltungen, gar nicht, oder doch sehr selten, mit denen anderer Stände, und das scheint mir auch sehr anständig und zweckmäßig."[657] Diese Befürwortung schränkt er lediglich damit ein, daß der „hohe Adel" keine „Prärogative" verlangen dürfe, die die übrigen Staatsbürger bedrücken könnten. Kaiser Josef II. feierte er wegen der von ihm bewirkten „Vervollkommnung des Staats" ohne einen abrupten Bruch mit der Vergangenheit. Der Aufklärungsoptimismus der früheren Jahre schwand Reichardt somit dahin, zufrieden mit dem politisch Bestehenden kehrte er auch geistig in sein Vaterland zurück. Politisch tätig blieb er aber trotzdem als einer der erbittertsten Feinde Napoleons und der französischen Eroberungspolitik, deren Bekämpfung ein wesentlicher Inhalt seines letzten Lebensjahrzehnts war.

In Paris hatte Reichardt neben vielen bedeutenden Persönlichkeiten auch den Grafen Gustav von Schlabrendorf (1750–1824) aufgesucht, der dort wie ein „Diogenes" als philanthropischer Sonderling lebte[658]. Er

In Marschbewegung

f So ge-he | tap-fer | an, | mein | Sohn, mein Kriegs-ge-

nos-se, schlag rit-ter-|lich da-|rein, | dein | Le-ben un-ver-

dros-|sen fürs Va-ter-|land auf-|setz,

hielt als Wohltäter vieler Armer zur Gironde und war ebenso wie sein Besucher tief enttäuscht worden vom Ausgange der Revolution. Schmerzvoll darunter leidend griff er zur Feder und verfaßte ein Buch über *Napoleon Bonaparte und das französische Volk unter seinem Consulate,* womit er dem nichtfranzösischen Europa ein Bild vermitteln wollte von der napoleonischen Gewaltherrschaft. Dieser wirkungsvolle Protest gegen den neuen „Cäsar" wurde in mehrere Sprachen übersetzt. Reichardt nahm ein Exemplar davon verschwiegen mit über den Rhein, überarbeitete dies und gab es als „mutvoller Herausgeber" 1804 in Germanien (= Hamburg, bei Campe, 448 Seiten) heraus. Diese Anprangerung der Herrschsucht und der „Sucht nach Schein und Glanz" erregte ein selten breites öffentliches Aufsehen. Viele insgeheim mit dem Korsen Sympathisierende wurden dadurch umgestimmt, mehrere Auflagen erreichte das von der Zensur verfolgte Buch, so daß man den Mut Reichardts zu einer derartigen politischen Tat uneingeschränkt bewundern muß, zumal sich seine persönliche Lage dadurch abermals erheblich verschlechterte. Napoleon verfolgte ihn daraufhin wegen des in dem Buche ausgesprochenen Tyrannenhasses und forderte von der preußischen Regierung wiederholt eine angemessene Bestrafung, während er in Berlin trotzdem weiterhin von Denunzianten und noch nicht gänzlich beseitigtem Mißtrauen verfolgt wurde. Somit saß er gleichsam eingezwängt zwischen zwei Stühlen.

Befreit wurde Reichardt aus diesem unerträglichen Dilemma durch die welterschütternden Ereignisse nach 1805, die 1814 mit der Zerschlagung der Armeen Napoleons für Preußen ruhmvoll endeten. Reichardt stellte all seine Kraft in den Dienst des Vaterlandes und nahm jugendlich begeistert an dem allgemeinen Aufbruch und an der Stärkung des staatserhaltenden Widerstandsgeistes gegen die Revolution und gegen Napoleon teil[659]. Begeistert stellte er auch seine Kunst in den Dienst des Abwehr- und Befreiungskampfes, indem er „sich in Kriegsliedern" versuchte (Bsp. 7)[660]. Befreundet mit den Ministern Freiherr v. Stein, Friedrich v. Schuckmann, v. Kircheisen, Hardenberg, aber auch mit v. Gneisenau, Alexander v. Humboldt, Scharnhorst[661], beriet er die Regierung in Fragen der Erziehung und Kunst, er sammelte Spenden zur Finanzierung des Krieges und begeisterte Jünglinge zum freiwilligen Wehrdienst. Er regte all seine Kräfte, um sich nach langem Abseitsstehen und Opponieren wieder seinem Staate als treuer Diener zu erweisen. Wilhelm Dorow berichtet aus Breslau 1813 von dem bereits zu Tode erkrankten Kapellmeister: „der alte Haß gegen Napoleon flammt von Neuem bei ihm auf und sein großes, schönes Auge leuchtet zu seiner lebendig begeisternden Rede; natürlich, daß zu einem solchen Mann in solcher Zeit sich Jeder drängte, dem ein freies, großes Herz den Busen bewegt!"[662]

[565] Deutsches Museum 1781, S. 351.

[566] Vgl. FÉTIS, Biographie universelle, VII, 1883, 209; SCHLETTERER, J. F. Reichardt, 1865, S. 425; SIEBER, J. F. Reichardt als Musikästhetiker, 1930, S. 39.

[567] J. v. Voss, Beleuchtung der vertrauten Briefe über Frankreich des Herrn J. F. Reichardt, Berlin 1804, S. 109.

[568] GUGITZ, I, 1915, S. 43.

[569] Vgl. REICHARDT, Schreiben über die Berlinische Musik, 1775, S. 19; skeptisch schrieb er im Musikalischen Kunstmagazin 1 (1782), S. 153 auch zu dieser Frage: „Man schreibt ohn' Unterlaß Lehrbücher über die Komposizion, und wird doch nie ein wahrer Komponist dadurch erzeugt und gebildet. Für die Ausführung, die sich wohl lehren und lernen läßt, ist man indeß ganz unbesorgt."

[570] REICHARDT, G. S. Löhleins / Anweisung / zum Violinspielen . . ., Leipzig und Züllichau 1797.

[571] REICHARDT, Über die Deutsche comische Oper, 1774, S. 4 u. S. 12.

[572] CRAMER, Magazin, 1783, S. 262; SIEBER, 1930, S. 22.

[573] F. Th. Mann kritisiert in seinem Musicalischen Taschen-Buch, 1805, S. 360 zu Recht: „Es ist ein Hauptfehler im Reichardtschen Styl, mit vielen Worten wenig zu sagen . . .".

[574] REICHARDT, Über die Pflichten des Ripien-Violinisten, 1776, S. 91.

[575] REICHARDT, Briefe eines aufmerksamen Reisenden, II, 1776, S. 7.

[576] CRAMER, Magazin, 1783, S. 30 umschreibt dies als eine „lebhafte, oder darstellende, wiewohl auch bisweilen zu begeisternde, lavaterisch-unbestimmte Schreibart".

[577] ebd., S. 56.

[578] Siehe JENKEL, J. F. Reichardt, 1920, S. 33; J. G. MEUSEL, Miscellaneen artistischen Innhalts, Erfurt 1783, S. 294 bemerkt: "J. Fr. Reicherdt hat das besondere Talent, von Sachen zu reden die er nicht versteht. C. P. E. Bach nennet ihn den musikalischen Windbeutel."

[579] Dazu siehe SIEBER, 1930, S. 20.

[580] G. STEINHAUSEN, Geschichte des deutschen Briefes, Berlin 1889, S. 400. Die Zahl der noch unveröffentlichten Briefe Reichardts ist z. Zt. noch nicht übersehbar. Wie gern und häufig dieser zur Feder griff erhellt allein die Tatsache, daß er während der Jahre von 1781—1814 an den Verlag Breitkopf und Härtel 159 später aufbewahrte Briefe richtete, die sämtlich während des zweiten Weltkrieges verlorengingen; siehe das Verzeichnis bei W. HITZIG, Katalog des Archivs von Breitkopf und Härtel Leipzig, II, Leipzig 1926, S. 19 f.

[581] Fr. Nicolai schreibt z. B. in seiner „Beschreibung einer Reise durch Deutschland": „Ein Reisender muß notwendig ein ausführliches Tagebuch von seinen Beobachtungen und Bemerkungen führen und täglich fortsetzen."

[582] REICHARDT, Briefe, II, 1776, Vorbericht.

[583] ebd., S. 122.

[584] ebd., Bd. I, 1774, Vorbericht S. 2.

[585] Vgl. dazu Musikalisches Kunstmagazin 1 (1782), S. 208.

[586] Eine in der Hamburg. Ztg. vom 16. Dezember 1786 zur Subskription angebotene dreibändige Ausgabe „Musikalische Reisen in England, Frankreich und Deutschland" ist nicht erschienen.

[587] Den Nachweis für Reichardts Verfasserschaft erbringt O. TSCHIRCH, Geschichte der öffentlichen Meinung in Preußen, I, Weimar 1933, S. 40 Anm.

[588] REICHARDT, Vertr. Briefe aus Paris, III, 1805, S. V; siehe dazu ergänzend auch C. B. HASE, Briefe von der Wanderung und aus Paris, Leipzig 1894.

[589] In: Jen. Allg. Lit. Ztg. v. 27. 3. 1804, Nr. 74.

[590] v. Voss, Beleuchtung, 1804.

[591] ebd., S. IV und S. 84.

[592] Amsterdam 1810, Im Kunst- und Industrie-Comtoir.

[593] SCHELLBERG, Das unsterbliche Leben, 1939, S. 416.

[594] Siehe HECKER, 1925, S. 233 f. und BIEDERMANN, Goethes Gespräche, II, 1909, S. 64.

[595] DOROW, Erlebtes, III, 1845, S. 28.

[596] Siehe insbesondere die „Berichtigungen und Zusätze zum Gerberschen Lexikon der Tonkünstler" in: Mus. Wochenblatt 1792, S. 3 ff., wozu E. L. Gerber bemerkte: „noch immer ist und bleibt der Herr Kapellmeister Reichardt der Einzige, welcher sich öffentlich, in seiner Zeitschrift, der Ergänzung des Tonkünstler-Lexikons angenommen hat, und das auf eine Art, wie es sich von seinen großen Kenntnissen, und von den auf seinen wichtigen Reisen gesammelten mannichfaltigen Erfahrungen, erwarten ließ". (in: Berlinisches Archiv der Zeit 1795, 2. Bd., S. 140). — Die für das Jahr 1782 in Lemgo angekündigte Übersetzung von „Rousseau's musikalischem Wörterbuch aus dem Französischen" ist nicht erschienen, vgl. dazu A. JANSEN, Jean-Jacques Rousseau als Musiker, Berlin 1884, S. 289.

[597] In: Lyceum der schönen Künste 1 (1797), S. 145 ff.

[598] Siehe das Schriftenverzeichnis im Anhang.

[599] Dazu vgl. Dorow, Erlebtes IV, 1845, S. 3 ff., der den Aufsatz „Kant und Hamann" als „leider nicht gedruckt" erstmals zu veröffentlichen glaubte.

[600] Vgl. Sieber, 1930, S. 21 und AMZ XI, S. 389.

[601] Siehe H. Kelletat, Zur Geschichte der deutschen Orgelmusik in der Frühklassik, Kassel 1933, S. 15 und M. Falck, W. Fr. Bach, Lindau 1956, S. 29 ff.

[602] Cramer, Magazin, 1783, S. 240; Jenkel, J. F. Reichardt, 1920, S. 5.

[603] Musikalisches Kunstmagazin 1 (1782), S. 208.

[604] Vgl. Henkel, J. G. Hamann Briefwechsel, IV, 1959, S. 92.

[605] Siehe Reichardt, Leben des berühmten Tonkünstlers, 1779, S. 13 und Sembritzki, Die ostpreußische Dichtung, 1911, S. 522.

[606] Siehe z. B. Reichardt, An das musikalische Publikum seine französischen Opern Tamerlan und Panthée betreffend, 1787, ders., Über die Schändlichkeit der Angeberei, 1795.

[607] Schletterer, 1865, S. 18 ff. und Zentner, Eine Musikerjugend, 1940.

[608] Über diese Begriffe vgl. D. Baumert, Die Entstehung des deutschen Journalismus, München 1928, S. 17.

[609] Z. B. im Berlinischen Archiv der Zeit 1798, S. 56.

[610] Vgl. Sieber, 1930, S. 17; G. Parthey, Die Mitarbeiter an Friedrich Nicolai's Allgemeiner Deutscher Bibliothek, Berlin 1842, S. 22 f.

[611] Vgl. H. Ehinger, Friedrich Rochlitz als Musikschriftsteller, Leipzig 1929, S. 28.

[612] Vgl. Faller, J. F. Reichardt, 1929; W. Boetticher, Robert Schumann, Berlin 1941, S. 292; J. A., Geist des Musikalischen Kunstmagazins von Johann Friederich Reichardt, Berlin 1791.

[613] Cramer, Magazin, 1783, S. 304; K. Dolinski, Die Anfänge der musikalischen Fachpresse in Deutschland, Diss. Berlin 1940, S. 31; H. Koch, Die deutschen musikalischen Fachzeitschriften des 18. Jahrhunderts, Diss. Halle 1923, S. 14 (masch.).

[614] F. Krome, Die Anfänge des musikalischen Journalismus in Deutschland, Leipzig 1896, S. 5.

[615] Faller, 1929, S. 92.

[616] Schubart, Chronik 1791, Stuttgart 1791, S. 422; siehe auch Cramer, Magazin, 1783, S. 29 ff.

[617] ebd., S. 915; siehe dazu Kunzen-Reichardt, 1793, S. 2 f.

[618] Cramer, Magazin, 1783, S. IV.

[619] Mus. Wochenblatt 1791, Vorbericht. Selbstverherrlichungen der Herausgeber mißfielen manchen kritischen Lesern, siehe z. B. Kunzen-Reichardt, 1793, S. 52.

[620] M. Lanchorónska u. A. Rümann, Geschichte der deutschen Taschenbücher und Almanache aus der klassisch-romantischen Zeit, München 1954, S. 26 f.

[621] ebd., S. 189.

[622] Musikalischer Almanach für Deutschland auf das Jahr 1782, Leipzig 1782.

[623] Dazu vgl. H. Engel, Soziologie des Musiklebens, in: Musica 3 (1949), S. 267.

[624] Siehe Hecker, 1925, S. 229.

[625] Berlin. Mus. Ztg. 1806, S. 208.

[626] Siehe L. Balet, Die Verbürgerlichung der deutschen Kunst, Straßburg 1936, S. 168.

[627] Jenkel, J. F. Reichardt, 1920, S. 65.

[628] Hoffmann, Herders Briefe, 1889, S. 229.

[629] Vgl. A. GILLIES, Herder, Hamburg 1949, S. 169 sowie W. H. BRUFORD, Die gesellschaftlichen Grundlagen der Goethezeit, Weimar 1936.

[630] Zu dieser Begeisterung trug der Vetter Reichardts, Johann Christian Schmohl (1756—1783), erheblich bei, der unter dem Pseudonym William Bekker 1782 die in Preußen verbotene Schrift „Über Nordamerika und Demokratie" herausgegeben hatte. Reichardt deckte diesen abenteuerlichen Verwandten gegenüber seinen Verfolgern, bevor dieser über Holland in die USA mit Hilfe Hamanns fliehen konnte.

[631] Mus. Kunstmagazin 1 (1782), S. 203.

[632] Reichardts Begeisterung für Rousseau war keine unbedingte, denn 1782 schrieb er einer Königsberger Freundin: „Eben hab' ich Roußeaus Confessions zu Ende gelesen. Wenn Sie den Mann lieben, wenn Sie irgend ein Lieblingsbuch unter seinen herrlichen Werken haben, so lesen Sie die Confessions ja nicht ..." (in: STÄGEMANN, Erinnerungen, II, 1846, S. 215).

[633] Ein Bild von Mirabeau (1754—1792) hing 1795 über Reichardts Schreibpulte in Hamburg wie BÖTTIGER, Literarische Zustände, II, 1838, S. 54 berichtet.

[634] Vgl. REICHARDT, Über die Schändlichkeit der Angeberei, 1795, S. 27.

[635] Deutschland 1 (1796), S. 7.

[636] F. W. RIEMER, Mitteilungen über Goethe, Leipzig 1921, S. 194 nennt ihn scharf einen „sowohl demokratischen als aristokratischen Parasiten"; siehe auch JENKEL, 1920, S. 36.

[637] REICHARDT, G. F. Händel's Jugend, 1785, S. 6.

[638] DOROW, Erlebtes, III, 1845, S. 43.

[639] Über die Hintergründe, die zur Veröffentlichung dieser Schrift bewogen, siehe STERN, Mirabeau und Lavater, 1904, S. 419 und 441; SCHLETTERER, 1865, S. 428 ff.; GOTTWALDT u. HAHNE, Briefwechsel, 1960, S. 59; Berlinische Ms. 9 (1787), S. 191 f.

[640] REICHARDT, Vertr. Briefe über Frankreich, I, 1792, S. 46.

[641] JENKEL, 1920, S. 35.

[642] WALZEL, F. Schlegels Briefe an seinen Bruder August Wilhelm, 1890, S. 299. Siehe auch: Obscuranten-Almanach auf das Jahr 1798, Paris 1798, bey Gerard Fuchs.

[643] L. SALOMON, Geschichte des deutschen Zeitungswesens, II, Oldenburg 1902, S. 58 f.; JENKEL, 1920, S. 14.

[644] Dagegen schreibt Reichardt in „Deutschland" 1796, S. 9: der Deutsche „ist der moralischen Freiheit — auf die allein sich der echte Charakter gründet — weit fähiger, als sein seit tausend Jahren verschränkter und verschrobener Nachbar mit unselig reizbaren Nerven und siedendem Blute".

[645] Frankreich I (1795), S. 4 u. 8.

[646] ebd., 1797, Bd. 1, S. 188 ff.

[647] ebd., 1795, Bd. 2, S. 170.

[648] NEUSS, Das Giebichensteiner Dichterparadies, 1949, S. 33. E. v. Stägemann schrieb am 11. 3. 1796 an Reichardt, die Zeitschrift „Frankreich" sei in Königsberg „beliebt" (vgl. HOLTEI, Dreihundert Briefe, I, 3, 1872, S. 156).

[649] BÖTTIGER, II, 1838, S. 54.

[650] Deutschland 1 (1796), S. 1.

[651] JENKEL, 1920, S. 16 ff.

[652] Vgl. H. LÜDEKE, Ludwig Tieck und die Brüder Schlegel, Frankfurt 1930, S. 15 ff.

[653] Ein weiterer Ausdruck dieser Enttäuschung ist auch das Buch: Haupt- und Staatssittenspiegel für Groß' und Kleine, Germanien (= Hamburg) 1806.

[654] REICHARDT, Vertr. Briefe aus Paris, III, 1805, S. 186.

[655] ebd., Bd. I, S. 254.

[656] ebd., Bd. II, S. 190.

[657] GUGITZ, I, 1915, S. 318 f.

[658] Dazu vgl. K. FAEHLER, Studien zum Lebensbild eines deutschen Weltbürgers, des Grafen Gustav v. Schlabrendorff, Diss. Jena 1909; NADLER, Lit.Gesch., III, S. 32; DOROW, Erlebtes, III, 1845, S. 69.

[659] H. Steffens gibt von dieser Stimmung Ausdruck in dem Satze: „Es war nicht eine blasierte Zeit, die sich stimulieren mußte, um aus der leeren Kraftlosigkeit irgendeinen vorübergehenden scheinbar lebendigen Effekt hervorzulocken: es war eine kraftvolle, jugendliche, die in allen Richtungen des Daseins die Spuren des alles vereinigenden Geistes erkannte."

[660] Vgl. VARNHAGEN V. ENSE, Denkwürdigkeiten, I, 1922, S. 190. Bsp. 7 wurde abgedruckt in der Berlin. Mus. Ztg. 1805, nach S. 414.

[661] Vgl. HECKER, 1925, S. 223; HOLTEI, Goethe in Breslau, in: Westermanns Mhfte 17 (1864), S. 76 ff.; DOROW, Erlebtes, III, 1845, S. 50 u. 91.

[662] DOROW, III, S. 136.

MUSIKÄSTHETISCHE GRUNDSÄTZE
UND ANSCHAUUNGEN

Im Leben von nur wenigen Komponisten nimmt das Kunstdenken neben dem Kunstschaffen einen ähnlich gewichtigen Platz ein wie bei Reichardt. Er war kein Künstler, der sich scheute über die Kunst und das eigene Komponieren zu sprechen oder zu schreiben; im Gegenteil, er verlangte programmatisch die vermehrte Herausbildung von „denkenden und forschenden deutschen Tonkünstlern"[663], die „tiefblickend, vielumfassend, allahnend" sich klar sind über das, was sie schöpferisch tun. Ursprünge, Zwecke und Ziele der Musik sollten hell bedacht werden, damit der Künstler den rechten Weg findet und einhält. Wie Goethe, so unterschied auch Reichardt den „echten, gesetzgebenden Künstler" vom ungeratenen „gesetzlosen, der einem blinden Triebe folgt". Letzterer tastet gleichsam im Dunkeln ziellos umher, während der denkende Komponist nie „über sich selbst zweifelhaft ist". Sein Denken vermittelt ihm „Klarheit und Bestimmtheit" im Urteil, was ihn in der Praxis „vorwärts bringt". Daß der künstlerisch Schaffende diesen beträchtlichen Gewinn meist bezahlen muß mit dem Verlust an musikantischer Unbefangenheit, hat sich Reichardt, der von Natur her ein Musikant war, nie selbst eingestehen wollen[664]. Zu sehr war er in der Welt der Aufklärung beheimatet, die das Unanschaulich-Stofflose der Musik mit dem Verstand zu begreifen bemüht war. Aufklären, zurechtweisen und unterhalten war der vornehmste Zweck aller Schriften Reichardts. Überdies war er davon überzeugt, daß „jede gewichtige Aufklärung in irgend einer Kunst zugleich Gewinn für alle übrige Künste" ist[665], so daß er annahm, allgemein verbindliche Aussagen über ästhetische Grundfragen anbieten zu können. „Aufklärung" war insbesondere bis zur Lebensmitte eines der gewichtigsten Wörter im Sprachschatz Reichardts gewesen, hatten doch Kant, Hamann und Herder am Aufbau seiner geistigen Welt entscheidend mitgewirkt. Bereits im Knabenalter hatte er Kant gewichtig dozieren gehört: „Aufklärung ist der Ausgang des Menschen aus seiner selbstverschuldeten Unmündigkeit." Solche und ähnliche Kernsätze prägten sich ihm unvergeßlich ein. Doch diese bestimmten ihn nicht unangefochten, zu sehr wurde Reichardt von Kindheit an in die geistigen Spannungen der Zeit zwischen rationalistischem, sensualistischem und idealistischem Kunstdenken, zwischen Aufklärung und gefühlsbetonter Empfindsamkeit hineingezogen[666]. Durch Hamann vor allem lernte er früh begreifen, daß die „Empfindung in der menschlichen Natur ebensowenig von Vernunft, als diese von Sinnlichkeit geschieden werden" kann[667].

I. Kant wirkte in anderer Weise direkt auf Reichardt ein. Der gestrenge Philosoph hatte zwar ein weniger inniges Verhältnis zur Musik als Hamann, da er die stark sinnliche Wirkung dieser Kunst beargwöhnte, dennoch nahm er sich des jungen „Genies" mit Eifer als „der große Lehrer" an[668]. Der Lehrer und der Schüler verkehrten als „Freunde" und Landsleute miteinander[669] und tauschten über Jahrzehnte hinweg wesentliche Gedanken und Anregungen aus[670]. Der Geniebegriff Kants, seine Lehre vom freien Willen[671], der kategorische Imperativ[672], der transzendentale Idealismus und vieles andere Grundsätzliche übernahm Reichardt in sein bewegtes Leben als ein beständiges Geistesgut, denn er war seit seinen erfolglosen Universitätsstudien mit den Ideen des großen Kritikers der Aufklärung „unabläßig beschäftigt"[673]. Er studierte „genau, sehr genau" Kants Schriften[674], von der „Kritik der reinen Vernunft" erhielt er im Jahre 1781 sogar eines der ersten „Dedicationsexemplare" vom Autor überreicht[675]. Die „Kritik der Urteilskraft" versuchte er durch vereinfachendes Referieren in vielen seiner Schriften im Volke verbreiten zu helfen[676], denn er war davon überzeugt, daß Kant als „ein Original-Genie vom ersten Range" das „Ursprüngliche und Nothwendige in der menschlichen Erkenntnis vollständig dargestellt" habe[677]. Die viel gelesene „Theorie der schönen Künste" von Sulzer ließ Reichardt nach 1790 unbeachtet, da nach seiner Meinung in der „Kritik der Urteilskraft" die „wahren ewigen Gesetze" auch für die schönen Künste gefunden worden seien. Dieses Buch bot ihm Leitgedanken, treffende Hinweise für die Beurteilung von Kunstwerken und Entwicklungen im „Reich des musikalisch Schönen und Erhabenen", das er mit sittlichem Ernst zu durchleuchten trachtete. Auch Kant wollte aus dieser Freundschaft Nutzen ziehen und schrieb am 15. Oktober 1790, seine unzureichende Fachkenntnis eingestehend: „Angenehm würde es mir seyn, wenn die Grundzüge, die ich von dem so schwer zu erforschenden Geschmacksvermögen entworfen habe, durch die Hand eines solchen Kenners der Producte desselben, mehrere Bestimmtheit und Ausführlichkeit bekommen könnten. Ich habe mich damit begnügt, zu zeigen: daß ohne Sittliches Gefühl es für uns nichts Schönes oder Erhabenes geben würde: daß sich eben darauf der gleichsam gesetzmäßige Anspruch auf Beyfall bey allem, was diesen Nahmen führen soll, gründe und daß das Subjective der Moralität in unserem Wesen, welches unter dem Nahmen des sittlichen Gefühls unerforschlich ist, dasjenige sey, worauf, mithin nicht auf obiective Vernunftbegriffe, dergleichen die Beurtheilung nach moralischen Gesetzen erfordert, in Beziehung, urtheilen zu können, Geschmack sey: der also keinesweges das Zufällige der Empfindung, sondern ein (obzwar nicht discursives, sondern intuitives) Princip a priori zum Grunde hat."[678] Reichardt nahm diese Anregung gern auf und verfolgte bis 1814 die Absicht, geleitet von Prinzipien Kants eine Musikästhetik zu vollenden als Krönung seines gesamten schriftstellerischen Schaffens[679]. Dieser seine Kräfte bei weitem überfordernde Plan wurde indessen nicht verwirklicht. Reichardt blieb auch nach 1790 bei einer nur locker zusammenhängenden Veröffentlichung vieler Detailbeobachtungen und daraus gezogener Schlüsse. Eine systematische Zusammenfassung dieses Vielerleis gelang ihm mit der gebotenen philosophischen Gründlichkeit nicht einmal im Ansatz.

Reichardt hat kein musikästhetisches Hauptwerk hinterlassen. Seine sämtliche großen Themen der Zeit berührenden Aufsätze, Kritiken, Vorworte und Briefe enthalten eine philosophisch nur unzureichend konzipierte Künstler-Ästhetik. Er begründete somit weder ein System noch versuchte er sich in normativer Spekulation. Reichardt blieb stets als schaffender Künstler denkend Empiriker, der vom Konkreten ausging und über das sinnlich Wahrgenommene nachdachte, denn: „Beglückenden und dauernden Genuß fürs Leben kann man nur dann von den schönen Künsten erwarten, wenn man sie von ihrer edlen Seite beachten und anwenden lernt, wenn man ihre Verbindung mit der wahren Freiheit des Gemüths, mit der wahren Würde des Menschen erkennt und so, nicht blos mit den Augen und Ohren, sondern auch mit dem Geiste genießt."[680] Nicht die Kunstgelehrten, sondern vielmehr den „gemeinen Menschenverstand" will er ansprechen. Er entwirft eindeutig auf die Praxis gerichtete Programme, denn dem Kunstdenken räumt er ein Mitspracherecht beim Kunstschaffen und -ausführen ein. Es bestimmt als Vorbesinnung darüber, wie die Musik „eigentlich seyn sollte", den Schaffensakt und lenkt die Empfindung. Reichardts historisch relativierte und ihm nur innerhalb enger Grenzen mögliche theoretische Erörterungen erwachsen aus seinem tagtäglichen Umgang mit Musik[681], daher wandeln sich auch viele seiner Anschauungen ständig mit den Eindrücken, die er in Fülle empfängt. Sein Denken läßt sich nicht widerspruchsfrei in ein System eingliedern, es vollzieht sich in stets anpassender Bewegung. Wo Reichardt vom konkreten Beispiel ausgehen kann, spricht er „klar, bestimmt", wo er hingegen anschauungslos spekuliert, ist er oft nur der Übersetzer von entliehenen Gedanken oder aber ungenau und formal unbefriedigend. Er findet von der einzelnen sinnlichen Wahrnehmung ausgehend induktiv zum Begriff, zum Urteil und den daraus gewonnenen „Schlüssen", „Regeln" oder „Kunstprinzipien". Er orientiert sich dabei meistens an einem Idealtyp.

Musik ist für Reichardt kein mechanistisches Bewegungsspiel, sondern

Geist. Es ist eine „feine ätherische Kunst" und als Mittel individueller Menschenbildung „der Künste edelste und grösste". Musik ist eine autonome Ausdruckskunst, deren Wesen „ganz geistig, religiös" ist. Von ihrer rationalen und physikalischen Grundlegung war er nicht zu überzeugen[682]. Als ein akustisch zu untersuchendes Phänomen blieb ihm die Musik fremd. Reichardt betrachtete mehr deren Wirkung auf die Seele und das darin ausgelöste „geheime Calcul". Musik ist außerdem für Reichardt eine auf die Allgemeinheit wirkende individuelle Kunstsprache, „der höchste Ausdruck des Unendlichen"[683]. Sie ist wie die Poesie in verschiedene „Geschlechter" unterteilt, die es rein zu erhalten gilt: Kirchenmusik, Theatermusik, Concertmusik und Tanzmusik[684]. Für seine Zeitgenossen Kant und Schiller ist die Musik ein „(bloßes) Spiel der Empfindungen in der Zeit", für Forkel ist sie insofern Sprache der Empfindungen, als sie Empfindungen der menschlichen Natur in Tönen darstellt. Auch Reichardt bezeichnet die Musik als eine schöne Kunst, die sowohl Empfindungen in angenehmer Form ausdrückt, als auch den Hörer in rührende oder zärtliche Gestimmtheiten versetzt, denn ihr einziger Gegenstand ist der „innere Mensch", also Herz und Empfindung[685]. Ein einheitlicher Strom von Empfindungen muß in sie hineinfließen und sich im Erklingen wieder ergießen, wobei zu beachten ist, daß Reichardt oft die Wörter Empfindung und Leidenschaft gleichbedeutend benutzt und nicht als zwei verschiedene Seelenbewegungen begrifflich exakt trennt. Diese Auffassung, daß sich in der Musik der Mensch selbst mit seinen wechselnden Gefühlen ausdrückt und jeder Schall als Mittel irgendeines Ausdrucks erlebt wird, teilt Reichardt mit den meisten seiner Zeitgenossen, nur mahnt er stets, dieser Ausdruck von Empfindungen bzw. Leidenschaften müsse „stark und wahr", einheitlich und maßvoll sein. Insofern hat er sich zum expressiven Realismus und zu den Stürmern und Drängern distanziert verhalten, da ihm jegliche Übersteigerung des Ausdrucksstrebens zuwider war. Zu sehr dachte er an die Wirkung und deren moralische Folgen. Er wußte: „Die Musik wirket von allen Künsten am stärksten, allgemeinsten auf den Menschen: selbst der Stocktaube spürt bey der Musik eine Veränderung in seinem Körper"[686], daher soll man sich ihrer auch nur maß- und taktvoll bedienen. Ihre Wirkung auf das Herz und „aufs moralische Gefühl", also ihre sittliche Kraft beachtete er mehr als anderere Komponisten seiner Zeit. Stets beobachtete er die physischen Auswirkungen auf das „feine Nervensystem" und die „Macht auf das Gemüth des Menschen", ihren sozial-ethischen Effekt, der einen besseren Menschen und eine harmonischere Gesellschaft zu bilden vermag, sowie den ästhetischen Eindruck, der „Ergötzung" bereitet. Den Wert musikalischer Kunstwerke bemaß er nicht von ihrer Struktur her, da er Tonwerke „wie einen Zauber" in sich auszuwirken liebte[687]. Rei-

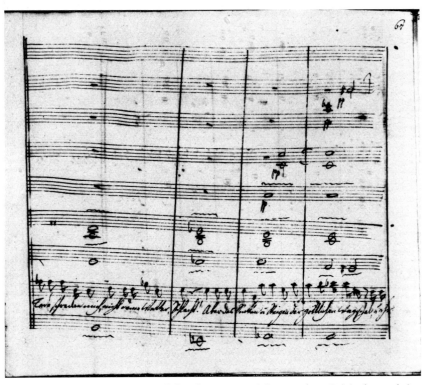

Joh. Fr. Reichardt, „Das neue Jahrhundert", 1814. Seite aus dem Originalmanuskript

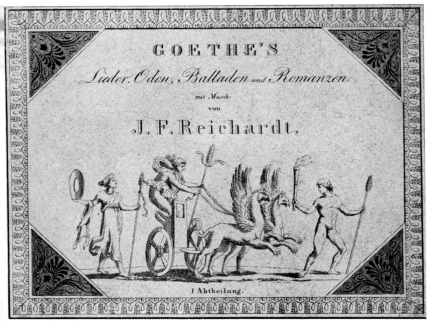

Titelblatt zur Ausgabe der Goethe-Gesänge von 1809

Ansicht des Gutes Giebichenstein. Nach einem zeitgenössischen Stich.

chardt war sensualistisch eingestellt und erfaßte das Kunstwerk als etwas Individuelles und Lebendiges; daher ist es nicht verwunderlich, daß er vornehmlich eine Wirkungsästhetik entwarf, die auch die psychologischen Aspekte des Musikempfindens sowie das Verhältnis von Musik und Seelenleben sehr in den Vordergrund rückte. Musik ist für Reichardt nur zum Hören da[688], in stummem Lesen erschließt sie sich nicht. Eine nur auf dem Papier korrekt erscheinende Kunst konnte ihm, dem feinfühligen Lyriker, niemals genügen.

Musik rührt das Herz und beschäftigt den Verstand. Diese doppelte Wirksamkeit hat im 18. Jahrhundert zu heftigen Kontroversen Anlaß gegeben. Gefühl und Kunstverstand wurden als Widerparte in einem fortwährenden Konflikt um die Priorität gegenübergestellt. Wenn z. B. Rousseau behauptete, „le sentiment est plus que la raison", oder C. D. Friedrich den Satz formulierte: „Des Künstlers Gefühl ist sein Gesetz", so hielt sich Reichardt meist von derart extremen, das Fühlen überreizenden und damit das Menschliche in der Kunst übersteigernden Forderungen und Vereinseitigungen fern. Die Dynamik und Unruhe des Gefühls sowie der Leidenschaften darf sich nicht hemmungslos launenhaftig entäußern, ihr Waltenlassen bedarf vielmehr der Bändigung durch den überlegen formenden Geist. Schon im Jahre 1774 forderte Reichardt von einem wahren Musiker, daß zum „richtigen Gefühl" noch „Ueberlegung und Erfahrung" hinzukommen müsse[689]. 1782 betont er aber auch: „. . . alles, auch das deutlich Erkannte, muß dem Gefühl des Künstlers unterworfen bleiben. Dies ist seine wahre Freiheit. Dies allein giebt seinen Darstellungen Wahrheit . . .".[690] 1777 kritisierte er: „. . . die wenigsten Komponisten haben Kenntniß der Poesie, eine durch Nachdenken, durch Philosophie berichtigte Empfindung und gebildeten Verstand. Mit einem Worte, die wenigsten Musiker haben Erziehung."[691] Das Gefühl soll zwar „alles Raisonnement bei weitem überstimmen", aber niemals sich selbst überlassen entfesselt werden. Kalte Verstandeskunst ohne echte Empfindung führt ebensowenig zum idealen Kunstwerk und Kunstgenuß wie ein unreflektierter Gefühlsexpressionismus. Um die rechte Mitte zu erreichen bedurfte Reichardt mithin immer wieder der Läuterung durch die Überlegung und Abklärung, das „Zergliedern" des Geschaffenen. Als Jüngling hatte er im Banne der Berliner Aufklärung dem Verstande noch gelegentlich eine Priorität eingeräumt[692] und die Musik als eine unterhaltende Nahrung für den Verstand gedeutet, nach 1780 jedoch findet er in dem Maße, wie er sich von rationalistischen Denkschablonen befreit, zu einem Musikbegriff, der den Gefühlsausdruck miteinschließt. Dem kontrollierten Gefühl wird ein Primat unter den „Seelenvermögen" zuerkannt und 1808 erscheint Reichardt derjenige als ein Idealmensch, welcher „von Geist und Gefühl und von hohem, reinem

Sinne für die Kunst" beseelt ist[693]. Dieser gewichtige Einstellungswandel entspricht dem Wege, den Reichardt von Nicolai zu Lavater, von Klopstock zu Tieck, von Graun zu Gluck hin durchmaß.

„... Nicht der Verstand und die Einbildungskraft, sondern das Herz ist der Hauptgegenstand der Musik."[694] Dieser von Reichardt schon in jungen Jahren formulierte Grundsatz, der das Spiel der seelischen Empfindungen vor den Ausdruck von Realaffekten in der Musik setzte, machte ihm eine Übernahme der Nachahmungsästhetik Sulzers oder Nichelmanns unmöglich. Sein selbstverantwortliches Ausdrucksverlangen durch das Medium einer autonomen Kunst konnte sich nicht damit begnügen, „die Leidenschaften zu schildern und abzubilden, und die geschickte Nachahmung eines uns bekannten Gegenstandes" mit Tönen zustande zu bringen[695]. Die Kunst muß nicht Leidenschaften nachahmen, um „auf eine angenehme Art unsern Verstand" zu beschäftigen, „denn die Musik ist an sich selbst schon als Musik eine Ergötzung"[696]. Es widerspricht dem Ethos der Freiheit und der Würde der Kunst, die über das Dienen, Nachahmen und Darstellen von Dinglichem hinausgewachsen ist. Der Musik als der innerlichsten aller Künste kommt es vielmehr zu, die „tausendfältige Mannigfaltigkeit zur Einheit" zusammenzustimmen, idealisiert und gleichsam auf höherer Ebene menschliche Empfindungen oder individuelles Erleben auszudrücken, denn „bloße Nachahmung ist in den schönen Künsten immer fruchtlos"[697].

So wie sich demnach Reichardt von der Nachahmungsästhetik konsequent löste, so bestimmt äußerte er sich auch gegen die Tonmalerei als einer niederen Art von Naturnachahmung. „Mahlerischer Klingklang" entsprach ihm als „läppischer Spielerey" zu wenig dem „guten Geschmack". Musik soll nicht am Stofflichen verhaftet naturalistisch malen, sondern die inneren Empfindungen klingend ausdrücken, die möglicherweise der Seele aus Naturvorgängen zukommen. Das Antönen bestimmter Inhalte beeinträchtigt zu sehr die Phantasie des nachvollziehenden Hörers. Auch der Musiker soll sich über elementare akustische Vorgänge wie Donnern, Wasserplätschern oder Windessäuseln erheben durch Sublimierung und Findung von einer „Art Symbolik fürs Ohr" (Goethe)[698]. Diese höhere, den realistischen Eindruck idealisierende Art der Nachahmung, die „im Hörer ein Gefühl auslöst, analog demjenigen, das der reale Vorgang selbst hervorgerufen hätte", hat Reichardt häufig in seinen Kompositionen zu gestalten gesucht, denn das bedeutete ihm der „wahre Ausdruck" in Tönen. So schreibt er z. B. am 1. März 1812 an Tieck über seine Vertonung des Librettos *Sacontala*: „Im Herbste hatte das Vorlesen dieses herrlichen Stücks mich schon zu einer Ouvertüre begeistert, die den in sich geschlossenen heiligen Kreis jener lieblich göttlichen Natur gar glücklich darstellt."[699] Diese Ouvertüre hatte somit einen Gehalt, sie tönte charakteristisch und allgemein die im Text aufscheinende Situation an, sie malte indessen nicht vordergründig erfassend irgendein Detail.

Eine derart konzentriert auf den Menschen gerichtete Musikanschauung konnte natürlicherweise an der Frage des Nutzens und Zwecks der Kunst nicht achtlos vorübergehen[700]. Reichardt verehrte seine Kunst als ein „Geschenk des Himmels". Er schätzte sie hoch, weil sie aus „des Ewigen Munde selbst" komme; dementsprechend konnte ihr Endzweck auch nur ein „heiliger" sein. Sie als eine von Natur aus „heitere Kunst"[701] soll mehr sein als nur eine „wollüstige Schmeichlerinn", ihr kommt die Aufgabe zu, „allgewaltige Schöpferinn edler hoher himmlischer Gefühle" zu sein[702]. Diese im Religiösen gipfelnde, von sittlichem Pathos getragene Bestimmung war Reichardt nicht von Anfang an zu eigen. Vor seiner ersten Italienreise war auch ihm die Musik nur eine edle Freudenspenderin, die zur Verfeinerung der Sinne, zur Erhebung des Herzens und Erweckung schöner Empfindungen dienlich ist. Noch im Jahre 1774 erschien ihm als Endzweck seiner virtuosen galanten Spielereien „die Rührung" und nicht mehr[703]. Auch 1775 bestätigte er geleitet von der Affektenlehre die rationalistische Auffassung der Jugendzeit: „Welches der wahre, edle Endzweck der Musik sey, ist bekannt: der Mann, der mir das Herz rührt, Leidenschaften erregt und besänftigt, und der mir auch, bey dem Ohre gefälligen Gedanken, durch Beschäftigung des Verstandes vergnügt, der erfüllt ihn ganz."[704] Erst das inbrünstige Erlebnis „wahrer reiner Kirchenmusik" in Italien eröffnete ihm tiefere Gründe und höhere Ziele für sein Kunstschaffen. Fortan wollte er nur mehr „hohe Begeisterung" erwecken, von 1782 an wollte er mittels der Musik gar der Transzendenz teilhaftig werden. Die Tonkunst hielt er dazu befähigt, „den Menschen über sein schlechteres Selbst, über sein Zeitalter, über diese Erde zu erheben, da nur werde die Kunst angewand"[705]. Mit diesem anspruchsvollen Vorstoß in metaphysische Bereiche des Absoluten erhob sich Reichardt weit über Galanterie und Empfindsamkeit seiner Zeit, über Sturm und Drang und die engherzige Kühle des Rationalismus. Er begann in der Musik ein Abbild „der unendlichen Harmonie" zu ahnen, das höheren Zwecken dient als lediglich den praktischen Erfordernissen des alltäglichen Lebens und den menschlichen Trieben. Musik ist in ihrer höchsten Vollkommenheit Sprache des Menschen mit Gott.

---

[663] Musikal. Kunstmagazin 1 (1782), S. 46.

[664] Jean Paul bemerkte zu Recht: „Tonkünstler von großer Besonnenheit, wie Reichardt, Hoffmann, erhören in sich nie jene Geistertöne, welche zu einfachen Köpfen, wie Mozart, Haydn, aufsteigen."

[665] Musikal. Kunstmagazin 1 (1782), S. 103.

[666] SERAUKY, Mg. d. Stadt Halle, 1942, S. 377. Das Wort „Aufklärung" verliert bei Reichardt im Laufe seines Lebens sichtlich an Glanz, vgl. etwa GUGITZ, I, 1915, S. 284.

[667] Siehe DOROW, Erlebtes, IV, 1845, S. 3; NADLER, J. G. Hamann, 1949, S. 223.

[668] Deutschland 1 (1796), S. 292; STÄGEMANN, Erinnerungen, II, 1846, S. 226.

[669] Vgl. Kant's Briefwechsel, I, 1900, S. 270 f.

[670] Siehe WESTPHAL, Der Kantische Einschlag, 1941, S. 20 ff.

[671] P. Menzer, Kants Ästhetik in ihrer Entwicklung, in: Abh. d. dt. Akad. d. Wiss. zu Berlin, Kl. f. Gesellschaftswiss. Jg. 1950, Nr. 2, S. 163 ff.; G. WIENINGER, Immanuel Kants Musikästhetik, Diss. München 1929; Deutschland 1 (1796), S. 297.

[672] Deutschland 1 (1796), S. 19 u. 283.

[673] Kant's Briefwechsel, III, 1902, S. 151 f.

[674] Deutschland 3 (1796), S. 115.

[675] Kant's Briefwechsel, I, 1900, S. 249.

[676] Musikal. Kunstmagazin 2 (1791), S. 88; Deutschland 3 (1796), S. 113 ff.; J. F. REICHARDT, Lieder geselliger Freude, II, 1797, S. VI; WESTPHAL, Der Kantische Einschlag, 1941, S. 14 f.

[677] Deutschland 1 (1796), S. 267 u. ebd. 3 (1796), S. 241.

[678] Kant's Briefwechsel, II, 1900, S. 213 f.

[679] SIEBER, J. F. Reichardt als Musikästhetiker, 1930, S. 21 u. 32.

[680] Diese Begrenztheit des Denkvermögens weisen vor allem Sätze aus wie z. B.: „Ueber die einzelnen Schönheiten dieser beiden herrlichen Gesänge mag ich weiter nichts sagen, da sie der Art sind daß sie jeder gleich fühlen muß. Ueberdem hat das Geschwätz über Meisterwerke was fatales" (in: Musikal. Kunstmagazin 1782, S. 193).

[681] Deutschland 1 (1796), S. 128.

[682] REICHARDT, Vertraute Briefe aus Paris, III, 1805, S. 310.

[683] GUGITZ, II, 1915, S. 29.

[684] REICHARDT, Briefe, I, 1774, S. 35 und ders., Schreiben über die Berlinische Musik, 1775, S. 16.

[685] SIEBER, J. F. Reichardt, 1930, S. 64 f.; REICHARDT, Briefe, I, 1774, S. 163.

[686] Musikal. Kunstmagazin 2 (1791), S. 5.

[687] REICHARDT, Vertr. Briefe aus Paris, III, S. 249.

[688] REICHARDT, Briefe, I, 1774, Vorbericht: „Man muß viele Musiken hören und dabey fleißig beobachten, was die beste Wirkung thut, und was ihr hingegen zuwider ist, und untersuchen, worinnen der Grund von allen dem liege."

[689] REICHARDT, Briefe, I, 1774, S. 34 f.

[690] Musikal. Kunstmagazin 1 (1782), S. 6.

[691] REICHARDT, Ueber die musikal. Komposition des Schäfergedichts, 1777, S. 285.

[692] Z. B. in: REICHARDT, Schreiben über die Berlinische Musik, 1775, S. 10.

[693] SIEBER, J. F. Reichardt, 1930, S. 69. Gegenüber dem „Gefühl" tritt da Modewort des 18. Jahrhunderts „Geschmack" bei Reichardt wenig hervor, denn das Gefühl urteilt ihm zufolge über schön und nicht schön. Geschmacksbildung ist daher nur ein Anliegen neben etlichen anderen, jedoch nicht das Hauptziel seiner Erörterungen, zumal ihn Kant gelehrt hatte: „Es kann keine objektive Geschmacksregel, die durch Begriffe bestimmte, was schön sei, geben."

[694] REICHARDT, Briefe, I, 1774, S. 112 f.

[695] Ch. NICHELMANN, Die Melodie nach ihrem Wesen sowohl, als nach ihren Eigenschaften, Danzig 1755, S. 7.

[696] Musikal. Kunstmagazin 1 (1782), S. 84. J. A. HILLER, Ueber die Musik und deren Wirkungen, Leipzig 1781, S. 53 schrieb im gleichen Sinne: „Die Musik gefällt ohne Nachahmung, durch die Empfindungen, die sie erregt ... die Musik kann fast alles malen, weil sie es in allen Fällen auf eine unvollkommne Weise thut."

[697] Siehe REICHARDT, Vertr. Briefe geschrieben auf einer Reise nach Wien, II, 1810.

[698] HECKER, Der Briefwechsel zwischen Goethe und Zelter, I, 1913, S. 261. Vgl. auch die Reichardt gewidmete Schrift von J. J. ENGEL, Ueber die musikalische Malerey. An den Königl. Kapell-Meister, Herrn Reichardt, Berlin 1780, S. 6 ff., nachgedruckt bei CRAMER, Magazin, 1783, S. 1139 ff.

[699] HOLTEI, Briefe an L. Tieck, III, 1864, S. 107.

[700] Vgl. z. B. REICHARDT, An die Jugend, 1777, S. 32. J. J. W. Heinse schreibt in seinem Roman „Hildegard von Hohenthal": „Alle Kunst geht auf Zweck für Menschen."

[701] Berlin. Mus. Ztg. 1805, S. 4.

[702] Musikal. Kunstmagazin 1 (1782), S. VII.

[703] REICHARDT, Briefe, I, 1774, S. 166.

[704] REICHARDT, Schreiben über die Berlinische Musik, 1775, S. 6.

[705] Musikal. Kunstmagazin 1 (1782), S. 7.

DER MUSIKKRITIKER

Es ist sicherlich besonders bemerkenswert, daß ein im Jahre 1752 geborener Komponist die Würdigung als Musikkritiker verdient, wird man doch in der schriftlichen Hinterlassenschaft der meisten Tonkünstler dieser Epoche vergebens nach Rezensionen über Werke, Leistungen oder Einrichtungen im Musikleben suchen. Reichardt ist somit unter seinen Zeitgenossen eine in dieser Hinsicht führende Sonderstellung einzuräumen, denn er „war der erste musikalische Journalist innerhalb des deutschen Sprachgebiets, der mit Nachdruck, mit Einsetzung seiner ganzen Persönlichkeit, seines Rufes als Musiker eine öffentliche wissenschaftlich-kritische Beurteilung des musikalischen Lebens und des Musikalienmarktes forderte und durchsetzte"[706]. Dieses musikgeschichtliche Verdienst, neben J. A. Hiller und J. N. Forkel eine geistvoll-wache Kritik zum Zwecke der Erziehung, Geschmacksbildung und „Besserung" als Mittlerin zwischen den Schaffenden und den Aufnehmenden eingesetzt zu haben, ist von besonderer Gewichtigkeit[707].

Die fachlich geschulte Musikkritik gewann während des 18. Jahrhunderts an Bedeutung und Beachtung aus allgemein geistigen wie auch sozialen Beweggründen. Die frei und selbstbewußt sich äußernde Kunstkritik ist in ihrer anfänglich sehr betonten Belehrungs- und Erziehungstendenz ein Kind der Aufklärung. Wenn Reichardt das „kritische Verfahren als das einzig Wahre für die Künste" erachtete, dann wird die Schulung durch Kant und die Beschäftigung mit dessen kritischen Schriften recht deutlich. Der Geist ist zur „Selbsttätigkeit" entwickelt worden, ihn binden keine unangreifbaren Standesrücksichten, Normen und Vorstellungen mehr, er hat sich das Recht erobert, Lebenswirkliches unbelastet kontrollieren zu können, zu „zergliedern". Die Nachricht von Aktuellem, die referierende Beschreibung von Beachtenswertem allein genügte nicht mehr. Man will in dieser Zeit mehr wissen, durchschauen und nicht lediglich Dargebotenes dumpf als Gefühlserlebnis hinnehmen. „Schöngeistigem Geschwätz" war Reichardt abhold. Er erkannte die hohe Aufgabe, die ihm als Kenner gegenüber der neuen Öffentlichkeit zufiel. Diese hat er erstmals mit der Rezension der „Alceste" von Wieland und Schweitzer 1778 und insbesondere seit dem Erscheinen seines *Musikalischen Wochenblattes* von 1791 zu erfüllen gesucht[708].

Den Forderungen des aufstrebenden bürgerlichen Liebhaberpublikums nach Einführung und fachmännischer Beurteilung von Kunstwerken genügte eine nur das Vordergründige daran aufspürende Beckmesserei nicht. Derjenige Kritiker, der sich als Bewußtsein der Öffentlichkeit, als „des Volkes Stimme" weiß, muß vielmehr diese sowohl spiegeln wie auch bilden können, er muß berichten und verbindlich-begründet urteilen für Jedermann, jedoch nicht ausschließlich für kleinere Gesprächsgruppen und Zirkel. Mit dem Zerfall der alten Bindungen zwischen den Künstlern und der Mitwelt und der damit verbundenen Lockerung der gesellschaftlichen Gesichertheit war ein Bindeglied zwischen Podium und Parterre, Verlegern und Käufern, den neuen Institutionen des Musiklebens und dem zahlenden Publikum nötig geworden. Die im Kunstleben aktiver sich regenden Mittelschichten galt es empfänglich zu machen für die sich wandelnden Ausdrucksqualitäten der mehr und mehr von der persönlichen Eigenart der Komponisten geprägten Musik. Breite Kreise waren somit angewiesen auf eine vom lebendigen Höreindruck her gewonnene Werkbetrachtung, die zu deuten und Gestaltetes mittels des Wortes ins Bewußtsein zu heben vermochte. Scharf gliedernder Verstand und warmes Gefühl, Einbildungskraft und Darstellungsgabe, Redlichkeit und Unabhängigkeit im Urteil sowie Sinn für Wirklichkeit in ihrer ganzen Fülle wurden daher zuvörderst vom Kritiker gefordert, wenn er diese verantwortungsschwere Aufgabe übernahm. So gesehen vermochte der Kritiker nicht nur das Musikalisch-Schöne herauszufinden, worin für Forkel das Hauptanliegen lag[709], sondern überdies zu erziehen und nach Idealvorstellungen allgemein zu bilden. Gute Musik war gegen Ende des 18. Jahrhunderts nicht mehr allein einer Exklusivschicht vorbehalten, das gesamte Volk hatte ein Anrecht darauf gewonnen, weswegen bei Reichardt die volkserzieherisch-philanthropischen Bemühungen mit den aufklärend kritischen Veröffentlichungen eng zusammenhängen[710]. Zudem gewinnt Reichardt aus zerlegenden Analysen von Kunstwerken Grundlagen für eine praktisch aufbauende, für die Fortentwicklung der Kunst maßgebliche Ästhetik, so daß seine Kritik das Publikum wie auch die Künstler wirkungsvoll ansprechen will und kann. Reichardt will nicht wie Forkel gegen den Strom der Zeit be- oder verurteilend reagieren, sondern als Wegweiser und Reformator mit ihm gehen[711]. Bereits 1772 schrieb er, es möge „sich Genie von Kritik leiten lassen, wenn das Kunstwerk Ordnung und Uebereinstimmung haben soll, wenn es ein dem Kenner vergnügendes und befriedigendes Ganze werden soll"[712]. Reichardt erkannte somit hellsichtig als Jüngling, daß der ungebändigte Wildwuchs der sogenannten Genie-Epoche letztlich zur Unverbindlichkeit und ausweglosen Isolierung führen müsse, wenn nicht das geschärfte kritische Bewußtsein der schöpferischen Einzelnen sowie das anderer legitimierter Kenner über die Ordnung im Ganzen stets wachen. „Belehrung über die Unterschiede in den Gattungen, und über das Angemessene in denselben" bildet deswegen auch für Reichardt „den wichtigsten Teil der Kunstkritik"[713].

Reichardt urteilte als Kritiker ähnlich wie seine großen Nachfahren E. Th. A. Hoffmann und Robert Schumann aus der Position eines selbst schaffenden Komponisten heraus. Er war daher kein Berufs- und Tageskritiker, der Zeitungen, Verbände oder Verlage belieferte. Diese Sonderstellung gereichte seinen „Zergliederungen", die er meist anonym veröffentlichte, sowohl zum Vor- als auch zum Nachteil. Förderlich war die hervorragende Sachkenntnis in allen praktischen Fragen, die etwa das unscheinbarste Kinderliedchen oder weit in die Zukunft gerichtete kulturpolitische Erfordernisse betrafen. Hinderlich war hingegen seine allzu persönliche Art der Begegnung mit den zu kritisierenden Gegenständen, wodurch er zuweilen zu unfruchtbarem Bekritteln verführt wurde. Er stellte zu oft und zu betont sich selbst im Ich-Ton heraus mit der falschen Absicht, unduldsam wie ein Prediger nur die eigene Ansicht über das zu beurteilende Objekt gelten zu lassen. Carl Friedrich Cramer rügte diese „herabschauende" Einstellung und die oft allzu scharfe Sprache in den Kritiken mit Recht[714].

Insbesondere während der frühen und mittleren Schaffensperiode drang dieser nutzlos polemische Tonfall aus Reichardt unbedacht heraus. Die Jugendschrift über die *Deutsche comische Oper* von 1774 beispielsweise ist eine unausgereifte, flüchtig hingeworfene Streitschrift gegen zeitgenössische Opernkomponisten, denen Reichardt in einer breiten Beschreibung ohne sonderlichen Erkenntniswert „Die Jagd" von J. A. Hiller als Muster vorstellt. Stets und überall bemerkte er um sich herum Unzulänglichkeiten, die er zu beseitigen bemüht war. Als Kritiker und Berichterstatter gedachte er mitzuhelfen, daß „der Skribler und der Pfuscher in der Kunst das Heiligtum Apollo's nicht betreten" solle. Sein Reinigungs- und Belehrungsdrang war derart stark, daß er gar die unduldsame Forderung verbreitete: „Was nicht wahr, nicht gut ist, muß mit männlicher Entschlossenheit und Kraft zurückgedrängt, und an seiner weitern Verbreitung nach Möglichkeit behindert werden."[715] Zu einem so hohen richterlichen Anspruch ist aber ein Urteilsvermögen „sine ira et studio" unerläßlich. Der 22jährige Reichardt, der sich voreilig bereits dazu ausersehen wähnte, auf „Fehler seiner Nebenmenschen" durch „Vorzeigung derselben" aufmerksam machen zu müssen[716], verfügte über diese Abklärung noch nicht. So wird 1774 leichtfertig Charles Burney als „ein englischer Schwätzer" ohne „gründliche Kenntniß der Kunst" abgeurteilt[717], seine Reiseberichte als „schlechte musikalische Beobachtungen" herabgesetzt. Ähnlich rücksichtslos und schroff verfuhr Reichardt auch mit dem Roman „Hildegard von Hohenthal" von Wilhelm Heinse, der in seinen Augen als „zu abgeschmackter Afterroman" keine Beachtung verdient[718]. Der Autor wird gar als „pedantischer Schulmeister" ohne praktische Erfahrung in der Musik verächtlich gemacht, worüber der Angegriffene im Mai 1796 an Zulehner unbeeindruckt schrieb: „Reichardt hat sich mit seiner Schmähschrift auf Hildegarden selbst verächtlich gemacht; ich mußte über seine Großsprecherey, naive Wuth, Einfalt und Unwissenheit lachen, als ich sie zu Anfang dieses Monats erhielt."

Ähnlich unverständig und unproduktiv einsichtslos verhielt sich Reichardt auch gegenüber bedeutenden Musikwerken und Komponisten. So verstellte ihm seine konservative Einstellung und Befangenheit 1778 den Blick für die Neuerungen in der Instrumentalmusik süddeutscher Provenienz, die sich z. B. zaghaft in G. S. Löhlein's Klaviertrios op. 4 niederschlugen[719]. Er verkannte beharrlich bis zu Beginn seines letzten Lebensjahrzehnts die Bedeutung der Wiener Klassiker und zeigte zu oft mit dem Zeigefinger eines Schulmeisters lediglich auf, „wie man ein Ding nicht machen muß", was J. H. Voß in einem Brief an J. A. P. Schulz vom 4. März 1782 zu Recht rügte[720]. Da Reichardt die großen Werke Mozarts oder Beethovens zumeist nur aus Klavierauszügen zur Kenntnis nahm, mußte seine Kritik unzutreffend bleiben. Auch Ludwig Spohr hatte unter Reichardts gefürchteter, „eigenthümlich verletzender Weise" als Kritiker zu leiden. Da Reichardt die eigentümliche Klangwelt der jungen Romantiker im Grunde fremd war, bemängelte er z. B. Spohrs „Sichgehenlassen im Zeitmaße" beim Violinspiel u. a. m.[721]. Solcher und anderer Tadel erweckte indessen in dem Beurteilten keine zur Selbstbesinnung und Korrektur führende Begeisterung. Sein aneifernder Zweck blieb oftmals unerfüllt, so daß Reichardt nicht selten ins Leere sprach, ohne ein Echo zu finden. Da es sein Grundsatz als „ernster Kritiker und Geschichtsschreiber" war, „nur vollendete Werke dem Künstler und der Nachwelt anzupreisen"[722], mußte dieses Auswahlprinzipes wegen viel Bedeutendes unerwähnt bleiben, während andererseits Nichtigkeiten aus der Feder von Freunden und Gleichgesinnten in zuweilen unangemessener Weise dem Lesepublikum angepriesen wurden, denn Reichardt hatte nur dafür offene Sinne, was seinen ästhetischen Normen entsprach.

Trotz dieser Einwände gegen viele Kritiken Reichardts ist es geboten, auch auf die produktive und aktivierende Wirkung seiner „Zergliederungen" hinzuweisen, denn nicht immer verhielt er sich geblendet oder verstockt seinen Zeitgenossen gegenüber. So sehr nämlich seine Zunge und Feder gefürchtet wurden wegen ihrer unbekümmerten Offenheit, so sehr wurde aber auch sein fachmännisches Urteil insbesondere dann geschätzt, wenn er die eigene Forderung beherzigte: „die Critik selbst soll in demselben Verhältnisse, in welchem die Kunst reicher, mannichfaltiger, freier bearbeitet worden ist, auch liberaler und vielseitiger erscheinen; sie soll die verschiedenen Genres in der Kunst genau scheiden und auf ihre Reinheit halten, ohne an den Werken des Genies und heitern Talents mit pedantischer Aengstlichkeit ekle Mäkelei zu treiben."[723] In diesem Geiste schreibend hat Reichardt manchem Komponisten den Weg ebnen können. Er hat J. A. P. Schulz zu größerer Popularität verholfen, er hat das Werk Glucks und Händels mittels seiner Werkbesprechungen verbreiten helfen und selbst Zeitgenossen wie Beethoven zu frühzeitiger Anerkennung Beistand geleistet. So teilt z. B. am 6. September 1800 Karl Ebell brieflich an Schiller mit, er habe an Reichardt eine Vertonung von Theklas Monolog „Sein Geist ist's" aus „Wallensteins Tod" geschickt, da er dessen „kritische Anmerkungen zur Erreichung eines höhern ästetischen Zwecks benutzt habe"[724]. Bereits 1796 erkannte Reichardt mit schöpferisch vorausschauendem Blick in einer Rezension der „Lieder in Musik gesetzt von H. G. Nägeli" (Zürich 1795): „In diesem Liedercomponisten blüht den Deutschen ein lieblicher Volkssänger auf; und wenn die genossenen Eindrücke von den Gesängen unserer besten Meister erst weniger in seinen Melodieen wiederhallen werden, und die eigne strenge Kritik Reminiscenzen und Wiederhohlungen seiner eignen Gedanken und Ausdrücke ihn sorgsamer vermeiden lehren wird, so werden ihn gewiß deutsche unverbildete Kehlen mit vorzüglicher Liebe singen."[725] Diese kluge Ahnung künftigen Ruhms ist bemerkenswert, zumal sie durch die spätere Entwicklung bestätigt wurde; aber auch die auf diesen Eingangssatz einer Rezension folgenden kritischen Bemerkungen verdienen gelesen zu werden, da sich hierin zeigt, welche Seiten eines Vokalwerkes Reichardt vor allem betrachtete, wie er stets die Intentionen des Komponisten mit den Ansprüchen und praktischen Erfordernissen der Mitwelt in Einklang zu bringen hoffte: „Die naiven volksmäßigen Lieder sind bei weitem der schätzbarste Theil dieser angenehmen Sammlung, die auch durch Zierde des Drucks und des Einbands sehr gefällig ist. Miller, Göthe, Jacobi, Stollberg, Bürger, Götz, Claudius, Herder und Klopstock, sind die Dichter, aus welchen der Komponist mit Geschmack seine Lieder gewählt hat.

So sehr es auch zu loben ist, daß Hr. N. nicht bloß die gewöhnlichsten und leichtesten Töne zu seinen Liedern gewählt hat, so scheint doch der schwere Disdurton des letzten Liedes, besonders bei der Figur die der Komponist für die Baßbegleitung beliebt hat, eine unnöthige Schwierigkeit zu seyn, die viele Sänger und Spieler von der Komposition zurückschrecken wird. Doch Hr. N. wollte mit den beiden Klopstockschen Oden: die höchste Glückseligkeit und die Sommernacht, die weder dem Titel, noch der übrigen Gesellschaft nach in diese kleine Sammlung gehören, den Freunden des höhern Gesanges eine kleine Probe damit vorlegen; und als solche, beweist sie wenigstens, daß Hr. N. auf die Charaktere der vor sich habenden Gedichte aufmerksam ist, und sich um die wahren Mittel zum Ausdruck des Erhabnen bekümmert.

Daß Hr. N. aber alle seine Lieder ohne die Bewegung und den Vortrag andeutende Überschriften gelassen hat, ist sehr zu bedauern. Er meint vielleicht, wer das Lied recht und mit Ausdruck lies't, wird es auch recht singen, und wer das nicht kann, dem helfen alle Überschriften nichts. Das ist aber für unser lesendes und singendes Publikum, und vielleicht für ein jedes in der Welt, viel zu keck räsonnirt; auch überhoch vertrauensvoll für die Bestimmtheit des musikalischen Ausdrucks. Es ist zu wetten, daß oft von zehn Dilettanten, nicht zwei die Lieder in einer und derselben Bewegung singen werden, und vielleicht nicht Einer in der rechten. Da eine wohlgewählte, möglichst genaue Überschrift denn doch wenigstens für eine gewisse Annäherung zur Meinung des Komponisten sichert."

Wenn die Verleger Heinrich Frölich und Rudolph Werkmeister in der Einleitung zur Berlinischen Musikalischen Zeitung 1805 schreiben: „Die Künstler geben meistens dem Beifall der Menge nach, die selten recht weiß, was sie will und noch seltner dasjenige will, was die Kunst fördert. Die Gelehrten tragen abstracte Begriffe und Ideen vor, aus welchen der praktische Künstler keinen Gewinn ziehen kann, wenn sie gleich für den denkenden Theilnehmer die Aussicht der Kunst erweitern und veredeln. Die Künstler überlassen sich gern ihrem Naturel, ohne sich um das innere bleibende Wesen der Kunst zu bekümmern, die Gelehrten, die sich mit diesem befassen, der philosophischen Speculation, ohne die Kunst selbst zu üben. Ein fruchtbringendes Urtheil kann aber nur aus demjenigen hervorgehen, der die Kunst erforscht und übt", so war letzterer Satz zweifellos auf den Herausgeber dieser Zeitschrift Reichardt gemünzt, der sich als Erforscher und Praktiker der Kunst zum Kritiker besonders berufen wußte.

---

[706] FALLER, J. F. Reichardt, 1929, S. 95.

[707] Reichardts Vielseitigkeit belegt auch ein Brief vom 30. September 1803 aus Giebichenstein, aus dem nicht nur hervorgeht, daß er „mit Vergnügen" die ständige Verbindung „mit krit. period. Schriften" wahrte und „recht gern" neben deutschen Druckwerken auch französische und italienische beurteilte, sondern sich überdies auch als Rezensent „im Fache der angenehmen Lectüre des Tages" anbot, da er davon „selbst ziemlich viel aus Frankreich kommen lasse".

[708] In: Allgemein. Dt. Bibl. 33, 2 (1778), S. 307–335.

[709] H. EDELHOFF, J. N. Forkel, Kassel 1934, S. 52.

[710] Vgl. dazu auch FALLER, 1929, S. 88; H. ANDRES, Beiträge zur Geschichte der Musikkritik, Diss. Heidelberg 1938, S. 24 und M. BIGENWALD, Die Anfänge

der Leipziger Allgemeinen Musikalischen Zeitung, Diss. Freiburg 1938, S. 19.

[711] SIEBER, J. F. Reichardt, 1930, S. 50.

[712] In: Deutsches Museum 1777, Bd. 2, S. 285.

[713] REICHARDT, Etwas über Musik, 1795, S. 78.

[714] CRAMER, Magazin, 1783, S. 56.

[715] Deutschland 1 (1796), S. 2.

[716] REICHARDT, Briefe, I, 1774, S. 34.

[717] ebd., S. 13 u. S. 65 ff. P. A. SCHOLES, The great Dr. Burney, Oxford 1948, S. 252 bezeichnet diese Kritik als „poor pedantic".

[718] Deutschland 1 (1796), S. 129 ff. u. Lyceum für schöne Künste I, 1 (1797), S. 169 ff.; siehe auch H. MÜLLER, Wilhelm Heinse als Musikschriftsteller, in: VjMw 3 (1887), S. 566 u. C. SCHÜDDEKOPF, Wilhelm Heinse, Briefe, GA Bd. X, Leipzig 1910, S. 304.

[719] Siehe Reichardts Rezension in: Allgemein. Dt. Bibl. 33, 1, 1778, S. 169.

[720] Voss, Briefe von J. H. Voß, II, 1830, S. 163.

[721] L. SPOHR, Selbstbiographie, I, Cassel 1860, S. 87.

[722] REICHARDT, Mus. Almanach, 1796.

[723] Berlin. Mus. Ztg. 1805, S. 3; vgl. auch AMZ 3 (1801), Intelligenz-Blatt Nr. XI, 41.

[724] Euphorion 12 (1905), S. 340.

[725] In: Musikal. Almanach 1796, o. S.

DER MUSIKHISTORIKER

Reichardt zählte nicht zu jenen schöpferischen Musikern, die lediglich das Schaffen der Generation der Lehrer sowie das der Altersgenossen kennen. Er blieb nicht befangen in seiner von ihm fast in allen Dimensionen erlebten Gegenwart, denn die Befreiung des geschichtlichen Bewußtseins durch seinen Freund und Gönner Herder betraf auch ihn. Zwar gewann er kein so tiefgründiges und vorurteilsloses Verhältnis zu vergangenen Kunstepochen, doch beschäftigten ihn von früh an viele historisch gerichtete Fragen, die er vornehmlich aus pragmatischen Gründen verfolgte, weil ihn Bedrängnisse seiner Zeit dazu veranlaßten. Er war unter den ersten, die während des 18. Jahrhunderts den Grund zur historisch-kritischen Betrachtungsweise von Musik legten, deren er aus didaktischen Gründen bedurfte. Er benötigte historisches Quellenmaterial nicht zum Zwecke wissenschaftlicher Erforschung, sondern als Dokumente und demonstrativ benutzte Belege für seine Gegenwartskritik auf verschiedenen Gebieten. Die rationalistische Beschäftigung mit der Geschichte der Musik war somit nicht Selbstzweck, sie diente vielmehr der Unterweisung. Um Kunstprinzipien empirisch zu finden oder Anschauungen zu festigen, nahm Reichardt „alte" Musik als repräsentative Beispiele in seinen Erfahrungsbereich gern auf[726]. Deswegen war er insbesondere ein historischer Sammler, der an keiner alten Musikbibliothek uninteressiert vorbeizugehen vermochte. Er kopierte mit einer bewundernswerten Ausdauer Werke alter Meister überall dort, wo er ihrer habhaft werden konnte. Infolgedessen besaß er eine der umfangreichsten Partiturensammlungen während des ausgehenden 18. Jahrhunderts[727]. In der Anlage dieser Sammlung „merkwürdiger Kunstwerke" verstorbener Meister liegt wohl sein Hauptverdienst als Historiker, der zwar im allgemeinen die Musik seiner Zeit als die beste preist[728], in manchen Gattungen jedoch angesichts dieser Quellen aus früheren Epochen einen Verfall beobachtet, dem er kraft historisch fundierter Studien einhaltend begegnen möchte. In der Vergangenheit forschen und dabei das Formbewußtsein stärken, reformieren und restaurieren hängen bei Reichardt eng miteinander zusammen. Er sucht einen festen, verbindlichen Halt an alten Ordnungen und steht daher am Beginn der Renaissanceströmungen der Neuzeit, die als Antithese zum traditionelle Bindungen lockernden Individualismus der Aufklärungszeit aufkamen. Ihn, den Praktiker hat die Begegnung mit dem größtenteils verklungenen Alten weniger gehemmt als vielmehr stimmungsmäßig angeregt und zuweilen gar schöpferisch zu beflügeln vermocht. Historie um ihrer selbst willen war ihm als „nützliche Künstlerlectüre" ungeeignet, weswegen er auch „die bisherigen Geschichtsschreiber der Musik" heftig tadelte ob ihrer „oft erbärmlichen Erklärungen und Bemerkungen", die kein neues Leben in der Kunst zu erwecken vermögen[729]. Für Reichardt war allein der praktische Nutzwert historischer Einsichten maßgebend, denn: „Die alten großen Componisten bleiben immer eine Quelle, aus der die neuern schöpfen, durch die sie ihren Geist beleben und stärken sollten."[730]

Weil Reichardts „hoher Eifer für das Alte und Ursprüngliche"[731] aus drängenden Problemen seiner Zeit heraus entfacht wurde, beschäftigte ihn auch hauptsächlich nur die als „Quelle" nutzbare Musik seit dem Ende des 16. Jahrhunderts. Noch 1814 war er bemüht, eine bereits 1797 geplante *Geschichte der neuern Musik* zu vollenden. Er wollte mithin nicht etwa in der Art des Gelehrten Forkel eine Musikgeschichte von den Anfängen an schreiben[732], denn von den früheren Epochen hatte er nur verschwommene, aus der Literatur von Martini, Burney, Forkel oder Gerbert bezogene Vorstellungen[733]. Die Musik der Antike und des Mittelalters blieb ihm gar fremd, unvertraut, verborgen. So behauptete er, von Sachkenntnis ungetrübt, z. B. im Jahre 1774 über die Musik der Griechen: „daß sie den Gesang, wie wir ihn heute zu Tage nehmen, eben so wenig gehabt haben, als die Harmonie, und daß die Deklamation ihre einzige Musik war."[734] Der mittelalterliche einstimmige Kirchengesang erschien ihm 1782 als ein „bewegungsloser Todtengesang". Völlig verständnislos schrieb er auch über das „tausendfach verworrene Getöse der indischen Gongons und der Schellentrommel", oder über den Sologesang im jüdischen Gottesdienste[735]. Beachtlich ist dagegen seine Ursprungshypothese der Gregorianik, die noch heute verdient ernst genommen zu werden: „Die ersten Gesänge der christlichen Kirche waren vermuthlich Volksgesänge; entweder man gab bekannten Volkmelodien geistliche Worte, wie es noch bey verschiedenen abgesonderten christlichen Gemeinen, z. B. bey der Gemeine der mährischen Brüder, zu geschehen pflegt, oder man erfand zu den geistlichen Versen neue Melodien im Volksinn ... Nach einigen Jahrhunderten, da aus der herzlichen, freundlichen Religion ein kalter und geschmückter Gottesdienst wurde, und die lebendigen Gesänge des wahrfühlenden Volkes oft in den Mund eines heiligagirenden Priesters kamen, mußte ihr lebhafter Gang natürlicher Weise anstößig werden."[736]

Was Reichardt dagegen über die Entstehung der Instrumentalmusik oder etwa über die Anfänge der türkischen Musikentwicklung mitzu-

Bsp. 8

Behutsamlych

Ich weiß m'r'n Maydlein

teilen wußte, zeugt nicht von einer gründlichen Beschäftigung mit den Grundfragen der Musikgeschichte[737]. Die „gotische Kunst" kannte Reichardt nur durch Werke der Architektur[738]. Die Musik des Hochmittelalters blieb ihm unbekannt, sonst hätte er dieser nicht jedwede „zusammenklingende Harmonie" leichtfertig absprechen können[739]. Erst für die Dürerzeit, die mit einem nationalen Affektionswert behaftet für die Zeitgenossen Goethes allgemein von urbildhafter Bedeutung war, beginnt sein historisches Interesse wacher zu werden. Luthers Tischreden, die Meistersinger erschienen ihm bereits in einem helleren Lichte[740], in vorromantischen Anschauungen befangen teilte er auch mit seinem Freunde Wackenroder dessen schwärmerische Vorliebe für die „Spitzgewölbe, krausverzierten Gebäude und gothischen Thürme" Alt-Nürnbergs[741]. Lieder dieser Zeit, wie z. B. „Wach auf meins Herzens Schöne" oder „Ich weiß mir ein Maidlein hübsch und fein" waren ihm wohl vertraut. Nachschaffend übergab er einige davon Friedrich Nicolai zum Abdruck unter die vermeintlichen Volkslieder des „Feynen kleynen Almanachs" (Bsp. 8)[742].

Während Reichardt die a-cappella-Kunst der Niederländer des 16. Jahrhunderts unbeachtet ließ, entzündete sich während seiner Italienreisen seine volle Begeisterung für das „Antike" in der Musik an den Kompositionen seines „Musikheiligen" Palestrina. Von ihm besaß er ın Abschriften 9 Messen und 7 Motetten, die ihn mit tiefer Sehnsucht nach der „edlen Symplicität" der altitalienischen Vokalmusik erfüllten. In Bibliotheken Mailands, Roms und Neapels fand er nach fleißigem Spartieren das Ideal echter und reiner Kirchenmusik wieder, das seiner Zeit aufgegeben war. Wackenroder, Tieck und andere junge Künstler hat er durch eifriges Musizieren und Nachschaffen dieser „Quellen" zum Stil dieser strengen Vokalpolyphonie so nahe hinführen können, daß dem 19. Jahrhundert Palestrina gleichsam wie ein Leitstern vorschwebte. All diejenigen italienischen Meister des 17. und 18. Jahrhunderts, die in Palestrinas Nachfolge dessen „stilo antico" nachahmten, fanden ebenso Reichardts hohe Anerkennung. Ausgenommen davon war sonderbarerweise lediglich Gregorio Allegri, dem er als einziger Italien-Reisender, offenbar auch verstimmt durch eine ungenügende Aufführung, seine

Zustimmung versagte[743]. Italienische Vokalwerke bildeten den Hauptfundus seiner großen Musikaliensammlung, die er 1793 „zu billigen Preisen in saubern Abschriften" gleichsam als „eine praktische Geschichte der neuern Musik ... einzig in seiner Art" Interessenten zugänglich zu machen plante[744]. Reichardts Vorliebe für die italienischen „Musikheiligen" war derart stark, daß er in seinen „Berichtigungen" zu E. L. Gerbers „Lexicon der Tonkünstler" von 1792 vornehmlich fehlende biographische Daten über Altitaliener nachtrug[745]. Sie waren für ihn „ächte große Tonkünstler" in einer würdevollen Zeit. Gemessen daran erschien ihm seine Gegenwart als „kleinlich"[746]. Den „Alten" war nach seiner Ansicht zwar weniger „Gewandtheit, Vielseitigkeit oder Mannichfaltigkeit" zueigen, „dafür aber Festigkeit, Gründlichkeit, Tiefe und große Simplicität", die Reichardt zurückzugewinnen hoffte[747]. Insbesondere machte er seine Zeitgenossen aufmerksam auf Francesco Feo, den er als „einen der allergrößten Kirchenkomponisten die Italien je gehabt hat" seinen Lesern wieder bekannt machte[748], sowie auf Leonardo Leo, den er gar als „den wichtigsten Componisten" seines Jahrhunderts ungebührlich überbewertete, denn: „Keiner hat so allgemein und mannichfach auf sein Jahrhundert gewirkt, als er. In seinen Werken findet man alle Formen, die die Tonkünstler bis itzt bearbeitet haben und noch bearbeiten."[749] Auch im praktischen Musizieren warb Reichardt für diese großen Repräsentanten der vergangenen „edlen Musik". In seinen Concerts spirituels in Berlin war es sein Hauptbestreben, „die vortreflichen und in Berlin ganz unbekannten Arbeiten der ältern großen Italiäner bekannt zu machen"[750]. Er gestaltete also diese privaten Veranstaltungen als Musterkonzerte mit Darbietungen sowohl gegenwärtiger wie auch „alter Musik" aus der Zeit vor 1750.

Neben den Altitalienern gab es für Reichardt unter den verstorbenen Meistern insbesondere noch vier „Musikheilige" von außerordentlichem Rang, nämlich Johann Sebastian Bach, Händel, Hasse und Graun[752]. Werke Vivaldis verwarf er dagegen als „leer und unbedeutend"[753], Geminianis Concerti grossi als „herzlich langweilig"[754], bei Rameau vermißte er einen „reinen gefühlvollen Sinn"[755], während er Telemann sowohl wegen seiner „unanständigen" Tonmalereien als auch wegen seiner Unterwürfigkeit unter den „übelsten Geschmack" gemeiner Leute verabscheute[756]. Seine Aussagen über Quantz widersprechen sich. Als Reichardt noch gänzlich im Banne der Berliner Schule schuf und dachte, schrieb er über „die Erfindung und über das unerschöpfliche Genie" des Flötenlehrers Friedrichs des Großen voll Bewunderung[757], nachdem er jedoch bei Hofe in Ungnade gefallen war, bürdete er diesem 1792, als einem „in seiner Art sehr despotischen Regenten", die Hauptschuld für das Stagnieren des Musiklebens in Berlin auf.

Johann Sebastian Bach, dessen Klavierwerke Reichardt seit dem 9. Lebensjahre durch den Vortrag C. G. Richters, Kirnbergers und Forkels z. T. kannte[758], wurde von ihm sowohl mit Lob als auch mit Tadel bedacht. Wenngleich das Bach-Porträt von Haußmann aus dem Jahre 1746 in seinem Giebichensteiner Kabinett hing, vermochte er den überragenden Thomaskantor einseitig nur als „unseren größten Harmoniker" hoch zu schätzen[759]. Diese Kunst der Harmonie besteht nach Reichardts Definition aus einer Bach „eigenthümlichen Verwebung mehrerer sangbarer Melodieen. Er giebt dem Gange seiner verschiedenen Stimmen, besonders in den Durchgängen, große Freiheit". Er anerkannte zwar deswegen „seine Klavier- und Orgelsachen" als „die hohe Schule der Organisten und Klavierspieler" und druckte aus diesem Grunde 1782 erstmals die f-Moll-Fuge aus dem Wohltemperierten Klavier Teil II nach[760], wobei er sich indessen nicht kritischer Einwände gegen die Kompositionsweise enthalten konnte. Für den Anfangsunterricht erschienen sie ihm wegen ihres Schwierigkeitsgrades als ungeeignet, die Goldberg-Variationen mißfielen ihm als ein schwer verständliches „Spiel des Witzes und Verstandes", die „canonischen Künsteleien" erfüllten ihm zu wenig den Zweck wahrer Kunst, nämlich „auf Gemüth und Phantasie zu wirken"[761]. Zu deutlich sah er in ihnen „den Geist der Symmetrie oder Mathematik" vorherrschen, als daß sie einen ungestörten Genuß gewähren könnten[762]. Bach war ihm ein „Gotiker", der unübertreffliche Meister der „reinen Organisation", dem er zwar seinen Respekt nicht versagte, dem er aber selbst nicht nachzueifern wünschte, weil diesem gehrten und fleißigen Stil der „hohe Wahrheitssinn und das tiefe Gefühl für Ausdruck" mangelt[763]. Diese Vernachlässigungen traten für Reichardt in den „Singesachen" Bachs am deutlichsten zutage. Zwar billigt er auch den Kantaten und Motetten Erfindungsreichtum und „höchste Arbeit" zu, jedoch offenbaren sie ihm einen „zu großen Mangel an ächtem gutem Geschmack, an Kenntniß der Sprache und der Dichtkunst, und haben so ganz die conventionelle Form der damaligen Zeit, daß sie sich schwer im Gange erhalten können"[764]. „Das unnatürliche, gezwungene der Declamation, das Jagen nach auffallendem Ausdruck der einzelnen Worte, die überladenen, die Wahrheit und Natur der Declamation zerstörenden Bässe, das unnatürliche, gesuchte und unsingbare in den Melodieen"[765] war Reichardt gar derart zuwider, daß er als Musikbeilage zu Nr. 51 einer Berlinischen Musikalischen Zeitung von 1806 zur Abschreckung Bruchstücke aus Bachs Kantaten „Ach Herr, mich armen Sünder" (Nr. 135), „O Ewigkeit, du Donnerwort" (Nr. 20) und „Was Gott tut, das ist wohlgetan" (Nr. 99) erstmals nachdruckte. Mittels dieser Beispiele will er verhindern, daß ein so gearteter Vokalstil jemals wieder auflebe. Bezeichnend für diese starre Opposition ist auch eine Notiz von Fasch über eine Probestunde der Berliner Singakademie vom 26. August 1794: „Wir fingen die Motette Nr. 3 von J. S. Bach an zu studiren, als Herr Cpm. Reichardt unvermuthet ankam. Wir brachen also ab."[766] Reichardt vermochte die „unergründliche Tiefe", den „majestätischen Strom" und den „unabsehbaren Reichtum" im Werke Bachs wohl zu erkennen[767], bis zum Kern und eigentlichen Wesen dieser Kunst drang er indessen nicht vor. Sein Bach-Erlebnis war nicht von jener überwältigenden Macht, die Goethe, Fasch oder Zelter verspürten. Seine enge Befangenheit im Simplizitäts-Ideal erschwerte ihm leider zu sehr den unmittelbaren Zugang. Darunter hatte insbesondere Bachs ältester Sohn Wilhelm Friedemann zu leiden, über den Reichardt nicht nur herabsetzende Legenden journalistisch auffrisiert verbreitete, sondern auch als Komponisten von „bizarrer, finstrer" und verworren grüblerischer Art nachteilig sich auswirkende Urteile fällte[768]. Aus der Schar der Nachkommen des Thomaskantors konnte nur Carl Philipp Emanuel als „großer Original-Componist" trotz erheblicher persönlicher Differenzen Reichardts Zustimmung für sich gewinnen[769]. Auf dessen Tod schrieb er die Verse:

> Es bildete die leise schaffende Natur
> Jahrhunderte an diesem Manne,
> In Kunstvollkommenheit erschien er uns.
> Sie blickte tief ihm in die Seele
> Und sah – Schweig tiefverehrend, Muse! –
> Und sein Geschlecht erlosch mit ihm.[770]

Wenngleich Reichardts Verständnis für das wahre Wesen der Kunst J. S. Bachs nach 1800 in demselben Maße zunahm, wie er zu Mozart ein positiveres Verhältnis gewann, so wurde diese Zuneigung merklich übertroffen durch seine ehrfürchtige Idealisierung Händels. Über den Meister des „Messias", den Reichardt 1774 in Hamburg und 1785 in London hörte und mit Herder und J. H. Voß über alles schätzte, schrieb er mehrmals in der Zeit zwischen 1774 und 1806[771]. Bei Händel fand Reichardt jenen „hohen Wahrheitssinn und das tiefe Gefühl für Ausdruck"[772], wonach er bei Bach und anderen Meistern vergebens suchte, so daß er mit seiner flotten Feder der erste prominente Verfechter der Hinterlassenschaft Händels in Deutschland wurde[773]. Sein Bild vom Schaffen Händels war wohl das umfassendste zur Zeit der Klassik, wenngleich er nur einen Teil des Werkes kennenlernen konnte. Während er jedoch 1774 in seiner ersten gründlichen Besprechung einer Komposition Händels die Kirchenmusik Hasses und Grauns noch den herzbezwingenden „Zaubertönen" des Wahl-Engländers vorzog und mit kritischen Bemerkungen nicht zurückhaltend war[774], äußerte er sich bereits 1782 als ein wahrer

210

Händel-Jünger, der sein Idol fortan leidenschaftlich gegen jede Kritik verteidigte[775]. In seiner Schrift *Händel's Jugend* von 1785 erscheint der Meister als eine „reine freye Seele", als ein nach Freiheit drängendes, nachahmenswertes „wahres Genie" dargestellt, das edel, hilfreich und gut seinen erfolgreichen Werdegang von Halle aus begann[776]. Reichardt feiert die „idealisch hohe und simple Musik", die im Gegensatz zu Bach „mehr auf Wirkung zielt denn auf Correktheit" und deswegen ihm persönlich sympathischer ist. Sie „greift den ganzen Menschen an" und nicht nur den kalkulierenden, sie ist „melodisch einfach" bei einer „vollkommenen Intonation und großem Ton". Diese Einfachheit, diesen „ehrwürdigen antiken Styl" hoffte Reichardt unverfälscht erhalten zu können. Er war gegen jegliche Bearbeitung und Modernisierung, so daß Reichardt 1785 ähnlich wie für Palestrina so auch für Händel erstmals eine streng werkgetreue Wiedergabe forderte, was innerhalb der Geschichte der Interpretation alter Musik besondere Beachtung verdient[777].

---

[726] Vgl. Sieber, J. F. Reichardt, 1930, S. 41.

[727] ebd., S. 45 f. U. a. kopierte Reichardt emsig die reichen Schätze an alter Musik in der Sammlung der Anna Amalia v. Preußen; siehe dazu Musikal. Wochenblatt 1792, III, S. 17.

[728] Siehe z. B. Kunzen-Reichardt, Studien, 1793, S. 138, wo Reichardt die „gewaltigen Fortschritte die die Instrumentalmusik seit den letzten dreißig Jahren gemacht" hat, hervorhebt.

[729] Musikal. Kunstmagazin 1 (1782), S. 80.

[730] Berlin. Mus. Ztg. 1806, S. 134.

[731] Mann, Mus. Taschenbuch, 1805, S. 352.

[732] Dorow, Erlebtes, III, 1845, S. 163; Reichardt, K. Fasch, 1797, S. 129.

[733] Berlin. Mus. Ztg. 1805, S. 380 f.

[734] Reichardt, Briefe, I, 1774, S. 121.

[735] Reichardt, Offene Briefe, 1806, S. 4; Zentner, Eine Musikerjugend, 1940, S. 42.

[736] Musikal. Kunstmagazin 1 (1782), S. 22.

[737] ebd., S. 24 u. 51.

[738] Gugitz, II, 1915, S. 120.

[739] Musikal. Kunstmagazin 1 (1782), S. 24.

[740] ebd., S. 159 sowie Musikal. Ms. 1792, S. 119.

[741] Deutschland 3 (1796), S. 72.

[742] Vgl. F. Nicolai, Feyner kleyner Almanach, I, 1777, Nr. 19 sowie Bd. II, 1778, Nr. 3.

[743] Siehe J. Amann, Allegris Miserere und die Aufführungspraxis in der Sixtina, Regensburg 1935, S. 88 f.

[744] Kunzen-Reichardt, Studien, 1793, S. 103.

[745] Reichardt, Berichtigungen und Zusätze, 1792, S. 3 f.

[746] Reichardt, Händel's Jugend, 1785, S. 7.

[747] Berlin. Mus. Ztg. 1806, S. 134.

[748] Musikal. Ms. 1792, S. 67.

[749] Musikal. Ms. 1793, S. 98.

[750] ebd., S. 70.

[751] Sehr anziehend waren für Reichardt die Londoner Konzerte „of antica Musik", die nur einem ausgewählten Kreis von eingeschriebenen Mitgliedern einer diese pflegenden Gesellschaft zugänglich waren, vgl. KUNZEN-REICHARDT Studien, 1793, S. 172.

[752] Vgl. REICHARDT, Briefe, I, 1774, S. 4 ff., 16, 21 u. 31.

[753] Berlin. Mus. Ztg. 1806, S. 38.

[754] KUNZEN-REICHARDT, Studien, 1793, S. 171.

[755] Musikal. Kunstmagazin 1 (1782), S. 146.

[756] ebd., S. 4 sowie REICHARDT, Briefe, I, 1774, S. 114 und Bd. II, 1776, S. 42

[757] REICHARDT, Briefe, I, 1774, S. 179.

[758] ZENTNER, Eine Musikerjugend, 1940, S. 39.

[759] Musikal. Kunstmagazin 1 (1782), S. 196, siehe auch E. SCHMITZ, Ein anti bachischer Bachdruck, in: Musica 4 (1950), S. 299–301.

[760] Siehe M. SCHNEIDER, Verzeichnis der bis zum Jahre 1851 gedruckte Werke von Johann Sebastian Bach, in: Bach-Jb. 1906, S. 100 und G. HERZ, Jo hann Sebastian Bach im Zeitalter des Rationalismus und der Frühromantik Bern 1936, S. 73. – Den „Clavier- und Orgelspielern" anempfahl Reichardt (in Berlin. Mus. Ztg. 1806, S. 66) das Studium der Bach-Biographie von J. N. For kel, der zu den Freunden Reichardts zählte und z. B. vom Musikal. Kunstmaga zin 1 (1782) 5 Exemplare subskribiert hatte.

[761] Berlin. Mus. Ztg. 1806, S. 119 und 159.

[762] GUGITZ, I, 1915, S. 232 und Musikal. Kunstmagazin 1 (1782), S. 196.

[763] ebd., S. 196; H. H. EGGEBRECHT, Das Ausdrucks-Prinzip im musikalische Sturm und Drang, in: DVjSchrLwGg 29 (1955), Anm. 15.

[764] REICHARDT, Mus. Almanach, 1796, o. S.

[765] Berlin. Mus. Ztg. 1806, S. 202.

[766] SCHÜNEMANN, Singakademie, 1941, S. 17.

[767] REICHARDT, J. A. P. Schulz, S. 8.

[768] REICHARDT, Mus. Almanach 1796 u. Berlin. Mus. Ztg. 1806, S. 158.

[769] REICHARDT, in: Musikal. Beytrag zur Hamburger Neuen Zeitung, 1. St 1777, S. 3.

[770] Musikal. Kunstmagazin 2 (1791), S. 93.

[771] Vgl. REICHARDT, E. W. Wolff, 1795, S. 165; Herder GA XI, S. 72; Voss Briefe von J. H. Voß, I, 1829, S. 297. Dagegen schrieb D. G. Türk am 21. Mär 1781 an Breitkopf über den „Messias": „Leider ist das Stück nicht so, wie ic es erwartet hatte. Reichardt mag nun schreiben, was er will; für unser Zeitalt ist das kein Stück mehr ..."

[772] Musikal. Kunstmagazin 1 (1782), S. 196.

[773] Siehe dazu MGG V, Sp. 1275–1277; W. SIEGMUND-SCHULTZE, Joh. F Reichardt und L. van Beethoven über Händel, in: Händelfest 1952, S. 81–8 sowie Händel-Jb. 1958, S. 49 ff.

[774] REICHARDT, Briefe, I, 1774, S. 53 u. 82 ff.

[775] Siehe REICHARDT, Einige Anmerkungen zu Forkels Schrift: Ueber Jo Sebast. Bach, in: Berlin. Mus. Ztg. 1806, S. 149 ff. u. 157 ff.

[776] REICHARDT, Händel's Jugend, 1785, S. 28. Biographisch bietet diese Bro schüre nichts Neues, da Reichardt sein Material aus J. A. Hiller's Händel-Bio graphie von 1784 und anderen sekundären Quellen ungeprüft übernahm.

[777] Siehe dazu auch RACKWITZ, J. F. Reichardt und das Händelfest 178

1960, S. 510. In Kunzen-Reichardt, Studien, 1793, S. 139 macht Reichardt den Vorschlag, Händels Concerti grossi umzubenennen in „Overture oder Simphonie".

BEMERKUNGEN ZUR MUSIKSOZIOLOGIE

Reichardt griff mit seinen Gedanken zur Politik tatkräftig in die Wandlungsprozesse seiner Zeit ein in der Hoffnung, damit lenkend zur Verbesserung mancher Zustände beitragen zu können. Auch die Beziehungen der Musik zur Gesellschaft und zum Leben des Einzelnen beschäftigten ihn stark, da er die unbefriedigende Stellung des Künstlers im 18. Jahrhundert, seine Kontakte mit der Mitwelt und die noch wenig entwickelte Teilnahme der breiten Öffentlichkeit am Kunstgeschehen nicht gutheißen konnte. Diese musiksoziologischen Kernfragen ließen ihn zeitlebens nicht ruhen. Bereits am 13. Februar 1773 schrieb er innerlich aufgewühlt aus Dresden an Kreuzfeld in Königsberg: „Ich werde mit jedem Tage mehr und mehr gewahr, wie sehr die Musik um davon zu leben, dem Eigensinne unverständiger oft geschmackloser Großen unterworfen ist; und eine Kunst von so hohem Werthe, die meine ganze Seele liebt und verehrt, demjenigen der mich bezahlt zu Gefallen, zu einem leeren Spiel des geselligen Vergnügens, sie und mich selbst zu einem Mittel des Amusements herabzuwürdigen, wäre das nicht unverantwortlich?" Ein tiefes Unbehagen erfüllte ihn mithin darüber, daß Kunst nur dem äußeren Schmuck des aristokratischen Lebens und der Künstler einer unverständigen, hochmütigen Gesellschaft dienen solle. Reichardt wollte mit seinem Auftreten mehr erreichen, er wollte einen höheren „Endzweck" erfüllen und nicht resonanzarm ins Leere hinein musizieren. Daher war es einerseits sein Hauptanliegen, die Musik aus der servilen Rolle in der Kirche und bei Hofe zu befreien, ihr aber andererseits Orte zu ungebundener Verwirklichung zu eröffnen, an denen sie sich ihrem Wesen und ihrer Bedeutung gemäß sinnvoll entfalten konnte. Als solche boten sich ihm an 1. das Konzert als eine Veranstaltung mit individuellen, auf das Werk konzentrierten und durch nichts Außermusikalisches abgelenkten Leistungen und 2. die „gleichgestimmte, sinnige Gesellschaft" im „gebildeten Haus"[778]. Reichardt will die Musikausübung befreien von den Schranken des Ständestaates und sie als ein „belebendes" Bildungsgut zur „höheren Freude" für Jedermann frei zugänglich machen. Musik kann und soll weder gedeihen in einer ästhetischen Sonderwelt abseits vom mächtig mitziehenden Strom der Zeit als ein nur zu genießendes Luxusprodukt, noch darf sie zum bloß zerstreuenden, „erschlaffenden Genuß" für dumpfe Massen herabgewürdigt werden. Als „höchster Gewinn dieser Erde" fallen ihr gewichtigere Aufgaben zu. 1809 übernahm Reichardt umdeutend von Friedrich Schlegel den Satz: „Auf die Wurzel unsers Daseins muß alles zurückgeführt werden." Wurzelstark muß u. a. auch die Musik im Leben Aller erneut verankert werden, da das Wohlergehen der Menschheit davon mitbestimmt wird. Reichardt erkannte hell, daß Musik ihrem Wesen nach auf Gesellung und ein lebendiges Spielfeld mittätiger Partner angewiesen ist: „Nichts in der Welt nähert und verbindet Menschen doch so leicht als die schöne Kunst, nichts klingt so leicht und gefällig wieder an und stimmt zu genußreichem Einklang und Wohlklang so freundlich ein..."[779] Doch wäre es allzu einseitig, wollte man lediglich die feierliche Wirkung, das verständig lauschende Hinnehmen fordern[780]. Der Musik kommt außerdem auch eine gewichtige Funktion im „gesellschaftlichen Gebrauch" zu als ein beschwingendes Mittel zur erleichternden Erheiterung und Enthemmung. Beiden Seiten trug Reichardt voll Rechnung, indem er einerseits seine Concerts spirituels einrichtete und andererseits z. B. seine *Lieder geselliger Freude* 1796/97 nicht nur im Gehalt, sondern auch äußerlich „in bequemem Taschenformat zur Erleichterung des gesellschaftlichen Gebrauchs" veröffentlichte[781]. So war er allerorten bestrebt, in einer engen Für-Beziehung zu seiner Um- und Mitwelt zu stehen.

Dieser Grundeinstellung gemäß verzichtete Reichardt nicht darauf, auch das „schönsinnige kunstliebende Volk" soziologisch zu betrachten und zu gliedern. Dabei übernahm er nicht nur das seit 1760 allgemein bekannte Begriffspaar „Kenner und Liebhaber", er erweiterte dies auch und definierte die Unterschiede auf seine eigene Weise. So trennte er 1805 den „gemeinen Zuhörer" vom „sinnigen Zuhörer", den „bloß sinnlichen" vom „verständigen"[782]. Die von ihm seit 1774 beschriebene Schichtung in Liebhaber - Kenner - Meister (= Künstler), bzw. in Genießende - Wissende - Könnende ist von bleibender Gültigkeit. Reichardt unterscheidet: „Liebhaber der Musik ist der eigentlich, der an dem Anhören, oder auch Ausüben musikalischer Stücke Vergnügen findet, ohne daß er sich weiter um die Gründe dieses Vergnügens und um die Regeln der Kunst überhaupt bekümmert ... Kenner ist der, der sich bemüht, die Regeln der Kunst zu studiren, in so weit sie nothwendig sind, ein musikalisches Stück aus Gründen beurtheilen zu können. Meister selbst ist der nur, der den ganzen Umfang der Kunst, ihre Regeln und Vorschriften genau kennt, und sie auch selbst durch Compositionen in Ausübung bringt."[783] Auf das Liebhaberpublikum, das „starke Rührung, Erschütterung und Beschäftigung des Verstandes" suchte, war Reichardts Schaffen vorzüglich eingestellt. Diese ungelehrte Mittelschicht war als Partner neben der auf allen Gebieten dilettierenden Aristokratie seit der Jahrhundertmitte nicht mehr übersehbar. Das aufgeschlossene Laientum machte den Anspruch auf Berücksichtigung seines Kunstverständnisses geltend. Liebhaber wagten sich, selbst nach Kräften musizierend, auch an Werke der Hochkunst heran, sie gewannen mehr und mehr ein persönliches Verhältnis zur Musik und zu einzelnen Künstlern in Haus und Konzert. Es gab „besonders unter den Damen", wie z. B. in Wien, Leistungssteigerungen bis zur Virtuosität[784]. Einige waren befähigt, selbst die eigenwilligsten Werke Beethovens mit „innigem, enthusiastischem Genuß" zu erfassen. Ihnen hatte sich der Komponist, der die Wandlungen und Erfordernisse der Zeit voll erkannte, anzupassen, ohne freilich „den Endzweck der Musik" dem „unbeständigen Geschmack" der Dilettanten aufopfern zu müssen[785]. Vor dieser Preisgabe bewahrte der Anspruch der Kenner, dem ja ebenfalls zu genügen war. Den echten Kenner zeichnet nach Reichardts Überzeugung „Universalität des Geistes" aus, ohne die auch der wahre Künstler nicht fruchtbar zu schaffen vermag.

„Der geniale Künstler" war ein zentrales und oft als Leitbild in Reichardts Schriften beschriebenes Thema. Zu seiner Zeit zählte im allgemeinen der Musiker noch zur mittleren Dienerschaft, manche von ihnen waren gar, wie z. B. in Osteuropa, als „leibeigene Kapellisten" von despotischen „Gönnern" völlig abhängig. Der Brotherr waltete wie eine Sonne über deren Tun und Lassen, ihm allein hatte man zu gefallen. Gegen diese sklavische Ausübung eines „mechanischen Geschäfts" im Rahmen höfischen Flitters lehnte sich Reichardt ebenso erbittert auf wie gegen das „niedrigste, verächtlichste Gewerbe" der „gemeinen Musikanten"[786]. Er wuchs denkend auf mit der Verabsolutierung des bürgerlichen Ichs, mit der Strömung des klassischen Humanismus, der die freie schöpferische Phantasietätigkeit des Einzelnen förderte. Diese Generation eigenverantwortlicher Künstler will und kann nicht mehr „kapellgebunden" Kompositionen auf Befehl lustlos liefern, sie ist hingegen bestrebt, selbstbestimmt, durch Zwecke so wenig als möglich gebunden, die innersten Gefühle in Tönen zu „ergiessen". Reichardt „mag nicht amüsiren"[787], er lehnt sich auf gegen jedweden Zwang, gegen die „dumpfe Behaglichkeit" eines Angestelltendaseins und sucht für sich kraft universaler Bildung ein eigenverantwortliches Arbeitsfeld. Er ersehnt ähnlich wie vor ihm C. Ph. E. Bach oder Johann Gottfried Müthel, der letzte Schüler Bachs, bei wirtschaftlicher Selbständigkeit den „freien Beruf"[788]. Auch gegen die „Subordination" unter wirtschaftliche Erfordernisse lehnt er sich angewidert auf; schreibt er doch 1782: „Diese Sklaverey für Notenhändler und Modeton zu arbeiten ist die ärgste unter allen, ist Kleinkrämerey und mergelt aus bis auf den letzten Tropfen lebenden Bluts." Reichardts persönliche, ihn schwer belastende Tragik war es, daß er die z. B. von Beethoven erreichte und 1808 wie folgt formulierte Lebensforderung nicht erreichte: „Es muß das Bestreben und das Ziel jedes wahren Künstlers sein, sich eine Lage zu erwerben, in welcher er sich ganz mit der Ausarbeitung größerer Werke beschäftigen kann und nicht durch andere Verrichtungen oder ökonomische Rücksichten davon abgehalten wird."[789] Reichardt blieb trotz zehrender Hoffnung auf Befreiung bis wenige Jahre vor seinem Tode der einer „Königl. Majestät alleruntertänigste Knecht", als welcher er seine Briefe an Friedrich den Großen zu unterzeichnen hatte. Der größte Teil seines Einkommens blieb zeitlebens davon abhängig, „wie seine Arbeit dem Fürsten gefalle"[790]. Das Verlagswesen und der Musikalienmarkt waren damals noch nicht so weit entwickelt und rechtlich geregelt, daß im Vertrauen auf den Absatz von Noten bei angemessener Gewinnbeteiligung eine freie Existenz möglich war, die auch nicht durch Unterrichten behindert war. Reichardt, der seine Hofdienste meist nur als notwendige Nebenbeschäftigung auffaßte, geriet somit in eine Zwitterstellung zwischen der höfisch abhängigen und der bürgerlich ungebundenen Lebensmöglichkeit. Dementsprechend ist auch ein Teil seiner Werke an Bekannte mit persönlichen Widmungen gerichtet und für diese eingerichtet, während ein anderer sich an ein anonymes Liebhaberpublikum wendet. Eine Mittelstellung nehmen jene Veröffentlichungen ein, die an Subskribenten verteilt wurden, deren Name also bekannt war und veröffentlicht wurde. Für den Vertrieb mancher Veröffentlichung, wie z. B. dem Musikalischen Kunstmagazin von 1782, mußte er als sein eigener Verleger sorgen. Daß der Profit aus diesen Geschäften kein befriedigender gewesen sein kann, ersieht man am Scheitern etlicher Unternehmungen. Die wirtschaftliche Not zwang ihn stets zu Kompromissen zwischen dem eigentlichen Kunstwollen und den nicht immer freundlichen Bedingungen, mit denen die Umwelt ihn einengte. Um so mehr bewunderte er geniale Künstler wie Händel, weil diese für sich die Freiheit des Genies von „sclavischen" Fürstendiensten errungen hatten[791]. Sein Freiheitsdrang richtete sich auch gegen jegliche ausländische Bevormundung. Seinem gesteigerten Selbstbewußtsein gemäß forderte er oftmals eine „Entwelschung", eine eigenständig deutsche Musik[792]. Vom Dienst an der eitlen Gesellschaft vermochte sich Reichardt mit eigenen Kräften nicht zu befreien. Wie schwer ihn dieses Unvermögen bedrückt haben muß, läßt sich ermessen, wenn man seine Anklage aus dem Jahre 1777 vernimmt: „Wehe dem Künstler, der nicht bescheidene Selbsterkänntnis, nicht geschärfte Beurtheilungs-Kraft besitzt ... Und dreymal wehe dem Künstler der gezwungen ist, seiner Erhaltung wegen, den Zuruf seines eigenen Gefühls zu ersticken: der für Brod seine Künstlerlehre verkaufen muß."

Reichardt polemisierte gegen den „eitlen Hofmusiker", der seine Künstlerlehre verkauft, ebenso leidenschaftlich wie gegen den „prahlerischen Aufwand" des Virtuosen, der nur „das Leichtglänzende in der Spielart" perfektioniert. Wir wissen, daß er seine Laufbahn als Violinvirtuose begann und allein mit seinen musikantischen Fertigkeiten vor galanten Gesellschaften Gefallen zu finden hoffte, bevor er den kühnen Aufschwung zu einer höhern Künstlerlaufbahn nahm. Um so befremdender mutet seine eigene spätere, irreführende Verteidigung an: „R. ist eigentlich nie als Virtuose gereist und hat als solcher nur ein einziges öffentliches Concert bei seiner ersten Ankunft in Leipzig (1771) gegeben..."[793] Diese Behauptung ist unrichtig und nur dann zu verstehen, wenn man seine spätere Abneigung gegen das Unwahre des Virtuosentums kennt. Die gegen Ende des 18. Jahrhunderts allgemein zu beobachtende gesteigerte Wertschätzung von persönlichen Leistungen will er den Interpreten nicht zubilligen. Für Reichardt sind „der Virtuose und der wahre Künstler zwei sehr verschiedene Personen"; der eine ist „der in allen seinen Kräften ebenmäßig ausgebildete Mensch", der andere hingegen nur „das höchst einseitige Talent, das oft nur die Sonderbarkeit für sich hat"[794]. Hieraus ersieht man, daß Reichardt der Starkult seit dem Auftreten Paganinis und Liszts noch unbekannt geblieben ist. Die ihm begegnenden „excellirenden" Virtuosen sprengten noch nicht selbstherrlich und rücksichtslos das traditionelle Gefüge des Musiklebens.

Was ist schließlich nach den Vorstellungen Reichardts ein „wahrer Künstler"? Seine an diesen gerichteten Anforderungen sind recht hohe, getragen von dem Ernst und der sittlichen Strenge eines überragenden Berufsethos, denn: „In der Kunst ist's wie in der Liebe, da findet nichts Halbes statt." Er unterscheidet zwischen dem „forschenden, erfindenden, und äct komponirenden Künstler", er sondert diesen ab „vom nachahmenden und zusammensetzenden Arbeiter, den lebendig darstellenden vom mechanisch vortragenden, die Kunst von der Künstelei"[795]. Gemäß dieser beachtlichen Differenzierung hat der „gelehrte Künstler immer große Vorzüge vor dem ungelehrten. Für den Künstlerberuf ist also durch literarische Bildung immer mehr gewonnen als verloren, wenn in der Folge gleich die hauptsächliche Beschäftigung mit Musik nicht viel Zeit mehr andern Studien übrig lassen sollte"[796]. Dieser ideale Künstler teilt zwar seinen hohen Rang mit dem Dichter, dem sich Reichardt ebenbürtig zur Seite stellt[797], er wird aber über den reinen Denker erhoben, denn „ätherische Kunst" steht viel höher in Reichardts Geisteshierarchie als „Probleme der Wissenschaft". Dieser auf den „höchsten Gipfel" erhobene Künstler schwebt indessen nicht in einem phantastischen Elysium, wo nur das eigene Gesetz und der persönliche Wille herrschen. Diesem, von „Freiheit, Wahrheit, Liebe und edlem Wirkungstrieb" beseelten Künstler sind vielmehr erhebliche Verpflichtungen auferlegt, die nicht nur darin bestehen, daß er als ein „schön organisirter, glücklicher, kunst-

218

sinniger Naturmensch" nach originaler Echtheit trachtet[798], er muß überdies und vor allem „der Welt nützen", „so viel Gutes als möglich stiften", „dem Vaterlande ein nützlicher Bürger" sein[799]. Der Künstler hat somit ethische Aufgaben, einen „ächt moralischen Zweck" in und gegenüber der ihn tragenden Mitwelt zu erfüllen, er soll und muß trotz völliger geistiger Freiheit als Offenbarer der göttlichen Natur ein redlicher Mitmensch sein[800]. Ein genialer Künstler ist also kein nur in eigengeprägten Sonderwelten lebender und träumender Übermensch, sondern ein „spekulierender Kopf" mit „tiefem, glühenden Gefühl" und „feuriger Imagination", der fest gegründet als Bürger in dieser Welt steht. Reichardt schließt sich der übersteigerten Genievorstellung seiner Zeit nicht ohne gewichtige Vorbehalte an[801]. Er, der stets danach verlangte, „nützlich zu seyn, und dadurch den Beyfall der Zeitgenossen zu verdienen"[802], war gefeit gegen Verstiegenheiten und bis zur Vergötterung sich verirrender Tendenzen. Das von Reichardt gemeinte „Originalgenie" weiß sich zwar frei von „fremder Weise, indem es seinen Geist nach der Höhe" richtet, es geht etwa wie Händel „seinen eignen Gang"[803], es ist aber rücksichtsvoll und von „wahrer Bescheidenheit" erfüllt, es ist unabhängig auch vom „Geschmack oder Eigensinn eines andern"[804], es beachtet indessen stets sein soziales Gewissen. Genie ist im Gegensatz zum Talent eine unerklärbare, die Seele hell erleuchtende Naturgabe, die nicht anerzogen, sondern nur vollkommener entwickelt werden kann[805]. Genie ist eine „tätige Kraft" (J. G. Sulzer, 1757). Es ist nach Kant (in: Kritik der Urteilskraft § 46) „die angeborene Gemütslage (ingenium), durch welche die Natur der Kunst die Regel gibt". Es kennt nicht nur über alle Regeln erhaben, einzig „unter der Leitung des Gefühls" schaffend[806], „seine eigenen Kräfte", wie Moses Mendelssohn annahm, es kann sich nur wahrhaft frei entfalten, wenn es die Gesetze der alle Menschen verbindenden Natur achtet. Herder schrieb 1780 in einem an Reichardt gerichteten gehaltvollen Brief: „Sie, lieber R. haben Ihr Werk in und für sich: denn Kunst hat in sich selbst Gesetze und ist mit der menschlichen Natur frei und ewig; alles äußere Geschäft ist ein Sklave menschlicher Verbindungen und Armseligkeiten."[807] Dies waren Gedanken, die der Adressat mit dem Absender wohl teilen konnte und mochte. Wie konsequent indessen Reichardt einem nur sich selbst genügenden und verantwortlichen Geniedasein aus dem Wege ging, zeigt besonders aufschlußreich ein Brief an Tieck vom 17. März 1812, in dem er über ein zu schreibendes Singspiel ausführt: „An die gewöhnlichen Formen der Arien und Ensemblestücke denk' ich kehren wir uns gar nicht ... An unser Theaterpersonale und Publikum müssen wir gar nicht weiter denken ... Was der beste Decorateur und Maschinist, der von Natur begabte Sänger, und ein empfängliches Publikum darstellen, geben und empfangen muß unsere einzige

Richtschnur seyn."[808] Das Gewöhnliche, Konventionelle, Mittelmäßige soll demnach zwar außer acht bleiben, das Natürliche und eine dafür empfängliche Mitwelt dürfen indessen niemals aus dem Blickfeld eines wahren Künstlers verschwinden, wenn er nicht einer unfruchtbaren Isolierung im resonanzlosen Abseits verfallen will.

[778] REICHARDT, Vertr. Briefe geschrieben auf einer Reise nach Wien I, 1810, S. 204.

[779] GUGITZ, I, 1915, S. 204.

[780] Siehe REICHARDT, Händel's Jugend, 1785.

[781] REICHARDT, Lieder geselliger Freude, 1796, S. IV.

[782] Berlin. Mus. Ztg. 1805, S. 14.

[783] REICHARDT, Briefe, I, 1774, S. 20.

[784] GUGITZ, I, 1915, S. 166 und Bd. II, S. 132.

[785] Nachtrag zu den Büsten, 1792, S. 175.

[786] REICHARDT, Leben des berühmten Tonkünstlers H. W. Gulden, 1779, S. 1; ders., Wanderungen und Träumereien, 1795, S. 368.

[787] Deutsches Museum 1781, S. 351.

[788] Vgl. W. H. BRUFORD, Die gesellschaftlichen Grundlagen der Goethezeit, Weimar 1936, S. 236 ff. und S. 273 ff. sowie W. SALMEN, J. G. Müthel, der letzte Schüler Bachs, in: H. Besseler-Festschrift, Leipzig 1961, S. 351 ff.

[789] PRELINGER, Beethovens sämtliche Briefe, IV, 1909, S. 40.

[790] REICHARDT, Über die Schändlichkeit der Angeberei, 1795, S. 20. 1809 schreibt Reichardt vergrämt: „Wenn reiche, freigebige Menschen doch fühlen wollten, daß sie dem Künstler mit dem Gelde noch nicht alles geben, was er für seine Anstrengungen und Darstellungen erwartet und verdient. Daß der Mensch nicht vom Brote allein lebe, gilt bei keiner Menschenart mehr und besser, als beim Künstler, und er hört auf, von dem Augenblick, an dem er anfängt, sich mit jenem allein zu begnügen, Künstler zu sein und würdigt sich zum dienenden Handlanger herab, . . ." (GUGITZ, II, 1915, S. 98).

[791] REICHARDT, Händel's Jugend, 1785, S. 15.

[792] Bereits 1774 beklagte Reichardt: „Und in dem Gesange sind wir leider noch so weit zurück, daß ein jeder Patriot, unwillig darüber, mit wahrem Eifer wünschen muß: es wolle bald der Zeitpunkt kommen, da wir uns auch hierinnen so mächtig empor schwingen möchten, als es die deutsche Poesie seit weniger Zeit gethan" (in: Briefe, I, 1774, S. 5).

[793] Berlin. Mus. Ztg. 1805, S. 101.

[794] REICHARDT, Vertr. Briefe aus Paris, III, 1805, S. 250.

[795] REICHARDT, Etwas über Musik, 1795, S. 78.

[796] Berlin. Mus. Ztg. 1806, S. 114. Lessing schreibt gleichen Sinnes: „Der denkende Künstler ist noch eins soviel wert!"

[797] So empfiehlt Reichardt z. B. im Jahre 1782, daß „der Komponist durch seine Behandlung zu verbessern suche", sich also Eingriffe in lyrische Gedichte erlauben solle und solle (in: Musikal. Kunstmagazin, 1, 1782, S. 82); vgl. auch GUGITZ, I, 1915, S. 285.

[798] Musikal. Kunstmagazin 1 (1782), S. 6. Von Herder stammt der abgewandelt auch von J. G. Sulzer veröffentlichte Satz: „Genie ist eine Sammlung Naturkräfte" (GA Bd. V, S. 601).

[799] REICHARDT, An die Jugend, 1777, S. 40; Deutsches Museum 1777, S. 286; MERIAN, J. F. Reichardt und I. Iselin, 1918, S. 699.

[800] GUGITZ, II, 1915, S. 109; siehe auch REICHARDT, Vertr. Briefe aus Paris, III, 1805, S. V.

[801] Über den Geniebegriff in der deutschen Ästhetik des 18. Jahrhunderts siehe P. PLAUT, Die Psychologie der produktiven Persönlichkeit, Stuttgart 1929, S. 31 ff. und H. WOLF, Versuch einer Geschichte des Geniebegriffs in der deutschen Ästhetik des 18. Jahrhunderts, Heidelberg 1923, S. 131.

[802] REICHARDT, Briefe, I, 1774, Vorbericht.

[803] REICHARDT, Händel's Jugend, 1785, S. 13.

[804] REICHARDT, Briefe, II, 1776, S. 45. Adam Heinrich Müller schrieb 1804 in seinem Buche über „Die Lehre vom Gegensatze" den mit Reichardts Ansichten übereinstimmenden Satz: „Ein Künstler, der die Welt über seinem Werke vergißt, wird nie durch das Werk zur Welt sprechen, wird das Werk vielleicht tot von sich losreißen, aber nie zu eignem freien und notwendigen Leben schließen können . . ."

[805] Herder äußerte: „Die Natur ist es selbst, die im Künstler schafft", siehe dazu auch WOLF, Versuch, 1923, S. 142 ff.

[806] J. A. HILLER, Ueber die Musik und deren Wirkungen, Leipzig 1781, S. 2.

[807] SCHÜNEMANN, Reichardts Briefwechsel mit Herder, 1935, S. 111.

[808] HOLTEI, Briefe an L. Tieck, III, 1864, S. 109.

DAS PROBLEM NATUR UND KUNST

Reichardt, der viel bewunderte Gärtner in Giebichenstein, lebte ein ausgeglichenes Dasein im Wechsel zwischen Stadt und Land, Ober- und Grundschichten, Natur und Kunst. So oft er insbesondere seit 1791 hin- und herpendelte zwischen Abgeschiedenheit und der großstädtischen Unrast, so ungezwungen lebte er auch zwischen den Gesellschaftsschichten, er hatte teil am Einfachsten wie am Kunstvollsten. Reichardt hegte trotz eines starken Natürlichkeitsdranges keinen die Grundfesten des gewohnten Lebens erschütternden Haß gegen die Kultur, vielmehr suchte er, radikale Konfrontierungen vermeidend, einen Weg zu einer natürlicheren Daseinsform durch die erneuernde Verknüpfung beider vermeintlicher Gegenpole, also durch einen vernünftigen Ausgleich und nicht durch einen Rückfall in Primitivismen. Die bestehende Gesellschaft soll zwar seinen Vorstellungen zufolge intakt bleiben, jedoch durch ein naturverhafteteres Fühlen und Denken gestärkt neu beseelt werden. Es soll „die schöne menschliche Gestalt unter den konventionellen verunstaltenden Hofverzierungen" befreit wieder zum Vorschein gebracht werden[809], m. a. W. „der wahre Adel des Menschen", für den der junge Reichardt bereits 1779 wortstark focht, wieder maßgebend sein[810]. Den Fortfall von Perücke und Puder mußte Reichardt daher als „eine glückliche Annäherung an die Natur und ihre ächten Reize" ganz besonders begrüßen[811].

Die Natur verleiht dem Menschen ein „Gleichgewicht der Neigungen und Kräfte", sie begreift das Einfachste und das Höchste gleicherweise in sich. Daher muß es das Anliegen jedes wahren Künstlers sein, „Natur und Kunst" miteinander in Einklang zu bringen auf dem Grunde natürlicher Ordnungen, wie z. B. der Zahlenreihe 1 : 2 : 4 : 8 : 16 : 32, die einfach und regelmäßig ist und in musikalische Formen umgesetzt eine tanznahe, rational bestimmte Melodik ergibt[812]. Um das gestalten zu können, muß der Komponist „so einfach seyn, als sie [die Natur] selbst"[813]. Sie ist „die ewig schaffende! nie erschöpfte, nie alternde!"[814]. 1807 trug Reichardt in ein Stammbuch ein: „Ach, Natur, wie sicher und groß in allem erscheinst du! Alles entsteht und vergeht nach Gesez; doch über des Menschen Leben, den köstlichen Schatz, herrschet ein schwankendes Loos" (Smlg. Kippenberg Nr. 4480). Ihm war von früh auf gewiß, daß nur auf die Natur als dauerndem Kraftquell Verlaß ist. Sein Naturerlebnis war kein bloß oberflächlich ästhetisches, es war vielmehr ein religiöses. Bereits sein Erstlingswerk *Hänschen und Gretchen* von 1773 endet mit dem emphatischen Schlußgesang:

> Der wird nie vom Ziele sich verliehren.
> Ja, Natur, wen deine Triebe führen,

Weil Reichardt somit die Natur der Kunst und erst recht der „Künstelei" überordnete[815], entwickelte er ein inniges Verhältnis zur Musik der Grundschichten (siehe S. 234 unten), zur frei wachsenden Pflanze, zum Tier und vor allem auch zur Landschaft. Noch im Alter war er ein leidenschaftlicher Wanderer und Gärtner. In offenen, stadtfernen Gegenden fühlte er sich besonders wohl, hier suchte er insbesondere das „Große und Wilde" in der Natur, so daß er mit Vorliebe „gebirgige Länder" durchstreifte[816]. Nicht die endlosen Fernen zogen ihn an[817], sondern eher „wilde, romantische" Gegenden wie etwa das Riesengebirge. Als eine „romantische" Landschaft empfand er „dickbewachsene Berge, Abgründe, strömende Wasser"[818]. Auf den Höhen eines Gebirgszuges atmete er gelöster: „Leib und Seele fühlen sich da freier, lebendiger, kräftiger, mutiger. Die tiefste Einsamkeit ist da belebt ... in den rieselnden Bächen, im Säuseln des Laubes und des hohen Farnkrautes tönen und lispeln so leis ihre Stimmen, vernehmliche Töne und Worte hör' ich oft im Rieseln und Säuseln, und antworte und rufe ihnen wieder zu aus der innersten Fülle des Herzens, das immer höher und lauter schlägt, wie ich die dicht verwachsensten, steilsten Höhen erklimme."[819] Auf den Bergen war er hochbeglückt, entrückt „der dampfenden Tiefe" und des alltäglichen menschlichen Betriebs zu sein. Aus Zeilen wie den obigen spricht kein nüchterner Rationalist, kein Berliner Aufklärer zu uns; sie drücken echte Begeisterung aus für das Wunderbare in der Natur, für das Vegetative und dem Menschen nicht Untertane. Reichardt sah das Gebirge mit den Augen eines romantischen Landschaftsmalers.

Wenn Reichardt den Wanderstab in die Hand nahm, dann strebte er auf Seitenwegen den „waldbewachsenen Höhen" zu, da er dort die Einsamkeit suchte. Nur dort fand er für sich einen wirklich „romantischen Platz", wo ihm ein Sich-Zurückziehen in eine selbstversunkene Naturbetrachtung möglich war. Hier wollte er „recht romantisch einsam" sein ohne jede Geselligkeit und Ablenkung[820]. Im Gebirge wollte er Abstand gewinnen von der Welt des Geistes, der Kunst, der vielschichtigen menschlichen Gesellschaft, um ganz der Betrachtung genießend, schauend und lauschend leben zu können. Indessen, so sehr und oft sich Reichardt auch an der „wilden" ungeformten Landschaft zu begeistern vermochte,

so gern kehrte er immer wieder in Gefilde zurück, wo durch Menschen-
hand veredelnd in sie eingegriffen wurde, denn: „Die Natur gab dem
Menschen Fähigkeit sie zu veredeln: die Eitelkeit liegt dem Menschen
an, die Natur zu verlassen."[821] Recht behaglich fühlte er sich dort, wo:
„Alles, was Wohlstand mit Geschmack genossen, angenehme, ländliche
Umgebung, durch schöne Pflanzungen genießbarer gemacht, und feiner
Genuß der schönen Künste Wohltuendes und Erfreuliches gewähren..."[822] Der Natur und Kultur in harmonischer Abstimmung in sich
vereinigende Garten mit idyllisch-romantischen Plätzen war sein Para-
dies auf Erden[823]. Giebichenstein gestaltete er dementsprechend.

[809] Vgl. REICHARDT, Über die Schändlichkeit der Angeberei, 1795, S. 27.

[810] REICHARDT, Leben des berühmten Tonkünstlers H. W. Gulden, 1779, S. 27.

[811] Berlinisches Archiv der Zeit 1795, S. 205.

[812] Berlin. Mus. Ztg. 1805, S. 54.

[813] ebd., S. 86.

[814] GUGITZ, I, 1915, S. 8.

[815] Am 25. Juni 1772 schrieb Reichardt an seine Freunde Bock und Kreuzfeld in Königsberg aus Dresden: „Ich habe mich bis heute noch mehr um die
Gegenden als um die Kunstschätze bekümmert; denn überall gehen mir Natur-
schönheiten noch über Kunstsachen."

[816] DOROW, Erlebtes, III, 1845, S. 47.

[817] Siehe dazu L. BALET, Die Verbürgerlichung der deutschen Kunst, Literatur und Musik im 18. Jahrhundert, Straßburg 1936, S. 81 ff.

[818] GUGITZ, I, 1915, S. 84; siehe auch SALMEN, J. F. Reichardts musikalische
Reiseeindrücke in Schlesien, 1957, S. 87 f.

[819] GUGITZ, II, 1915, S. 262 f.; R. ULLMANN, Geschichte des Begriffes „Romantisch" in Deutschland, Berlin 1927, S. 40.

[820] Goethe schreibt: „Das sogenannte Romantische einer Gegend ist ein stil-
les Gefühl des Erhabenen unter der Form der Vergangenheit, oder was gleich
lautet, der Einsamkeit, Abwesenheit, Abgeschiedenheit"; siehe auch GUGITZ, I,
1915, S. 5.

[821] Berlinisches Archiv der Zeit 1795, Bd. 1, S. 363.

[822] GUGITZ, II, 1915, S. 259.

[823] ebd., S. 140.

DER VOLKSERZIEHER

Trotz seiner hervorragenden Stellung als Kapellmeister an einem der führenden Höfe Europas nahm Reichardt teil am Humanismus der Herzlichkeit und Brüderlichkeit. Die Berufserfolge verführten ihn nicht zu einer stolzen Überheblichkeit, die die Mitwelt verachtete. Vielmehr erkannte er gerade in Berlin, daß auch die Musik mithelfen kann, „alle Menschen Brüder werden" zu lassen, daß diese nur in einem sozialen Fluidum lebendige Kunst beitragen muß zur Veredelung der Menschheit. Obwohl Reichardt „sich selbst nie mit Unterrichtgeben in der Musik abgab", wie er 1792 betont und wodurch er sich von vielen Meistern seiner Zeit unterscheidet[824], hat er seit seiner ersten großen Reise 1771 die hohen, fast utopischen Ziele einer Volkserziehung durch Musik leidenschaftlich verfolgt. Sein Beitrag dazu bestand in förderlich erhellenden Schriften, in der Organisierung von Musikdarbietungen für ein öffentliches Publikum und in Kompositionen für Jedermann jeglichen Alters. Er wußte, nachdem er begierig die wegweisenden Schriften Herders, Rousseaus, Kants und anderer gelesen hatte, daß eine Volksgesangsbildung nur im Rahmen einer allgemeinen Menschenbildung möglich sein kann, daß Erziehung, Bildung und Veredelung insgesamt gefördert werden müssen, daß aber erst durch Musik „der bessere, innere Mensch erwacht, und jede Veredelung des wilden Natursohns von ihr ausgeht".

Reichardts philanthropische Neigungen wurden erstmals während der an Eindrücken und Einsichten reichen Virtuosenreise 1771–1774 offenbar[825]. Während dieser Streifzüge quer durch die östliche Hälfte Deutschlands überkam ihn das „Mitleiden und der Unwillen" darüber, daß man „fast an jedem Orte, an jedem kleinen Orte, die schönsten Stimmen, und alle ohne die geringste Anweisung findet". Er maß das Singen auf dem Lande an der hohen italienischen Gesangskultur in den höfischen Opernhäusern und glaubte diese relativ rohe Natur der stadtfernen Bevölkerung verbessern zu müssen, denn „nur Bewußt seyn seiner Unschuld macht glücklich!"[826]. Während dieser frühen Wanderungen nahm er außerdem die Gewohnheit an, jedem Fremden, den er „auf der Straße herum irren sieht, sich zum Führer anzubieten"[827]. Er fühlte sich mithin bereits als Jüngling dazu berufen, anderen kraft besseren Wissens und Könnens Wege zu weisen, die Mitmenschen auf höhere und vermeintlich glücklichere Lebensbahnen zu führen. Diese sich auferlegte Verpflichtung, Wegweiser zu sein, läßt er zeitlebens nicht mehr fallen. Ihn beseelte das hohe Ethos, mittels Musik „so viel Gutes als möglich zu stiften"[828]. Sie soll „der moralischen Bildung im Menschen" dienlich sein und nicht nur zum „Küzel der Ohren" erklingen.

Reichardts Bild vom Menschen wurde seit der Königsberger Studienzeit von der späten Aufklärung und deren Kritikern, vom Philanthropismus, von Pädagogen wie Pestalozzi oder Isaac Iselin maßgeblich bestimmt. Der Mensch ist ihm von Natur aus „gut gebohren"[829], in ihm sind vielseitige Befähigungen verborgen angelegt, die durch „Aufklärung und Bildung" geweckt und entwickelt werden müssen. Nach Reichardts Ansicht ist der Mensch „als solcher nur in dem Grade achtungswürdig und dauerhaft glücklich, in welchem er alle seine Kräfte ebenmäßig auszubilden strebt"[830]. Wer mithin nicht von sich aus zu dieser notwendigen ebenmäßigen Entwicklung aller Keime und natürlichen Veranlagungen findet, dem muß von dazu berufener Seite bei der Gemüts-, Geschmacks- und Charakterbildung geholfen werden, denn eine Devise des jungen Reichardt lautete: „du mußt deine Nebenmenschen lieben und ihnen dienen, damit sie dich wieder lieben und dir helfen."[831] Er war erfüllt von der idealen Hoffnung auf Veredlung aller Menschen durch pädagogische Bemühungen, durch sorgsame Pflege aller Triebe, die den Wildwuchs in Form bringt, durch gärtnerisches Hegen und Horten. Leitbildhaft schwebte ihm das Wort Rousseaus aus dem „Emile" vor: „Man formt die Pflanzen durch Kultur, die Menschen durch Erziehung." Das Ziel, das intendierte Bildungsideal dieser Entwicklung ist allein die Humanität, der Erwerb „echter Bildung und feinen Geschmacks in der Kunst".

Bildung ist ein Zentralbegriff dieser pädagogisch gerichteten Gedankenwelt. Intellektuelle wie Reichardt sind während der Goethezeit erfüllt gewesen von einem ethisch fundierten Erziehungswollen aus Liebe zum aufsteigenden Volk. Man empfand Wohlgesinnung auch für die unteren sozialen Schichten und machte sich soweit als angängig mit diesen gemein. Der harmonische und natürliche Mensch soll diesem Idealbilde entsprechend sittlich gefestigt und redlich tätig frei sein von den unnatürlichen Beschränkungen des Ständestaates, ihm sollen alle Möglichkeiten der Wahl unverstellt offen sein. Daher rät Reichardt 1779: „die Großen und Reichen sollen alles ersinnliche thun ihren Kindern zu verbergen, daß sie gebohrne Herren sind"[832], damit eine „vernünftige natürliche Erziehung" aus ihnen „dem Vaterlande nützliche Bürger werden" läßt[833]. Wie wenig indessen Reichardt, der „Eifrer fürs Beste der Menschheit", mit einer baldigen Verwirklichung dieser hoch gesteckten Ziele rechnete, beweist der schwärmerische Satz: „O der Seligkeit, zu schwimmen in süssen Träumen von Veredlung der Menschheit, von allverbreiteter Glückseeligkeit, von reinem liebevollen Selbstgenuß."[834] Ihn beseligte jedoch zu sehr ein „heimliches Ahnden der Harmonie des Ganzen", als daß er den Glauben und die Hoffnung je hätte aufgeben können. Verfolgte er doch noch 1810 mit jugendfrischer „Aufmerksamkeit und Wißbegierde" die Tätigkeit des Schulrats Zeller in Königsberg, des „gepriesenen Jüngers" Pestalozzis[835].

Reichardt wurde in seinem aufgeklärten Philanthropismus bestärkt durch vielseitige Welterfahrungen und durch die Begegnung mit Männern und Institutionen, die sich der Menschenbildung vorzüglich widmeten. Nach seinem ersten Aufenthalte in der Schweiz im Jahre 1783 galt ihm dieses Gebirgsland als die Wiege der zeitgemäßen Pädagogik[836]. Mit Bewunderung und Hochachtung verfolgte er das Reformwerk des „edlen" Johann Heinrich Pestalozzi (1746–1827), dessen Umformung des Erziehungswesens ihm als „ein Bedürfnis der Zeit" erschien. In Paris war es ihm vergönnt, mit diesem durch „hohen Eifer im Aeußern und seinem genialen Feuereifer im Innern" ausgezeichneten Menschenfreunde persönlich zusammenzutreffen[837]. Reichardt berichtete über diese für ihn denkwürdige Begegnung mit bewegten Worten: „Sein Geist ist einer der lebhaftesten und tiefsten, die ich je in meinem Leben gekannt." Pestalozzis Erziehungsheim in Yverdon, das keine Drillanstalt sein wollte, sondern den Menschen im ganzen zu bilden beabsichtigte, hatte für ihn den Rang einer Musterschule. Vielmals setzte er sich dafür ein, diesen neuen pädagogischen Geist bei den Erziehungsreformen in Preußen zur Geltung zu bringen, indem er mit höchsten Regierungsstellen über dessen Vorzüge werbend konferierte. Reichardt fesselte an dieser Methode vor allem, daß die Menschenbildung vor der Berufsausbildung den Vorrang hatte und daß die Gemüts- und Herzensbildung der des Intellekts mit dem Ziel gleichgestellt war, die „Selbsttätigkeit des Geistes" anzuregen[838]. Jeder einzelne Mensch soll aktiv, frei von Dogmen und Denkschablonen sein Leben gestalten lernen, nur den ewigen Gesetzen unterworfen[839]. Daß Pestalozzi dazu beitrug, dem Verfall des Singunterrichts entgegenzuwirken, da Musik zur Besinnlichkeit, als sozialbindende Kraft und freie brüderliche Äußerung in diesem Bildungsplan unentbehrlich war, zog Reichardt naturgemäß besonders an.

Bei Isaac Iselin (1728–1782), einem Freunde Pestalozzis, trat dieser Gesichtspunkt noch stärker hervor. Iselin begründete in Basel eine „Gesellschaft zur Beförderung des Guten und Gemeinnützigen" und gab 1776 erstmals die „Ephemeriden der Menschheit" heraus, deren Mitarbeiter Reichardt wurde[840]. In dieser Zeitschrift wurden die Grundsätze bekannt gemacht, die zum Wohle der Menschen, zur Glückseligkeit führen sollten. Das Streben nach Vollkommenheit schloß demnach die Entwicklung der ästhetischen Veranlagungen in sich ein, ja das Ästhetische galt geradezu als Basis im Bildungsprozeß. Die musikalische Ästhetik und Ethik wurde hier in einen Bezug zueinander gesetzt. Das Schöne wurde als eine Brücke zum Religiösen und zur Ethik ernst genommen[841], was Reichardt um so mehr begeisterte, als in den mitteldeutschen philanthropischen Schulen der Musikunterricht nur eine Nebenrolle spielte, da der praktische Nutzen dieses Faches zu wenig erkannt wurde[842]. Deren Wortführer Johann Bernhard Basedow anerkennt zwar 1770: „Zum letzten Ziel einer guten Erziehung gehört es auch, Kindern Geschmack von den schönen Künsten zu verschaffen"[843], jedoch gab er dem zu wenig Raum in seinen unter den Richtlinien der Utilität und Eudämonie ausgearbeiteten realistischen Plänen für eine bürgerliche Welt. Das von Basedow 1768 gegründete und 1793 wieder geschlossene Philanthropin in Dessau war Reichardt gut bekannt. Mehrmals besuchte er diese aufgeklärte Stätte nicht nur wegen des dort ansässigen freundlichen Hofes, sondern auch wegen seines Freundes Friedrich Wilhelm Rust, der dort als Musiklehrer wirkte. Reichardt wohnte im Hause des Gleichgesinnten 1783, 1791 und im Jahre 1794[844]. Beide Musikschaffende standen außerdem in einem mehrjährigen Briefverkehr und sandten sich gegenseitig ihre Werke zu[845]. Daß Reichardt sich in Dessau besonderer Wertschätzung erfreuen durfte, beweist auch die von Christian Heinrich Wolke herausgegebene Schulliedersammlung „Zweihundert und zehn Lieder fröhlicher Gesellschaft und einsamer Fröhlichkeit" (Dessau 1782), die maßgeblich von ihm mitgestaltet wurde[846].

Diese Aufzählung der wichtigsten Vorbilder für Reichardts volksbildnerische Bestrebungen wäre unvollständig, wenn man nicht des fürsorglichen Gönners und Freundes Johann Adam Hiller auch in diesem Zusammenhange gedenken würde, der zu den namhaftesten und frühesten Repräsentanten des Philanthropismus gehörte. Er war einer der rührigsten Volkserzieher und Organisatoren im mittelständischen Musikleben Mitteldeutschlands. Seine Gesangslehre, sein Eintreten für die Bildung von Singschulen wurde Reichardt rechtzeitig bekannt, bevor er auf das öffentliche Leben ratend Einfluß gewinnen konnte.

Reichardt als Bildner und Erzieher spricht den Einzelnen und das gesamte Volk, den Liebhaber wie den Kenner der Musik in Wort und Ton an. Für ihn steht deswegen die Musik so sehr im Vordergrund seiner aufklärerisch-erzieherischen Bemühungen, weil er dieser Kunst einen tieferen Sinn für das Leben aller zurückzugeben wünschte. Kunst schlechthin bedeutete ihm mehr als lediglich Unterhaltungsmittel, sie harmonisiert das Zusammenleben in Gesellschaft und Staat. Menschenbildung und bewußte Volkwerdung waren um 1800 untrennbar miteinander verknüpft. Im aufdämmernden demokratischen Zeitalter kann die Kunst nicht mehr reserviert bleiben für sozial Privilegierte. Komponisten wie Hiller,

Schulz, Zelter oder Reichardt trugen die schwere Last der Verantwortung, die ihnen diese neue Entwicklungsphase auferlegte. Es durfte nicht eine breite, unüberbrückbare Kluft zwischen der anspruchsvollen Kunst und der anonymen Öffentlichkeit aufreißen. Der wohlmeinende Vorsatz: „Gute Musik dem Volke" allein genügte nicht, dies zu verhüten. Es galt vielmehr, das Volk durch Geschmacksbildung zur Kunst hinzuführen, was letztlich nicht ohne staatliche Hilfe und Pflege möglich war. Da Reichardt noch in absolutistisch regierten Staatswesen wirkte, richtete er mehrmals an die Herrschenden die eindringliche Mahnung: „Der Theoretiker kann die gedachtesten, der Vernunft einleuchtendsten Regeln bestimmen; der Kritiker die feinsten Bemerkungen, die besten Vorschläge zu Verbesserungen eingerissener Fehler und Mode gewordener Albernheiten vortragen; bietet der Regent nicht die Hand und schafft den Wirkungskreis zur Anwendung und näheren Bestimmung jener Regeln und Vorschläge, so kann all sein Bestreben hie und da einzelne Künstler erleichtern, nie aber ganz große Kunstwerke der Nation genießbar und wohltätig machen."

Das Volk kann nach Reichardts fester Überzeugung mit staatlicher Hilfe nur dann zum wahren und reinen Kunstverständnis geführt werden, wenn der unverbildeten Jugend bereits die rechten Wege dazu gewiesen werden. Der Schule und den Schülern galt daher Reichardts wärmstes Interesse[847]. Die Verpflichtung, als dem Volke „nützlicher" Komponist sich erweisen zu müssen nahm er nicht nur in der Weise ernst, daß er z. B. 1794 die Errichtung einer evangelischen Grundschule in Grottkau durch Buchgeschenke wirkungsvoll unterstützte, 1809 in Leipzig die dortige Bürgerschule besuchte, um deren „Einrichtung und Lehrmethode" sachverständig zu erkunden[848], oder sich intensiv mit der Unterrichtsplanung der Pariser Taubstummenschule beschäftigte[849], er tat mehr. Reichardt arbeitete praktische Vorschläge aus für die Gestaltung eines dem Kinde angemessenen Musikunterrichtes, dessen Kern die Unterweisung im Singen zu bilden hat. Eine Methodik oder einen Lehrplan entwickelte er nicht. Er stellte darin u. a. fest, nicht der „bunte Gesang" des Theaters ist der Jugend förderlich, sondern allein der einfache, „reine und richtige"[850]. 1777 empfiehlt er dazu noch Marpurgs „Anleitung zur Musik" (Berlin 1763), später zog er dieser H. G. Nägeli's „Gesangsbildungslehre" (1810) vor, die als erste vollständig an Hand der Grundsätze Pestalozzis entwickelt worden war[851]. Der Singunterricht muß nach Reichardt ganz „sinnlich, ganz praktisch seyn", er soll „durch Beweise und Erklärungen" nicht allzu sehr belastet werden[852]. Seine Wirksamkeit auf die zu veredelnde Jugend hängt weitgehend davon ab, was man zum Nachsingen anbietet. Am 6. September 1776 sandte er an Johann Georg Jacobi, dessen empfindsame anakreontische Gedichte ihn später lebhaft beschäftigten[853], eine leicht faßliche Singkunde mit dem folgenden Begleitschreiben: „Aus dem Nutzen und Vergnügen so Ihre Iris meinem Mädchen meiner Schwester und mir selbst verschafft, erkenne ich am sichersten den Werth derselben. Wie komts aber, daß Sie für den Gesang, diese reizende Zierde der Mädchen, noch nicht mehr gesorgt haben? Ich wage niemals den kleinsten Tadel, wenn ich nicht etwas zur Verbesserung darüber sagen kan. Erlauben Sie mir also, zur Beybehaltung meines Grundsatzes – denn jene Frage kan ich nicht länger verschieben – eine kleine Abhandlung von der ich den Anfang hier beylege Ihrer Iris[854] einzuverleiben. Ich will darin spielend, lachend, singend alles sagen, was ein Mädchen zum angenehmen Gesange wissen muß, und was Mädchen sich selten aus Quartanten heraus zu suchen pflegen ..." (Original in UB Freiburg, Nachlaß Jacobi).

Als Komponist scheute Reichardt ebenfalls keine Mühe, um bis 1799 fast 150 leicht faßliche Kinderlieder zu verfassen, die praktischen Lehrzwecken und zum häuslichen Gebrauch dienen sollten. Mit diesen z. T. recht gut gelungenen Natur-, Moral- und Tugendliedern hat er viele Kinder ansprechen können, denn trotz der schulmeisterlichen Nebenabsicht, „manche gute Lehre eindringender zu machen"[855], sind diese volkstümlich schlichten Kompositionen natürlich bewegt. Der trockenlehrhafte Ton etwa der Weisse-Hillerschen Gesänge für Kinder wird von Campe und Reichardt glücklich überspielt[856]. Beiden Autoren sind dauerhafte Schullieder gelungen, die reines Naturempfinden anzuregen vermögen. Reichardt suchte so sehr teilzuhaben an einer zweiten Natürlichkeit und Naivität, daß er sich der einfachsten Volksliedmodelle und primitivster Klavierbegleitung bediente, wie z. B. in dem Bsp. 9[857], um

Bsp. 9

Der Schnee zer-rinnt, der Mai be-ginnt; die Blü-ten kei-men auf

auf jeden Fall das Ohr der Jugend recht zu treffen. Er reduzierte zu diesem Zweck Tanzliedweisen auf den einfachsten melodischen Verlauf, er übernahm aber auch den hymnischen Ton des Kirchenliedes in säkularisierter Ummünzung in diesen Singbereich. Beide Grundtönungen des vermeintlich naiven Schulgesanges entsprechen dem Gesamtcharakter der ersehnten Erziehungsreform, von der insbesondere auch mittels des Liedes ein „Gewinn für ächte Sittlichkeit und Humanität" erwartet wurde[858]. All diese Liedchen Reichardts für die Jugend sollen mitformen helfen den „sicheren, glücklichen Bürger", der ebenmäßig entwickelt und moralisch gefestigt, sich all seiner Talente frei zu bedienen weiß[859]. Hier stellte er seine Musik gänzlich in den Dienst am Menschen, um so, da er „wahren Nutzen" schuf, auch die „wahre Achtung des Publicums" für sich zu gewinnen[860].

Reichardt schuf das geeignete Material für einen ersprießlicheren Singunterricht, der indessen im herkömmlichen Schulbetrieb nur kümmerlich gedeihen konnte. Darum erhob er die Forderung, daß das Singen „auch gleich nach dem Lesen und Schreiben ein Geschäft der niedrigsten Schulen werden muß", doch wurde diese kaum beachtet. Förderlicher war dagegen sein forsches Eintreten für die Gründung von Singschulen, in denen nach einer deutschen Gesangsmethodik unterrichtet werden sollte, damit vor allem der „mißtönende Gesang des Volkes" in den Kirchen verschwinde[861]. Der drängende Ruf nach derartigen Einrichtungen wurde von vielen namhaften Persönlichkeiten dieser Zeit erhoben. Schubart focht dafür 1776 in seiner „Teutschen Chronik" (VI, 261)[862], J. A. P. Schulz veröffentlichte 1790 „Gedanken über den Einfluß der Musik auf die Bildung eines Volkes", 1798 gab der bekannte Kirchenrat Horstig „Vorschläge zu besserer Einrichtung der Singschulen in Deutschland" heraus, in der Allgemeinen Musikalischen Zeitung Jg. 1799 werden „Vorschläge zur Verbesserung der gewöhnlichen Singschulen in Deutschland" unterbreitet. Reichardt schloß sich dieser Strömung an. Noch 1808 verfaßte er für den Fürsten Lobkowitz in Wien einen Aufsatz über „Singeschulen", an denen es in der Donaumetropole gänzlich mangelte[863]. Jedoch besaß erst Zelter die Zähigkeit und das Ansehen, um diese notwendigen Lehranstalten bei den staatlichen Behörden auch genehmigt zu erhalten. Er wurde vom preußischen König als Professor der Musik eingesetzt und amtlich mit dem seit etlichen Jahrzehnten überfälligen Reformwerk betraut[864].

Nach Reichardts Vorstellungen soll in der Singschule mit der Stimmbildung begonnen werden, denn das Vermögen gut zu singen ist die natürliche Ausgangsbasis jeglichen Musizierens[865]. Täglich soll mindestens „eine Stunde dem Singeunterrichte" reserviert sein[866] in diesen Anstalten, „wo die Kunst nicht blos mechanisch, sondern ihrem innern Wesen gemäß mit Seele und Geist getrieben wird, und wo der junge Künstler zugleich zu einem edlen rein- und freisinnigen Menschen gebildet wird"[867]. Dieses Zitat ist insofern beachtenswert, als hieraus deutlich hervorgeht, daß Reichardt nicht nur das Liebhaberpublikum musikalisch erziehen wollte, sondern vor allem auch die Entwicklung der künftigen schöpferisch tätigen Musiker diesen Schulen anzuvertrauen gedachte. Keine Schicht blieb bei ihm außer Betracht. Mahnungen, Ratschläge an seine

Berufsgenossen veröffentlichte er in großer Zahl. Diese stimmen allesamt darin überein, daß er „die Musiker von ihrem kalten Rechnungssinn heilen und sie zu fühlenden Menschen bilden" wollte[868]. Jeder angehende Komponist soll zuerst die Singekunst erlernen, dann erst mit Hilfe des Klaviers „harmonische Kenntnisse" erwerben, um schließlich „deutlich und schnell schreiben zu können"[869]. Wichtiger als handwerkliche Fertigkeiten erschien ihm die Gesinnung, die den Musiker beseelt, denn „sobald der wahre Künstler anfängt, seinen höheren Beruf zu ahnen, sucht er in der Welt um sich herum einen Gegenstand, der ihn begeistere, daß er durch seine Darstellung wirke auf sein Volk und es veredle". In der Kunst der Veredlung gipfelt mithin des Komponisten Wirkfähigkeit[870]. Wenngleich Reichardt als Volkserzieher nicht die praktischen Ziele erreichte, die Zelter oder Nägeli durchzusetzen vermochten, so verdient doch sein umfassendes Bemühen Anerkennung[871]. Er war wirklich ein „edler Freund und Beförderer alles Guten und Gemeinnützigen" und insofern eine Sondererscheinung unter den Hofkapellmeistern seiner Zeit[872].

[824] Dazu siehe SALMEN, J. G. Müthel, in: Fs. f. H. Besseler, Leipzig 1961, S. 51 ff.

[825] Über Reichardts Belehrungstrieb siehe SIEBER, J. F. Reichardt, 1930, S. 10 ff.

[826] REICHARDT, Leben des berühmten Tonkünstlers H. W. Gulden, 1779, Bd. I, S. 201.

[827] REICHARDT, Briefe, I, 1774, S. 97.

[828] Deutsches Museum 1777, S. 286.

[829] REICHARDT, Leben des berühmten, 1779, S. 185.

[830] REICHARDT, Vertr. Briefe aus Paris, III, 1805, S. 246.

[831] REICHARDT, Leben des berühmten, 1779, S. 187.

[832] ebd., S. 188.

[833] REICHARDT, An die Jugend, 1777, S. 40.

[834] REICHARDT, Wanderungen und Träumereien, 1795, S. 584.

[835] Im Anhange zu den „Vertrauten Briefen geschrieben auf einer Reise nach Wien" Bd. II, 1810, S. 331–414 druckt er „Auszüge aus Briefen aus Königsberg in Preußen in den Jahren 1809 und 1810 geschrieben" ab, in denen Zellers Wirken ausführlich und kritisch dargestellt wird.

[836] Vgl. SALMEN, Die Bedeutung der Schweiz, 1958, S. 417 ff.

[837] DOROW, Erlebtes, III, 1845, S. 27.

[838] GUGITZ, I, 1915, S. 50.

[839] H. WOLFF, Die Weltanschauung der deutschen Aufklärung, München 1950, S. 261.

[840] REICHARDT, An die Jugend, 1777.

[841] Siehe M. SCHULER, Iselins pädagogisches Wollen und Wirken, Langensalza 1933, S. 82 f.

[842] M. SCHIPKE, Der deutsche Schulgesang von Johann Adam Hiller bis zu den Falkschen Allgemeinen Bestimmungen, Berlin 1913, S. 52.

[843] J. B. Basedow, Methodenbuch, 1770, S. 97.

[844] Vgl. Czach, F. W. Rust, 1927, S. 39. Reichardt war Pate der am 5. 1. 1779 geborenen Tochter Johanna Louise Mariana Henriette.

[845] In der Musikal. Ms. 1792 S. 170 gab z. B. Reichardt das Lied „Elysium" von Rust heraus.

[846] W. Voigt, Die Musikpädagogik des Philanthropismus, Diss. Halle 1923, S. 95 ff. (maschinenschr.).

[847] Das Schülersingen zum Zwecke des Almosensammelns auf den Straßen verurteilte Reichardt als „unanständige Gewohnheit" scharf (vgl. Gugitz, I, 1915, S. 71).

[848] Siehe Kant's Briefwechsel, II, 1900, S. 501 und Reichardt, Vertr. Briefe geschrieben auf einer Reise nach Wien, II, 1810, S. 329.

[849] Reichardt, Vertr. Briefe aus Paris, III, 1805, S. 22 ff.

[850] Reichardt, An die Jugend, 1777, S. 35.

[851] Vgl. Reichardt, Vertr. Briefe geschrieben auf einer Reise nach Wien, II, 1810, S. 403 ff. sowie H. J. Schattner, Volksbildung durch Musikerziehung, Leben und Wirken Hans Georg Nägelis, Diss. Saarbrücken 1960.

[852] Reichardt, Briefe, II, 1776, S. 84 und ders., Leben des berühmten, 1779, S. 2 f.

[853] Vgl. E. Martin, Ungedruckte Briefe von und an Johann Georg Jacobi, Strassburg 1874, S. 77 u. 85.

[854] Jacobi gab 1774–1776 gemeinsam mit Heinse die Zeitschrift „Iris" heraus.

[855] Reichardt, Wiegenlieder für gute deutsche Mütter, Leipzig 1798, S. V.

[856] Voigt, Die Musikpädagogik, 1923, S. 88.

[857] Die „Lieder für die Jugend" von 1799 sind z. B. eingerichtet als „angenehme Anfangs- und Übungsstücke fürs Klavier", zu diesem Zwecke wurde vom Komponisten gar „die Fingersetzung bezeichnet".

[858] Siehe Reichardt, Lieder geselliger Freude, II, 1797, S. VIII.

[859] Gugitz, I, 1915, S. 283.

[860] Reichardt, An die Jugend, 1777, S. 40.

[861] Reichardt, Briefe, I, 1774, S. 46.

[862] Siehe auch Schubart, Chronik 1790, Stuttgart 1790, S. 852.

[863] Reichardt, Vertr. Briefe geschrieben auf einer Reise nach Wien, I, 1810, S. 181.

[864] G. Schünemann, Carl Friedrich Zelter, der Begründer der Preußischen Musikpflege, Berlin 1932.

[865] Berlin. Mus. Ztg. 1805, S. 49.

[866] Reichardt, Wanderungen und Träumereien, 1795, S. 364.

[867] Musikal. Kunstmagazin 2 (1791), S. 5.

[868] Mann, Musical. Taschen-Buch, 1805, S. 367.

[869] Berlin. Mus. Ztg. 1805, S. 63.

[870] Dazu siehe auch Jb. d. Goethe-Ges. 2 (1915), S. 253.

[871] Reichardt schaltete sich z. B. erfolglos in die Planungen des Markgrafen Karl Friedrich von Baden zur Errichtung einer „Teutschen Akademie" ein, siehe dazu einen sehr kritischen Brief von Herder an Herzog Carl August v. Weimar aus dem Jahre 1788 bei Dobbek, Herders Briefe, 1959, S. 277.

[872] K. Spazier, Melodien zu Hartungs Liedersammlung; zum Gebrauch für Schulen und zur einsamen und gesellschaftlichen Unterhaltung am Klavier, Berlin 1794, Widmung.

DIE BEDEUTUNG DER VOLKSMUSIK ALS BASIS
DES KOMPONIERENS

Reichardt wuchs in eine bewegte Epoche hinein, die viele geistige Horizonte entweder befreiend wieder aufdeckte oder aber neu hinzugewann. Das Streben der tonangebenden Künstler ging gleicherweise sowohl in idealistische Höhen als auch in erdschwere Tiefe. Seit etwa 1770 wurde dank kräftiger Impulse einzelner schöpferischer Denker und Künstler dem Vergangenen, dem Natürlichen und den Eigengütern des Volkes eine erneute Wertschätzung zuteil, die mit dazu beitrug, die Klassik ihrem geschichtlichen Höhepunkte entgegenzuführen. Eine echte Wende bahnte sich binnen weniger Jahre an. Bis dahin Verachtetes oder Verkanntes wurde im Zuge einer Regenerationsbewegung in neuem Lichte betrachtet. Das Volk wurde nicht mehr ausschließlich als „das Gemeine", als der „Pöbel auf den Gassen" bewertet, sondern vielmehr als „ehrwürdiger Teil der Nation" anerkannt, der grundschichtig das Ganze trägt[873]. Hin zu den „Urlauten unsers Volks" rief Chr. D. F. Schubart, hin zu den „natürlichen Quellen" der Künste wies Herder. Eine aus der Erfahrung und nicht nur aus der Reflexion gewonnene Wiedergeburt der gesamten Kultur sowie der Dichtung und Musik im Besonderen aus eigenen, noch lebendigen Traditionen war das erklärte Ziel. Eine Renaissance an Hand antiker Muster allein genügte nicht mehr, zumal für das Musikleben mangels jeglicher klingender Quellen die Musik der Griechen und Römer nur wenig bedeuten konnte. Diese bewußte Hinwendung zum Natürlich-Einfachen hat in der vor allem von Herder und J. A. P. Schulz getragenen Idee des schlichten, lebensverbundenen Liedes eine ihrer fruchtbarsten Auswirkungen erfahren. Das „Lied im Volkston", konfrontiert mit dem von der „singenden Natur" (Herder) entfernt Geschaffenen, wurde für manche Künstler zum zentralen Gegenstand. Zu dessen dauerhafter Verwirklichung war ein Kennenlernen und warmherziges Verhältnis zum Volksgesang unerläßlich, was wegen des Fehlens geeigneter Liedersammlungen dessen Aufzeichnung anregte. Die einfachen Formen und Gehalte der Volksmusik insbesondere stadtferner Gegenden wurden als vorbildlich für die Kunstpoesie und -musik geschätzt. Reichardt schloß sich früh dieser Regenerationsbewegung an und trat begeistert für die ideale Verbindung von Geistigkeit und Volksgut im Sinne einer zweiten Natürlichkeit ein. Seine

Hinwendung zur Volksmusik entsprach seiner Rückerinnerung an die Geschichte und seinen volkserzieherischen Bestrebungen.

Dank der innigen Verbundenheit mit den Schönheiten der Natur und der „Einfalt der ländlichen Sitten" ging Reichardt oftmals als Reisender und Wanderer aufs Land,wo ihm als aufmerksam Lauschendem und Schauendem viele lebendige Eindrücke von echtem Volksgesang zukamen. Er nahm das Singen der Bauern, Hirten oder Handwerker nicht nur als Tourist genießerisch wahr, vielmehr suchte er deren Lieder und Tänze auch schriftlich festzuhalten und das Gesammelte seinen Freunden mitzuteilen. Somit führt er die stattliche Reihe folkloristisch orientierter Forscher-Komponisten an, die in unseren Tagen in Männern wie Bartók oder Kodály beispielgebend gipfelt. Im *Musikalischen Kunstmagazin* von 1791 berichtet er, daß er in der Schweiz „sehr oft unter Landleuten auf dem Felde und in Schenken nach alten ächten Volkliedern" gesucht habe[874]. Schon während seiner ersten Virtuosenreise von 1771 bis 1774 hatte er „mit ganz vorzüglicher Liebe den Nazionalgesängen und Volktänzen nachgeforscht"[875]. Insonderheit „des Böhmen brennende Begierde zur Musik" beeindruckte ihn dabei nachhaltig[876]. In späteren Jahren hörte er zudem Savoyardensängern, mittelfranzösischen Straßensängern, Hirten im schlesischen Riesengebirge, der „Naivität und Originalität" von Tirolersängern, russischen Soldatenchören u. a. mit der Intensität eines animierten Musikers zu[877]. Aus denjenigen europäischen Ländern, die Reichardt während seines bewegten Lebens nicht bereisen konnte, suchte er nach Möglichkeit durch Gewährsleute Aufzeichnungen von Volksmusik zu erhalten. Unter den vielen Gästen, die er in Berlin oder in Giebichenstein um sich versammelte, befand sich auch manch findiger Sammler fremder Volksgesänge. So überreichte ihm nach einer Reise durch Süditalien Salomon Bartholdy sizilianische Volksweisen[878], Friedrich August Eschen bat er 1797 um „alte span: Nationalmelodien", damit er diese einer deutschen Ausgabe des „Don Quichote" beifügen könne[879]. Wilhelm Dorow berichtet u. a. über eine Abendgesellschaft im Hause Reichardts während des Jahres 1813: „Welche Gespräche über Spanien und spanischen Volksgesang! Herr v. Oppen ist kürzlich aus diesem Lande, wo er gegen Napoleon gekämpft, zurückgekommen, er singt uns dieses herrlichen, großartigen Volks Nationallieder vor, und Reichardt schreibt die Melodien danach nieder; unbeschreiblich groß ist der Genuß, wenn dieser sie dann mit seinem gewaltigen, feurigen Alles mit sich fortreißenden Vortrag wiederholt . . ."[880] Zusendungen aus Herders Feder, die verloren gingen, aus Goethes Besitz und seitens anderer Zuträger machten es Reichardt möglich, Volkslieder und Volkstänze aus etlichen europäischen Ländern als musterhafte Beispiele für Künstler und Liebhaber vielerorts abdrucken zu lassen. So veröffentlicht er in einer

Zeitschrift einen portugiesischen Tanz mit Guitarrenbegleitung, an anderer Stelle eine hanakische Melodie, eine Ballade aus der Schweiz oder ein Lied aus dem Elsaß[881]. Andere „alte Sachen" gab er im Mai des Jahres 1805 an A. v. Arnim, den Herausgeber von „Des Knaben Wunderhorn", zur Verwendung nach eigenem Belieben. Somit kann man Reichardt unter den Volkslied-Enthusiasten dieser Zeit geradezu als Weltbürger bezeichnen[882].

Wenngleich neben Goethe, Arnim und Brentano auch so bedeutende Volksliedkenner wie die Brüder Grimm oder Werner v. Haxthausen[883] in Reichardts Hause verkehrten, so blieb dem Gastherrn trotz seiner reichen Erlebnisse und beachtlichen Wissens eine gewisse Befangenheit und Unsicherheit im Urteil eigen. Er hatte sich ein zu enges, klassizistisches Bild vom Wesen echten Volksgesangs geformt, so daß er es nicht vermochte, die großartig bunte Fülle der Volksmusik europäischer Völker gänzlich offen in sich aufzunehmen. Reichardt hörte leider das ihm klingend oder schriftlich Zukommende auf Modellvorstellungen hin zurecht, die in den Rahmen seiner Liedästhetik berliner Prägung paßten. Wurden diese etwa durch die improvisatorische Freizügigkeit in sizilianischen Volksweisen nicht bestätigt, dann kritisierte er ein vermeintliches Fehlen „eigentlicher Poesie und einer ihr völlig entsprechenden musikalischen Composition"[884]. Sein Geschichtsbild auf diesem Gebiete war nicht weniger sentimentalisch-voreingenommen begrenzt[885]. Eine eindeutige Definierung des Begriffes Volkslied ist in Reichardts umfangreichem Schrifttum nicht zu finden[886]. Die Wörter „Volklied", „Nationalmelodie", „Volksweise" oder „im Volkssinne" benutzte er häufig synonym[887]. So zählte er die Epen Homers ebenso bedenkenlos zu den „Volksliedern" wie etwa die patriotischen Gesänge Ossians oder die seiner Wiener Zeitgenossen Collin und Weigl[888]. Das echte Volkslied kennzeichnete er unzureichend als ein Gebilde, „das den Zustand eines rein menschlichen Gemüts froh oder rührend ausspricht"[889]. An einer anderen Stelle bezeichnet er Volkslieder lediglich als „das Schöne und Angenehme" im Gegensatz zum heroisch Großen in der Kunst[890]. Der „Gesang des gemeinen Mannes" war nach seiner Ansicht auch in der Geschichte „nie gedehnt" (d. h. melismatisch), da er sich vorstellte, man finde im Volke „jederzeit nur kurze Deklamation"[891]. Nach Reichardt ist den „alten Volksliedern aller Nationen" der „Charakter des Einklanges" eigen, „in denen weder neue christliche Kirche noch Theater anklingen"[892]. Melodien, die die Begleitung durch eine zweite Stimme zulassen, bewertete er allesamt als „nicht wahre ursprüngliche Volkliedermelodien, sondern Jägerhornstücke oder Landtänze denen die Worte unterlegt wurden"[893]. Das Liebeslied „Dort droben in jenem Tale, da treibet das Wasser das Rad" (in: *Musikal. Kunstmagazin* 1, 1782, 99) ist ihm im Gegensatz zu dem Schweizerlied „Es hätt' e' Buur e' Töchterli" (siehe Bsp. 16) solch ein vermeintliches „Jägerhornstück". Mit historisch nicht zu rechtfertigenden und vereinseitigenden Ansichten nahm Reichardt mithin zuweilen Volksmusik auf. Er urteilte gemäß den Prinzipien der Berliner Liedästhetik, wodurch ihm der Blick für die bunte Vielfalt der Völker verstellt wurde, da er stets nur auf das Schlichte, rational Faßbare und für Jedermann leicht Zugängliche achtete. Reichardt verklärt das Volkslied als ein Musterbild unverbildeter Bravheit, das er noch „vorzüglich in der Schweiz und in Schottland rein und von großer Bedeutung" zu finden hofft, nicht indessen mehr im eigenen Lande. Da er somit die nähere Umgebung bereits als ausgelaugt abwertete, fehlte ihm jenes unmittelbare Verhältnis zum lebendigen Volksgesang, das den Wiener Klassikern von Geburt an eigen war. Mozart, Haydn oder Schubert fanden in und um Wien die sie zur Veredelung anspornenden Leitbilder echter Volksmusik[894]. Sie schafften aus einer produktiven Gesamtatmosphäre heraus, die Reichardt in Berlin nicht in gleich förderlicher Weise gegeben war. Daher reflektiert und schreibt er auch mehr über diesen Gegenstand, als es seine Zeitgenossen in Wien jemals nötig hatten. Das lebensverbundene, sozialechte Lied suchte Reichardt nicht etwa in der Mark Brandenburg, sondern entweder in der Vergangenheit oder in den mündlichen Traditionen von Rückzugslandschaften. Das authentische Erlebnis spontan singender Landbewohner ersetzte er insbesondere während seiner Wirkungszeit als Hofkapellmeister häufig durch „ganzes Studium", das seiner Überzeugung nach „erst wieder der Natur nahe bringen" könne[895]. Er fand zur Volksmusik auch aus einer abwehrenden Negation heraus, indem er die italienische Bravourarie und die Mächtigkeit der barocken Klangkunst durch Eigenständiges ersetzen wollte.

Reichardts Anschauungen vom Wesen des Volksliedes finden naturgemäß auch in der Art der Wiedergabe ihren Niederschlag. Mit dem Abdruck von Volksweisen will er vornehmlich die gleichgewichtige Aufnahme der einfachsten Musik neben den kunstvollen geistlichen Chorwerken Palestrinas, Leos oder Händels in die bürgerliche Hausmusik befördern helfen. Sie sollen kraft ihrer naturfrischen Schlichtheit mit dazu beitragen, das Erwachen des „besseren, inneren Menschen" zu erwirken. Formende, heilende Kräfte sollen die Verse und Weisen im Sinne humaner Bildung ausstrahlen. Im eigenen Hause hat Reichardt diese den Gegenstand überfordernde Absicht vorbildlich zu erfüllen gesucht. Fast täglich sang er abends gemeinsam mit seiner großen Familie und den Hausgästen wehmütige oder fröhlich stimmende Volkslieder begleitet von Guitarre, Klavier oder zwei Waldhörnern, die sein Kutscher und sein Diener bliesen. Reichardt erstrebte durch die Bearbeitung eines Rohstoffes eine Anverwandlung von Bauern- und Hirtengesängen an das

Milieu der bürgerlichen Stube. Aus melodisch und rhythmisch ursprünglich freizügigen Melodien machte er wohlgefügte, sehr einfache, gleichsam gezähmte Klavierlieder zurecht. Befangen vom Idol der Simplizität, der syllabischen Deklamation und des rational in jedem Falle meßbaren Rhythmus gab er das von ihm gehortete Sammelgut auf die anspruchsloseste Art heraus, so z. B. das „Klage" betitelte wehmütige Liebeslied, das er aus Schwaben von dem als Volksliedsammler bekannten Heidelberger Kirchenrat Horstig erhalten hatte (Bsp. 10). Reichardt übt diese Zurückhaltung als Bearbeiter aus der Einsicht heraus, daß solche und ähnliche alte Melodien eigentlich „ohne Harmonie gesungen sein wollen". Deswegen kritisierte er auch scharf die s. E. unsachgemäße Heraus-

Bsp. 10

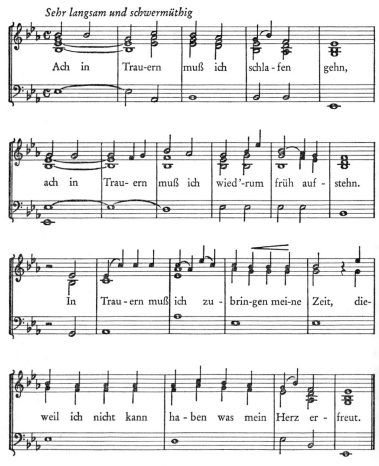

Sehr langsam und schwermüthig

Ach in Trau-ern muß ich schla-fen gehn,
ach in Trau-ern muß ich wied'-rum früh auf-stehn.
In Trau-ern muß ich zu-brin-gen mei-ne Zeit, die-
weil ich nicht kann ha-ben was mein Herz er-freut.

gabe englischer und schottischer „Nationallieder" durch J. Haydn und
L. A. Koželuch. Haydn wirft er trotz aller Hochachtung offen vor, durch
seine „moderne Behandlung" die „Urgestalt" zu zerstören[896]. Nur zö-
gernd greift Reichardt daher zur Feder, um alte Volksmusik für die
Ansprüche seiner Zeit frisierend herzurichten, denn einer seiner Grundsätze war: „Charakteristische Nationalmusik muss . . . ohne alle Um-
änderungen bekannt gemacht werden, so nur hat sie, wenigstens für den
redlichen Forscher, einen reellen Wert."[897] Da, wo er, wie z. B. angesichts
eines sizilianischen Volksliedes, sehr alte Melodien vor sich zu haben
glaubt, lehnt er außer der üblichen Einzwängung in das ihm gefällige
Taktmaß jeglichen Zusatz ab. Weder Vor-, Zwischen- oder Nachspiele
hält er für angemessen. Eine harmonisch einfache, klanglich unauffällige
Grundierung der Singstimme wie in Bsp. 11 erscheint ihm als völlig aus-

Bsp. 11

reichend für den Vortrag im häuslichen Kreise[898], für die Benutzung
durch die „lesenden Stände"[899]. Eine das Lokalkolorit oder den spezifischen Gehalt andeutende Charakterisierung durch die Begleitung gelingt
ihm nur selten, obwohl er 1797 annahm, Lieder z. B. „im span. Volks-
liederton" getreu imitierend schaffen zu können[900].

Da Reichardt sich der Sammlung und Herausgabe von europäischen
Volksweisen vor allem deswegen widmete, damit diese für die „wahren
Künstler" wieder zur Grundlage ihres Schaffens auflebten, steht naturgemäß auch für ihn persönlich die Fruchtbarmachung im eigenen Werk
im Vordergrund des Interesses. Reichardt erstrebt programmatisch dasselbe, was die Wiener Klassiker naiver verwirklichen konnten, nämlich
die Gestaltung mehrschichtiger Kunstwerke, in welche Gemeingut als
grundlegende Substanz aufgehoben ist[901]. Auch er ersehnt letztlich durch
die Hinwendung zu echter Volksmusik die allgemein verständliche Ver-

wirklichung der Idee einer umfassenden Humanität, jene Einfachheit und jenes Wachsen in die Höhe wie in die Tiefe zugleich, das etwa die Hauptwerke Mozarts beispielhaft als klassisch auszeichnet. Während die Wiener Klassiker jedoch ihren gesamten Stil von dem aus den Grundschichten Aufgehobenen durchdringen und prägen lassen, beschränkt sich Reichardt mehr auf das zitierende Einfügen von volksmusikalischen Elementen oder Bausteinen in einigen Werken. Es gelingt ihm trotz angestrengter Bemühungen nicht, gleichwertig meisterlich symphonische und andere Werke gänzlich auf der Basis norddeutscher oder anderer ihm nahestehender Volkstraditionen zu schreiben. Ihm vermögen Volksmelodien lediglich als Themen etwa für Rondos oder als gelegentliche Einsprengsel zu dienen[902]. Ansonsten sind es Teilstücke oder Teilmomente, die er in seinen Kompositionen umschmelzend mitverwendet, so etwa den typischen Romanzenton in Nr. 28 seiner *Kleinen Klavier- und Singestücke* von 1783, das Timbre der Janitscharenmusik in dem Liederspiel *Der Jubel* (Bsp. 12a), oder den Tanzrhythmus nach polnischer Art in einem Klavierrondo und in einem Lied (Bsp. 12b und c). Die lebhaften „Nationaltänze" der Polen schätzte er von Jugend an besonders hoch, wenn diese mit „feinstem reinen Griff" auf der Violine gespielt wurden. Zwischen den Bezeichnungen „polisch", „alle Polacca" und „Polonoise" unterschied er streng. Diese Sonderung wurde nicht von allen westeuropäischen Musikern beachtet, beklagte sich doch J. A. P. Schulz 1782 eigens darüber, daß „mancher Liedersetzer von Profeßion das heute noch nicht" wisse[903].

Wenn Achim v. Arnim im Jahre 1805 an Reichardt bewundernd schreiben konnte: „Haben Sie doch selbst mehr gethan für alten deutschen Volksgesang, als einer der lebenden Musiker, haben Sie ihn doch nach seiner Würdigkeit lesenden Ständen mitgetheilt, haben Sie ihn doch sogar auf die Bühne gebracht", dann spricht der Dichter mit letzterer Bemerkung eines der Hauptanliegen des befreundeten Komponisten an[904]. Bereits im Jahre 1774 trat dieser dafür ein, daß insonderheit das schlichte Singspiel und später auch das eigens zur Popularisierung geschaffene Liederspiel vorzüglich zur Wiederaufwertung von allgemein geläufigem Singgut dienen mögen[905]. Wie Reichardt sich dies praktisch vorstellte, zeigt sein Singspiel *Jery und Bätely* aus dem Jahre 1791. Der Komponist hebt in einer Art Selbstanzeige betont und stolz hervor: „... es gelang mir zu den naiven Götheschen Versen einige Schweizer- und französische Volksmelodien ungezwungen zu benutzen."[906] So leitet er in die von Flöten, Hörnern und Fagott intonierte Ouvertüre ein mit der Melodie des schlichten Liedes „Wenn ich ein Vöglein wär" (Bsp. 13), während er zu den Versen „Er war ein fauler Schäfer" die Volksliedweise von „S' isch ebe e Mensch uf Erde" setzt. Dieser stille, bürgerlich-

kleine Tonfall war neu auf der großstädtischen Bühne des späten 18. Jahrhunderts[907]. Es ist daher nicht verwunderlich, daß Reichardt von manchen ihm wegen dieser folkloristischen Neigungen nicht wohlgesonnenen Kritikern heftig angegriffen wurde[908]. Diese Art der Verquickung von Natur und Kunst war ihnen gänzlich zuwider.

Seitdem Gleim 1772 die Devise „Lieder für das Volk" proklamiert

Bsp. 14

Hertzyglych

Wie kömmts dz du so traw-rig bist, unndt gar nit ein-mal lachst,

Ich see dirs ann den Augen ann, dz du geweynet hast.

hatte, Bürger und andere Dichter Popularität als „Siegel der Vollkommenheit" zu einem erstrebenswerten künstlerischen Ziel sich erkoren hatten, erschienen viele Veröffentlichungen, in denen dem breiten Liebhaberpublikum „Lieder im Volkston" schmeichelnd angeboten wurden. Man wollte nicht mehr nur für die Bedürfnisse einer dünnen Oberschicht schaffen, sondern daneben durch das Kleine und Stille eine breitere Wirkung im Volke erreichen. Mancher ließ sich von dieser Strömung mitreißen und in einer Art „erlogener Simplizität" (J. H. Voß) zum Volke herab, anderen war es ein echter Antrieb. Nicht das Monumentale, das barock Pathetische allein galt mehr als „höchster Gipfel der Kunst". Neben der italienischen Arie verlangte auch das „frische Liedlein" nach einer gleichrangigen Beachtung. Während jedoch viele von diesen „Volkstönern" in einer unnatürlichen Simplizität an Hand ausgelebter Schablonen „abgeschmacktes Zeug" in größerer Zahl verfaßten, war Reichardt bemüht, neben einer beträchtlichen Menge anspruchsvollerer Liedkompositionen auch „Lieder im echtesten Volkssinn und Ton" zu schreiben. Die Singspiellieder Hillers und Weißes waren ihm dafür ein leuchtendes Beispiel[909]. Sein Schaffen unterschied sich von dem vieler nord- und mitteldeutscher Liederkomponisten durch den höheren Qualitätsgrad und eine wahrere Natürlichkeit. Er hatte eine bessere Kenntnis vom echten Volksgesang und vermochte somit überzeugender „popularisch" (Goethe) zu schreiben. Viele seiner Melodien, die er z. B. zu Nicolai's „Feynem kleynem Almanach" 1777 und 1778 beisteuerte[910], waren nicht in jeder Hinsicht neu, vielmehr sind diesen Werken Züge eigen, die dem singfreudigen Publikum bereits aus dem Volksgesang oder dem Kirchenlied vertraut waren (Bsp. 14). Reichardt knüpfte geschickt sublimierend und stilisierend an Bekanntes an und vermählte den persönlichen Einfall mit dem typisch Vorhandenen (Bsp. 15)[911]. Diesen Schaffensvorgang, „ein Lied im wahren Volkssinn zu machen", bezeichnete Reichardt als „die schwerste Aufgabe" für einen Künstler seiner Zeit[912]. So entstand etwa der „Erlkönig" nach dem Muster von Mollweisen, die man unschwer in der Überlieferung von Volksballaden, wie z. B. der von „Graf und Nonne"

Ann - chen von Tha-rau ist, die mir ge - fällt,

Sie ist mein Le - ben, mein Gut und mein Geld.

Bsp. 16

Es hätt' e' Buur e' Töch - ter - li

O seht mir mei - nen schö - nen Baum

Es war ein Buh - le frech ge - nung

oder den „Königskindern", findet[913]. Zu der Romanze Rugantinos „Es war ein Buhle frech genung" aus dem Singspiel *Claudine von Villa Bella* und dem Kinderlied „O seht mit meinen schönen Baum" (in: *Lieder für Kinder* III, 1787, S. 50) stand sichtlich die schweizerische Balladenweise von „Dursli und Babeli" Pate (Bsp. 16). Hier wurde der Volkston mit romantisierendem Moll trefflich angetönt. Diesen Tonfall vermochte Reichardt zu treffen, da er als „wahrer Künstler, der die Irrwege seiner Kunst zu ahnden anfängt", Volkslieder achtete „wie der Seemann den Polarstern"[914]. Die zur Förderung des wahren Kunstsinns veröffentlichte Empfehlung: „So wirst du oft in einem echten Volksliede, das Jahrhunderte überlebte, mehr wahren Kunstsinn finden, als in mancher großer Oper, angebetet von vielen tausend Menschen einen ganzen Monat lang. Und wenn du vorher durch hundert Werke schulgerechter Kunstweisen in deine Kunst wie in ein Labyrinth blicktest, wirst du oft durch ein Volkslied auf Spuren geführt werden, von denen du den Gipfel der Kunst in seinem freien Himmelslicht erblicktest...", ist von Reichardt selbst in vielseitigster Weise befolgt worden, denn er hat Volkslieder und Volkstänze mehrerer Völker gesammelt, gesungen, bearbeitet und mit Erfolg nachzugestalten vermocht.

[873] Dazu siehe ausführlich E. Kircher, Volkslied und Volkspoesie in der Sturm- und Drangzeit, in: Zs. f. dt. Wortforsch. 4 (1903), S. 3 ff.

[874] Salmen, Die Bedeutung der Schweiz, 1958, S. 417 ff.

[875] Musikal. Kunstmagazin 1 (1782), S. 112.

[876] Reichardt, Briefe eines aufmerksamen Reisenden, II, 1776, S. 126.

[877] Gugitz, I, 1915, S. 14 u. 277, Bd. II, S. 18 und 268.

[878] Berlin. Musikal. Ztg. 1805, S. 19.

[879] Eschen, Briefe von J. F. Reichardt, 1884, S. 558. Dieser Plan wurde durch die Tiecksche Übersetzung und Ausgabe des „Don Quichote" vereitelt.

[880] Dorow, Erlebtes, III, 1845, S. 138.

[881] Musikal. Kunstmagazin 1 (1782), S. 154 ff.; Berlin. Mus. Ztg. 2 (1806), Beilage V.

[882] Schönemann, L. A. v. Arnims geistige Entwicklung, 1912, S. 55 f. sowie K. Bode, Die Bearbeitung der Vorlagen in Des Knaben Wunderhorn, Berlin 1909 und Arnim, Von Volksliedern, 1845, S. 485.

[883] Siehe Dorow, Erlebtes, III, 1845, S. 56.

[884] Berlin. Mus. Ztg. 1805, S. 19.

[885] Welche Vorstellungen im Kreise um Reichardt in Berlin verbreitet waren, erhellt auch ein Zitat aus K. Spazier, Einige Worte über deutschen Volksgesang, in: AMZ 3 (1800), S. 81: „... daß die Griechen und Römer keine eigentlichen Volkslieder gehabt haben können, da ihnen der Reim abging, der in ihren Sprachen nicht ist und den die Alten überhaupt nicht kannten."

[886] Siehe dazu J. Müller-Blattau, Zur Musikübung und Musikauffassung der Goethezeit, in: Euphorion 31 (1930), S. 433 ff.

[887] Reichardt, Vertr. Briefe aus Paris, I, 1805, S. 271.

[888] Gugitz, II, 1915, S. 104.

[889] ebd., Bd. I, S. 285.

[890] Berlin. Mus. Ztg. 2 (1806), S. 158.

[891] Reichardt, Über die Deutsche comische Oper, 1774, S. 62.

[892] Musikal. Kunstmagazin 1 (1782), S. 4 u. Berlin. Mus. Ztg. 1 (1805), S. 100.

[893] Musikal. Kunstmagazin 1 (1782), S. 24.

[894] Einzelheiten bei W. Salmen, Franz Schuberts Verhältnis zur Volksmusik, in: Forschungen u. Fortschritte 29 (1955), S. 276 ff.

[895] Musikal. Kunstmagazin 1 (1782), S. 6.

[896] Berlin. Mus. Ztg. 2 (1806), S. 101 sowie Gugitz, II, 1915, S. 21.

[897] Berlin. Mus. Ztg. 2 (1806), S. 180.

[898] ebd., Bd. 1 (1805), Beilage III.

[899] Siehe Arnim, 1845, S. 441.

[900] Eschen, Briefe, 1884, S. 558.

[901] Dazu ausführlich W. Wiora, Europäische Volksmusik und abendländische Tonkunst, Kassel 1957, besonders S. 104 ff.

[902] Vgl. dazu Musikal. Kunstmagazin 1 (1782), S. 169.

[903] J. A. P. Schulz, Lieder im Volkston, bey dem Klavier zu singen, Berlin 1782, Vorrede; siehe auch Musikal. Kunstmagazin 1 (1782), S. 95.

[904] Siehe Berl. Allgem. Mus. Ztg. 1 (1824), S. 246.

[905] Reichardt, Briefe, I, 1774, S. 150 f.

[906] Reichardt, Etwas über das Liederspiel, 1801, S. 716.

[907] Herder, 1846, Bd. I, 2, S. 235.

[908] Siehe z. B. AMZ 4 (1802), S. 259.

[909] Musikal. Kunstmagazin 1 (1782), S. 5.

[910] H. Lohre, Zur Entstehung von Nicolais „Feynem kleynem Almanach",

in: Zs. f. Volkskunde 25 (1915), S. 147 ff. Später hat sich Reichardt von dieser bedenkenlosen, gegen seinen Freund Herder gerichteten Mitwirkung distanziert, siehe: Berlin. Mus. Ztg. 1 (1805), S. 395.

[911] Siehe Berlin. Mus. Ztg. 1 (1805), S. 174.

[912] Musikal. Kunstmagazin 1 (1782), S. 5.

[913] Vgl. Deutsche Volkslieder mit ihren Weisen, hrsg. v. Dt. Volksliedarchiv, Bd. II, S. 157 und 170.

[914] Mus. Kunstmagazin 1 (1782), S. 3 f.

Reichardt war ein Musiker mit vielseitigen Fähigkeiten, der „feurig" und sensibel reagierend mit Musik umging[915]. Er ließ sich gern „mit unnennbaren Gefühlen" von bedeutender Musik bewegt durchströmen. Er konnte dabei mit klopfendem Herzen im Überschwang des Hingerissenseins sogar „weinen"[916]. Noch im Jahre 1808 entquollen ihm „die heißesten Tränen", während Beethoven am Fortepiano phantasierte[917]. Diese leicht reizbare Überempfindlichkeit aus der Zeit der Sturm- und Drangperiode blieb zeitlebens an ihm haften und verband sich später mit dem romantischen Musikerlebnis der Generation Wackenroders und Tiecks in einer einzigartigen Weise, denn längst vor dem allgemeinen Anspruch der Musiker auf eine weihevolle Stille in „nur der Kunst geweihten Stunden" war ihm z. B. Tafelmusik ein „Gräuel". Als freier, selbstbewußter Künstler setzte er bereits im 18. Jahrhundert selbst gegenüber Fürsten seine Forderungen durch, daß Konversation und Gesellschaftsspiele zu ruhen hatten, wenn er musizierte[918]. Täglich selbst zu musizieren war ihm ein dauerhaftes Bedürfnis.

Sehr beliebt war Reichardts Gesangsvortrag. Obgleich er von sich bescheiden sagt, er könne nur singen „wie Komponisten singen", verfügte er nicht nur über eine außergewöhnlich klangvolle Tenorstimme, sondern überdies auch über ausgezeichnete Kenntnisse in Fragen der Stimmbildung und italienischen Gesangsmethodik[919], die er als die wahre Gesangschule hoch schätzte und als Gesangslehrer wohl auch noch 1798 der königlichen Familie in Berlin nahebrachte[920]. Seine Stimme verlor erst an Schönheit, als ihn 1791 eine schwere Brustkrankheit befiel, woraufhin er angeblich „nichts mit Ausdruck und Leidenschaft zu singen" mehr vermochte[921]. Reichardt sang aber auch später noch mit Erfolg vor Gesellschaften von Kennern und Liebhabern Arien von Rolle oder Gluck[922], er trat auch in Schloßkonzerten in Schwedt und anderswo oftmals auf[923], vor allem war er jedoch der beste Interpret seiner eigenen Lieder und Arien. Hiermit begeisterte er all seine Besucher und Freunde, so daß die begabte Sängerin Elisabeth v. Stägemann 1795 darüber schreiben konnte: „... wenn er singt, hört man erst was die Lieder sind."[924] Reichardt besaß die von Goethe stets geforderte Gabe, dem schlichtesten Strophenlied mittels eines nuancenreichen Vortrags zu einem packend-sprechenden

Ausdruck zu verhelfen. Seinen „guten Vortrag" ohne übertriebenen Stimmaufwand bezeugen Herder, Friedrich August Eschen, Amalie v. Helvig und viele andere[925]. Es waren die glücklichsten Abendstunden in Giebichenstein, wenn sich Reichardt ans Klavier setzte und sang. Daß er von dieser besonderen Veranlagung selbst überzeugt war, belegt u. a. ein Brief an August Wilhelm Schlegel vom 16. November 1798, in dem er sich für ein „schönes Gedicht" bedankt, das er vertont hatte, wozu er bemerkt: „So etwas muß ich Ihnen zum ersten Mahl selbst vorsingen".[926] Wie sehr selbst ein so anspruchsvoller Dichter wie Klopstock Reichardts Gesang schätzte, zeigt ein Brief aus Hamburg vom 30. März 1779, worin er u. a. schreibt: „Nach Iren Komposizionen aus dem Mess[ias] ferlangt mich ser. Freilich möcht ich si fon Inen zuerst, u. wider u. wider singen hören; aber da dis mir nicht anget, so machen Si mir die Freüde, si mir zu schikken . . ."[927]

Diese Wertschätzung der Gesangskunst durch Klopstock war wahrscheinlich dadurch mitbestimmt, daß Reichardt kein „gewöhnlicher Sänger" war, der nur schöne Töne hervorbrachte, sondern überdies „Sinn und Gefühl für hohe Declamation" hatte[928]. Seit Klopstock wurde der Deklamation eine hohe Bewertung zuteil[929]. Dem guten Sprechkünstler wurde neben dem Dichter der zweite Platz zugebilligt, da er den Sinnesbereich des Hörens verfeinern half, der der Musik und Dichtung gemeinsam ist. Da es der Goethezeit um eine allseitige Verwirklichung der Künste ging, wurde auch die wohlklingende und emphatische Rede mit besonderem Genuß gepflegt. Das Deklamieren fand in Privatzirkeln und in öffentlichen Deklamatorien um 1800 breitestes Interesse[930]. Die Vorlesekunst wurde neben der Rhetorik als eigenständige Wissenschaft ausgebildet, da auch nach Reichardts Meinung „die Natur der Rede und des Gesanges" gänzlich verschieden sind. Zwischen beiden besteht aber ein Analogieverhältnis. Das Augenmerk wurde zu dieser Zeit so stark auf das Wortkunstwerk gerichtet, daß z. B. der berühmte Mime Iffland Dramen nicht nur spielte, sondern auch vorlas, so etwa im August 1806 in Halle, worüber das „Hallische patriotische Wochenblatt" berichtete: „Am letzten Sonnabend hatte ein zahlreiches Auditorium von 500 Personen die Freude, einen der großen deutschen Schauspieler als Vorleser des Wernerschen Drama: Die Weihe der Kraft, zu hören." Im „Dramaturgischen Wochenblatt" Nr. 13 aus dem Jahre 1816 steht zu lesen: „Die reine Rezitation eines Gedichts ist einer der schönsten Geistesgenüsse. Deklamation oder gesteigerte Rezitation ist das Non-plus-ultra der Redekunst, hier offenbart das Instrument all seine Mutationen, alle Register werden in Bewegung gesetzt."

Reichardt war „die Natur der Rede", der feine Unterschied zwischen dem grammatikalischen, oratorischen und dem musikalischen Akzent wohl vertraut, weswegen er die Entwicklung des Sololiedes folgerichtig auf die von ihm so benannten „Declamationen" zusteuerte. Er hatte die deutsche Sprache an Hand der damals einschlägigen Literatur von Adelung, Campe, Eberhard und Delbrück eingehend studiert und übte sich, auf diese Weise wohl vorbereitet, in Ergänzung seiner Gesangsvorträge oft als Deklamator. So las er 1795 in Berlin den „Tasso" von Goethe vor, worüber Elisabeth v. Stägemann am 17. November berichtet: „[Reichardt] declamirt schön und richtig, nur etwas zu stark."[931] 1805 las er in Giebichenstein oftmals des Abends vor aus „Des Knaben Wunderhorn". Der Dichter Adam Oehlenschläger vermerkt außerdem: „Er las gut, besonders trug er die Fischpredigt des heiligen Antonius vortrefflich vor."[932] Selbst in Wien las er 1809 der Fürstin Lobkowitz „einige Akte aus Schillers Wilhelm Tell vor"[933]. Diese Vortragstätigkeit muß für ihn kennzeichnend gewesen sein, denn Franz Gareis malte Reichardt „unter einem Baume sitzend und den Seinigen Vossens Luise vorlesend"[934]. Diese ungewöhnliche Sprechbegabung kam insonderheit den Goethe-Vertonungen zugute.

Auch als Dirigent und Orchestererzieher nahm Reichardt zu seiner Zeit einen führenden Rang in Europa ein. Zwar amtierte er als Kapellmeister noch im Ensemble der Spieler, jedoch brach er als einer der ersten demonstrativ mit der Tradition des Generalbasses. Er dirigierte mit einem Geigenbogen oder mit einem Taktstock temperamentvoll von einem Pult und nicht mehr vom Flügel aus[935]. Mit dieser Neuerung zog er sich in Berlin den Zorn vieler Vertreter des alten Stils zu. Besonders heftige Kritik übte Kirnberger, der am 4. Dezember 1779 und am 1. Januar 1781 in Briefen an Forkel das Verdrängen des „Flügels zum Accompagnement" als einen Abfall in Praktiken der „Wirthshäuser-Musikanten" beklagte[936]. Das Taktschlagen mit dem Fuße lehnte Reichardt ab, da es „allen freien, reinen Genuß" stört, denn beim Musizieren ist „Ruhe in allem das erste Haupterfordernis"[937].

Mit dem Wegfall des Flügels setzte Reichardt in Berlin ebenfalls eine Reform der Orchesteraufstellung durch gemäß dem „Prinzip der Streicherverteilung rechts und links vom Kapellmeister und der Instrumentenzusammenfassung nach chorischen Gruppen"[938]. Auf diese Weise sollte vor allem ein homogener Gesamtklang erreicht und die Orchesterdisziplin in Hinblick auf eine präzise Gleichzeitigkeit im Ansatz und Strich gebessert werden. Auch wurde damit ein dynamisch nuancierteres Spiel nach dem Vorbilde der Orchester in Mannheim und Stuttgart für den Dirigenten erleichtert. Das „tempo rubato" lehnte Reichardt zwar ab, da es den „stetigen Gang der Empfindung" unterbreche[939]. Er achtete mehr auf feine Akzente, „schmelzende Übergänge", zarte Vorschläge und stilechte Verzierungen. In den feineren „Schattierungen" wollte er vor allem seine Meisterschaft zeigen, nicht indessen in wuchtigem Klang-rausch. Er unterschied zwischen: pp. - p. - poc. p. - r. f. - poc. f. - m. f. - p. f. - f. - ff. Außerdem hob er feinsinnig ab: „Das forte im adagio von dem [im] allegro ... So unterscheidet sich auch das forte der Arie von dem forte der Symphonie und des Chors."[940]

Als Orchesterleiter verfolgte Reichardt aber außerdem noch weitere Reformziele. Insbesondere stritt er leidenschaftlich erregt gegen den stili-stischen Wirrwarr im Konzertwesen und für eine „wohlangeordnete Harmonie". Statt „sinnloser Zusammenpaarungen" und Werkzerstücke-lungen drang er auf die Beachtung wohlproportionierter Programmein-heiten[941]. Konzerte sollten nicht nur unterhaltend wirken und zu jeder Tageszeit nach dem Motto zusammengestellt werden: „Wer vieles bietet, wird jedem etwas bieten."[942] Vielmehr sollte *ein* Charakter die gesamte Darbietung bestimmen und der bunte Wechsel von Erhabenem und Leichtfertigem ausgemerzt werden durch eine Geschmacksverbesserung des Publikums und Erziehung der Konzertveranstalter.

[915] Vgl. Voss, Beleuchtung der vertrauten Briefe, 1804, S. 68.

[916] REICHARDT, Briefe, I, 1774, S. 84 und ebd., Bd. II, 1776, S. 75; BÖT-TIGER, Literarische Zustände, II, 1838, S. 54.

[917] GUGITZ, I, 1915, S. 148.

[918] DOROW, III, 1845, S. 10.

[919] REICHARDT, Briefe, II, 1776, S. 79 ff.

[920] Vgl. dazu einen Brief Reichardts vom 26. 3. 1791 bei MEYER, Gesch. d. Mecklenburg-Schweriner Hofkapelle, 1913, S. 164.

[921] KUNZEN-REICHARDT, Studien, 1793, S. 54.

[922] REICHARDT, Briefe, II, 1776, S. 75 f.; *ders.,* Vertr. Briefe geschrieben auf einer Reise nach Wien, I, 1810, S. 258.

[923] A. KOEPPEN, Die Geschichte des Schwedter Hoftheaters, Schwedt 1936, S. 23.

[924] STÄGEMANN, Erinnerungen, II, 1846, S. 207.

[925] ESCHEN, F. A. Eschen, 1882, S. 580; BISSING, Das Leben der Dichterin A. v. Helvig, 1889, S. 69.

[926] KÖRNER, Briefe von und an A. W. Schlegel, I, 1930, S. 81 f.

[927] Faksimiliert in: Neisdannye pisma inostrannych pisatelej XVIII–XIX wekow is Leningradskich rukopisnych sobranij. Pod redakciej akademika M. P. Alekseewa. Akademija Nauk SSSR., Moskwa–Leningrad 1960, S. 159.

[928] Diese Qualitäten rühmt Reichardt 1801 in einem Brief an Goethe ganz besonders an Karoline Jagemann, die am 5. 7. 1803 auch in Giebichenstein zu Gast war, vgl. E. v. BAMBERG, Die Erinnerungen der Karoline Jagemann, Dresden 1926, S. 313.

[929] Siehe K. A. SCHLEIDEN, Klopstocks Dichtungstheorie, Saarbrücken 1954, S. 118 ff.

[930] Dazu allgemein I. WEITHASE, Anschauungen über das Wesen der Sprech-kunst von 1775–1825, Berlin 1930.

[931] Stägemann, Erinnerungen, II, 1846, S. 209.

[932] Oehlenschläger, Meine Lebenserinnerungen, II, 1850, S. 19.

[933] Reichardt, Vertr. Briefe geschrieben auf einer Reise nach Wien, I, 1810, S. 391.

[934] Allgem. Lexikon der Bildenden Künstler 13 (1920), S. 190 ff.

[935] Siehe A. Carse, The Orchestra in the XVIIIth Century, Cambridge 1950, S. 54; Heinrichs, J. F. Reichardts Beziehungen zu Cassel, 1922, S. 14.

[936] Bellermann, Briefe von Kirnberger an Forkel, 1871, S. 617 u. 678; vgl. auch Cramer, Magazin, 1783, S. 437.

[937] Gugitz, I, 1915, S. 164.

[938] Schünemann, Gesch. d. Dirigierens, 1913, S. 202.

[939] Berlin. Mus. Ztg. 1805, S. 187; Reichardt, Über die Pflichten des Ripien-Violinisten, 1776, S. 59.

[940] ebd., S. 69.

[941] Kunzen-Reichardt, Studien, 1793, S. 130; Berlin. Mus. Ztg. 1805; E. Preussner, Die bürgerliche Musikkultur, Kassel 1950, S. 71.

[942] Siehe auch Gugitz, I, 1915, S. 157.

DER KOMPONIST

Die Arbeitsweise

Reichardt war seiner gesamten Natur nach kein Komponist, der sich schwer beweglich jedes einzelne Werk abrang und aus vielerlei Vorarbeiten in einem langsamen Reifeprozeß zu einer endgültigen Formung fand. Er kannte nicht die Scheu vor dem Sich-Äußern und der allzu flinken Vielschreiberei, die z. B. Johann Gottfried Müthel sehr behinderte[943]. Vielmehr schätzte er es an sich selbst als eine vorteilhafte Naturveranlagung, daß er „von Kindheit auf schnell" arbeiten konnte und „mit unglaublicher Geschwindigkeit Noten" schrieb, so daß er an „manchen Tagen zwanzig Bogen recht ordentlich, ja selbst zierlich" zu füllen vermochte. Reichardt erachtete diese souveräne Beherrschung der Schreibtechnik für so wichtig im Leben eines Komponisten, daß er den Studierenden die Fertigkeit, „deutlich und schnell schreiben zu können", als eine der wichtigsten Voraussetzungen für eine gedeihliche schöpferische Arbeit besonders anempfahl, da der Gang der Hand ein „Schneckenschritt ist gegen den pfeilschnellen Pflug des Geistes"[944]. Da er „stets ganz ohne Beihilfe der Instrumente" zu komponieren pflegte[945], um seine Empfindungen durch nichts, auch nicht „durch Nachdenken" unterbrechen zu lassen[946], ließ er in „Augenblicken des erhöheten Sinnens und Gefühls" seiner Feder leider oft einen allzu freien Lauf. Unbelastet durch intensive Studien im Kontrapunkt hatte er substantiell nur wenig zu skizzieren, oder im Vorentwurf zu fixieren. Nur die leiseste Gefühlsregung genügte, um in die rechte Arbeitsstimmung zu kommen, um „Musik so rein zu denken, wie man Gedanken denkt, ohne sich der Worte dabei bewußt zu sein"[947]. Kunstschaffen war ihm ein natürlich-geniales Hervorbringen, das sich in drei Stadien gliedert: 1. „Erfindung musikalischer Ideen. Hiebei ist bloß die Fantasie beschäftigt (Tondichten)"; 2. „Regelmäßige Anordnung, Verbindung, Zusammensetzung zu einem Ganzen. Hiebei ist Fantasie und Verstand beschäftigt"; 3. „Fixierung dieser zu einem Ganzen verbundenen Gedanken, mittelst musikalischer Schriftzeichen. Hiebei ist bloß der Verstand beschäftigt."[948] Dieses ihm eigene „lebhafte Entwerfen" sowie „feurig und schnelle Ausführen" hinderte ihn indessen nicht, den Ausdruck eines Gefühls zu belasten mit der Absicht, vorgefaßte ästhetische Normen zu konkretisieren. Insbesondere in Reichardts Liedern und Instrumentalwerken wird diese Fesselung des freien Schaffensfluges durch enge Setzungen des Verstandes vielfach deutlich. Hier fiel der rational überlegende Schriftsteller Reichardt dem emotional schaffen wollenden Komponisten allzu oft hemmend entgegen. Sein Arbeitseifer erlahmte trotzdem nur selten, vermochte er doch z. B. während des Winters 1808/1809 in Wien binnen vier Monaten bei ausgedehnten gesellschaftlichen Verpflichtungen nicht weniger als zwei große Opern zu konzipieren. Meist schrieb er einfach „aus Lieb und Lust"[949], so daß das Ergebnis dieses Produzierens bereits auf etliche Zeitgenossen „wie hingepfiffen" wirkte[950]. Er vermochte auch in anregender Gesellschaft, wie etwa am 11. Dezember 1803 im Hause Loder in Halle, „mit außerordentlichem Geiste" frei zu phantasieren[951], indessen benötigte er meistens irgend eine Anregung von außen oder gar die Möglichkeit der Anlehnung, da sich seine Phantasie nicht in dem Ausmaße wie ein unerschöpfliches Füllhorn reich entlud, wie dies bei Mozart, Haydn oder Schubert schier tagtäglich gegeben war. Stimulierend wirkte auf ihn, den hedonistisch gerichteten Sinnenmenschen, vor allem der Kontakt zur Umwelt. Einmal war es der „glückliche Kreis seiner Lieben", der ihn anspornte[952], an anderem Orte war es der Genuß „eines frohen Mahles", das ihn bewog noch während des Essens „mit Bleystifft" gleich unter einen vorgelegten Text von Gotter das Lied „Ach was ist die Liebe" niederzuschreiben[953]. Oft ist es die „Kehle" von verehrten Sängern oder Sängerinnen, wie etwa die der Mad. Todi, des Bassisten Fischer oder der Elisabeth v. Stägemann, die ihn inspiriert[954]. Häufig sind es auch willkommene Gelegenheiten. Diesen ging er nicht stolz aus dem Wege. Beispielhaft dafür ist das auffallend rasche Entstehen der *Trauerode auf den Tod Friedrichs II.* oder auch einer *Musik zur Geburtstagsfeier der Herzogin Louise Eleonore v. Sachsen-Meiningen*. Als nämlich Reichardt auf seiner Reise nach Wien befindlich am 10. August 1808 in Liebenstein die Festtagsvorbereitungen erlebte und dabei der „erlauchten Sängerin" Herzogin Charlotte Georgine Louise v. Sachsen-Hildburghausen begegnete, ergriff er „auf der Stelle die Feder", um für deren „schöne Stimme ... etwas aufzusetzen"[955].

Mehr noch als auf derartige Gelegenheiten war Reichardt auf Anlehnungen entweder an vorbildliche Musikwerke größerer Meister oder aber an bedeutende Dichtungen angewiesen. Schon als Knabe komponierte er die ersten Klaviersonaten, die ihm seine „erhitzte Phantasie" eingab, nach dem vorherigen Durchspielen Bachischer Sonaten[956]. Es wurde ihm gar zur Gewohnheit, „nach jedem genossenen Meisterwerk jeder Gattung eigene Entwürfe für solche Werke in der Seele zu gebähren"[957], was manche eklektizistische Uneigenständigkeit besonders im Instrumentalschaffen Reichardts erklären hilft. Nicht selten war auch als Stimulans unerläßlich die „Lesung großer oder schöner Dichterstellen. Ich lege von solcher Stelle erfüllt das Buch bey Seite, gerathe wohl ans Clavier, fantasire, bleibe dann in bestimmten Bewegungen und schreibe hernach, was so fest gehaftet hat, auf"[958]. Dieser Automatismus beherrschte ihn so sehr, daß er beispielsweise alles „Sangbare" aus Goethes Feder freudig genoß und auch sogleich sang. Zwar fügt er, einen geahnten Argwohn gegen seine behende Schreibweise dämpfend, in einem Brief an den Dichter vom 19. Dezember 1801 hinzu: „Die musikalische Conception eines solchen Gedichts will aber auch hinterdrein äußerst sorgfältig ausgearbeitet seyn, und dazu muß man mehr wie einmal kalt und warm werden."[959] Daß Reichardt sich tatsächlich nicht immer nur seinem momentanen „Gefühl überliess", sondern an manchen Vertonungen über eine längere Zeit hinweg feilte, ersieht man an den „merklichen Verbesserungen", die bei mehrmaligem Abdruck einigen Werken zuteil wurden[960], oder auch an den „neuen Melodien" (z. B. „Die Ideale" von Schiller in drei verschiedenen Fassungen), die er zu einem Gedicht ersann. Oft genügte aber bereits ein zweimaliges Lesen, um „die Verse auch aus tief bewegtem Herzen" singen zu können, „und wo die Stimme, vom Gefühl überwältigt, versagte, setzten in der Seele des Componisten die zartesten der Blasinstrumente die verstummten Melodien fort", so wenigstens beschreibt Reichardt die Vertonung einer *Trauerode auf den Tod der Großfürstin Helena Erbprinzessin von Mecklenburg-Schwerin* im Jahre 1805[961]. Indessen erfaßte Reichardt nicht immer ein derartig empfindungsreicher Hochflug überschwenglicher Ergriffenheit, zuweilen „zergliederte" er auch nüchtern einen Text, wie z. B. das Schäfergedicht „Der Mai" von Ramler, Zeile für Zeile und legte voraus einen ihn bindenden Grundplan für die Vertonung fest[962]. Somit läßt sich zusammenfassend feststellen, daß Reichardt ständig der Mitwelt und vielfältiger Anregungen durch alle Künste bedurfte, um zum „reinen Denken" in Musik finden zu können.

Opern

Als Reichardt im Jahre 1775 in der preußischen Hauptstadt das ehrenvolle Hofkapellmeisteramt übernahm, verpflichtete er sich, seine schöpferischen Kräfte hauptsächlich in den Dienst der pompösen italienischen Opera seria zu stellen, die als Manifestation fürstlicher Allgewalt damals jedoch bereits unzeitgemäß wurde. Er mußte wissen, daß er an einer stagnierenden und nur kraft königlicher Befehle notdürftig in Betrieb gehaltenen Musikstätte seinen jugendlichen Wirkungsdrang zu praktizieren sich vornahm, wo es an produktiven Leitbildern fehlte und eine in

Umwandlung begriffene höfische Kultur ihre letzte Konservierung erlebte. Da Reichardt damals bereits unter dem Einflusse Herders, Goethes, Rousseaus und Hillers zu neuen Ufern strebte, mußte er hier bald in unlösbare Konflikte verwickelt werden, die ihm sein von Amts wegen eigentlich obliegendes Tätigkeitsfeld verleideten und in der Entwicklung stark behinderten. Zwar erkannte er seine besondere Befähigung als „Singekomponist" recht früh, doch war er mehr Lyriker als Dramatiker. Nicht nachgebend versuchte er sich trotzdem sein Leben lang auf dem ihm widersetzlichen Gebiete der Oper. Es war gleichsam sein Sorgenkind, dem er viel Liebe zuwandte, obwohl ihm bewußt war, nur „für das augenblickliche Bedürfnis" des Theaters etwas anbieten zu können. Reichardt selbst schränkte die Gültigkeit seiner Opern so sehr ein, daß er 1797 schreiben konnte: „Der Gedanke, daß eine solche Oper, nach dem eingeführten Hofgebrauch, eben nur für Einen Karneval bestimmt ist, und daß mit dem glücklich gewonnenen Beifall auch der Zweck der Arbeit erreicht zu sein pflegt, muntert auch nicht auf, die strenge Feile der höhern Kritik hinterdrein noch anzulegen, um dem Werke die Vollendung zu geben, die ihm allein einen bleibenden Werth zusichern kann."[963] Mit dauerhaftem Erfolg auf der Bühne rechnete er offenbar nicht. Da zudem das norddeutsche Publikum, von dem er hauptsächlich abhängig war, nur „kalt, trocken" auf seine Angebote im dramatischen Bereich zu reagieren pflegte, ist es nicht verwunderlich, daß seine Kompositionen „keine Marksteine in der Geschichte der Oper" zu setzen vermochten[964]. Er blieb, von wenigen glücklichen Einfällen abgesehen, in der Nachhut größerer Vorbilder verhaftet, obgleich er sich nach Angaben Clemens Brentanos nicht scheute, sich selbst unter die zwölf größten deutschen „Opernmusiker" einzureihen[965].

Das Problem der Oper stellte sich für Reichardt deswegen besonders schwer, weil er einerseits wegen seines Amtes, der Konvention und allgemeinen Geltung insbesondere im Ausland Seriaopern schreiben mußte, er andererseits jedoch an dieser erstarrten Gattung stets Kritik übte ohne eine produktive Lösung zu finden. Dieses Unvermögen, einer aufreibenden Spannung zu entrinnen, spricht nicht zuletzt aus der nur scheinbar herz- und verantwortungslosen Bemerkung gegenüber Ludwig Tieck vom 17. März 1812: „dergleichen thu' ich nur für's Geld!"[966] Die Macht der Umstände zwang ihn fortgesetzt zu Konzessionen gegenüber dem auf dem Absolutismus beruhenden Kunstbetrieb und gegenüber der „Theatermusik", die seiner Ansicht nach anstelle der Kirchenmusik damals leider „das Centrum der Musik" bildete[967]. Um jedoch den „Bombast und den leeren Klingklang vieler italiänischer Arien" und der italienischen Oper überhaupt nicht in seinem bedeutungslosen Selbstzweck mitbefördern zu helfen, versuchte er zu reformieren und zu „veredeln"[968]. Im Sinne Glucks wollte auch er das Theater nicht ausschließlich als Vergnügungsstätte mit seinen Werken beschicken, sondern zudem einen moralischen Nutzen darin verwirklicht sehen. Mithin sollte das Opernhaus zu einer Stätte des „sittlichen Vergnügens aller Stände" werden, in der Geschehnisse und Leitbilder von repräsentativer Bedeutung vermittelt werden[969]. Die Erfüllung dieses ernsten Wunsches hing naturgemäß weitgehend vom Gehalt der Libretti ab, weswegen Reichardt auch in der Vertonung nur eine zusätzliche „aesthetische Kraft zur Belebung des Dichters" zu sehen gewillt war[970]. Er wünschte für sich lediglich, „Freund und Bundesgenosse des Dichters" zu sein[971]. Gegen „Gräuel" aus zopfiger Zeit, wie z. B. das widerliche Kastratenwesen, kämpft er mutig an[972], das Secco-Rezitativ und die prunkhaft-stilisierte Unnatur in Gesang und Darstellung gibt er weitgehend preis, der echten erschütternden Wirkung und des dem Drama gerechten Ausdrucks wegen läßt er ab von blendend-berauschendem Tand. „Edle Simplizität", „innige Vereinigung von Wahrheit und Schönheit" sind seine Leitbilder. Den Schwulst gleißender Unwahrhaftigkeit mißachtete er der inneren Wahrscheinlichkeit in der Oper wegen. Reichardt zufolge ist „nur Leidenschaft und in dieser nur die bestimmtesten Grade und äußerste Höhe wahrer Gegenstand des edlen theatralischen Gesanges"[973]. Das wahrhaft Menschliche, „Charaktere in den verschiedensten Abstufungen ganz und kräftig dargestellt" sollen die Bühne beherrschen anstelle galanter Rhetorik und lebloser Typik herkömmlichen Stils.

Wie Mozart so war auch Reichardt der großen italienisch-französischen Oper ebenso verpflichtet wie dem deutschen Singspiel, also sowohl dem höfischen Adel als auch den bürgerlichen Mittelschichten. Aus eigenem Antriebe weitete er sein Arbeitsfeld aus gegen die ihn heftig befehdenden Rivalen aus dem welschen Lager und gegen die verdorrenden Niedergangstendenzen an seinem Wirkungsort. Weil ihm der Hof während vieler Jahre keinen befriedigenden Auftrag erteilte, fand er den Weg zum Sing- und Liederspiel und schließlich auch zur „romantisch-komischen Oper". Reichardts Theaterkenntnisse waren umfassend. In vielen Städten Europas hatte er mehr Bühnenwerke von der verschiedensten Art gehört als die meisten zeitgenössischen Komponisten. Diese Routine und reiche Hörerfahrung erleichterte ihm zwar den handwerklichen Teil seiner Arbeit, das Unbehagen an dieser Gattung wurde ihm damit jedoch nicht genommen.

Reichardt tritt in die Operngeschichte ein mit der Jugendoper *Le feste galanti* als ein Epigone Hasses und Grauns. Diese bewußte Stilkopie war die leidige Voraussetzung gewesen dafür, daß ihm sein gestrenger Brotherr die Leitung der Berliner Hofoper übertrug. Er trat dieses Amt mit der Bestimmung an, nicht sich selbst dort musikalisch zu verwirklichen, sondern in der Nachahmung der alten „Musikheiligen" sein Talent zu beweisen. Auf diese entsagungsvolle Weise gelang ihm zwar ein kurzes Wiederbeleben der italienischen Oper in der preußischen Hauptstadt, die seit 1756, der Aufführung der „Merope" von Graun, kraftlos dahinsiechte, eine neue Blütezeit hub indessen nicht an. Die königliche Reglementierung des gesamten Unternehmens verhinderte eine produktive Fortentwicklung. Der Kapellmeister wurde lediglich dazu beansprucht, „für die Kehle" weniger Gesangsstars „Ariae di Bravura" zu setzen[974]. Vielleicht hätte 1777 in der möglichen Zusammenarbeit mit Herder ein Ausweg aus dieser hoffnungslosen Zwangslage gefunden werden können, denn in dessen Libretto „Brutus" erkannte Reichardt ein „musicalisches Drama", das „seinem Ideal von den bisher unerkannten Pflichten eines Dichters gegen den Componisten an vielen Stellen sehr nahe" kam[975]. Leider wurde jedoch dieser Opernplan trotz der förderlichen Vermittlung durch Hamann während der Jahre 1777 bis 1779 nicht verwirklicht.

Mit dem Ausbrechen Reichardts aus der künstlerischen Enge Berlins begann ein neuer Abschnitt in seinem Opernschaffen. Paris tat sich ihm auf und damit das Musikdrama Glucks. Unter dessen Leitstern stand seine weitere Entwicklung, seinem „kraftvollen Zauber" blieb er zeitlebens unterworfen. Bereits 1775 hatte er sich unvorsichtigerweise in Berlin für Gluck bekannt und dadurch den Zorn Friedrichs des Großen auf sich gezogen, woraufhin er notgedrungen seine Begeisterung dämpfen mußte. Erst in der Metropole an der Seine gewann er die Möglichkeit und Freiheit, sich intensiv mit der „hohen Kraft und Schönheit" der Reformopern Glucks zu beschäftigen. Er genoß dessen Werke in vollen Zügen und wurde so damit „vertrauter als mit irgendeiner anderen Erscheinung in der Kunst"[976]. Unter dem übermächtigen Eindrucke der „hohen Wahrheit und Kraft", der „echten Tragik" in den Kompositionen Glucks rückten Hasse, Graun und andere veraltete „Musikheilige" in den Hintergrund. Eine neue „Sprache der Natur", eine humane Gefühlswelt, ein neuer Stil wurde ihm in Paris vertraut. All dies machte er sich zu eigen mit dem Ziel, ein deutsches heroisch-lyrisches Drama zu schaffen, das aus der Muttersprache, dem natürlichen Gang der Melodie, der sinnvollen dramatischen Darstellung und der Kraft leidenschaftlicher Deklamation erwachsen mußte. Dazu fesselte Reichardt „als Muster" insbesondere die „Iphigenie in Tauris"[977]. Er wurde zum Sendboten Glucks, ohne indessen die Tonsprache dieses Meisters im eigenen Schaffen ebenbürtig und auf eine eigengemäße Weise nachvollziehen zu können. Dennoch empfing die wirkungsvolle Einfachheit und theatralische Würde in den nach 1785 entstandenen Werken weitgehend von Gluck her ihre Bestimmtheit.

Die erste Annäherung an das musikdramatische Vorbild Glucks versuchte Reichardt in der *Tragédie lyrique en 4 Actes Tamerlan,* die 1785 bis 1786 in Paris und Hamburg komponiert wurde. Das Libretto von Morell de Mandenville lernte er in Paris kennen. Es begeisterte ihn so sehr, daß es ihn „im Innersten der Seele erschütterte und oft heiße Thränen vergießen machte"[978]. Bei der Vertonung standen die „schönen Meisterwerke Italiens" Pate neben der „hohen Wahrheit und Kraft der echten Tragiker der französischen Opernbühne"[979]. Beide Einflüsse wollte er harmonisch zu einem wirkungsvolleren Ganzen vereinigen. Zudem beflügelt vom Geiste Glucks, zeigte er sein Geschick, „in mancherley Manier zu arbeiten" im Sinne des „vermischten Geschmacks"[980]. Die einleitende Sinfonie entwarf er erstmals in einer engeren Bezugnahme auf das Bühnenwerk. Ernst und ergreifend gestaltet, sollte diese lyrische Tragödie ihm eine neue Wirkungsstätte außerhalb Deutschlands erobern helfen. Um so größer waren die Enttäuschung und Verbitterung, als dieser Versuch in Paris keine Resonanz fand[981]. Große ehrgeizige Hoffnungen mußte Reichardt mit diesem Werk begraben, zumal auch die vieraktige Tragödie *Panthée* (Text von Berguin) aus dem Jahre 1786 nicht auf den Bühnen an der Seine aufgeführt werden konnte. Die Oper *Tamerlan* wurde zum nachträglichen Troste wenigstens am 16. Oktober 1800, am Geburtstage der Königinmutter, im Nationaltheater zu Berlin zur Uraufführung gebracht, so daß wenigstens diese durch einige wenige Wiedergaben in der Übersetzung von J. O. H. Schaum zu einem kurzen, wenn auch geschichtlich wirkungslosen Leben erweckt wurde[982].

Auch in der darauf folgenden italienischen Oper *Andromeda* (Text von Filistri) aus dem Jahre 1787 war es Reichardts vornehmliches Bestreben, die Vorzüge des italienischen mit denen des französischen Operngenres auf einer höheren, Gluck angenäherten Ebene zu verbinden[983]. Mit diesem Werk stellte Reichardt in Berlin unter der toleranteren Regentschaft Friedrich Wilhelms II. erstmals einen bis dahin unbekannten Opernstil vor. Er wagte sich an eine Konzeption, die auf die Verwirklichung eines „Gesamtkunstwerkes" hinzielte. Das zeigte sich dem schaulustigen Publikum am deutlichsten an der veränderten Rolle des Balletts, das organisch und sinnvoll in das Geschehen auf der Bühne einbezogen wurde und nicht lediglich die Handlung unterbrechende, unterhaltende Zwischenstücke vorzuführen hatte. „Was in dieser Oper so sehr Aufmerksamkeit erweckte, war, daß fast alle Chöre mit Tanz vereinigt waren."[984] Mit einem Kostenaufwand von 14 492 Thalern wurde dieses „nach Gluck gebildete" Werk am 11. Januar 1788 im Berliner Opernhause inszeniert und im Beisein des Königs gespielt[985]. Damit wurde nach fast zweijähriger Unterbrechung dort auch erstmals wieder eine große Oper vorgeführt. Reichardt durfte nach diesem Start hoffen, nach langem Warten endlich als Hofkapellmeister die ersehnte Anerkennung zu finden. Für die Primadonna Mad. Todi hatte er einige Arien ganz „in die Kehle komponirt". In den Chorsätzen mit ihrer nuancenreichen Dynamik, sinnfälligen Gliederung und mächtigen Klangwirkung erkennt man den Stil Glucks besonders deutlich (Bsp. 17)[986].

Geschrieben im Jahre 1788, uraufgeführt am 26. Januar 1789 folgte diesem Erfolg versprechenden Neubeginn auf der Bühne die zweiaktige Oper *Protesilao* (Text von Sartor). Diese erwuchs gänzlich im Bannkreise von Glucks „Orfeo"[987], ohne jedoch damit die klassische Würde und Selbständigkeit zu erreichen, die er ersehnte. Die Entstehung dieses Werkes macht nämlich seine Abhängigkeit vom Willen des Monarchen besonders deutlich. J. G. Naumann hatte als Ortsfremder wegen des großen Erfolges seiner Oper „Medea" den Auftrag erhalten, zum Karneval 1789 ein zweites Bühnenwerk zu schreiben. Da jedoch die Vorbereitungszeit dafür zu knapp bemessen war, wurde der rascher komponierende Hofkapellmeister Reichardt dienstlich dazu herangezogen, nach dem Pasticcio-Verfahren einen Akt der Oper zu übernehmen. Da beide Komponisten in einem wenig freundlichen Verhältnis zueinander standen, wurde eine Absprache des Auftrages nicht getroffen. Beide im heroischen Stil abgefaßten Akte unterscheiden sich daher in gewichtigen Details. Naumann war mehr darauf bedacht, eine große prunkvolle Opernkunst auf der Berliner Bühne zu entfalten, während Reichardt dagegen mehr die einfacheren Gluckschen Stilelemente bei einer nachlässigeren Ausarbeitung insbesondere der Orchesterpartitur bevorzugte.

Am 16. Oktober 1789, dem Geburtstag der Königin, erlebte das interessierte Publikum Berlins eine Uraufführung von besonderer Anziehungskraft. In festlichem Rahmen wurde gezeigt:

Brenno
Opera seria
composta e dedicata
alla
Sua Maestà Federico Guglielmo III.
Ré di Prussia
da
Giovanni Federico Reichardt
Maestro di capella di S. M. su detta.[989]

Dieses dreiaktige kraftvoll-heroische Werk repräsentiert den Höhepunkt in Reichardts Opernschaffen. Der Komponist hat das Stadium der Reife und der endgültigen Lösung vom vergangenen Operngusto Berlins erreicht, er war „Herr über seine Mittel" geworden[990]. Er schreibt selbst über dieses Werk, daß er „sie mehr als jede andre nach meinem

Bsp. 17

Al-ma grande il tuo do-lore col-la mor-te fi-ni-rà.

eignen Sinne und im Vertrauen auf meine eignen Kräfte und auf eine neue große Epoche fürs edle Singeschauspiel empfangen und ausgearbeitet habe".[991] Der heroische Geist der Friederizianischen Zeit spiegelt sich in dieser Oper in seinem Abglanz. Klangliche Massenwirkungen, militärische Prunkaufzüge gemahnen zwar auch bereits an Napoleonisch-Spontinische Bombastik, sie sind aber dennoch mehr als Ausdruck einer preußisch-patriotischen Gesinnung zu deuten, schreibt doch Reichardt selbst, daß er zu dem dreifachen „Triumpheinzug" in der 5. Szene des 2. Aktes durch Erinnerungen an ausziehende Truppen aus Königsberg während des Siebenjährigen Krieges inspiriert wurde[992]. Dieser Hinweis ist recht beachtenswert. Das zur Aufführung dieses Großwerkes erforderliche Orchester besteht aus Flöten, Oboen, Klarinetten, Fagotten, Hörnern, Trompeten, Posaunen, Pauken, Streichern, wobei die Kontrabässe streckenweise getrennt von den Celli geführt wurden, außerdem aus Bassetthörnern, Kontrafagotten, Serpenten sowie „Tutti gl'instrumenti della Musica di Gianizzeri". Alle verfügbare Instrumentalpracht bot somit Reichardt auf, um eine möglichst eindrucksvolle Wirkung und eine „ungeheure Fülle der Harmonie" zu erreichen[993]. Außerdem standen ihm neue, nach Berlin verpflichtete vorzügliche Gesangskräfte 1789 zur Verfügung, für deren Stimmcharakter er die Rollen profilierte, ohne damit jedoch bis zu einer dramatisch spannungsreichen Sonderung der Charaktere wie etwa in Mozarts „Figaro" vorzustoßen. Der Komponist wollte insgesamt mit diesem aufwendigen Werk für Berlin die Große Italienische Oper des 17. und 18. Jahrhunderts zum Abschluß bringen und „eine neue Sonne für die deutsche aufgehen lassen"[994]. Daher legte er auch am 24. Januar 1798 in Berlin eine Konzertfassung in deutscher Sprache vor, mittels derer er vergebens hoffte, insbesondere den König für die deutsche Oper zu gewinnen. Am 27. Januar 1798 schrieb er darüber an seine Vertraute Elisabeth v. Stägemann: „Der Zweck ihm [dem König] von den deutschen Sängern der italienischen großen Oper eine deutsche Oper besser vortragen zu lassen, als sie die italienische vorzutragen pflegen, ging freilich verloren. Doch bedarf es eigentlich dieses sinnlichen Eindrucks auch nicht, um uns künftig einer deutschen großen Oper zu versichern. Beide [das Königspaar] lieben das Deutsche vorzugsweise und verabscheuen den italienischen Klingklang."[995]

Die Titelpartie sang 1789 der stimmlich über ein außergewöhnliches Volumen verfügende Bassist Ludwig Fischer. Er war der erste namhafte Sänger dieser Stimmlage an der Oper Berlins, denn noch 1782 bestand das Ensemble lediglich aus 2 Sopranistinnen, 4 Sopransängern, 1 Altsänger, 1 Tenorsänger und 24 Choristen[996]. Der allgemein überwältigend wirkende Einsatz Fischers trug wesentlich dazu bei, dem musikalischen Drama *Brenno* zur Anerkennung zu verhelfen. Er sang die Rachearie „Che chiedo vendetta" im 2. Akt (Bsp. 18) mit den seiner Stimme beson-

Bsp. 18

ders gut liegenden übermäßigen, raumgreifenden Sprüngen und ausgedehnten Vokalisen. Somit wurde auch mittels dieser ersten ausgeprägten Baßpartie ein Trennungsstrich zur bis dahin in Berlin ausschließlich gewohnten, auf die Oberstimmen konzentrierten italienischen Oper gezogen. Auch die Rolle des Cleante vertraute Reichardt eindrucksskräftig einem Bassisten an (Bsp. 19)[997]. In der Dreiklangsthematik, den markigen Unisoni dokumentiert sich der heroische Stil in reinster Ausprägung und die Typik der barocken Opera seria in letztem Aufglänzen. Das Werk ist insgesamt mehr geprägt vom Charakter des „Allegro furioso"

Bsp. 19

Vivace, Cleante singt:

Teco a sfi - dar ap - pre-si cen-to pe - ri - glie cen-to,

e quel va - lor ch' io sen-to frutto è del tuo va - lor.

und vom „Maestoso" als von lyrischen Partien, die aber als Kontrast
dazu zu wenig ausgeprägt sind (Bsp. 20). Ein besonderes Augenmerk
verdienen die Tanzeinlagen, die Reichardt nach Gluckschem Muster sehr
ernst behandelte. Tänze verschiedener Bewegtheit kettet er bunt aneinander. Reichardt greift dazu auch auf ältere Muster von würdig-steifer
Bewegtheit zurück, wie z. B. auf die Gavotte (Bsp. 21), die in barocker
Einheitsgestaltung bei aufgelockerter Stimmführung dem antikisierenden
Stoff wohl angemessen erscheint.

Bsp. 20

Larghetto, Ostilia singt:

Son te - co ben mio se te - co mi bra - mi di

pi - ù non de - si - o se vi - vo con te

Nach dem großen und nachhaltigen Erfolg, den die Oper *Brenno* er-
zielte, begann Reichardt Ende November 1789 in Goethes weimarer
Haus ermutigt die Arbeit an einer weiteren großen Oper, die den Titel
Großkophta tragen sollte[998]. Da der Dichter jedoch zu Reichardts größ-
tem Kummer das geplante Libretto dazu nicht vollendete, sondern die
Entwürfe ohne Verständigung mit dem Komponisten 1791 zu einem
Lustspiel umarbeitete, blieb die Orchestermusik für die Hauptszene sowie
eine Arie als zusammenhanglose Fragmente das einzige Ergebnis dieses
Versuchs. Auch späteres wiederholtes Drängen, mit Goethe „eine große
Oper" zu vollenden, blieb ohne Resonanz aus Weimar[999]. Goethe und
Reichardt fanden sich zu diesem sicherlich schwierigen Bündnis ebenso-
wenig zusammen wie Tieck und Reichardt, denn weder vertonte Rei-
chardt die romantische Zauberposse „Das Ungeheuer und der verzauberte
Wald" von 1798 noch das Libretto zu dem Singspiel „Sakontala"[1000].

Gavotte

1790 komponierte Reichardt die zweiaktige Oper *Olimpiade*. Der Text dazu stammte aus der Feder von Metastasio. Dieser Rückgriff erstaunt um so mehr, als Reichardt z. B. 1774 und 1782 die Arien dieses versierten Librettisten als „sehr einförmig", bar jeder „lebhaften Empfindung" und den „Raum zu freyem Genieaufflug" zu sehr beengend abgeurteilt hatte[1001]. Nun jedoch, nach der zweiten Italienreise, war er offenbar anderer Ansicht und schuf ein Werk, das sich durch „Einheit des Ganzen, Gründlichkeit der Theile, Reichthum ohne Schwelgen, edle Simplicität, schöne Darstellung" vorzüglich auszeichnen soll[1002]. Die Tanzeinlagen in der Gluckschen Manier nehmen in dieser Oper abermals einen breiten Raum ein (Bsp. 22)[1003]. Indessen fehlt den Gavotten, Menuetts oder „Göttertänzen" die wiener Leichtigkeit und die pariser Eleganz. Reichardt war selbst ein zu schlechter Tänzer, um den rechten elastischen Rhythmus finden zu können. In seinem Hause wurde zwar fast täglich gesungen, das Tanzbein wurde dagegen nur selten geschwungen[1004]. Die grazile, leichtfüßige Beschwingtheit des Rokoko riß ihn ebensowenig mit wie die Galanterie der Dreher und langsamen Walzer in Wien, die er stets nur als Zuschauer bewundernd genoß[1005]. Lediglich als Elf- und Zwölfjähriger hatte er für die in Königsberg gastierende Schuch'sche Truppe den Versuch gewagt, zwei Ballette zu schreiben. Beide Werke, *Orpheus* (1763/64) und *Tripstrill oder die Kunst, alte Leute jung zu machen* (1763/64), sind nicht überliefert, so daß ein Urteil darüber nicht möglich ist. Was Reichardt außerdem später an Tänzen oder tänzerischen Sätzen geschrieben hat, zeigt indessen, daß der Beweglichkeit seines Geistes, Charakters und Auftretens das tänzerische Vermögen nicht vollends entsprach (Bsp. 23). Seine Menuette, Polonaisen oder Gavotten wirken zumeist schwerfällig, schwunglos, holzig.

Im Jahre 1801 schrieb Reichardt die dreiaktige Oper *Rosmonda* (Text von Filistri)[1006], die am 25. März 1805 in Gegenwart des preußischen

Bsp. 22

Königs aufgeführt wurde[1007]. Zelter äußerte, „er habe nie etwas Besseres gehört!"[1008] Für die Bühne in Kassel komponierte er außerdem noch die völlig unbeachtet gebliebenen Werke *L'heureux naufrage*[1009] und *Das blaue Ungeheuer*. In Wien beendete er am 25. Februar 1809 das „lyrische Schauspiel in 4 Aufzügen nach Ariost, als Oper" mit dem Titel *Bradamante*, dessen Text Heinrich Josef v. Collin verfaßt hatte[1010]. Der Anmarsch französischer Truppen vereitelte eine Aufführung in einem der Theater Wiens. Mit einer zweiaktigen Oper *Der Taucher* (Text von Bürde nach Schillers Ballade) nahm Reichardt Abschied von der großen Bühne. Als „alter, solider Komponist" hatte er mit diesem Abgesang den Anschluß an die deutsche romantische Oper gewinnen wollen, was ihm

Bsp. 23

völlig mißlang. Nach zwei Aufführungen am 18. und 24. März 1811 in Berlin berichtet bereits ein Ohren- und Augenzeuge über die Wirksamkeit des „langweiligen" Werks: das Haus war „schon bey der zweyten Vorstellung leer, und auf vieles Begehren wird den Sonntag Spontini's Vestalin wiederholt"[1011]. Ein steiler Entwicklungsweg war damit zu Ende gegangen. Das früh intendierte Ziel wurde nicht erreicht. Hasse und Graun hatte Reichardt zu überspielen vermocht, Gluck konnte er sich als Weggefährte anschließen, gegen die Zugkraft Spontinis und Meyerbeers auf der Bühne vermochte er sich jedoch nicht zu behaupten. Das Klangreich der Romantik blieb ihm verschlossen.

Singspiele

Je mehr die große italienische Oper alten Stils an Glanz und gesellschaftlicher Bewandtnis verlor, um so mehr gewannen die vom Bürgertum bevorzugten Bühnenwerke in der Landessprache an Bedeutung und Anziehungskraft. Als ein Ableger der Opera buffa wurde insbesondere das Singspiel, die komische Oper mit deutschem Text, parallel zu den Bestrebungen der sogenannten Berliner Liederschule gegen Ende des Jahrhunderts von führenden Komponisten veredelt und damit aufgewertet[1012]. Wandertruppen und Liebhabertheater waren die ersten Ausführenden gewesen, da die höfischen Bühnen von ausländischen Kräften beherrscht wurden. Die Publikumswirksamkeit der Singspiele öffnete diesen jedoch nach 1780 auch den Zugang zu den stehenden Theatern. Damit wurde die Möglichkeit gegeben, auch anspruchsvollere Partituren in dieser Gattung zu schreiben für Musiker, die in „ordentlichem Sold" standen und nicht aus Stadtpfeifereien und Dilettantenvereinigungen von Fall zu Fall beziehungslos zusammengesetzt wurden. In Berlin waren diesbezüglich für Reichardt die Verhältnisse recht günstig, da z. B. im Jahre 1782 das Döbbelinsche Orchester aus 18 qualifizierten Musikern bestand, die befähigt waren, mehr als lediglich von Schauspielern gesungene populäre Liedchen zu begleiten. Singspiele, Liederspiele, Melodramen und Operetten standen hier in reicher Auswahl auf dem Programm und befriedigten die Unterhaltungswünsche vornehmlich der Mittelschichten.

Das Bürgertum suchte im Theater insbesondere Erholung von der alltäglichen Arbeit, Genuß an akustisch und optisch Schönem, in verständlich-naiver Weise dargebotenes gefälliges Spiel. Die antike Mythologie war für dieses Publikum ohne Bewandtnis, die Antike war ihm fern, die engere Heimat mit ihren großen oder kleinen Geschehnissen lag ihm näher. Daher wollte es auf der Bühne ohne sonderliche Beanspruchung Ausschnitte echten Lebens und seine Wunschträume natürlich-ungezwungen, möglichst auch gefühlsselig-intim dargestellt sehen. Das Dorfidyll, Märchen oder typische Szenen aus dem kleinbürgerlichen Milieu waren die bevorzugten Stoffe. Dem kamen die Librettisten gern und gewandt sich anpassend entgegen. Sie verbanden jedoch diese Publikumswünsche nicht selten mit Zwecken, wie z. B. die Tugendbildung zu befördern, den Geschmack zu bilden oder die „Moral des bürgerlichen Lebens" zu festigen[1013]. Auch der junge Reichardt schloß sich dem an, indem er das Singspiel mit höheren Absichten als denen der Kurzweil befrachtete. Es soll nach seinem Willen neben dem ästhetischen auch einen moralischen Nutzeffekt haben, „das Ohr des Publikums bilden, und den Gesang allgemeiner machen; nur muß man nicht über den artigen Ausdruck das Denken vergessen"[1014]. Hauptgegenstand soll das ländliche Leben sein, denn das Singspiel habe „die Nützlichkeit und den Fleiß des Landmannes, mit den er uns ernährt", „seine Glückseligkeit und ungekünstelte Lebensweise zu zeigen", „welches uns nach und nach wieder zur seligen Einfalt der Sitten zurückbringen könnte"[1015]. Reichardt will somit mittels der komischen Oper „verbessern, um ihr dadurch die Nutzbarkeit zu geben, die ihr möglich ist"[1016]. Dies war ein hoher Anspruch, ja eine sichtlich die Gattung überfordernde Dienstbarmachung.

Die musikgeschichtlich wohl gewichtigste Forderung Reichardts an das Singspiel war die förderliche Einwirkung auf das Singen des Volkes. Diesem Ziele widmete er auch als Komponist sein Hauptaugenmerk, da von der Operettenbühne von jeher viele Gesänge, Gassenhauer, Tänze auf die Straße abwanderten und dort als volkstümliche Lieder weiterlebten. Somit galt es möglichst gute Gesänge auf diesem Wege ins Volk zu tragen. Diese müssen „gefällig, natürlich und rührend" sein[1017], kurz pointiert und ohne „Zerrung der Worte". Das bedeutete die Vorrangstellung des einfachen Liedes gegenüber der „langen weitschweifigen Arie". Das Singspiel hatte demnach dem unnatürlichen Rezitativ und dem luxuriösen Bel Canto zu entwachsen; Reichardt hielt die Arie nur „zum Unterscheidungszeichen edlerer Personen" in diesem Rahmen geeignet. Im Lied allein sollte sich der „natürlichere Mensch" ungezwungen aussprechen, in der Arie hingegen die höfische Oberschicht, was kunstsoziologisch sehr beachtenswert ist[1018]. Aus dem Kontrast zwischen der lasziveren Stadt und dem einfacheren Landleben, „Hoheit und bäurischer Einfalt" sowie entsprechend vielfältiger Typenkomik sollte die eigentümliche Spannung dieser Gattung erwachsen. Um der Einheit willen muß jedoch ein „Thema" und „Plan" das Ganze binden[1019]. Simplizität, Natürlichkeit und Einheitlichkeit sind somit auch für das Singspiel Reichardts die maßgeblichen Maximen gewesen.

Reichardt begann sein Wirken auf diesem Gebiete bezeichnenderweise sowohl mit einer programmatischen kleinen Schrift als auch mit „zwey Operetten von einem Aufzuge", die den Titel *Hänschen und Gretchen*, und *Amors Guckkasten* (Riga 1773) tragen. In der Schrift über die *Deutsche comische Oper* huldigt er seinem verehrten Vorbilde Johann Adam Hiller, dessen Singspiel „Die Jagd" ihm als Muster diente[1020], was die beiden kleinen Erstlingswerke auch klanglich bestätigen. Es sind Schülerarbeiten eines Unreifen, der das Idyllische und Sanfte liebt, alles „Starke, alles Heftige" jedoch meidet[1021]. „Es muß alles lyrisch seyn" wurde in dieser Zeit als Forderung von Reichardt gestellt und praktisch verwirklicht. 1775 schuf er das Märchenstück *Der Holzhauer oder: die drei Wünsche* (nach der französischen Textvorlage von Jean François Guichard „Le bucheron"), 1779 brachte er erfolglos das zweiaktige Singspiel *Der Hufschmied* in Hamburg auf die Bühne. Erst mit *Liebe nur beglückt* (Dessau 1780) beginnt sich Reichardt eigenständiger von den übrigen Hiller-Epigonen abzuheben[1022]. Mit diesem unwirksamen „Singeschauspiel" verband der Autor die Absicht, „auf den musikalischen Dichter und Theaterkomponisten" gerichtet seine früher niedergelegten Leitsätze zu exemplifizieren[1023].

Aus der gewonnenen Nähe zu Goethe erwuchs 1789 als erste Frucht die Vertonung des dreiaktigen Singspiels *Claudine von Villa Bella*, das am 29. Juli 1789 im Charlottenburger Schloßtheater uraufgeführt und am 3. August zum Geburtstag des Königs im Berliner Nationaltheater wiederholt wurde. Die Titelrolle sang Mad. Lange, die Schwägerin Mozarts[1024]. Damit schien sich in der preußischen Hauptstadt das Singspiel gegenüber der Opera buffa durchgesetzt zu haben, da der Hof diese Aufführungen billigte. Bedauerlicherweise fehlte es jedoch diesem Werk an der zu einer endgültig festen Behauptung notwendigen Kraft und Dauer, was insbesondere Goethe enttäuschte, der diese Komposition erst 1795 in Weimar zur Aufführung brachte und vornehmlich die Instrumentierung als zu schwach kritisierte (siehe Gespräch mit Eckermann vom 8. 4. 1829)[1025]. Der Dichter hatte sich bei der Niederschrift der von Reichardt vertonten Zweitfassung des Textes von italienischen Vorbildern leiten lassen. Er berechnete alles „aufs Bedürfnis der lyrischen Bühne" und schrieb am 8. November 1790 an den Komponisten: „Um so etwas zu machen, muß man nach dem edlen Beispiel der Italiener alle poetische Scheu, alle poetische Scham aufgeben."[1026] Er wollte somit im Gegensatz zu Reichardt eine leichte Opera buffa schreiben. In 9 Ensemblesätzen und 7 Sologesängen gedachte letzterer hingegen nicht den ihm eingeräumten Spielraum zu größerer Gestaltungsfreiheit voll auszunutzen. Reichardt bot nur einfache Gesänge an (Bsp. 24), er ließ mehr eindringlich deklamieren als rezitieren und begnügte sich als Zugeständnis an den Sänger

mit einer einzigen Da-capo-Arie. Reichardt wollte somit lediglich mit seiner Musik die Darsteller in Pantomime, Tanz und Gesang unterstützen,
indem er die Herrschaft der Dichtung anerkannte. Goethe erwartete indessen mehr, nämlich eine an Mozart heranreichende Dichte fesselnder
musikalischer Einfälle und eine reichere Fülle in Formen und Mitteln[1027].

Bsp. 24

Vivace

Mit Mä-deln sich ver-tra-gen, mit Männern 'rumge-schla-gen und
mehr Kre-dit als Geld: so kommt man durch die Welt.

Dieser Gegensatz der Intentionen und des schöpferischen Vermögens
blieb auch bei den späteren gemeinsamen Unternehmungen für die Bühne
bestehen[1028], wenngleich im Gothaer Theaterkalender auf das Jahr 1799
das Zusammenwirken beider Künstler überschwenglich gefeiert wird mit
den Worten: Reichardt „hat die schönste Musik zu Göthens kleiner Operette: *Erwin und Elmire* geliefert. Göthens Dichtergenius und Reichardts
musikalisches Genie stehn in der genauesten Verbindung, und Göthe
scheint bloß diesem Künstler, der im Einfachrührenden so groß, als
Göthe der Sprache an's Herz fähig ist, in die Hände gearbeitet zu haben"
(S. 86). Dieses hier erwähnte zweiaktige Singspiel hatte Reichardt 1790
geschrieben, indem er die zweite, von Goethe 1787 in Rom abgeschlossene
Textfassung benutzte[1029]. Diese hatte der Dichter nicht mehr wie die Erst-
fassung 1775 „Schauspiel mit Gesang" sondern „Singspiel" betitelt, was
deutlich seinen Einstellungswandel zum Ausdruck bringt. Reichardt
schaltete mit dem Libretto nach eigenem Ermessen. Er verkürzte Dia-
loge, da er nach den Mißerfolgen der früheren Jahre nur mehr mit Kon-
zertaufführungen oder Wiedergaben in Hausmusikkreisen rechnete[1030].
Die von Reichardt im Singspiel ohnehin nicht sehr geschätzten Secco-
Rezitative wirken daher auch eintönig und fehl am Platze. Dennoch vermochte z. B. Wackenroder 1793 den Ton „romantischer Schwärmerey"
daraus zu hören und sich an dem „innigen Ausdruck" sowie der „erhabnen Empfindung" zu berauschen[1031]. Goethe war jedoch anderer Meinung
und versagte seine weitere Zusammenarbeit. Einige Stücke aus diesem
Singspiel, wie z. B. „Das Veilchen", wurden als Klavierlieder sehr populär[1032], andere wiederum fanden nicht den Beifall der Zeitgenossen wegen der „bloß dünnen Klarheit" ihrer Art[1033].

Mit dem Singspiel *Die Geisterinsel* (Text von Gotter nach Shake-

Bsp. 25

Allegro di molto, Sturm mit Donner und Blitz, erst in der Ferne, dann näher

speare's „Sturm") errang Reichardt einen ersten Achtungserfolg[1034]. Das Libretto war ursprünglich für Mozart und v. Dittersdorf bestimmt gewesen. Reichardt vertonte es als seine „glücklichste und gefälligste Arbeit". Iffland ließ die drei Aufzüge am 6. Juli 1798 im Berliner Nationaltheater zur Huldigung Friedrich Wilhelms III. uraufführen, Wiedergaben in Leipzig, Dessau, Hamburg schlossen sich bis gegen 1825 an[1035]. Herzog Carl August setzte sich gar persönlich im Jahre 1801 dafür ein, daß dieses Bühnenwerk, „wo wircklich schöne Musick darinnen ist" (in: Brief an Goethe vom 1. 3. 1801), auch in Weimar bekannt wurde. Während Zumsteeg diese Vertonung als ein „abgedroschenes Machwerk" kritisierte, hörte A. W. Schlegel dagegen 1798 davon begeistert „glänzende und romantische" Töne heraus[1036]. Offenbar fesselte ihn vor allem die sturmbewegte Szenerie (Bsp. 25), die der Komponist mit wirkungsvollen tonmalerischen Effekten musikalisch begleitete, der romantisch-getragene Romanzenton (Bsp. 26), oder aber auch beschwingte Partien mit Volkstanzeinschlag (Bsp. 27), in denen Jugenderinnerungen aufzuleben scheinen. Über die Ouvertüre schrieb ein zeitgenössischer Rezensent: „Die Symphonie bezaubert den Zuhörer, sie ist ganz im Reichardtschen gro-

Bsp. 26

Andante, Romanze des Fernando

(Hörner)

Sanft und herr- lich gleich der Son-ne mei-nes Lan-des fiel mein Loos; lie-be-vol-ler El-tern Won-ne wuchs ich auf in ih-rem Schooß.

ßen Sinn gedichtet, man sieht gleichsam tausend Lichtgestalten sich wie in einem wunderbaren Elemente bewegen; die Geisterwelt mit allen Erscheinungen wird uns nah gerückt, sie ist mit einem Wort der schönste Commentar, die glorreichste Einleitung zum wirklichen Sturme von Shakespear. In den meisten übrigen Stücken der Oper aber scheint jener jugendliche Geist zu fehlen..."[1037] Die Ouvertüre bildet gleichsam die vorweggenommene Summe des Werkes, in T. 7 ff. klingt der „Geisterchor" an und in T. 26 ff. die Sturm- und Ungewitterszene aus dem Finale

Bsp. 27

Alla Polacca

pf

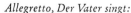

Allegretto, Der Vater singt:

Je - den Mor - gen neu - e

Sor - gen Sor - gen für dein jun - ges Blut.

des 1. Aktes. Das Phantastische, Düster-Gewaltige vermeintlich nordischer Welten wird hier in Klängen angetönt.

Mit dem einaktigen Singspiel *Jery und Bätely* suchte Reichardt letztmalig den Kontakt zu Goethe, aber gleichzeitig auch eine Brücke zum Liederspiel zu bauen[1038]. Die Uraufführung dieser Komposition erfolgte am 30. März 1801, auf Bühnen in Weimar, Leipzig, Breslau oder Hamburg wurde das einfache Werk auch noch nach Reichardts Tode mehrmals gespielt[1039]. Der Erfolg war beachtlich; „nie sah man das berlinische Publikum allgemeiner hingerissen, lauter seinen Beyfall äußern"[1040]. Diese lebhafte Resonanz wurde sowohl dem Libretto als auch der Vertonung zuteil. Angeregt zu dieser Dichtung während seiner zweiten Schweizerreise hatte Goethe 1779 hierin der verbreiteten Schweizermode auf der Bühne auf die ihm eigentümliche Art Ausdruck verleihen wollen, denn „die Szene ist in der Schweiz, es sind aber und bleiben Leute aus meiner Fabrik", wie er selbst betont. Goethe hatte „edle Gestalten" in „Bauernkleider" gesteckt. „Der reine einfache Adel der Natur" sollte aus ihnen, „sich immer gleich bleibend" sprechen. Reichardt fand dazu wirkungsvollere Melodien als bei früheren Kompositionen, er fand vor allem auch die Nähe zum Volkslied, indem es ihm gelang, „zu den naiven Götheschen Versen einige Schweizer und französische Volksmelodien ungezwungen zu benutzen"[1041]. Das sprach das breite Publikum an. Er änderte den Text seinen Erfordernissen gemäß ab, kürzte die Ensembles und begann das Spiel mit dem allbekannten Liedchen „Wenn ich ein Vöglein wär", das Goethe zwar nicht wünschte[1042]. Auch den Schwager Tieck bemühte er bei der Umarbeitung des Librettos[1043], das er so weit als möglich seiner damals noch nicht vollends ausgereiften Vorstellung von der Struktur eines Liederspiels anzupassen suchte. Schäferspiele, Idylle, Simplizität und Volkston bestimmen den Charakter dieses Werkes. Sehr schlicht setzte Reichardt die zweiteiligen, koloraturlosen Arien bei nur „sehr mäßiger Begleitung" (Bsp. 28). Gleichbleibende Rhythmen sollen zwar vor allem dazu verhelfen, „Einen angenehmen Eindruck" zu erwecken, so etwa in dem leitmotivisch das Werk durchziehenden Lied „Es rauschet das Wasser"[1044], diese sind indessen ihrer Einförmigkeit wegen zu spannungsarm. Melodien, wie etwa die Moll-Ballade „Es war ein fauler Schäfer" (Bsp. 29) sind leicht faßlich und gingen rasch als Kunstlieder in den Volksmund über. Darin sah

Bsp. 29

271

Reichardt den Hauptzweck seiner Komposition erfüllt, wenn es ihm gelang, ohne großen Aufwand durch seine Singspiele gute und moralisch nützliche Gehalte, einprägsam-schlichte Weisen volkserzieherisch wirksam an sein Publikum heranzutragen. Dazu scheute er auch finanziell keinen Einsatz.

Wie sehr es Reichardt daran gelegen war, seine Bühnenwerke für ein breites Liebhaberpublikum zu planen, auszuführen und zu veröffentlichen, zeigt besonders deutlich auch sein Bemühen, selbst Klavierauszüge davon herzustellen. Seit 1773 hat er versucht, einige meist recht einfache, aber dennoch nicht von jedem Dilettanten daheim auf dem Klavier spielbare Partituren durch Reduktion auf wenige wesentliche Stimmen und Klänge in eine spieltechnisch gute Form zu bringen, die mehr bot als lediglich „magere Skelets in Ansehung der Harmonie"[1045]. Durch möglichst reiche Instrumentationsangaben und Ausziehen aller für den Aufbau wesentlichen Teilmomente förderte er somit auch zu einem nicht unwesentlichen Teile die Hausmusik[1046]. „Den Dilettanten zu gefallen" übertrug er alle Stimmen in den damals noch nicht allgemein üblichen Violinschlüssel auf zwei Systeme. *Erwin und Elmire*, Favoritarien und -tänze machte er auf diese Weise auch denen zugänglich, die kein städtisches Theater besuchen konnten. Auch darin erkennt man folglich seinen Hang zur Simplifizierung und breitest möglicher Mitteilung an die Mitwelt.

Liederspiele

Die Frankreichreisen Reichardts waren vor allem bestimmt durch politische Interessen und häufige Theaterbesuche. Seine volkserzieherischen Bestrebungen wurden in Paris durch die Bekanntschaft mit Vaudevilles besonders lebhaft angeregt. Diese zuweilen recht trivialen Schauspiele mit Musik spiegelten ungeschminkt das tägliche Leben. Die schlichte Seele, der natürliche Mensch wurde in ihnen z. T. mit Mitteln des empfindsamen Stils freigelegt. Das brave, nützliche Volk, die Kleinbürgerwelt sah hierin in manchmal hausbackener, idyllischer Unterhaltungsart sein Konterfei auf der Bühne dargestellt, woran es sich behaglich erfreuen konnte. Diese anspruchslose Art von Kleinkunst und Schauspielerei mit musikalischen Einlagen sagte Reichardt gerade in der Lebenslage zu, als er, seiner Hofämter entkleidet, das mittelständische Liebhaberpublikum mehr für sich zu gewinnen suchte. Er plante dieses „angenehme, unterhaltende Geschlecht auch auf deutschen Boden [zu] verpflanzen" und wurde daher der „Vater des Liederspiels". Er erfand diese Gattungsbezeichnung „Liederspiel", weil „Lied und nichts als Lied den musikalischen Inhalt des Stücks" ausmachen sollte, und damit „das Publikum nichts Größeres erwarten möchte"[1047]. Begründet in der antiken Komödie, im gesungenen Märchen und Volksschauspiel, sowie in Romanen mit Liedeinlagen, die schon im Mittelalter der geselligen Unterhaltung vorzüglich dienten, schuf er somit neben dem Singspiel eine neue und noch einfachere Spielform, die nach nur kurzer Lebensdauer ihre Fortsetzung fand in den Liederzyklen der Romantiker, im Laienspiel, in der Liedkantate und Kinderoper. In seinem Widerstreit gegen die Übermacht der italienischen Oper wollte Reichardt mittels des Liederspiels insbesondere „das Theaterpublikum wohl wieder für das Einfache und blos Angenehme" empfänglich machen und es zudem von dem „neumodischen Treiben mit der tobenden Orchesterbegleitung" zur Zeit Méhuls und Beethovens abführen[1048]. Darin kann man mit Julius Werden eine „höhere Bestimmung" sehen, als sie dem Vaudeville in Frankreich gegeben war[1049].

Das Liederspiel entstand mithin hauptsächlich aus einer Reaktion heraus mit der erklärten Nebenabsicht, außer einigen Volksliedern auch eigene bereits veröffentlichte Lieder „auf die angenehmste und sicherste Weise" populär zu machen[1050]. Reichardt wollte in seinen Liederspielen die Zuhörer nicht durch ungewohnt Neues und Originelles überraschen, sondern im Gegenteil das bereits Vertraute eingänglicher machen. Die den Mittelpunkt des Geschehens bildenden Liedeinlagen wurden durch eine locker gefügte, wenig inhaltreiche Handlung umgeben. Die vom Komponisten französischen Mustern nachgeschaffenen Libretti, in denen die Spuren der Revolutionszeit unverkennbar sich zeigen, sind nur dürftige, meist einaktige Machwerke[1051]. Der Spielraum der Handlung ist sehr begrenzt, da nach des Autors Willen lediglich Lieder den Inhalt ausmachen sollten. Zudem beschnitt sich Reichardt jegliche Entfaltungsmöglichkeit dadurch, daß er sich selbst zu sehr durch theoretische Überlegungen hemmte. So schied er z. B. von vornherein das „witzige und satyrische Lied" aus, da dies sich angeblich auf deutschem Boden nicht eigne, außerdem beschränkte er seine Auswahlen auf „empfindsame Liebeslieder und Trinklieder"[1052]. Dadurch wurden die Liederspiele festgelegt auf die Szenerie des „Ländlichen" und des „Sentimentalen", auf Idylle, Schäferspiel und die Schwärmerei für das vermeintlich unverdorbene Leben der Gebirgsbewohner. Schließlich wandte Reichardt auch hier seine Grundforderung nach „höchster Simplicität im Gesange" an, die auch die Form und Orchesterbegleitung mitbetraf. Jeglicher dramatischen Spannung beraubte er seine kleinen Werke aber vornehmlich dadurch, daß er deren „ganzen Charakter nur auf Einen, blos angenehmen Eindruck" wie im Singspiel starr festlegte[1053]. Damit setzte er auch an einem Objekt seine Theorie der Empfindungseinheit durch, wo diese wohl am wenigsten angebracht war. Wenngleich der Komponist statt des nur „Schimmernden" das „Bedeutende und Rührende" auf der Bühne vorstellen wollte[1054], fand diese hohe Absicht dennoch nur geringen Widerhall. Sein Amtsnachfolger Fr. A. Himmel versuchte sich zwar 1801 mit dem Liederspiel „Fröhlichkeit und Schwärmerei" ebenfalls in dieser neu entstandenen Gattung, die Verbreitung dieser Volksstücke griff indessen nur unbedeutend über den norddeutschen Raum hinaus[1055].

Das Liederspiel wurde durch Reichardt aus der Taufe gehoben mit dem Einakter *Lieb' und Frieden* (= *Lieb' und Treue*)[1056]. Das Reichardts Familienleben spiegelnde einfache Libretto durchsetzte der Autor mit Volksliedern sowie Gedichten Goethes, Herders und von Salis'[1057]. Es ist gänzlich auf das „sentimentale" Genre zugeschnitten, auf Sehnsucht nach der Schweiz[1058], auf angenehme Unterhaltung. Wenngleich dieses Stück als etwas Eigenständiges erscheinen sollte, läßt sich die Abhängigkeit vom Vaudeville sowie die Herkunft vom Hillerschen Singspiel als vereinfachter Absenker nicht bestreiten. Dieses Liederspiel war trotzdem das beliebteste, denn nach dessen Uraufführung am 31. März 1800 in Berlin wurde es dort wie auch in Tübingen bis gegen 1816 gespielt. Außerdem erschien es u. a. auf Bühnen in Breslau (1800), Königsberg (1800), Bremen (1804–1805), Schaffhausen (1809), Hamburg (1811)[1059]. Dagegen fielen die Liederspiele *Juchhei* und *Kunst und Liebe* beträchtlich ab. Den Titel des ersteren änderte die Intendanz des Nationaltheaters in Berlin ab in „Der Jubel"[1060]. Die dürftige, gekünstelte Handlung bildet einen allzu dünnen und farblosen Rahmen für die bunte Aufreihung etlicher Volkslieder und Gesänge Reichardts. Die Liederfolge ist zudem ohne einen inneren Zusammenhalt. So singt z. B. das „Zittermädchen" das tiroler Volkslied „Du host gesagt du wollst mi nehma", darauf ein pommersches Lied „Ull' Mann wull rieden", „Mit Mädchen sich vertragen", „Die Liebe wohnt in meinem Herzen", „Der Wein erfreut des Menschen Herz", „Ohne Bier und Brantewein", „Thomas saß am hallenden See", „Das Wasser rauscht, das Wasser schwoll", „Es ritten drey Reuter zum Thor hinaus" sowie andere gängige Weisen in einem planlosen Durcheinander. Eine Liedkette dieser Art war natürlicherweise im Jahre 1800 ebensowenig wie heute bühnenwirksam, zumal die damaligen Schauspieler diese einfachen Strophenlieder so lustlos vorgetragen haben werden, wie dies heutige Mimen tun würden. Daher waren diese Liederspiele auch weniger im Theater als vielmehr am Klavier in der bürgerlichen Stube am rechten Platz, benutzt wie ein Liederalbum mit Zwischentexten. Reichardts letzter Versuch auf diesem aussichtslosen Gebiete mit dem Titel *Kunst und Liebe* von 1803 wurde nur ein Mal am 30. November 1807 in Tübingen öffentlich vorgeführt[1061]. Bereits zu Lebzeiten des Autors hatte sich die von ihm ins Leben gesetzte Gattung überlebt.

In seinem musikalischen Schaffen ließ Reichardt fast keine der zu seiner Zeit gepflegten Gattungen oder Formen gänzlich unbeachtet. Er war dem Alten wie dem Neuen gleicherweise zugetan, so daß ihn auch das durch Georg Benda seit 1775 zu großer modischer Beliebtheit aufgekommene Melodrama mehrmals zur Nachahmung reizte. Benda's „Ariadne auf Naxos" war für ihn „Epoche machend"[1062]. Reichardt teilte nicht die ästhetischen Einwände etwa Herders gegenüber dieser „mißlichen Gattung", der daran vornehmlich bemängelte, daß „Töne die Worte, Worte die Töne, als unvereinbar miteinander jagen", also daß „Musik und Declamation nicht zusammenkommen können"[1063]. Er nahm auch nicht Anstoß an dem Einwand von Friedrich Theodor Mann, der das Melodram als ein „verstümmeltes Trauerspiel" ohne inneres Gleichgewicht charakterisierte[1064], vielmehr fesselte ihn trotz all dieser Unvollkommenheiten, die im Wesen dieser unklassischen Zwittergattung liegen, aus dem Geiste des Sturm und Drang heraus die darin mögliche Intensivierung des Gefühlsausdrucks. Befreit von den natürlichen Grenzen der Singstimme ließen sich deutlicher, bestimmter, aber auch naturalistischer Affekte und Geschehnisse in der Natur musikalisch wiedergeben. Mit Instrumenten ließen sich an Stellen des Dramas expressive Steigerungen erzielen, wozu der Gesang nicht befähigt ist, zumal die Melodramen meistens von Schauspielern auf kleinen Bühnen zur Aufführung gebracht werden mußten. Die Durchsetzung einer Nationalbühne wurde zudem mittels dieser Gattung kräftig gefördert, denn auf diesem Felde war man frei vom italienischen Gesangsstil und auf dem Wege zu einer aus der deutschen Sprache heraus völlig gebildeten kunstvollen Deklamation. Diesen Vorzügen zuliebe nahm Reichardt die auch ihm bekannten erheblichen Mängel in Kauf, die für ihn insbesondere darin lagen, daß die Musik oft lediglich die Funktion einer naturalistische Effekte vorspiegelnden Geräuschkulisse zu erfüllen hat und daß unter dem Primat des Textes (abgesehen von der Ouvertüre) eine formal befriedigende Entfaltung musikalischer Formen stark gehemmt wird.

Reichardt schrieb drei Melodramen. 1777 hatte in Dresden J. Chr. Brandes den Text zu einem musikalischen Drama *Ino* geschrieben, das der junge Kapellmeister am preußischen Hofe bald „in Musik setzte". „Es wurde an etlichen Theatern nicht ohne Beifall gegeben, hatte aber nicht solchen Erfolg wie ‚Ariadne auf Naxos'" von Benda[1065]. Reichardts Komposition übte eine geringere dramatische Wirkung aus, weil „zu viel und an unrichtigen Stellen musiziert" wird und es dem Akkompagnement an Farbigkeit und Spannung mangelt[1066]. Kirnberger in Berlin nahm zudem Anstoß an der „kleinen Malerei" in diesem Werke[1067], wo-

Gewitterszene aus „Ino"

Allegro di molto

(Es donnert stärker)

mit er die verfehlten tonmalerischen Partien meinte. Auch den heutigen Hörer lassen diese schwächlichen Takte unbefriedigt, denn z. B. seine Motive für Donner oder Gewitter (Bsp. 30)[1068] sind ohne abbildliche Prägnanz. Dem Historiker muß vor allem auch auffallen, daß Reichardt seiner stets bekundeten scharfen Verwerfung jeglicher Tonmalerei hier untreu geworden ist, da auch er offenbar ohne dieses Kompositionsmittel im Melodram nicht auszukommen vermochte. Beachtlich hingegen ist *Ino* wegen der Wiederholung bzw. der jeweiligen Situation angepaßten Abwandlung von Themen in Verbindung mit gleichen Gedanken oder Aussagen im Text[1069]. Hier begegnet somit in einem der ersten deutschen Bühnenwerke eine Leitmotivik als Stimmungsausdruck, die dem ansonsten musikalisch bindungslosen Werk den notwendigen Zusammenhalt gibt. Eindrucksvoll ist auch der große Schlußchor der Nereiden und Tritonen mit voller Orchesterbegleitung.

Am 7. Juli 1777 wurde in Hamburg ein weiterer melodramatischer Versuch Reichardts uraufgeführt: *Cephalus und Prokris*[1070]. Auch hierin erreichte der Komponist das nachgeahmte Vorbild Bendas nicht, so daß der Anklang im Publikum nur schwach war, denn „die Zuschauer wußten nicht, ob sie schlafen oder lachen sollten ..."[1071] Carl Friedrich Cramer empfiehlt dieses Werk lediglich für Liebhaber „zu einer angenehmen Unterhaltung". Reichardt selbst bezeichnete später seine Vertonung als äußerst schwer ... überall mehr Konzert- als Orchestermusik", womit er tatsächlich auf die Hauptschwächen selbstkritisch hinweist[1072]. Er malt eine kettenartige Folge von Stimmungen sowie Abstufungen leidenschaftliche Erregtheit, indem er sich minutiös in die Teile des Textes vertieft und den dafür gemäßen musikalischen Ausdruck sucht. Auf diese Weise entspinnt sich ein von den Details des Librettos zu sehr abhängiges punkthaftes musikalisches Geschehen, dem es an formaler Bindung mangelt. Zu oft und langwierig wird die Handlung in ihrer zügigen Entwicklung durch die Musik aufgehalten, statt durch sie vorangetrieben zu werden. Die hohe antikisierende Pathetik kommt durch diese unangemessene Darstellung von Empfindungen in abgegrenzten Gehäusen nicht zu ihrer eigentlichen großzügigen und breitflächigen Entfaltung. Zu diesem Tonfall und Stil ist ein größerer Atem erforderlich, der Reichardt nicht zu Gebote stand. Die Unsicherheit des Komponisten, sein Unbehagen und Schwanken zwischen Singen und Deklamieren beleuchtet der Versuch, einige Teile dieses Melodrams in zwei Fassungen darzubieten (Bsp. 31)[1073]. Der Autor bemerkt dazu: „Für diejenigen, die vielleicht mit einem meiner Freunde glauben, diese und einige andere Stellen dieses Stücks sollten lieber gesungen als gesprochen werden, will ich diese und noch einige andere Stellen am Ende dieses Werks für den Gesang aufschreiben. Ich thue dieß um desto lieber, da ich gewahr werde, daß mit geringer Abänderung derselben Melodie, die Worte nur untergelegt werden dürfen." Damit wird zwar als Zweck dieser zweifachen Niederschrift das Singebedürfnis der Liebhaber am Klavier angegeben, es ergibt sich aber aus deren Vergleich auch, daß die singbare Fassung musikalisch befriedigender und gelungener ist. Es wird daher wohl nicht nur der Mißerfolg dieser beiden Erstlingswerke Reichardt davon abgehalten haben, vor 1802 weitere Melodramen zu schreiben, sondern auch seine zunehmend bessere Kenntnis der Natur des Gesanges, des Singspiels und der Oper, die es ihm erlaubten, seinen ästhetischen Prinzipien getreuer zu schaffen.

Reichardts drittes und letztes Melodrama mit eigenem Text entstand im Zusammenwirken und unter dem Eindrucke des großen Mimen A. W. Iffland, der seit dem 15. Dezember 1796 als Direktor des kgl. Nationaltheaters in Berlin wirkte und auftrat. Es ist das einaktige Melodram mit Chören *Hercules Tod*, das am 10. April 1802 ebendort mit Iffland als Hauptdarsteller uraufgeführt wurde[1074]. Dieser war an Opern nur wenig interessiert, gab aber dem Schauspiel in der preußischen Hauptstadt neue belebende Impulse, die offenbar Reichardt anregten zu einem antikisie-

Bsp. 31

renden Drama, in dem ein Chor gegenüber einem rezitierenden Schauspieler auf der Bühne erscheint. Der Komponist schrieb über diese ein-
deutigen Renaissanceabsichten an Goethe am 23. November 1801, er
habe durch die Chöre „gesucht, dem Ganzen so viel mir möglich einen
antiken tragischen Charakter zu geben. Mir scheint die Conception
glücklich ...“[1075] Selbst die von ihm geliebte Glasharmonika wurde zur

Komm Unge- treuer! Komm Un - ge - treuer,

dei - ne Gattin, dei - ne Gat-tin liebt dich noch.

Vervollkommnung dieses an das alte Griechenland gemahnenden Eindrucks im Accompagnement herangezogen. Das Berliner Publikum war indessen mit diesem ungewöhnlichen Werk weniger zufrieden als der Autor. Die Allgemeine Musikalische Zeitung berichtete lakonisch: „Man gab es [das Melodram] den 10ten u. 12ten; dann nahm man es zurück, und da es schwerlich hier oder anderswo wieder erscheinen wird, so wäre es unnütz, mehr davon zu sagen."[1076] A. W. Schlegel schrieb an Goethe am 17. April 1802: „... der Tod des Herkules ein Melodram, von Reichardt componirt. Iffland macht den Herkules, und hat es zweymal gegeben, wird aber, wie es heißt, wegen des geringen Beyfalls es nie wieder spielen." Einzig Zelter vermochte dem verschmähten Opus Lob zu spenden, denn er urteilte am 13. April 1802 in einem Brief an Goethe: „Die Musik hat vieles, woran man Reichardts Genius besonders erkennt, der sich immer durch große und kühne Schritte verkündigt; allein ihr Bestes scheint mir in den Momenten der Ruhe zu liegen, die ungemein rührend und mannhaft sind."[1077] Als Melodramatiker blieb zusammenfassend betrachtet Reichardt am wirkungslosesten. Diese Gattung entsprach zu wenig seinem Talent und seinen ästhetischen Grundprinzipien. Eine schöpferische Verquickung von Musik und Deklamation gelang ihm erst und zwar meisterlich in seinen „Deklamationen über Texte von Goethe".

Musik zu Schauspielen

Reichardts nahes Verhältnis zur Dichtung und zum Theater brachte es mit sich, daß er auch gern zu gesprochenen Dramen Rahmenmusik und Bühnenmusik schrieb, zumal die Verhältnisse in Hinblick auf die Ausführung in Berlin nach 1778 besonders anreizend waren. Die umrahmende sowie einzelne Szenen (Tänze, Trinkgelage, Jagdauszüge etc.) begleitende Musik wurde zur Goethe-Zeit im allgemeinen anspruchsvoll gesetzt und aufgenommen. Diese schmückenden Einzelstücke hatten sich in den Geist und Stil der Dichtung einzuordnen und in die Handlung eingewoben zur Vertiefung des Sinngehaltes beizutragen. Vorspiele und Zwischenakte versetzten das Publikum in die rechte Gestimmtheit und Erwartung, Chöre machten Massenauftritte eindrucksvoller. Frei entfalten konnte sich der Komponist jedoch nur dort, wo hinreichend ausgebildete Musiker den Schauspielhäusern zur Verfügung standen. Dies war während des 18. Jahrhunderts jedoch nur an wenigen Orten anzutreffen, denn z. B. in Weimar blieb die Ausführung der Bühnenmusik den wenig befähigten Stadtmusikanten als Nebenerwerb vorbehalten. Die Mitglieder der Hofkapelle lehnten es ebenso brüsk wie ihr Kapellmeister ab, kostümiert die Bühne zu besteigen. Diese Musiker führten allenfalls die umrahmenden Stücke vom Orchesterplatz aus auf[1078]. In Mannheim waren die Leistungen nicht besser. In Berlin jedoch gab es unter der Theaterleitung des rührigen Doebbelin ein vollwertiges stehendes Orchester von etwa 16 bis 18 Spielern (3 erste Violinen, 3 zweite Violinen, 2 Bratschen, 1 Cello, 1 Flöte, 1 Oboe, 2 Fagotte, 2 Waldhörner), das um 1800 auf 25 Mitglieder und mehr verstärkt wurde[1079]. Diesen fest besoldeten und zu Nebendiensten (wie z. B. Kulissenmalerei, Nebenrollen) herangezogenen Musikern konnte man eine

auch technisch gute Fertigkeiten verlangende Schauspielmusik zu werk-
gerechter Wiedergabe anvertrauen, wie sie Reichardt 1787 in seiner
Bühnenmusik zu Macbeth von Shakespeare schuf[1080].
Gottfried August Bürger veröffentlichte 1783 in Göttingen bei Joh.
Christ. Dietrich seine Übersetzung des düsteren „Macbeth"-Dramas, die
sehr bald die deutschen Bühnen für sich gewann. Insbesondere die „neuen
Hexenscenen" packten mit schauriger Gewalt das empfindliche Publikum
jener Zeit. Auch Reichardt war gebannt davon und komponierte in enger
Bindung an die hochdramatische Handlung des fünfaktigen Trauerspiels
14 Musiknummern, die zu seinen besten und erfolgreichsten Schöpfungen
zählen. Nach der Erstaufführung dieser mitreißenden Musik von thea-
tralischer Realistik am 28. Dezember 1787 im Berliner Nationaltheater
in Gegenwart des Königs gab es nicht wenige Stimmen, die die Ouvertüre, die Chöre, Hexenszenen und Tänze zum „genialischsten" dessen
zählten, „was Reichardt je gemacht hat"[1081]. Noch 1824 schreibt A. B.
Marx: „Hier war Reichardt ganz Künstler, ganz Musiker; so ganz, daß
sogar die romantische Instrumentenwelt ungleich mehr, wie in irgend
einer andern Komposition sich ihm erschloß und ihm diente. Das wilde,
unstäte, wüste Treiben der Hexen, ihre sinnlose Lust und sinnlose Wuth,
diese Entmenschung, diese Niedrigkeit und doch die grauenvolle Macht,
dieser nimmer rastende Stachel des bösen Dämons, der sie gegen jeden,
gegen sich, gegen ein Nichts aufregt – man glaubt das erst zu fassen,
wenn man Reichardts Schöpfung kennt."[1082] Bis 1806 erklang diese
Schauspielmusik auf der Berliner Bühne insgesamt vierzig Mal als ein
„Erguß des feurigsten Genies" (Bsp. 32)[1083]. Man vernahm auf und vor
der Bühne ungewohnte Tonfolgen und Klänge, die an Glucks Aufsehen
erregendes Ballett „Don Juan" gemahnen mochten und vorauswiesen auf
einzelne Szenen im „Freischütz" von C. M. v. Weber. Nicht nur Erz-
romantiker wie Tieck und Wackenroder wurden innerlichst ergriffen von
dieser ungebärdig auf Gefühl und Sinne wirksamen effektvollen Komposition, selbst der kühler auf Musik ansprechende Schiller empfahl diese
am 26. April 1800 „außer der Ouvertüre" Iffland zur Aufführung[1084].
Diese elementare, zuweilen naturalistische Charaktermusik bannte die
Hörer, weil sie „fürchterlich schön" war, die schaurige Phantastik der
Handlung verlebendigen half und das dichterische Wort deutlicher werden ließ. Während der Niederschrift dieser originellen Stücke standen
Reichardt „groteske Bilder" vor Augen, die er als Elfjähriger während
einer seiner frühen Virtuosenreisen am Kurischen Haff aufgenommen
hatte[1085]. In ihm wurden besonders während der Vertonung der Hexenszenen Erinnerungen wieder lebendig an nebelhaft erscheinende Gestalten einsamer Fischer in der unendlichen Weite ostpreußischer Niede-
rungen. In der Autobiographie schreibt er dazu: „... ich mußte um mich

greifen, was ich konnte, um mich der verschiedensten, blasenden Instrumente zu bemächtigen. Was ich irgend zur Ausführung bringen konnte, das zog ich herbei. Außer den gewöhnlichen Saiteninstrumenten eines Orchesters mußten mir Hoboen, Clarinetten, Waldhörner, Trompeten, Querpfeifen, Triangel, Becken, Trompeten und Paucken dienen ... voll von dieser ungeheuren poetischen Schöpfung, ließ ich mich gehen und schrieb alles, auch das tollste Zeug auf, was mir meine Einbildungskraft im glücklichen Momente darbot, und strich am Ende nur wenig aus.“ Vorromantische Klangwirkungen und Stimmungen vermochte somit Reichardt in einer selten glücklichen und einfallsreichen Stunde seines Lebens in Partitur zu setzen. An diesem Beispiel erfährt man besonders

3. Hexe — 1. Hexe

Ei - a da nick' ich Mak-beth ein Grüß-chen. Ich

komm' ich kom-me flugs, Grau-lies - chen!

2. Hexe

Un - ke ruft! Ge-dult-chen,

deutlich, wie große Dichtung den dafür empfänglichen Komponisten in einer Sternstunde zu genialer Musik beflügeln kann. Dieser in seiner Art im Schaffen Reichardts einmalige Wurf überzeugte die Zeitgenossen so sehr, daß selbst nach der Bevorzugung der Bearbeitung des „Macbeth" durch Schiller vor derjenigen Bürgers Reichardts Musik weiterhin gespielt wurde, obgleich bei Schiller die Schicksalsschwestern auf der Bühne nicht singen[1086]. Jedoch kann man z. B. auf einem Leipziger Theaterzettel vom 5. August 1803 die beachtenswerte Bemerkung lesen: „. . . von Schiller, mit beibehaltenen Hexenchören von Bürger, Musik von Reichardt."[1087]

Weniger beliebt waren dagegen Reichardts Schauspielmusiken zu Dramen von Goethe und Kotzebue[1088]. Die 1790–1791 verfaßten *Kompositionen zum „Götz von Berlichingen", zum „Faust I", „Tasso" und zu dem Singspiel mit Tänzen „Lila"*[1089] wurden, da kein Auftrag dazu gegeben worden war, nicht gespielt. Die Partituren dieser Werke sind ebenso verschollen wie die *Musik zum „Clavigo"* aus dem Jahre 1791, die am 15. Juli 1803 im kgl. Nationaltheater zu Berlin erstmals erklang. Lediglich zwei Stücke aus der *Bühnenmusik zum „Egmont"* aus dem Jahre 1791 blieben erhalten. Diese wurden wenigstens 1796 in Weimar und 1801 in Berlin musiziert[1090]. Ein Lied daraus und die erhaltene Zwischenmusik bearbeitete Reichardt auch für Klavier[1091], offenbar hoffte er in die Bürgerhäuser mit seiner Musik eher eindringen zu können als in die Theater. Über die Art und Qualität der verlorengegangenen Stücke zum „Egmont" sagen lediglich sekundäre Quellen etwas aus, so schreibt z. B. A. W. Iffland: „... Hier beginnt Reichards unsterblicher Siegesmarsch! Wen Göthe und Reichard hier nicht begeistert haben, den Tod herauszufordern... Dem ist überall nichts zu sagen! –."[1092] Zelter berichtet an Goethe am 27. Februar 1813: „Reichardts Zwischenakt, zwischen dem 3. und 4. Aufzuge dieses Trauerspiels, ist vorzüglich, trotz der lokkern Ausführung. Er hat zu der Melodie des Liedes ‚Freudvoll und leidvoll' Variationen gesetzt, welche das Orchester während des 3. und 4. Akts spielt bei deren ersten Anhörung ich hingerissen worden bin"[1093]. Auch die am Neujahrstage 1802 in Berlin gespielte *Musik zu „Die Kreuzfahrer"* von Kotzebue ist für die Nachwelt nicht mehr erreichbar. Im Autograph erhalten blieb indessen ein gefällig wirkender *Chor zum Husitenkrieg bey Naumburg, in Musik gesezt von Reichardt.* Angesichts dieses dürftigen Quellenbestandes läßt sich nur ein fragmentarisches Bild von Reichardts Kompositionen zu Schauspielen gewinnen. „Macbeth" und „Egmont" waren aber gewiß die bedeutendsten Werke für die Sprechbühne.

Oratorien, Motetten, Kantaten und das Problem der „wahren Kirchenmusik"

Im deutschen Nordosten verschaffte sich nach der Mitte des 18. Jahrhunderts eine Erneuerungsbewegung Gehör, die angeführt von Hamann und Herder neben etlichen anderen Fragen auch das Kernproblem besorgt erörterte: „Wie muß wahre Kirchenmusik beschaffen sein?"[1094] Diese von der christlichen Botschaft tief durchdrungenen Theologen erlebten eine Profanisierung der immer lichter getünchten Kirchenräume, eine Veräußerlichung zu Festgebäuden, die immer mehr optisch wie auch akustisch den Eindruck von „ins Geistliche travestierten Hoftheatern" (L. Balet) erwecken mußten. Hoforchester, Primadonnen und Kastraten erhöhten zwar den dem Ohre schmeichelnden festlichen Glanz, sie verfehlten oft jedoch den wahren Endzweck sakraler Musik, da sie zu sehr auf den äußeren Effekt und den schönen Klang bedacht waren. Durch die mehr als notwendige Hervorkehrung des sinnlichen Reizes der Musik wurde der hingebungsvoll lauschende Kirchenbesucher von der Andacht abgelenkt. „Edle Symplicität und Ernst" schwanden zusehends und verführten die Kirchenmusik auf das Nebengeleise einer Theatralisierung, die religiöse Musik insgesamt gar zu einer merklichen Verkümmerung. Dem trat Hamann 1762 mit einem „Klagegedicht in Gestalt eines Sendschreibens über Kirchenmusik" einsichtig und kräftig entgegen[1095]. Herder führte diese in Bewegung gesetzte Besinnung weiter, wobei ihm förderlich zugute kam, daß er während seiner Italienreise gewichtige Anregungen für seine Reformpläne empfangen konnte und ihn die dortige Musizierpraxis „über die gottesdienstliche Musik mehr nachdenken ließ, als dazu in Deutschland Gelegenheit gewesen wäre". Bestärkt durch die südlich der Alpen vernommene a-cappella-Musik formulierte er den Grundsatz: „Die Basis der heiligen Musik ist der Chor."[1096] Heilige Musik „soll in vollem reinen Strome" tönen und nur „durch ihre Einfalt" rühren[1097]. „Dramatische und Kirchenmusik sind von einander beinahe so unterschieden, wie Ohr und Auge" schrieb Herder in der Schrift „Cäcilia" und gab damit den literarischen Anstoß zu einer weiterwirkenden Welle von Reformgedanken, die neben J. A. Hiller, J. A. P. Schulz und etliche andere führende Musiker auch Reichardt erfaßte[1098]. Das Problem der sittlich reinen, natürlichen, vokalen und erhabenen Kirchenmusik im reinen Satz verschwand seither nicht mehr aus der Diskussion der darum Besorgten.

Reichardt griff in die kirchenmusikalische Restauration mit wegweisenden Ideen sowohl als theoretischer Schriftsteller als auch als Historiker und Komponist tatkräftig ein. Herder und Hamann wiesen ihm dabei ebenso bestimmt den Weg, wie das starke Erlebnis altklassischer Vokalwerke in Italien ihm einen neuen Klangbereich eröffnete. Mit ihm nahm die romantische Palestrina-Renaissance ihren Anfang, die Unbedingtheit der Hingabe an das puristisch gereinigte religiöse Kunstwerk und die erneuernde Vertiefung in die Mysterien der Musik, die den versunken Hörenden zur Transzendenz hin öffnen. Reichardt steht somit inmitten einer interkonfessionell sich ausbreitenden historisch-klassizistischen Strömung, die über ihn zu Fasch, Zelter, E. Th. A. Hoffmann, Wackenroder und Mendelssohn, aber auch zu Thibaut und v. Winterfeld, K. Ett und K. Proske führte[1099]. Vor seinen erlebnisreichen Italienreisen 1783 und 1790 berührte Reichardt in seinem Schrifttum zwar auch bereits einige die Kirchenmusik betreffende Aspekte, indem er z. B. auf eine strenge Unterscheidung von der Theatermusik und die Wahrung eines „edlen Tones" drängte[1100], es fehlten ihm aber damals noch die rechten Leitbilder. Diese gewann er erst in den Kirchen und Bibliotheken Italiens. Palestrina verdrängte Graun als Vorbild für den Bereich religiöser Musik schlechthin[1101]. Diesen Altklassiker verehrte er fortan neben anderen italienischen „Musikheiligen" als den „größten uns bekannt gewordenen Komponisten in dem erhabnen feierlichen Kirchenstil, dessen Hauptcharacter in der nachdrücklichen und oft kühnen Folge von größtentheils konsonirenden Accorden besteht, deren ganz bestimmter Eindruck weder durch melodische Verzierungen noch durch rhythmische Mannigfaltigkeit modificirt oder geschwächt wurde"[1102]. Palestrinas Werke trafen ihn „wie Donner" und überwältigten ihn „wie Meeresflut"[1103]. Diese Kennzeichnung verdeutlicht ziemlich klar, wie Reichardt die Messen und Motetten Palestrinas hörte und was ihm als Ideal einer Erneuerung vorschwebte. Es war der „große edel simple Stil" einer nicht kraft ihrer meisterlichen Polyphonie, sondern vielmehr durch die Mächtigkeit „jedes einzelnen Accords" wirkenden Kunst, die theozentrisch bestimmt war und sich auswies. Der harmonische, breit fließende Vollklang fesselte ihn, die darin ausgeprägte „erhabene Simplicität", die „feierliche heilige Stimmung", die derartige Kompositionen erregen. „Den großen Charakter" strahlt diese Musik aber nach Reichardts Erfahrung nur aus bei „sehr langsamer Bewegung"[1104]. Die altklassische Kirchenmusik wurde also zu andachtsvoll-rührender persönlicher Herzenserfahrung wieder aufgewertet ohne die ursprüngliche kirchliche Bindung. Die Chöre, auf die allein sich diese erneuerte Kirchenmusik stützt[1105], sollen würdevoll und ohne Pomp den Eindruck einer ehrfurchtgebietenden Hoheit ausstrahlen, denn nur das wirklich Erhabene als der höchste Grad des Schönen rührt und erhebt den Geist über die sinnlich erfahrbare Welt[1106]. Erregung der Andacht durch „hohe Simplicität im Gesange", Ablösung aus dem irdischen Alltag und „unvorgeahndete Erhebung über uns selbst" stellte Reichardt als den eigentlichen Zweck der religiösen Musik heraus[1107]. Konzentriert auf die Mitteilung bedeutender, ernster Worte wurde damit gleichzeitig eine Wiederbelebung von Luthers Musikgesinnung und eines protestantischen „heiligen Enthusiasmus" versucht[1108]. Die am 24. Mai 1791 gestiftete Berliner Singakademie unter der Leitung von Karl Fasch[1109] und das eigene Haus boten sich Reichardt zur Verwirklichung dieser Ziele als die vorzüglichsten Pflegestätten an.

Da sich nach Reichardts Überzeugung „die Chöre allein für die Kirche schicken", wollte er möglichst alle Instrumente außer der Orgel aus dem Sakralraume verbannen, was insbesondere eine strenge Absage an die Orchestermesse bedeutete[1110]. Die „herrliche Fülle und hohe Einheit" der

286

Orgel bedeutete ihm „die idealisirte Instrumentalmusik" schlechthin[1111], trotz dieser Hochschätzung vermochte er jedoch diesem Instrument keine künstlerisch ausreichenden Aufgaben im Gottesdienst oder im Konzert zu bieten. Indem er die Organisten ermahnt, die „Schranken der kirchlichen Anständigkeit" zu achten, verweist er sie darauf, sich zu beschränken mit der Ausführung einfachster Choralvorspiele und der Begleitung homophoner geistlicher Chorwerke. Bereits 1774 forderte er die Orgelspieler auf: „Bereitet euch mit eben der Andacht zu eurem Vorspiel, mit der sich der Prediger zu seiner Predigt bereitet, und dann spielet die Choräle so lauter und rein ohne eitle Verzierungen, so wie dieser das ihm vorgeschriebene Evangelium lieset."[1112] Diese eindringlichen Ermahnungen, nur als „wahre Christen" an die Orgelbank zu treten, waren sicherlich zu einer Zeit gerechtfertigt, in der man sich nicht scheute, selbst Dragonermärsche und „Gassenhauer zu schlagen"[1113]. Aber auch die Verwirklichung der von Reichardt geforderten Aufbesserung der Einkünfte der Kantoren und Organisten allein genügte nicht, um den Niedergang aufzuhalten. So wie Reichardt priesen auch viele andere Musiker die Orgel als das einzig wahre, sakrale Instrument, dennoch boten sie keine dementsprechenden Spielstücke an, die einen Anreiz geboten hätten für ein würdiges Spiel[1114].

Weil sich Reichardt keiner Glaubensgemeinschaft als bekennend-teilnehmendes Mitglied zugehörig fühlte, schrieb er selbst auch eigentlich keine „wahre Kirchenmusik", jedoch etliche religiöse Musikwerke von überkonfessioneller, aufgeklärt-bürgerlicher Prägung. Auch seine Oratorien und ähnlichen Kompositionen größeren Umfangs sind nicht aus der inneren Bindung an eine der christlichen Kirchen heraus entstanden, sondern davon unabhängig mehr im Konzertsaal oder gar im Opernhause am rechten Platze. Reichardt wendet sich damit an ein gemischtes Publikum, dem die Stoffe der Bibel etwas bedeuten. Das mit seiner Musik zu füllende Raumvolumen war ihm wichtiger als die sakrale Weihe des Ortes. Indem er z. B. 1783 ein Textbuch von Metastasio *La Passione di Gesù Cristo* aufgreift, gestaltet er ein dogmatisch nicht festgelegtes „geistliches Drama", das in einer Kirche dargeboten wohl fehl am Platze wäre. Reichardt selbst führte Teile daraus erstmals in seinen Concerts spirituels von 1783 und 1784 auf, worauf Wiedergaben in London und Paris 1785 folgten[1115]. Diese Passion wie auch das Auferstehungs-Oratorium für 4 Solostimmen, 2 Chöre und großes Orchester aus dem Jahre 1785 sind Ausdruck eines großflächig-monumentalen Wirkungsdranges, eines festlich-hochgestimmten Lebensstils. „Wahre Kirchenmusik" zu schaffen war damit offenbar nicht beabsichtigt, denn allzu frei entfaltet Reichardt den opernhaften Pomp[1116]. Indem er Rezitative und Arien kürzte, ließ er deutlich an Händel gemahnend die vollklingende Harmonie der

Chöre in breitflächigen Tonmassen zur hervorragenden Geltung kommen. Auch das mächtige, 1786 zur Huldigung König Friedrich Wilhelms II. komponierte und am 20. Dezember 1789 in der Berliner Domkirche uraufgeführte *Te Deum laudamus* für Soli, Doppelchor und Orchester zeugt von dieser unkirchlichen Gesinnung, was bereits einige Zeitgenossen sehr befremdete[1117].

Motetten, wie z. B. „Der Säemann säet den Saamen" oder „Der Mensch lebt und bestehet" (Texte von M. Claudius), und *Psalmvertonungen*, wie z. B. „Der 165. Psalm" in der Textfassung von Moses Mendelssohn von 1784 oder der 64. und 65. Psalm aus demselben Jahre, sind ebenfalls für große Hofkapellen oder Liebhaberchöre vom Range der Berliner Singakademie eingerichtet. Eine kühle Nüchternheit, freidenkerische Gesinnung und ein aufgeklärter Rationalismus kennzeichnen diese einförmig wirkenden Werke. Den mächtigen Stimmstrom Palestrinas hat Reichardt niemals nachzuahmen vermocht, seine Chorwerke blieben stets zu sehr liedhaft-periodisch und akkordisch gebunden. Insbesondere die zu seinen Lebzeiten in „Liebhaber-Concerten" und während öffentlicher Feierlichkeiten oft gesungenen Psalmen weisen sich aus als Gestaltungen aus dem Geiste der Vernunftherrlichkeit, eine echte Glaubensüberzeugung wird man kaum darin gewahr[1118]. Bezeichnend dafür ist auch, daß der Komponist nicht den Wortlaut der Bibel benutzte, sondern die kraftloseren Übersetzungen von Mendelssohn und Spalding[1119]. Leider ist die Musik zu der 1778 komponierten *Hymne „An die Musik"* für „ein grosses Chor" verschollen. Reichardt hatte dieses Chorwerk zur Eröffnung des Konzertsaals der Handels-Akademie des Prof. Büsch in Hamburg auf einen Text von Ebeling geschrieben. J. A. Hiller hielt dieses für gewichtig genug, um es in sein Programm des ersten Leipziger Gewandhauskonzertes am 25. November 1781 aufzunehmen. Dem Berichte eines Hörers zufolge wurde die weihevolle Hymne „von allen Kennern als ein Musterstück gerühmt"[1120]. Friedrich Rochlitz hingegen, der diese Komposition 1804 in Leipzig noch hören konnte, rügte „das Trockene des Ganzen und die zuweilen bis zur Überraschung trivialen Gedanken" darin.

Mehr Bedeutung im Gesamtschaffen Reichardts kommt hingegen den Kantaten und Chor-Oden mit Orchesterbegleitung zu. Insbesondere bis 1786 nutzte der Berliner Hofkapellmeister gern jede ihm zusagende Gelegenheit, um mittels einer Kantate ein Fest zu schmücken oder ein großes Ereignis würdig zu feiern. Diese Form trat indessen in Berlin deswegen mehr als anderswo in den Hintergrund, weil sich das Interesse des Bürgertums hier mehr auf das schlichte Lied konzentrierte, so daß die große italienische Kantate mit virtuosen Arien nicht recht gedieh. Reichardt knüpfte an einfachere Muster an und hielt die Mitte zwischen dem

Bsp. 33

„Kirchen- und Cammerstyl"[1121]. So entwarf er 1775 als erstes größeres Werk in dieser Art „bey einem sehr glücklichen Landaufenthalte" in Ragnit, die 1778/1779 umgearbeitete und 1780 in Leipzig veröffentlichte Kantate *Ariadne auf Naxos* (Text von Gerstenberg)[1122]. Bereits in diesem deutlich vom mannheimer Instrumentalstil geprägten Erstlingswerk (Bsp. 33) verzichtete er auf die streng gefügte Da-capo-Arie und eine straffe metrische Gliederung. Dagegen versuchte er einen „einheitlichen Fluß" zu entfalten und diese Form „natürlich" darzustellen[1123]. In den näheren Umkreis dieser Kantate gehört *Der May. / Ein Wettgesang / Daphnis und Rosalinde* von 1780 für Sopran, Tenor, 2 Flöten, 2 Oboen, 3 Fagotte und 2 Hörner mit einem Text von K. W. Ramler[1124]. 1779 schrieb Reichardt eine Kantate *Auf den Frieden* (Text von Blum). Den Geburtstag Friedrichs des Großen zierte er mit dem Werk *Gott ist unser Gesang* (Text von Burmann) für 4 Singstimmen und Orchester in Es-Dur. Hohles Pathos, kühle ariose Partien zeugen darin noch nicht von wahrer Meisterschaft. 1782 ließ der Komponist in Gotha bei Ettinger eine seiner frühesten Kompositionen drucken, von deren Veröffentlichung Hartknoch und Homilius dringend abgeraten hatten, nämlich die geistliche Kantate *Die Hirten bei der Krippe* (Text von Ramler). Dieser auch von Telemann, Türk und Rellstab vertonte Text schwelgt in idyllischer Sanftheit, dementsprechend einförmig ist auch zum Zwecke geistlicher Erbauung die Vertonung[1125]. Für den Mecklenburg-Schweriner Hof schrieb Reichardt in konventioneller Manier 1784 den *Sieg des Messias* (Text von Tode)[1126] sowie die dem Dichter M. Claudius zugeeignete *Weihnachts-Cantilene*[1127]. Hierin sind am kunstvollsten die Rezitative gesetzt worden, während die Weihnachtschoräle reizlos-nüchtern bearbeitet sind. Es fehlte dazu dem Autor offenbar der notwendige Schwung des Herzens und die Beherrschung des flüssigen polyphonen Satzes. Zu einseitig hatte Reichardt den „künstlichen Contrapunkt" als naturwidrig und alle vermeintlich nur auf dem „Calcul" beruhende Musik mißachtet. Als „gehalt- und geistlos" verurteilte er überdies die Lehrwerke von „Leclair, Muffat, Eberlin, Leuthard, Mattheson, Riedt", Albrechtsberger sowie Marpurgs „Abhandlung von der Fuge"[1128]. Der „gothische Fleiß", die „alte strenge Theorie" behinderte wie ein „Käfig der Kunstgrammatik" (Wackenroder) angeblich zu sehr sein unmittelbares Ausdruckswollen, ihre Gesetze schienen ihm durch die Kraft „der besten neuen Künstler" überspielt worden zu sein. Reichardt zog die schlichte Expressivmelodik als die natürliche Sprache des Herzens einer „im gebundenen Styl gearbeiteten, gelehrten" Fuge vor[1129]. Noch im Jahre 1810 schrieb er, daß er sich „auf das Fugenwesen nicht gern einlasse, weil es meistens Unfug ist"[1130].

Von dieser schroffen Absage an den stimmig gearbeiteten Satz ließ in der Tat Reichardt nur gelegentlich ab, so z. B. im Jahre 1785, als ihn in London unter dem übermächtigen Eindrucke des Händel-Festes ein „neuer Geist" beflügelte und die *Cantate in the Prise of Handel* (Text von John Lockman) für Sopran, Chor und Orchester entstand[1131]. Diese aus einem Orchestervorspiel, Rezitativ, Arie, Chor und Fuge bestehende vierteilige Komposition ist sichtlich „im Händelschen Styl" entworfen worden. Reichardt sucht hierin den Anschluß an den „Messias", an das große Oratorium und den Homophonie mit Polyphonie in ebenmäßigen

Einklang bringenden Kontrapunkt. Wie sehr sich auch Reichardt bemüht, etwa im Thema der vierstimmigen Chorfuge (Bsp. 34) den Ton Händels zu treffen, so wenig gelingt es ihm indessen, außer der „edeln Simplizität" den barocken Stromrhythmus über weite Strecken hinweg großzügig durchzuziehen und aus der überströmenden Fülle eines bewegten Herzens heraus in reicher Gabe Musik frei sich ergießen zu lassen. Er bleibt trotz seiner Hochachtung vor dem spätbarocken Satzstil in seinem selbstgesetzten „Käfig" befangen. Reichardt stellte etliche ästhetische Normen auf, die leicht zur Ideologie erstarren konnten und so nicht mehr das Material zu freier Verwendung zur Verfügung beließen. Beethoven vermochte sich dieser Gefahr stets zu entziehen.

Breitere Resonanz als diese Huldigung auf Händel fand der musikalische Nachruf Reichardts für 4 Solostimmen, gemischten Chor und Orchester aus dem Jahre 1786 auf den Tod Friedrichs II.[1132]. J. C. F. Rellstab beurteilte diese preußischen Geist vermittelnde *Trauerkantate* sachlich und schlicht mit den Worten: „Das Ganze dieser Music ist edel, groß, und der wahren Form einer herz- und seelenerhebenden Kirchenmusic angemessen, der Styl bleibt durchgängig gleich, und an Haltung ist es ein vorzügliches Ganze."[1133] Mit diesem rasch konzipierten Werk gelang es ihm, in Tönen dem Gefühl eines Volkes würdigen Ausdruck zu geben. Reichardt schuf mehr als lediglich eine für eine einmalige Gelegenheit nur sich eignende Kapellmeistermusik, vielmehr dokumentierte er sowohl in den konventionell abgefaßten wie auch in den originell geschriebenen Teilen des Werkes den Abschluß und den Übergang einer gewichtigen Epoche in der Musikkultur Berlins. Die darauf folgenden *Kantaten und Oden für Solostimmen, Chor und Orchester* auf Texte von Friedrich dem Großen, Albrecht und insbesondere von Metastasio erreichten dagegen nur den Rang von beiläufig verfaßten Routinestükken[1134]. Einzig die Kantate *Eine Geisterstimme* 1787 auf einen Text von A. W. Iffland verdient deswegen eine stärkere Beachtung, weil es eines der frühesten Deklamationsstücke für hohen Sopran mit Streichquartett- und Bläserbegleitung ist[1135]. Im Spätwerk Reichardts finden sich nach einer längeren Unterbrechung dieser Serie letzte große Kantatenschöpfungen, die neben den Goethe- und Schillervertonungen der Jahre 1805 bis 1810 den Meister auf dem abgeklärten Höhepunkt seiner Entwicklung ausweisen. Eröffnet wird diese Werkgruppe mit der Hymne

Bsp. 35

Moderato e Maestoso

All - mäch - ti - ger! All - mäch - ti - ger! Die herr - li - che Na-

All - mäch - ti - ger! All - mäch - ti - ger! Die herr - li - che Na-

All - mäch - ti - ger! All - mäch - ti - ger!

All - mäch - ti - ger! All - mäch - ti - ger! Die

tur ist dei - ner Hän - de Werk. Dein ist der Bau des

tur ist dei - ner Hän-de Werk. Dein ist der

ist dei-ner Hän-de Werk. Dein ist der Bau des Welt - alls

herr-liche Na-tur ist deiner Hände Werk.

*Miltons Morgengesang / für / die berlinische Singacademie /
des / edlen Meisters C. Fasch / für / Vier Solostimmen und das
Chor / componirt / und / jetzt auch mit einem vollständigen
Orchester begleitet, / zu doppeltem Gebrauch / in vollstän-
diger Partitur herausgegeben / von / J. F. Reichardt / Königl.
Westphäl. Capelldirector. / Cassel (1808) / Beym Autor. /*

In dieser lyrischen Chorkantate wird die Schöpfung der Welt in erha-
bener Weise besungen (Bsp. 35). Mächtig und sakral hochgestimmt wer-

Weltalls, ach, so schön! ach so schön! so wunderbar, so wunder - bar!

Bau des Welt-alls ach   so schön, so wunder-bar, so wunder - bar!

ach   so   schön,   so wunder-bar, so wunder - bar!

Dein ist der Bau des Weltalls, ach so wunder-bar, so   wunder - bar!

den der unsichtbare Gott und die Sonne als „Seel' und Auge dieser Welt"
in breitflächigem Hymnenton gepriesen. Auch ein Lob auf den „geheimnisvollen Tanz bei dem Gesang der Sphären" trägt der Chor in statua-
risch-kraftvollem Satz vor. In Stücken wie der „Fuga" (Bsp. 36) ahnt
man die stilistische und auch die geistige Nähe zu Haydns späten Oratorien sowie die produktiven Anregungen, die Fasch mit seiner Singakademie auf Reichardt während vieler erhebender Singstunden ausstrahlen
konnte[1136]. Während Haydn jedoch klassische Meisterwerke formte, haftet diesen wie auch den späteren großen Vokalwerken Reichardts ein
mehr klassizistisches Gepräge an.

1810 schrieb Reichardt über den Text von Clemens Brentano die *Cantate auf den Tod der Königin Luise von Preußen,* die am 19. Juli 1810
gestorben war[1137]. Der Dichter war mit dieser Apotheose auf die geliebte
königliche Gönnerin nicht zufrieden[1138], Wilhelm Dorow sah darin hingegen eine Bekundung „hoher Künstlerweihe" und vaterländischer Gesinnung[1139]. Kurz darauf erhielt Reichardt die ehrenvolle Gelegenheit
geboten, ebenfalls in Zusammenarbeit mit Brentano eine *Cantate auf die
Einweihung der Berliner Universität am 15. Oktober 1810* zu schreiben[1140]. Beginnend mit den feierlich einstimmenden Versen:

> Herr Gott, dich loben wir,
> Dich Herr bekennen wir
> Dich ewigen Vater
> Spiegelt die Erde...

hebt ein leider verschollenes Werk an, das in königstreuen, Berlin und
Deutschland feiernden Strophen die Hochstimmung einer nationalen
Wiedergeburt widerspiegelt.

Diesen sehnsuchtsvollen Drang nach Wiederherstellung und Erneuerung des Staates, nach Freiheit und Frieden legt Reichardt in besonders eindrucksvoller Weise dar in:

Das neue Jahrhundert,
Eine prophetische Ode von Klopstok
für die jezige große Zeit im Jahr 1814,
componirt von
Johann Friedrich Reichardt
Königl. Preuß. Capellmeister
1814

Es ist das Schlußbekenntnis des Meisters kurz vor seinem frühen Tode. Es zeigt die letztmalige Zusammenraffung der noch lebendigen schöpferischen Kräfte entflammt von einer patriotischen Begeisterung[1141]. Schon das Thema der Ouvertüre tönt diese positiv in die Zukunft blickende Gesinnung kräftig an (Bsp. 37). Schlichte Chöre verkünden den ungebeugten Willen zu einem Leben in Freiheit. Die Handschrift Reichardts verrät deutlich die innere Erregung und spannungsvolle Anteilnahme an der machtvollen Sprache Klopstocks wie auch an den die Nation bewegenden Zeitereignissen. Daß Reichardt nicht senil resignierend sein Leben und Werk beschlossen hat, sondern seine wendige Aufgeschlossenheit für die Mitwelt und Entwicklungsströmungen in der Kunst bis zuletzt sich kräftig bewahrte, beweist dieser Schwanengesang an „Das neue Jahrhundert" sinnfällig. Es war seine letzte Verwirklichung des Ideals des Erhabenen in einer überzeugenden Schlichtheit. Diese Ode zeigt den letzten Aufschwung zur „edlen Simplizität", in der die Scheidung von profan und sakral aufgehoben erscheint, patriotisches Pathos und religiöse Ergriffenheit ineins wirken.

Bsp. 37

Lieder, Balladen und Deklamationen

In der Geschichte des deutschen Liedes hat der Name Reichardt einen besonders guten Klang. Er hat neben J. A. P. Schulz im späten 18. Jahrhundert diese Gattung zu einer Geltung im gesamten Musikleben durch seine nahezu 1500 Kompositionen gebracht, die sie zu einem zentralen Geschehnis im häuslichen Musizieren der Goethezeit werden ließ. In einer steilen Aufwärtsentwicklung verwies er nach 1780 all seine Berliner Vorläufer in den Hintergrund und fand in der Form, Begleitung und Melodik neue, reichere Ausdrucksweisen. Die Spanne seines Liedschaffens reicht von „Schlaf Kindchen schlaf" bis zum „Prometheus", vom simpelsten Tanzliedchen bis zum „Deklamationsstück", von der galanten Arietta bis zum kraftvoll heroischen Stil. Diese ungewöhnlich breite Skala von Möglichkeiten fand er keineswegs vor, als er für studentische Zusammenkünfte in Königsberg die ersten Weisen niederschrieb. Erst durch seine besondere Begabung als „Singekomponist" und vor allem auch durch den engen Anschluß an die hohe Dichtung der Klassiker hat er dazu gefunden und damit schon vor Schubert das Lied insgesamt emporgehoben in den Bereich der Hochkunst über den zeitüblichen „Modeton", das Generalbaßlied und die berliner „Kleinkrämerei" hinaus. Er differenzierte diese Gattung nicht nur in Gesänge für Jung oder Alt, Geschlechter oder Stände, sondern überdies auch in solche für Jedermann und andere für nur wenige echte Kenner. Damit hat er allseitig die Grenzen markiert, die von Natur aus dem Lied gesetzt sind.

Reichardts begleitete Sologesänge sind sämtlich für den „stillen, reinen

Genuß kleiner Zirkel" gedacht, an dem sich gegebenenfalls alle dem Gesange Beiwohnenden aktiv beteiligen können (Bsp. 38), nicht indessen für
die Darbietung auf dem Konzertpodium eingerichtet. Die „stille häus-

liche Erbauung" lag ihm näher am Herzen als die tonstarke Geltung vor einem anonymen Publikum. Sein Ton ist still, lyrisch, verhalten und mäßig. Seine Lieder bieten meist „herzbewegende" Reize von dezenter Anmut. Reichardt will damit einzelnen, die mit den Dichtungen vertraut sind, „das Herz rühren", Aufmunterung oder Beruhigung bieten und die in den Versen gegebenen Gehalte durch die Vertonung „wichtiger und eindringlicher" machen[1142]. Auf das befreiende Singen mit „offnem Munde" kommt es daher entscheidend an, denn jedes Wort soll und muß deutlich verstanden werden. Die „Reproduktion der poetischen Intention" (A. W. Schlegel), das klanglich verdeutlichende Antönen der aus den Gedichtstrophen sprechenden Empfindungen und Gestimmtheiten war Reichardts Hauptabsicht. Daher war es auch seine vornehmste künstlerische Aufgabe, verständlich, einfach und charakteristisch „das Ganze zu treffen", ohne im Sinne Goethes „eine falsche Teilnahme am Einzelnen" aufkommen zu lassen. 1796 formulierte Reichardt seine gefestigte Liedästhetik in dem gewichtigen Satze: „Das Lied soll der einfache und faßliche musikalische Ausdruck einer bestimmten Empfindung seyn, damit es auch die Theilnahme einer jeden zum natürlichen Gesange fähigen Stimme gestatte; als ein leichtübersehbares kleines Kunstwerk muß es um so nothwendiger ein korrektes vollendetes Ganze seyn, dessen eigentlicher Werth in der Einheit des Gesanges besteht, und dessen Instrumentalbegleitung, wo nicht entbehrlich, doch nur zur Unterstützung des Gesanges da seyn soll." Da Reichardt stets beabsichtigte, höchste Kunst mit echter Volkstümlichkeit zu vereinen, war die Übereinstimmung mit den Ansichten Herders oder Goethes auf diesem Gebiete nahezu vollständig. Das Ergebnis dieser Zielsetzungen waren, nach besonders anfänglich recht weichlichen, uneigenständigen und dürftigen Liedchen, Gesänge „mit neuen großen Gedanken, tiefem Eindringen in den Text und einer bewundernswürdigen Leichtigkeit, das Verschiedenste zu erfassen und in seinem Charakter darzustellen"[1143].

Veröffentlicht hat Reichardt die meisten seiner beachtenswerten Gesänge vor allem in den folgenden Ausgaben:

Vermischte Musicalien, Riga 1773
Gesänge fürs schöne Geschlecht, Berlin [1775]
Oden und Lieder von Klopstock, Stolberg, Claudius und Hölty, Berlin 1779
Oden und Lieder von Göthe, Bürger, Sprickmann, Voß und Thomsen, Berlin 1780
Oden und Lieder von Herder, Göthe und andern, Berlin 1781
K. Ch. L. Rudolphi Gedichte. Herausgegeben und mit einigen Melodien begleitet, Berlin 1781

Frohe Lieder für deutsche Männer, Berlin 1781
Lieder für Kinder aus Campes Kinderbibliothek, I–II, Hamburg 1781, III, Wolfenbüttel 1787, IV, Braunschweig 1790
Oden und Lieder von Uz, Kleist und Hagedorn, Grotkau 1782
Lieder von Gleim und Jacobi, Gotha 1782
Deutsche Gesänge mit Clavierbegleitung, Leipzig 1788
Geistliche Gesänge von Lavater, Winterthur [1790]
Cäcilia, I–IV, Berlin 1790–1795
Musikalischer Blumenstrauß, I–IV, Berlin 1792–1795
Göthe's Lyrische Gedichte, Berlin [1794]
Deutsche Gesänge beim Clavier von Matthisson, Berlin 1794
Lieder geselliger Freude, I–II, Leipzig 1796–97
Gesänge der Klage und des Trostes, Berlin 1797
Lieder der Liebe und der Einsamkeit, I–II, Leipzig [1798 u. 1804]
Wiegenlieder für gute deutsche Mütter, Leipzig [1798]
Neue Lieder geselliger Freude, I–II, Leipzig 1799–1804
Lieder für die Jugend, I–II, Leipzig 1799
Sonetti e Canzoni di Petrarca, Berolina o. J.
Six Romances avec Accompagnement de Fortepiano ou Harpe, Paris 1805
Romantische Gesänge, Leipzig [1805]
Le Troubadour italien, français et allemand, Berlin [1806]
Göthe's Lieder, Oden, Balladen und Romanzen, I–IV, Leipzig [1809–1811]
Schillers lyrische Gedichte, Leipzig (1810).

In diesen inhaltreichen Liedausgaben lassen sich insgesamt 125 Dichter bzw. dichtende Liebhaber nachweisen, von denen Reichardt Texte vertonte. Diese hohe Zahl ist bisher in der Liedgeschichte einmalig geblieben. Sie zeigt eine Breite des Geschmacks und Interesses an, die an Wahllosigkeit grenzen mag. Griff doch der ähnlich wie Schubert stets nach „musikalischer Poesie" Suchende zurück in die Geschichte bis zu Petrarca und zur ersten schlesischen Dichterschule, während er andererseits junge Romantiker wie Theodor Körner, Tieck, Baggesen, Novalis pionierhaft für die Musik entdeckte. Aus der Zwischenzeit ließ er fast keinen namhaften Poeten unbeachtet[1144]. Die außergewöhnliche Vielseitigkeit Reichardts auch in dieser Hinsicht tritt aber erst dann ins rechte Licht, wenn man sich dagegen vergegenwärtigt, daß etwa J. A. P. Schulz sich fast ausschließlich auf den Kreis der Dichter des Hainbundes beschränkte. Enge Bande, wie die zwischen Weiße und Hiller, Voß und Schulz oder Claudius und C. Ph. Bach, schloß er in dieser betonten Bevorzugung mit keinem Dichter, obwohl er nach Perioden verschieden Verse einiger weniger Lyriker besonders gern verklanglichte. Zu nennen sind vor allem Klopstock, Herder, Lavater, Voß, Goethe und Schiller[1145]. Reichardt griff Texte überall dort auf, wo er Gelegenheit dazu fand, und zwar solche, „die selbst Musik haben" neben anderen, die als platte Reimereien kaum lesenswert sind. Gewöhnlich wollte er dem Dichter „treu nachfühlen" ohne Veränderung des Gedichts. Zuweilen sah er sich aber auch zu „verbessernden" Eingriffen genötigt. So wählte er z. B. aus den 29 Strophen des Gedichts „Das Geheimnis der Reminiscenz" von Schiller lediglich zwölf aus für seine Vertonung, in „Nähe des Geliebten" von Goethe korrigierte er seiner Melodie zuliebe in der dritten Strophe die Gliederung und geringfügig auch den Wortlaut[1146]. Stets verhielt sich Reichardt jedoch sehr zurückhaltend gegenüber der Dichtung, zumal wenn es sich um „musikalische Poesie" handelte, die er vorzüglich bei Voß, Herder und Goethe fand. Insbesondere diesen Vertonungen verdankt er seinen Ruf als Meister des Liedes. Diese Lyriker kamen ihm am nächsten entgegen, da sie mit „eigentlicher Rücksicht auf Gesang" ihre gehaltvollen Verse dichteten. Ihre „lebendige Darstellung" und mehr im Akustischen denn im Optischen beheimatete Sprache inspirierte zu Kompositionen, die sich der Eigentümlichkeit eines jeden Dichters gemäß charakteristisch voneinander abheben[1147]. Reichardt ist somit einer der ersten Komponisten gewesen, die einzelne „Dichter" in spezifischer Weise zu vertonen bemüht sind.

Da er nicht „ins Einzelne" sich verlierend Worte musikalisch auszulegen gedachte, sondern vielmehr zur Sinnerschließung von Gedichten durch Musik beitragen wollte, war für ihn seine Vertonung weder nebensächlich noch auch entbehrlich. Gänzlich im Sinne Goethes, der 1820 gegenüber Zelter äußerte, ein Gedicht sei nur ein „nacktes Wesen, das erst mit musikalischer Fülle bekleidet, vollständig wird", war auch für Reichardt erst in der Vereinigung von Gedicht und Melodie zum Lied das Werk eigentlich vollendet: „Der vollkommenste poetische Versbau und Rythmus erhält selbst erst durch den hinzukommenden musikalischen Rythmus seine höchste Kraft und Wirkung, nur vereint reissen sie hin, entzücken sie, heben die Seele zum höchsten göttlichen Aufschwung, und senken sie wiederum in den Abgrund der Vernichtung."[1148] In Anbetracht seiner Goethe-Vertonungen zog Reichardt 1809 schlicht aber treffend in einem Satze die Summe seines Liedschaffens: „Keiner als derjenige, der diesen einzigen Dichter ganz versteht und sentiert, und der zugleich auch die Tonkunst mit Sinn und Gefühl übt, wird Kompositionen, die sich ganz nah an die Dichtung anschließen und nichts mehr wollen, als jene mit dem Zauber des rhythmischen Gesanges und der musikalischen Deklamation, verstärkt durch die Kraft der bedeutenden

Harmonie zum höchsten Leben zu beseelen, je ganz sentieren und in dem Sinne genießen, in welchem sie gedichtet und gesungen wurden." Der Komponist Reichardt war sich mithin zwar seiner bedeutenden Rolle im notwendigen Wechselspiel mit den großen Dichtern seiner Zeit voll bewußt, er verzichtete aber in maßvoller Zurückhaltung kraft besserer Einsicht auf eine Überladung der Lyrik durch Musik. Er will sich „ganz nah an die Dichtung anschließen, und nichts mehr wollen . . ." Das einfache Strophenlied war für ihn wie für Goethe oder Herder die dazu angemessenste Ausdrucksform, das bedeutete indessen nicht, daß er in dieser Begrenzung die Erfüllung all seiner Intentionen für möglich erachtete.

Eine mehr quantitativ denn qualitativ hervorragende Gruppe unter Reichardts Gesängen bilden die *Lieder im Volkston*, wozu auch die Kinder- und Wiegenlieder gehören, die allesamt als Strophenlieder vertont wurden. Diese vor allem gemeinsam mit J. A. P. Schulz seit 1780 entwickelte, an das gesamte Volk sich wendende Liedart bildet den Gegenpol zu den exklusiven Oden-Vertonungen sowie den späteren Deklamationsstücken. Vor allem die volkstümlichen Lieder machten Reichardt berühmt und bereits vor 1800 in Schulen und bürgerlichen Zirkeln populär. Den Pädagogen, den Müttern und Jugendlichen sagte diese Art von „natürlicher Simplizität" besonders zu[1149]. Man schätzte offenbar aus der Feder eines angesehenen Hofkapellmeisters vorzüglich den nachempfundenen, stilisierten Volksliedton, das Allzumenschlich-Durchschnittliche darin, womit Reichardt dem traulichen musikalischen Biedermeier späterer Jahre beträchtlich Vorschub leistete (siehe auch oben S. 242). Er fand den Zugang zu dieser ihn insbesondere bis 1798 beschäftigenden sentimentalischen Dichtung, nachdem er vom galant-empfindsamen Gesellschaftslied seiner ersten Schaffensjahre abgerückt war und damit gleichzeitig die ältere Berliner Liederschule hinter sich gelassen hatte. Der frühe Tod seiner ersten Gattin Juliane hat diesen Prozeß offenbar beschleunigt. Mit insgesamt 167 simplen Liedchen wandte sich Reichardt vornehmlich an die Kinder und Jugendlichen. Nur „ächt volksmäßig" ließ sich deren Ohr gewinnen. Auch Hiller, J. A. Scheibe, G. G. Hunger, W. Burmann oder J. A. P. Schulz schrieben Kinder- und Wiegenlieder, indessen fand Reichardt in dieser Sphäre der „Lieblichkeit", des unbefangenen Tanzens und der träumerischen „Einlullung" an der Wiege wohl den treffendsten, und zudem einen „wohltätigen Ton"[1150]. Die von den Komponisten dieser Richtung intendierte zweite Natürlichkeit vermag bei ihm mehr zu überzeugen, dies wohl auch deshalb, weil er in der eigenen großen Familie oftmals selbst zum Singen mit Kindern genötigt war. Menschenfreundlichkeit, Kinderliebe, Belebung der Sangeslust und Beförderung von Tugend und Religion waren die maßgeblichen Antriebe zu dieser recht umfangreichen Schaffenstätigkeit.

Reichardts Lieder „im echtesten Volkssinn und Ton" sind typisch bürgerlich. Sie sind klein, begrenzt, abgeschlossen, sachlich, ruhig und gleichmäßig. Sie sind als Bildungsmittel betont nützlich und sentimental-rührend. Den aktiven Optimismus und die lebhafte Phantasie des Kindes sprechen dagegen nur wenige an. Reichardt verbindet in ihnen einen einfachen Rationalismus mit galanter Empfindsamkeit. Daß zuweilen in dieser „Einfachheit zu viel Bewußtsein, ... in seiner Unschuld zu viel Absicht" liegt, wie Clemens Brentano 1805 kritisch bemerkte, ist nicht zu übersehen[1151]. Manche dieser kleinen Schöpfungen wirken zu simpel und zu platt, zu routiniert innerhalb weniger Melodietypen (siehe z. B. *Lieder für Kinder* III, 1787, S. 24). Reichardt bevorzugt zu einförmig Dreiklangsmelodik ohne Verzierungen, Terzengesänge, Sequenzen und unerheblich abgewandelte Wiederholungen eines kurzen Motivs (Bsp. 39).

Bsp. 39

Lustig

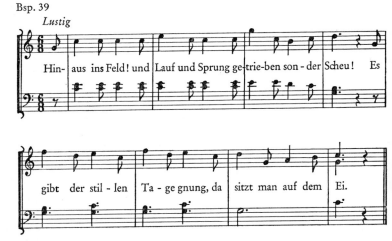

Hin- | aus ins Feld! und | Lauf und Sprung ge-trie-ben son - der | Scheu! Es

gibt der stil - len | Ta - ge gnung, da | sitzt man auf dem | Ei.

Den Grundriß gestaltet er in Anlehnung an das Volkskinderlied so einfach, daß selbst die übliche Modulation in der Mitte oft fehlt. Typisch ist auch ein Kreisen im Bereich zwischen dem Grundton und der Quint in Zeile 1 bis 3 mit einer Überhöhung bis zur Oktave in der Schlußzeile (siehe z. B. *Wiegenlieder für gute deutsche Mütter*, 1798, Nr. 2). Sicherlich hat Reichardt nicht selten ohne sonderlichen Einfall nach allbekannten Schablonen seine Liedchen verfaßt, dennoch sind ihm auch Stücke gelungen wie *Schlaf Kindchen schlaf*, *Es steht ein Baum im Odenwald*, *Bunt sind schon die Wälder*, die sich seit dem späten 18. Jahrhundert wie Volkslieder im Volke mündlich verbreiten.

Lebhafte Geselligkeit liebte Reichardt zeitlebens. Im Kreise seiner Familie, von Freunden oder Bewunderern fühlte er sich am wohlsten. Da

er diese sich um ihn herum bildenden Runden oft zu lebendigem, gemeinsamem Musizieren anzuregen vermochte, muß in seinem Schaffen das
Chorlied neben dem schlichten Sololied besonders ins Gewicht fallen. Seit
seiner Studentenzeit war es ihm ein Vergnügen, „oft durch Anstimmung
eines fröhlichen Liedes eine ganze Gesellschaft, die in Trägheit und
Muthlosigkeit verfallen war", aufzuheitern[1152]. Da „Fröhlichkeit aller
Gesellschaft höchster Zweck ist: durch nichts wird dieser Zweck schneller,
sichrer, allgemeiner erreicht als durch Gesang"[1153], sah sich Reichardt
(gleichsam in die Rolle eines Spielleiters versetzt) veranlaßt, viele ein-
fach-gefällige Liedsätze zu schreiben. Diese Lieder des heitren Lebens-
genusses für vertraute Runden dienen der Erbauung und der Erhebung,
der Besingung des Trinkens, des Vaterlandes oder aber auch Gottes.
Kraftvolle Zeilen im Unisono, Dreiklangsmelodik, harmonische Fort-
schreitung zwischen den drei Grunddreiklängen findet man darin am
häufigsten. Sie sind allesamt von lapidarer Schlichtheit und wahrhaft
volkstümlich. Anklänge an den kraftmeierisch wuchtigen Kriegs- und
Marschliedtypus aus der Zeit nach 1800 gestattete sich Reichardt nur
selten. Er ließ sich zwar miterfassen von der starken Welle heroischer Gesänge nach 1789, doch bevorzugte er mehr stillere, oder aber hymnisch-
feierliche Töne. Damit hat er nicht nur das Lied für unbegleiteten gemischten Chor wesentlich in seiner Entwicklung befördert, sondern überdies auch für die Entstehung des neueren deutschen Männerchorliedes beachtliche Anregungen gegeben[1154]. Die Sammlung *Frohe Lieder für deutsche Männer* von 1789 bildet einen der frühesten Marksteine des Män-
nerchorgesanges in Deutschland. Es sind echte „Lieder im Volkston" für
„frohe Gesellschaften" (siehe Mus. Kunstmagazin 1, 1782, S. 209). An
Vereine oder Liedertafeln dachte Reichardt noch nicht. Der rechte Platz
für seine Gesänge ist das bürgerliche Heim, wo die Harmonie der Stimmen eine „Harmonie der Seelen" zu erregen vermag, wo das Singen frei-
mütiger und gegenseitig zutraulicher macht[1155].

Reichardt schuf außer für „gemischte fröhliche Gesellschaften", die
mittels des gemeinsamen Singens zur concordia zu finden hoffen, aber
auch „für das gebildete Ohr und Kunstgefühl"[1156]. Er schrieb für kunst-
verständige Kreise, die nicht nur hörend, sondern auch im Chore mit-
singend hohe Dichtung zu vernehmen wünschten. Der „reine Chor", der
sich nach seiner Ansicht allein zur Ausübung „wahrer Kirchenmusik" eig-
net, war auch das klassisch-ideale, allgemein verbindliche musikalische
Instrument für anspruchsvolle Lyrik. Der Chor war Sinnbild der Nation, Symbol einer harmonierenden Glaubensgemeinde, er war aber für
Reichardt außerdem gültigster Ausdruck von Bildungsgemeinschaften, die
sich in Giebichenstein oder in Weimar vorbildlich zusammenfanden. Für
eine die Seele idealisch erhebende Besingung Gottes in einfachem, stim-

So willst du treu - los von mir schei - den, mit dei-nen

hol - den Phan - ta - sien,

Neue Melodie

So willst du treu - los von mir schei - den, mit dei-nen

hol - den Phan - ta - sien!

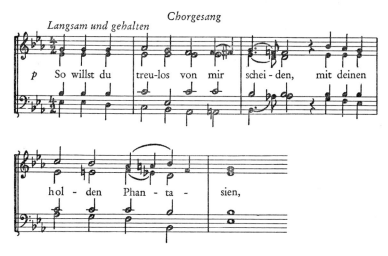

Langsam und gehalten

Chorgesang

p So willst du treu-los von mir schei - den, mit deinen

hol - den Phan - ta - sien,

mungsvoll-eindringlichem Tone sowie anderer Themen bot sich ihm der Chorklang als der zuträglichste an. Daher sind es neben Texten von Klopstock, Lavater, Caroline Rudolphi auch vor allem Gedichte Goethes und Schillers, die er unbegleitet vokal vertonte[1157]. Im Chor spricht sich nicht die einzelne Stimme gefühlvoll aus, sondern im Zusammenklingen mehrerer Stimmen repräsentiert sich die brüderlich vereinte Menschheit. *Das Eleusinische Fest* von Schiller hat daher Reichardt als Festhymne mit guten Gründen für vierstimmigen Chor gesetzt und nicht als Sololied. Die intendierte statisch-feierliche Wirkung, die Betonung des sprachlichen Gehaltes, die Umsetzung des daktylischen Versmaßes in gleichmäßige Viertelrhythmik, der schwer bewegliche Harmoniewechsel von Takt zu Takt kommt auf diese Weise am wirkungsvollsten zum Ausdruck[1158].

Wie sehr es Reichardts Ziel war, die Forderung Goethes zu erfüllen, durch seine Kompositionen eine „Beförderung ins Allgemeine" zu bewirken, und wie sehr ihm dazu insbesondere der Chor geeignet erschien, zeigt beispielhaft die dreimalige Vertonung des Gedichtes *Die Ideale* von Schiller (Bsp. 40)[1159]. Zweimal versuchte er dieses nur schwer komponierbare Gedicht für Sopran bzw. für eine Altstimme zu setzen. Beide Male wurde er der hohen Ideendichtung nicht voll gerecht, da der Ich-Ausdruck des individuellen, Affekt erfüllten Herzens zu subjektivistisch hervortritt. Ideal schön sind diese Versuche nicht, denn ihnen fehlt die wahrhaft klassische Ausgewogenheit und Erhabenheit als höchster Ausprägung der Schönheit. Diese erreichte er erst in der dritten Fassung für vierstimmigen Chor. Hierin überwindet er die Stufe bildhafter Ausdeutung des Textes, der Unausgeglichenheit im „Haften am Einzelnen", des Gegensatzes zwischen instrumentaler Spielfigur und wortgezeugter Vokalmotivik und erreicht eine Objektivierung im Wir-Ausdruck. Die empfindsame Klage eines Einzelnen wird zum Anliegen Vieler erhoben. Schwerelos-ausgeglichen breitet sich ein Stimmstrom in breitem 4/2-Takt aus. In eindringlich-bittender Deklamation und einfach-reinem Gesang wird der gehaltvolle Text dargelegt. Die wahre Mitte im Liedschaffen war damit für Reichardt erreicht. Dies ist kein engbegrenztes Lied mehr, selbst die folgerichtige Auflösung der Akkorde wird überspielt, da die Klangbedeutung deren funktioneller Richtigkeit übergeordnet ist. Hier wie auch an einigen anderen Beispielen läßt sich zeigen, wie Reichardt in wenigen außerordentlichen Stunden seines Lebens sich zu einem Klassiker erheben konnte, der Schubert an die Seite gestellt zu werden verdient. Bei diesen Chorvertonungen mag der Komponist wohl an seinen Grundsatz gedacht haben: „Ursprung und Zweck der Kunst ist heilig, heilig werde sie auch betrieben."[1160]

Diesen erhabenen Weiheton stimmte Reichardt auch vornehmlich dann an, wenn er aus religiöser Ergriffenheit heraus „hohe Oden" oder gar Sonette vertonte. Auch für diese Gattung „bedeutenden Gesangs" galt seine Theorie der Einheitsempfindung. Er schreibt dazu: „Das Schwerste: In einer Melodie für alle Strophen die ganze Ode wahr zu deklamiren. *Eine* Melodie muß es seyn bey Oden, die Einheit der Empfindung haben, wenn der Eindruck der Eine treffende tiefeindringende seyn soll ... Dabey wird das nun aber zu einem doppelt wichtigen Bedürfniß, daß der, der die Ode gut singen will, sie auch erst zu lesen ganz verstehe." Reichardt unterschied merklich die *Oden* von den übrigen Sologesängen, denn seit seiner Bekanntschaft mit Klopstock teilte er dessen Ansicht, daß diese Liedart „ein höherer Gesang" sei als selbst das „feierlichste Kirchenlied". Gott- und Weltfrömmigkeit wurden hierin miteinander verschmolzen, denn in dem „geheiligsten Tone unsers Choralgesangs" sollen Oden gesungen werden[1161]. Die *Ode „Die Gestirne"* (in: *Mus. Kunstmagazin* 1, 1782, S. 13) ist beispielsweise geprägt von dieser „erhabnen Schreibart", die dem des geistlichen Erbauungsliedes sehr angeglichen ist. Nach Klopstock ist das „erhaben", „was uns am mächtigsten trifft". Dafür empfänglich ist jedoch nur der wissende Hörer, der Kenner. Wiewohl Reichardt ansonsten seine Werke einer breitest möglichen Öffentlichkeit anbot, gab er indessen einige seiner Klopstock-Oden der Allgemeinheit ebenso wenig preis, wie dies Gluck getan hatte. Sie wurden reserviert für wenige Eingeweihte, für ihrer würdige Musikverständige, was eine Veröffentlichung ausschloß und letztlich ihren Verlust zur Folge hatte. Auf hoher Warte, das „Heilige" daran allzu gewichtig nehmend, wollte Genie nur mit Genie verkehren. Herausgehoben aus der „Konvenienz", verwahrt gegenüber dem Mißbrauch durch „unwahre Künstler" wurden diese erlesenen Vertonungen nur einigen Freunden bekannt gemacht, unter denen sich Herder befand[1162]. Johann Georg Müller berichtet von einem Erlebnis am Sonntag, den 8. Oktober 1780 in Herders Hause: nach dem Mittagessen „schlug er [Herder] einige Oden von Klopstock auf dem Klavier: Hermann und Thusnelda, der Zürchersee, ‚der Welten erschuf‘ und noch einige Lieder von Seckendorf. Die Musik zu jenen Oden hat ihm Reichardt von Berlin im Vertrauen geschenkt. Herder exercirte seine Frau alle Tage im Webicht [ein kleines Gehölz bei Weimar], bis sie's singen konnte. Itzt kann sie's. Ich habe noch nie so viel beim Klavier gefühlt, wie diesmal; es waren nur einzelne Schläge, aber diese und sein lebhafter Gesang waren so herrlich, so genievoll, daß ich bei der ersten Zeile tief empfand, so und nicht anders muß das gesungen werden . . .‘‘

Zusammen mit den Oden und Sonetten bilden die „Deklamationsstücke" eine vom übrigen breiten Liedschaffen abgehobene kleinere Gruppe von Gesängen, in denen sich Reichardts Meisterschaft originell und vollendet dokumentiert hat. Mit letzteren Werken krönte er sein gesamtes musikalisches Schaffen und gab Anregungen, die direkt auf Schubert und Hugo Wolf hinweisen. Nach 1800 erhob Reichardt als geübter Deklamator immer eindringlicher die Forderung, sowohl zu „singen" als auch „stark zu declamiren". Geschult an der Hochsprache Glucks erkannte er das Unzureichende der damals landläufigen Strophenliedformen für Dichtungen wie den „Prometheus" von Goethe oder Monologe aus Dramen von Schiller. Die gleichsam rational umzäunte Tonsprache Schulzens und Zelters schien ihm ebensowenig wie das Rezitieren nach italienischer Art ausreichend genug zu sein für derart wortgewaltige Dichtungen. Seine Hochachtung gegenüber dem Wort leitete ihn zu einem alle „Konvenienz" überbietenden Sprechgesang, der italienisches Arioso, Rezitieren, liedhafte Periodenbildung und deklamatorisches dramatisches Pathos in der Art Glucks in einer eigenständigen Weise verschmolz zu einer gebundenen Rhapsodik. Die Form wird darin vom Metrum und gedanklichen Aufbau des Gedichts bestimmt. Der Komponist deutet „ins Allgemeine befördernd" die Dichtung durch charakterisierende Töne und Klänge aus, er hat die Sprachmelodie zu verdeutlichen, richtiges wahres Sprechen und angenehmes Singen ineins zu formen. Das spezifisch Liedmäßige tritt damit zurück hinter einem episch breiten, zuweilen auch dramatisch durchpulsten Gesangsstil, der erst die Gestaltung „herrlicher Charakterstücke" ermöglichte (Bsp. 41). Eine größere Ausdrucksfülle wurde damit gewonnen. Der häusliche Sologesang wird bedeutender und den wachsenden Ansprüchen der Bildungsaristokratie der Goethe-Zeit angemessen[1163]. Reichardt berichtet selbst, daß ihm im Jahre 1801 „mit Eins ein Licht" aufging, ein eigentümlich deutscher Sprechgesang gefunden war und das schlichte Strophenlied ins Mo-

Lebhaft declamirt

pf Nein, auch für mich ward je-ner Lor - beerkranz, der dei - ne

To - ten-bah - re schmückt ge - wun -

cresc. f

den, auch für mich, auch für mich!

numentale ausgeweitet wurde. In Stücken wie dem *Monolog der Thekla* aus „Wallenstein's Tod" (4. Aufzug, 12. Auftritt) oder der *Johanna Sebus* wird dieses, das eigentlich klassische Kunstwollen romantisch überbietende Streben durch charakteristische Motive, die die Bedeutung von wiederkehrenden Leitmotiven gewinnen, und dem Wechsel von mehr „stark deklamierenden" sowie ariosen Teilen in musterhafter Weise dargeboten. Hier greift Reichardt auch kräftiger in die Tasten des Klaviers, er zeigt eine harmonisch reichere Klangpalette (übermäßige Dreiklänge, enharmonische Verwechslungen), die ansonsten selten bei ihm zu finden ist. In den Deklamationsstücken hat er Neuland eröffnet und die formalen Grenzen des deutschen Liedes erweitert. Weder das in sich geschlossene Strophenlied noch das variierte Strophenlied war ihm vor 1810 mehr vollends genügend. Die streng rational umgrenzten Formprinzipien der frühen und mittleren Schaffenszeit gab er zwar nicht gänzlich auf, was z. B. die letzten Vertonungen von Gedichten aus „Leyer und Schwert" von Theodor Körner aus dem Jahre 1814 bezeugen, jedoch wagte er als hinreichend ausgewiesener Meister dieses Faches den Versuch von kantatenhaften Ausweitungen.

Ausgenommen von diesen Ausweitungen blieben die *Balladen und Romanzen*. Würde Reichardt noch den „Erlkönig" in der Vertonung durch Schubert oder C. Loewe kennengelernt haben, so hätte er wahrscheinlich seine Unzufriedenheit darüber geäußert. In dieser Beziehung verpflichtete ihn seine enge Verbundenheit mit der Volksballade geradezu zur Wahrung der Strophenliedform, denn seine unumstößliche Ansicht war, „daß der eigentliche Romanzencharakter durch die besondere Bearbeitung jeder einzelnen Strophe verlohren gehe". Allenfalls eine Bearbeitung in der Art des variierten Strophenliedes mochte er zulassen, sein Ideal war jedoch ein Strophenlied, das im Vortrag und nicht in der Komposition variiert wird. Vom verständigen Sänger hing es mithin weitgehend ab, ob eine lange gereimte Erzählung zur Wirkung kam oder nicht. Zelter schreibt darüber am 30. Januar 1800 an Goethe: „Für den Sänger liegt die meiste Schwierigkeit darin: die vielen Strophen so zu modulieren, daß das Gedicht am Ende nicht kalt werde, weil die Melodie so oft wiederholt wird."[1164] Dieses lebhafte und abwechslungsreiche „Modulieren" von Strophe zu Strophe gibt es in der Volksballade auch. Reichardts Wunsch war es, deren Art und Ton zu artifizialisieren. Etliche seiner Balladenweisen erwecken daher auch den „Schein des Bekannten", sie gemahnen (den zeitüblichen „Bänkelsängerton" stets vermeidend) an romantisch-schaurige Welten, an „bezaubernde Naturlaute" in Dur wie auch in Moll, an Drohendes und Düsteres in der Welt. Dieses Kolorit hat auf die Balladenkomposition des 19. Jahrhunderts merklich abgefärbt. Repräsentativ dafür ist der *Erlkönig*, der zur rechten Interpretierung ein sehr modulationsfähiges Singorgan verlangt. „Das Schauerliche und die unheimliche Eile, welche in diesem Gedichte weben, ist von Reichardt vortrefflich ausgedrückt."[1165] Mit den einfachsten Mitteln wird die Atmosphäre einer beklemmenden Geisterwelt heraufbeschworen. Sehr persönlich und ohne jegliche Unnatur italienischer Stimmschulung hat der Sänger durch einen nuancenreichen Vortrag die in der Handlung genannten Personen zu kennzeichnen. In anderen Balladen, wie z. B. *Hektors Abschied* oder in dem *Alpenjäger*, erleichtert dies der Komponist durch den Wechsel von Dur- und Mollstrophen entsprechend Rede und Gegenrede, oder Klage der Andromache und den Erwiderungen Hektors.

Diese für seine Gesänge notwendige Vortragsart bezeichnete Reichardt als „seelenvoll" (siehe die Widmung in den Goethe-Liedern von 1809). Bei jedesmaligem Singen sind seine Melodien „neu zu beseelen", um in der gemeinten Ausdrucksstärke sprechen zu können. Dieser hohe Anspruch auf den „angemessenen Ausdruck" an Liebhaber und Berufssänger erforderte naturgemäß auch eine Bereicherung der Vortragsbezeichnungen, die die Absichten des Komponisten deutlicher anzeigten als dies mit Wörtern wie „Dolce" oder „Allegro moderato" möglich ist. Reichardt ging daher dazu über, diese vielfältigen Stimmungsunterschiede mit deutschen Bezeichnungen anzugeben. Insbesondere seinen *Goethe-Vertonungen* (siehe etwa Bd. III, 1810, S. 18) hat er diese deutlichere Fixierung seiner Intentionen beigegeben. Aber bereits 1796 setzte er zu den *Monatsliedern* in seinem *Musikalischen Almanach* die Vorschriften: Leise klagend doch nicht zu langsam, Edel gesungen, Leicht, Zärtlich, Sehnend, Sanft, Innig, Mäßig, Feurig, Mäßig und mild, Freierlich froh. Sicherlich vermag selbst der „seelenvollste Vortrag" nicht jedes dieser kleinen Werke zu so blühendem Leben zu erwecken, daß etwas künstlerisch voll Befriedigendes dadurch zum Ausdruck kommt, weswegen die spöttische Xenie von Schiller (1797) für manche Lieder durchaus zutrifft:

Frostig und herzlos ist der Gesang, doch Sänger und Spieler
Werden oben am Rand höflich zu fühlen ersucht.

Die Hauptsache bildet in Reichardts Gesängen die beseelte, sprechende Melodie. Sie ist das eigentlich tragende Element des Ganzen. Die meisten Kompositionen formte er gar so, daß man die Weise verselbständigt auch ohne jegliche Begleitung singen kann. Das Instrument nimmt daher in jedem Falle nur eine begleitende Rolle ein. Da sich Reichardt selbst ein „angebornes Talent zur Melodie" zusprach, hängt von ihrer Ausgestaltung und der Kunst ihrer „Anpaßung" an das Wort der Reiz eines Liedes fast gänzlich ab. Ihre meist kleingliedrige Form wird durch die Gesetze der einfachen Kadenz bestimmt. Ihre klar abgegrenzten Perioden sind in ihrer Bestimmtheit nicht durch eine überwuchernde Harmonisierung zu verschleiern; Reichardt legt im Gegenteil offenbar meistens die Betonung auf die einfach-natürliche metrische Anlage (Bsp. 42). Wie in Bsp. 42 so entwickelt er die Mehrzahl seiner Melodien ähnlich elementar wie J. A. P. Schulz aus dem Dreiklang. Für seine patriotischen Gesänge ist in Anlehnung an den heroischen Stil die Zerlegung des Durakkords als Rückgrat der Weise gar typisch (siehe z. B. *Deutschland* 1, 1796, S. 150). Feierlich-getragene Verse ließ er innerhalb dieses Rahmens in zweiteiligem Rhythmus gleichmäßig schreitend erklingen, heitere Texte dagegen vornehmlich in dreiteiligem Takt mit belebenden Punktierun-

Bsp. 42

Sanft

Wohl wöl - bet sich lieb - lich am küh - li - gen Bach manch
duf - tend Ge - win - de zum blü - hen - den Dach; wohl
hat sich schon man - cher, von Sehn - sucht ge - quält, ein
heim - li - ches Plätz - chen zum Freun - de ge - wählt.

gen. Zwar verwendet er mehr chromatische Durchgänge als die übrigen
Berliner Liedmeister, dennoch bleibt er auch in dieser Beziehung maß-
voll. Wie in Bsp. 42 so ist er auch ansonsten mit Verzierungen (weiche
Vorhalte, Schleifer, Triller) sehr sparsam. Wenn diese in seinen letzten
Gesängen vorgeschrieben sind, dann meist nicht mehr als aufgesetztes
Ornament, sondern als wesentliches Ausdrucksmittel (siehe z. B. *Goethe-
Lieder*, I, 1809, S. 1 f. und S. 27 f.). Dasselbe gilt auch für intensivie-
rend-steigernden Sequenzen und Wiederholungen, oder die absichtliche
Verwendung bestimmter Intervalle, wie etwa der großen Sexte (vgl.
Goethe-Lieder, II, S. 8) oder der verminderten Septime als Ausdruck
des Unheimlichen (vgl. ebd., S. 7). Gern läßt er auch den Scheitelpunkt

der melodischen Zeile mit dem gewichtigsten Wort im Vers zusammenfallen[1166], um nach Kräften nicht nur eine schöne, sondern zudem eine charakteristisch angepaßte Melodie zur „Überhöhung" des Gedichts zu bieten. Diese betonte Sparsamkeit, dieses oftmalige Zuwenig ist, wie etwa im *Erlkönig*, oft sehr sinnvoll und ausdruckssteigernd, es läßt zuweilen indessen aber auch als zu dürftig und karg empfunden unbefriedigt. Deutlich wird dies z. B. bei einem Vergleich des *Heidenröslein* mit den Vertonungen Mozarts und Schuberts. Reichardts Komposition wirkt gegenüber der graziös beschwingten, charmant tändelnden Melodie Mozarts und der behaglich schwingenden, strömend atmenden Weise Schuberts trockener, „preußisch" nüchterner.

Den Melodien Reichardts konnte in ihrer „natürlichen Simplizität" nur eine ebensolche Begleitung beigegeben werden. Diese ist entweder für zwei Waldhörner zum Musizieren im Freien, für Guitarre, Harfe oder Klavier ausgesetzt[1167]. Guitarren- oder Harfenbegleitung besteht stets nur aus schlichten und gleichmäßig zerlegten Akkordfiguren, während die Hörner an das Kreisen im Durdreiklang gebunden bleiben. Diese „Hornharmonien" findet man aber nicht selten auch aufs Klavier übertragen, wo ihre klangliche Wirkung nicht sonderlich berückend ist. Eine für den Pianisten dankbarere Ausführung der Begleitung war „offenbar sein Fach nicht", wie schon Friedrich Rochlitz kritisch bemerkte[1168]. Insbesondere die frühen, bis 1780 nur auf zwei Systemen notierten Liedsätze entbehren meist jeglicher Reize. Konventionell, phantasielos beschränkt Reichardt diese auf eine allzu abwechslungslose Zweistimmigkeit (siehe Bsp. 42), die gar oft zusammengezogen wird zu einem „einklängigen" Unisono. Da auch die Modulationspläne sich stereotyp an das Gängige und im volkstümlichen Liede Normale halten, ist die Wirkung dürftig, steif, zu „harfenmäßig".

„Bedeutende Harmonien" findet man erst nach 1795, nachdem die Begleitung selbständiger ausgearbeitet wird und sich auch in der Notierung von der Singstimme gelöst hat. Nun vermag Reichardt spannendere Verläufe zu entwickeln durch die Entgegensetzung des wortgezeugten Gesangmotivs und der instrumentalen Spielfigur. Die Klavierbegleitung wurde fortan mehr und mehr zum Stimmungsträger ausgearbeitet, aus dem heraus wesentlich mehr anklingt als nur die Absicht, den Sänger tonal zu stützen. Reichardt findet zum fast romantisch inspirierten Stimmungslied, in dem er späteren gleichartigen Gesängen Schuberts vorausgreifend, *eine* Spielfigur durchgehend durchführt (Bsp. 43). So erreicht er einen affektvollen Einheitsablauf, der seiner Theorie der Empfindungseinheit konsequent entspricht. Auch im Sinne der klassischen Dichter tönt er damit den allgemeinen lyrischen Charakter der Gedichte dezent an, er läßt die Gesamtstimmung gesteigert wirken ohne den Fehler

Lebhaft

Entfalte mir die sil-ber-hel-len Flü - gel, Er-in-ne-

rung der Lust

zu begehen, sich in falscher Tonmalerei zu versuchen. So verdeutlichen
z. B. in *Des Mädchens Klage* in den *Schiller-Liedern* die rauschenden und
in sich zurückschwingenden Akkordbrechungen der Begleitung das seeli-
sche Aufgerührtsein des Mädchens in packender und einfacher Weise zugleich.

Je mehr und je selbständiger Reichardt insbesondere in den *Goethe-
Vertonungen* die Begleitung hervortreten läßt, um so größeren Spielraum gewinnt er in den durchkomponierten Gesängen für Vor-, Zwi-
schen- und Nachspiele[1169]. Von erweiterten Kadenzen und freiem Prä-
ludieren bzw. abschließendem Reflektieren bis zu phantasieartigen Vor-
ausnahmen resp. Ausklängen entwickelt Reichardt diese Teile des Liedes.
Die Zwischenspiele entfaltete er zumeist als Bindeglieder zwischen mehr
kantablen und mehr deklamierenden Abschnitten. Letztere sind durchweg abwechslungsreicher harmonisiert mit dissonierend-treibenden Akkorden, Modulationen und verminderten Septakkorden, die an Rezitative in Glucks Opern erinnern (siehe *Goethe-Lieder*, II, S. 16 und IV,
S. 37). Auch gelegentliche Besonderheiten, wie z. B. der Orgelpunkt im
Geistesgruß, der Schluß in der Medianttonart im *Ganymed* u. a., weisen

voraus auf das noch zu Lebzeiten Reichardts vor allem durch Schubert ausgeprägte romantische Sololied. Somit bildete er die wohl breiteste und wegreichste Brücke zwischen dem Generalbaßlied der älteren Berliner und dem Stimmungslied der Romantiker, indem er in einigen wenigen Kompositionen insbesondere aus der Zeit nach 1800 die Höhe der Klassik im Liede zu erreichen vermochte.

Symphonien und Konzerte

„Wir würden wahrlich gewinnen, wenn wir jedem unserer Instrumentalstücke nur Einen Charakter gäben, oder bey solchen die aus verschiedenen Stücken bestehen sollen, die wahre Nüanzirung einer Leidenschaft, oder die nüanzirten Uebergänge von der einen zu der andern, suchten."[1170] Diesen für das Verständnis der Instrumentalmusik Reichardts gewichtigen Satz schrieb der Komponist 1782 nieder. Es war das musikgeschichtlich ereignisreiche Jahr, in dem Mozarts „Entführung aus dem Serail" die Bühnen der Welt zu erobern begann und Haydns zukunftsweisende Quartette op. 33 gerade Gestalt gewonnen hatten zur Einleitung der eigentlichen musikalischen Klassik. Reichardts gewichtige Empfehlung an junge Komponisten war recht verstanden eine deutliche Absage an jene Prinzipien der tonangebend werdenden Wiener Meister, die mit ihren repräsentativen Werken auf der Basis des Themenkontrastes und der Vielheit in der Einheit in die neue Epoche eintraten. Diese betonte Entgegnung Reichardts riß somit eine tiefe Kluft auf zwischen ihm und dem ihm anhangenden norddeutschen Kreis einerseits sowie den gleichzeitig von grundsätzlich verschiedenen Standorten aus schaffenden süddeutschen Klassikern andererseits, deren bedeutendere Werke ihn sehr bald als Instrumentalkomponisten zu einem nur epigonalen zweitrangigen Klassizisten herabsinken ließen[1171].

Worauf gründet sich dieser fundamentale Gegensatz und das innere Unvermögen Reichardts, diesen schöpferisch zu überwinden? Er blieb bestehen wegen seines Beharrens bei theoretischen Prinzipien, die nach 1765 an allgemeiner Gültigkeit verloren und die Entwicklung Haydns, Mozarts oder Glucks nicht mehr beeinträchtigten. Auf wohl keinem anderen Gebiete hat sich bei Reichardt die Behinderung und Versteifung des Schaffens durch starre Doktrinen so sehr ausgewirkt als auf dem der Symphonie, Ouvertüre und des Konzerts. Es wurde ihm im Laufe seines ansonsten wechselreichen Lebens zum Verhängnis, daß er eine erstarrte Grundansicht nie aufgab, die er von den älteren rationalistischen Theoretikern Chr. G. Krause, Scheibe oder Lessing aus der Zeit der uneingeschränkten Affektenlehre übernommen hatte. Gemeint ist die von Paul Sieber benannte „Theorie der Empfindungseinheit"[1172]. Derzufolge ist es oberstes Gebot für jedweden Komponisten, daß ein musikalisches Kunstwerk eine Form- und Verlaufseinheit bilden muß. Diese Einheits-Theorie der Vorklassiker läßt sich nur voll verwirklichen, wenn ein Stück nicht nur durch die Einheit der Tonart und einen rhythmischen Einheitsablauf mittels durchgehend gleicher Figuren geprägt ist, sondern auch durch *eine*, durch keinen Wechsel gestörte Stimmung. Es muß folglich „*ein* Fluß, *ein* Strom von Gedanken sein, der den Zuhörer mit sich fortreißt"[1173]. Ausdrucksgegensätze, Gefühlskontraste, das Aufeinanderprallen verschiedener Leidenschaften verwirft Reichardt als unnatürlich und mit dem Leben unvereinbar. Indem in einem Stück nur „*eine* bestimmte Empfindung" dargestellt wird, „hervorgegangen aus eignem überwallendem Gefühl", wähnte sich die Generation um C. Ph. E. Bach der Natur und dem natürlich-gesitteten Menschen am nächsten, denn die Beachtung des Affektes war ebenso wichtig wie die des Effekts. Dem maßvoll erzogenen Hörer zuträglich waren aber nur die Affekte, bzw. die „Empfindungen" der „Freude oder Traurigkeit"[1174]. Alles Heftige, Ausfällige, die gewöhnlichen Grenzen Sprengende lehnte Reichardt als ästhetisch unbefriedigend und moralisch schädlich ab. Zwar teilte er nicht mehr mit seinen geistigen Ahnen die rationalistische Theorie von den ausdrückbaren Realaffekten, jedoch blieb er an ihnen haften als Scheinphänomenen, deren Bewegung sich analog zu seelischen Entwicklungen in Musikwerken widerspiegelt.

Mit dieser Theorie der Empfindungseinheit mußte Reichardt zwangsläufig von dem Wendepunkt an ins Hintertreffen geraten, wo der Instrumentalmusik eine Vorrangstellung allgemein eingeräumt und dem Nachahmungsprinzip die Basis entzogen wurde, wo es nicht mehr um die Darstellung von Leidenschaften sondern um Charakter in der Musik ging. Diesen Wandel bewirkten Gluck, Haydn, Mozart. Diese Wiener Meister komponierten undoktrinär, unabhängig und selbstverantwortlich. Daher waren sie auch produktiver. Auch sie kennen als oberstes Gebot, in ein- oder mehrsätzigen Werken die Einheit zu wahren, diese muß indessen eine vielheitliche sein und nicht eine einförmige. Sie verwarfen nicht thematische Gegensätze, Tonartenkontraste, abrupte rhythmische Bewegungswechsel, denn sie gewannen die Einheit des Ganzen aus dem maßvoll-schönen Ausgleich des Gegensätzlichen, aus dem komplementären Kontrast. Die Klassiker wollen nicht blaß und mittelmäßig ein und dieselbe Grundtönung über eine kürzere oder auch längere Zeitspanne hinweg ausbreiten, sondern vielmehr aus Keimen sich Musik entfalten, entwickeln, verwandeln lassen analog den Wandlungen in der stets regen menschlichen Seele[1175]. Der am Spielgeschehen sich Beteiligende muß in gesteigerter Aufmerksamkeit offen sein für die Vielseitigkeit und Vielfarbigkeit dieser musikalischen Kontraste. Nur ein aktiv Hörender und im Hinhören die Gegensätze ganzheitlich Auffassender kann ein klassisches Kunstwerk vollgültig erfahren. Ihn reißt nicht „*ein* Strom mit sich fort", denn das Satzganze ist durchteilt in kleinere Einheiten, in melodische und rhythmische Perioden, die als prägnante Gestalten in sich durchformt sind. Jedes dieser aufeinander Bezug nehmenden Teile ist Glied einer klar gegliederten maßvollen Gesamtgestalt. Die Teilgestalt tritt gegenüber dem Ganzen stärker hervor als in Werken Reichardts. Den Sprung zur formvollendeten klassischen Charakterdarstellung durch Musik vermochte Reichardt nicht mitzuvollziehen. Zwar erkannte er 1805 die „Einseitigkeit" der berliner „Schule des reinen Satzes und des ernsten Styls"[1176] und anerkennt 1808 Wien als „die wahre Residenz des Künstlers", dennoch wurde er von manchen Musikern zu dieser Zeit bereits als schon nicht mehr zeitgemäß zurückgesetzt[1177], als ein Tonsetzer, der lediglich als „Singekomponist" noch Beachtung verdiente[1178].

Reichardts problemreiches und uneindeutiges Verhältnis zur Wiener Klassik läßt sich am deutlichsten beschreiben an seinen Kritiken über Instrumentalwerke Haydns und Mozarts. An diesen wird ersichtlich sowohl das, was er hochschätzte, als auch das, was ihm unbegreiflich blieb. Die Tonkunst Haydns war ihm von frühester Jugend an vertraut. Bereits die 1762 in Königsberg gehörten Cassationen und Quartette erschienen ihm als „die beste Nahrung und Bildung". 1772 hörte Reichardt in Leipzig auch erstmals Symphonien, während er sich 1775 im Hause des Obermarschalls von der Gröben in Königsberg selbst an der Ausführung „der herrlichen Quartette von Haydn" spielend beteiligte. Diese genoß und bewunderte er wie ein „liebliches Gartenhaus", auf das Mozart einen „feinen Palast" und Beethoven einen „kühnen, trotzigen Thurmbau" setzten. Insbesondere die Russischen Quartette würdigte er 1782, weil darin „so viel Eigenheit und Mannigfaltigkeit mit so viel Annehmlichkeit und Popularität verbunden" sei. Die „ganz neue Besondre art", die Haydn darin verwirklicht haben wollte, erkannte Reichardt jedoch nicht, denn er verglich ihn als „echt altdeutschen Künstler" gleichsetzend mit C. Ph. E. Bach. In diesen vorklassischen Stilkreis reihte er bis mindestens kurz nach 1800 das Werk Haydns unverändert ein, schreibt er doch z. B. am 24. Oktober 1800 über eine G-Dur-Symphonie: „Ich kann Ihnen nicht genug sagen, welch eine reine Behaglichkeit und welch ein Wohlseyn aus Haydn's Werken zu mir übergeht. Es ist mir ungefehr so dabey zu Muthe, als wenn ich in Yoricks Schriften lese, wonach ich allemal einen besondern Willen habe etwas Gutes zu thun. Die heitere, schalkhafte, gutmüthige, geistreiche Laune, verbunden mit der übermüthigen Phantasie, mit der Kraft und Gelehrsamkeit und Fülle – kurz dies

Schwelgen in einem Frühling von Tönen und schönen Modulationen, kann das Leben angenehm machen."[1179] Haydn erschien ihm nur als ein unbeschwert heitrer Rokokokünstler, der sich ihm erst am 5. Januar 1801 von einer wesentlicheren Seite her offenbarte, als er nämlich in Berlin „Die Schöpfung" hörte. Reichardt war von diesem Werk derart gepackt, daß er dieses „höchste Muster seiner Zeit" als einen Markstein in der Geschichte des Oratoriums feierte, denn „unter allen Werken neuerer deutscher Kunst, ist ohne Zweifel Haydns Schöpfung das originellste und freyeste. Es läßt sich nur mit sich selbst vergleichen und ist deswegen nicht leicht zu beurtheilen"[1180]. Diese Hochachtung war aufrichtig und liebevoll[1181]. Diese wurde durch seine Vorbehalte gegenüber dem „Singekomponisten" Haydn, dem es angeblich an literarischer Belesenheit und Sinn für die Lyrik „unsrer besten Dichter" mangelte, nur unwesentlich geschmälert[1182]. Das Fehlen des schlichten Liedes und des Bedürfnisses nach spekulativer Musikbetrachtung vermißte Reichardt zwar sehr bei Haydn, dennoch bekennt er, seine eigenen begrenzten Fähigkeiten nüchtern einschätzend: „Nachdem Haydn und Mozart eine Kunst erschaffen und auch gleich auf den höchsten Gipfel geführt haben, wie sie weder das Altertum, noch irgendeine Zeit gekannt, reicht Studium und Talent zur Melodie nicht mehr hin, um etwas Bedeutendes und Großes in der Instrumentalmusik zu leisten."[1183]. Somit gestand er neidlos den Wienern ihre tonangebende Rolle im Gebiete der Instrumentalmusik zu, als Lied- und Opernkomponist dagegen beharrte er, seiner Meisterschaft gewiß, auf dem ihm vermeintlich zukommenden Prioritätsanspruch.

Den Anspruch auf Gleichrangigkeit bekundete Reichardt vor allem gegenüber Mozart, der ihm weit weniger als Haydn Vorbild war. Dessen wahre Größe vermochte er wegen seiner beengten Betrachtungsweise erst spät zu erfassen. Zwar muß man ihm zugute halten, daß er vor 1808 nur sehr wenige Werke Mozarts kannte, denn z. B. das Musikalienverzeichnis des Berliner Verlages von J. C. F. Rellstab bietet bis 1800 fast ausschließlich dessen „Favoritgesänge" zum Kaufe an, die nur ein unzureichendes Bild zu formen ermöglichten[1184]. Reichardt schätzte diese zum Teil, denn in einem Gedächtniskonzert für Friedrich den Großen am 24. Januar 1787 ließ er eine Arie von Mozart singen, in seine Sammlung *Neue Lieder geselliger Freude* von 1799 nahm er drei Lieder des „wahren großen Meisters" aus Salzburg gern auf. Trotzdem warf er diesem das Fehlen „echter Geschmackskritik" offen vor, sowie die „sklavische Nachahmung italienischer conventioneller Formen ... Einseitigkeit des Ausdruckes ... Vermischung der entgegengesetzten Charaktere und Style, nachläßige und leichte Behandlung der Harmonie". Mozarts Gesänge waren ihm lediglich „sehr angenehme Operettencavatinen in beliebter italiänischer Manier, aber keine Lieder, am wenigsten deutsche Lieder"[1185]. Dieser

Vorwurf wog sehr schwer, denn damit stand für Reichardt fest, daß Mozart gegen die gewichtigsten Grundregeln der Komposition verstieß. Reichardt mißbilligte besonders scharf die Oper „Titus" sowie die 1802 erschienene Bearbeitung des „Messias" von Händel als eine Trübung der „stillen Größe des Werks"[1186]. Das Werk Mozarts bedeutete ihm im Gegensatz zu dem Haydns nur sehr wenig[1187]. Ihre Grundanschauungen wichen zu stark voneinander ab; während z. B. Mozart nach Italien fuhr, um dort vornehmlich die neueste Opern- und Kammermusik in vollen Zügen in sich aufzunehmen, eilte dagegen Reichardt dort mehr in die Bibliotheken, um alte erhabene Kirchenmusik zu suchen. Während der eine 1781 meinte, es müsse „schlechterdings die Poesie der Musick gehorsame Tochter seyn", verlangte der andere die Achtung der „eigentlichen Natur" des Liedes, die eine Unterwürfigkeit der Dichtung nicht zuließ. Spätestens während der letzten Reise Reichardts nach Paris änderte sich indessen seine Meinung über Mozart. Von nun an begann er dessen gleichmäßige Ausbildung von Phantasie und Urteil, Fühlen und Denken zu achten; er reihte ihn unter „die drei echten Humoristen" Wiens als „comischen Romantiker" ein[1188]. Seine Besprechung des „Idomeneo" von 1806 macht diese Annäherung wenigstens an den Dramatiker Mozart offenkundig, denn diese Oper wird als ein „reines großes mit Kunst und Geschmack ausgeführtes Kunstwerk" dem norddeutschen Publikum angepriesen, ja sogar als „das reinste Kunstwerk" wegen seines „großen, durchaus rein gehaltenen heroischen Charakters, ohne alle fremde Beimischung", womit der Rezensent seine eigene Theorie von der Empfindungseinheit bestätigt fand[1189]. Als Reichardt im Jahre 1808 in Wien die Witwe Mozarts aufsuchte, hatte er sich dank seiner vorherigen intensiveren Beschäftigung mit den Bühnenwerken des Verstorbenen einen lebendigeren Eindruck und ein begründeteres Wissen über diesen Meister erworben. Jetzt erst konnte er ihm vollends gerecht werden, der doktrinäre Panzer der Vorurteile zerbrach teilweise, frühere Scheuklappen wurden abgeworfen. Mit Befriedigung liest man daher in einem Brief an Ludwig Tieck vom 17. März 1812 über Mozarts Singspiele: „Daß Mozart das Höchste darin leisten konnte, hat er wirklich dem Schikaneder und Consorten zu danken. Ohne die Zauberflöte und Don Juan hätten wir keinen ganzen Mozart."[1190] Leider erfolgte diese Zuwendung zu spät, so daß produktive Auswirkungen ausbleiben mußten. Die Symphonien, Quartette und Sonaten Mozarts kannte er kaum, weswegen ihm die das Herzstück der Wiener Klassik bildenden Werke unzugänglich blieben, was bei der Gesamtbeurteilung seiner Leistungen auf diesem Gebiete nicht übersehen werden sollte.

Die Blütezeit der Klassik, die sich aus der Galanterie, Empfindsamkeit und Sturm- und Drangperiode steigernd herausentwickelt hatte, kulminierte in den wahrhaft klassischen Formen der Sonate, des Streichquartetts und der Symphonie. Letztere war die eigentliche Domäne der Wiener zwischen Haydn und Schubert, in der die ideale Verwirklichung ihrer Intentionen gelang. An diesen Gattungen wurde fortan bestimmt, ob jemand die Ehrung als Klassiker verdiene oder nicht; sie bildeten einen Prüfstein für das Können und die Gesinnung eines Komponisten, für seine ethische, ästhetische und handwerkliche Würdigung. Je mehr die Instrumentalmusik gegenüber der Vokalmusik an Vorrang gewann, um so gewichtiger wurde ihr Gehalt, ihre Bewandtnis und ihre Ausdrucksfülle. Daß Reichardt diesen Bereich der Hochkunst fast nur in seiner frühen und mittleren Schaffensperiode im Gefolge der Vorklassiker beachtete, besiegelte daher sein frühes Zurückbleiben im mächtigen Strom der Musikentwicklung und sein Abgedrängtwerden auf Seitenpfade der Klassizisten. Er haftete noch am Ideal der schönen Melodie der älteren Berliner Schule, als insbesondere Mozart und Beethoven bereits ihre Hochsprache charaktervoller Themen herausgebildet hatten, die nicht mehr Jedermann zugänglich war. Reichardt beharrte im vertrauteren Stil für Kenner und Liebhaber, er sprach von einer tieferen Stufe aus gleichsam wie ein musikalischer Volksschriftsteller, so daß die nur z. T. erhalten gebliebenen Symphonien nicht die Mitte seines Schaffens bilden, sondern lediglich eine Nebenrolle einnehmen. Goethe, Herder und Gluck fesselten ihn als Künstler stärker als Mozart und Beethoven. Dem Wort war er mehr verpflichtet als der absoluten Tonsprache.

Reichardt schrieb *Symphonien* fast ausschließlich zwischen 1773–1783. In diesem Jahrzehnt machte er keinen Unterschied zwischen der mehrsätzigen Opernsymphonie bzw. der Ouverture und der Konzertsymphonie, die er Sinfonie, Symphonie oder Sinfonia betitelte[1191]. Deshalb führt Hanns Dennerlein in seinem Werkverzeichnis auch zu Recht die Einleitungsstücke zu *Amors Guckkasten* (1773), *La Gioja duopo il Duolo* (1776), *Liebe nur beglückt* (1780) und *Cephalus und Prokris* (1780), sowie die *Overtura di Vittoria* (1814) unter den Symphonien an, denn erst vom *Tamerlan* an stehen die Opernsymphonien in engerer Beziehung zum Bühnenwerk und verlieren ihre vorherige Selbständigkeit.

Die wenigen, heute noch zugänglichen meist kleinformatigen Konzertsymphonien weisen Reichardt als einen von originelleren Vorbildern abhängigen Eklektiker aus. Insbesondere norddeutsche und mannheimer Typen nahm er sich neben- und nacheinander zum Muster. Wie diese so sind auch die seinigen in der Regel kurz (etwa 15 Minuten Spieldauer umfassend) und dreisätzig. Auf einen feurigen Allegrosatz folgt in der Regel ein kantables Andante, den Beschluß bildet ein tanzartiger Prestosatz[1192]. Im allgemeinen hält sich Reichardt an die zeitüblichen Schemata. Er schockiert somit nicht sein Publikum, er wirkt nicht befremdend auf seine Hörer ein und weist nicht kraftvoll in unabgemessene Gefilde des Geistes; er spricht in den Symphonien nicht eigentlich sich selbst. Es sind somit mehr gesellig-unterhaltende denn idealistisch erhebende Kammersymphonien. Als Beispiel dafür sei die D-Moll-*Simphonia 2. von 2 violini 2 oboe 2 flauti 4 corni viola e basso* aus dem Jahre 1773 erwähnt[1193]. Dieses Werk ist zwar viersätzig, das Menuetto schob Reichardt jedoch nur versuchsweise in das Satzgefüge ein (Bsp. 44), denn in dem

Bsp. 44

Menuetto

Fehlen dieses Tanzsatzes besteht einer der auffälligsten Unterschiede zur Symphonik Haydns und Mozarts. Das naturhaft-beschwingte, zuweilen auch dem Volkstanz nahe Menuett schaltet Reichardt hier der „Einheit der Empfindung" wegen aus. Diese Ansicht teilten mit ihm einige seiner Freunde und Mitarbeiter. Noch im Jahre 1791 verwirft beispielsweise Carl Spazier das Menuett in der Symphonie als dort „nicht zulässig", da es den „Charakter, den das Werk ankündigt", störe[1194]. Daß außer diesen grundsätzlichen Vorbehalten der tänzerisch unbegabte Reichardt wohl auch deswegen dem Menuett entsagte, weil ihm dieser Tanz nur selten schwungvoll gelang, möge das im Bsp. 44 mitgeteilte Zitat andeuten. Seinen Menuetts fehlt die bestrickende Grazie und erheiternde Bewegtheit der Wiener Tänze. Rhythmisch mitreißenden Schwung vermißt man aber auch weitgehend in anderen Sätzen seiner Symphonien trotz der darin häufig begegnenden mannheimerischen Bebungen, Seufzer und „Raketen"[1195]. Auch Reichardt vermag anschwellende Crescendi über längere Strecken hinweg vom pp. bis zum ff. zu spannen, dennoch verspürt man nicht die z. B. Stamitz eigene glutvolle musikantische Vitalität in diesen dynamisch-expressiven Aufschwüngen (siehe Bsp. 33).

Konsequenterweise wird man in Reichardts Symphonien vergebens nach Kontrastthemen, Gegensatzbildungen oder Durchführungen suchen, denn das starr gehandhabte Prinzip der Empfindungseinheit verschloß dazu die Möglichkeiten. Seine Themen sind nicht wie etwa diejenigen Beethovens Thesen vergleichbar, die expliziert und in der Reprise bestätigt werden müssen. Exposition und Reprise wirken hingegen ziemlich gleichartig, zwar erkennt man Veränderungen, doch bewirken diese keine Entwicklung eines Keimes, keine „Exegese" (H. Kretzschmar). Die meist nur dürftigen Durchführungspartien werden wie ein nicht umgehbares Übel als bloß zwischenspielartige Übergänge kurz ausgeführt. In ihnen entfaltet sich nichts wie eine aufblühende Blume in wechselnder Beleuchtung. Dazu würde aber auch das in den Expositionen vorgestellte „Material" zu wenig Anknüpfungsmöglichkeiten bieten. Zwar kennt Reichardt ein zweites kantables Thema, dieses wird aber nicht als von vornherein mitveranlagter Kontrast zur Grundempfindung des Hauptthemas herausgebildet. Diese bleibt gewahrt, so daß Reichardt manchmal selbst sich gegenüber C. Ph. E. Bach rückschrittlich verhielt, der im Gegensatz zu ihm „das hurtig Überraschende von einem Affekt zum andern" sehr liebte. Er vermied auch sogenannte „fieberhafte Verzuckungen", d. h. scharfe Entgegensetzungen von forte und piano[1196]. Der Einförmigkeit und zuchtvollen Maßhaltung redete er nicht nur das Wort, er handelte auch danach und beschnitt sich auf diese Weise selbst jede dauerhaft überzeugende Wirkung. Auch in der Instrumentierung der Symphonien blieb er trotz seiner zuweilen besonders auffälligen Herausstellung des Mannheimer Crescendos und gleichsam dynamischer Erhitzung bei seiner ihm gemäßeren klassizistisch kühlen Sparsamkeit. Mit den Wiener Klassikern zeigt er sich nur insofern einig, als auch er die Überzeugung mit ihnen teilt, daß Musik durch ihre prägnante Gestaltung wirken müsse. Jegliches Übermaß an Reizen und hochgesteigerten Satztechniken war ihm der „natürlichen Schönheit" wegen nicht genehm. Er liebte seit seiner Königsberger Studentenzeit den ruhigen trauten Waldhornklang und die „Annehmlichkeit" der Klarinette. Alles „Starke", allzu Dichte, jegliche „Überladung" etwa nach Art französischer Revolutionsmusiker mied er[1197]. Seine Hörempfindlichkeit war selbst im Jahre 1805 noch so wenig abgestumpft, daß er gegenüber den „neueren überladenen Partituren" die feineren und subtileren Orchesterklänge bei Hasse und Graun vorzog. Erst kurz vor seinem Tode entsagte er diesen unzeitgemäßen Idolen vollends und ließ sich, getragen von der allgemein hochstimmenden lautstarken Begeisterung der Befreiungskriege, anregen zu zwei wuchtiger wirkenden symphonischen Kompositionen. Gemeint sind die *Schlacht-Symphonie* sowie die *Overtura di Vittoria* aus dem Jahre 1814. Hierin findet er wenigstens in den Mitteln, wenngleich nicht im Geiste den Anschluß an die Orchesterkunst des mittleren Beethoven. Die im heroischen Stil in Es-Dur konzipierte *Schlacht-Symphonie* ist besetzt mit: 2 Violinen, 2 Flöten, 2 Oboen, 2 Klarinetten, 2 Fagotten, 2 Jagdhörnern, 2 Trompeten, 3 Posaunen, 4 Pauken, Bratschen, Celli und Bässen. Damit ist zumindest in der Gewandung die Ausdruckskraft der „Eroica" erreicht, gehaltlich jedoch nicht, was schon die Einleitung offenkundig macht (Bsp. 45). In dem darin sich vollziehenden dreimaligen, hochtreibenden Ansetzen im Grunddreiklang bleibt trotz des Einsatzes neuerer Mittel das Muster der Mannheimer „Rakete" noch spürbar. Diese Jugendeindrücke hat Reichardt als Symphoniker offenbar zeitlebens nicht verges-

Bsp. 45

Molto moderato e maestoso

sen können, so daß manche seiner Werke bereits vor 1800 geschichtlich wie eine Antiquität anmuteten.

Dieses unfruchtbare Verhaftetbleiben im Umkreis der Vorklassik bezeugen auch besonders eindringlich die *Solokonzerte*. Es sind sämtlich „Jugendsünden" oder „galante Armseligkeiten", wie sich der Komponist selbst später entschuldigte, denn die 9 *Cembalokonzerte*[1198], 2 *Doppelkonzerte* sowie ein *Violinkonzert* entstanden sämtlich während der kurzen Zeitspanne zwischen 1772 bis 1774. Es sind zumeist Gelegenheitswerke, die Reichardt mit Vorzug während seiner damaligen Reise als vagierender Virtuose rasch niederschrieb. Des Erfolges wegen mußte er sich in seinen Darbietungen möglichst mit eigenen brillanten Kompositionen vorstellen, die dem breiten Publikumsgeschmack angepaßt waren. Da der mittellose Jüngling zu seinen privaten Konzertveranstaltungen kein großes Orchester verpflichten konnte, liegt das Schwergewicht dieser Werke auf der Selbstdarstellung des Solisten, während das Ensemble nur ungewichtige Begleit- und Stützfunktionen auszuführen hat. Für das *Concerto per il Violino concertato* aus dem Jahre 1772 (Riga 1773, bei Hartknoch = Nagels Musikarchiv Nr. 181) benötigte er lediglich ein einfach besetztes Streichquartett, wogegen ein 1774 für Juliane Benda komponiertes *Concerto per il Clavicembalo* in g-Moll (Leipzig 1777, bei Schwickert) 2 Querflöten, 2 Violinen, Viola und Baß erfordert. Es handelt sich mithin um Kammermusik mit einer glänzend herausgehobenen Solostimme für ein Liebhaberpublikum, das nur angenehm unterhalten sein will. Die Anschmiegung an die Tageserfordernisse ging gar so weit, daß Reichardt in drei Konzerten aus op. 1 auf den langsamen Mittelsatz verzichtete, um ausschließlich gefälliges und schnelles Laufwerk seinen Hörern bieten zu können. „Tempo di Minuetto" und „Grazioso" waren die bevorzugten Zeitmaße für Gesellschaften, die nicht erschüttert oder traurig gestimmt werden wollten durch Musik. Die *Cembalokonzerte* haben die Bedeutung galanter Kleinigkeiten mit meist nur einem tänzerisch beschwingten Thema im ersten Satz (Bsp. 46), durchsetzt mit allbekannten Mannheimer Manieren, gestützt auf stereotype Albertibässe, simpelster Harmonik und gleichförmigem rhythmischen Verlauf[1199]. Der Klaviersatz ist ebenfalls anspruchslos, die Sätze sind kurz und ohne sonderliches Profil. Wie in den Symphonien so sind auch hier die Durchführungen lediglich als in der Solostimme brillant aufgelockerte Überleitun-

Allegro vivo, Wratislawkonzert Nr. 1

Allegro con spirito, Nr. 4

gen vorhanden, die zum Thema keine Erhellungen bringen. So wie in Bsp. 46 sind sämtliche Themen straff in Viertaktgruppen gegliedert, natürlich-prägnant, zuweilen jedoch sehr trivial klingend, wie z. B. in dem „Presto alla Rondeau" aus dem G-Dur *Concerto per il Clavicembalo,* das 1772 in Schluckenau entstand (Bsp. 47). Außer empfindsamer Rühr-

Bsp. 47

Presto

seligkeit und rokokohafter Heiterkeit vermögen diese Erstlingswerke nur wenig zu vermitteln. Der Affekt der Freude wird betonter zum Ausdruck gebracht als der der Trauer. Eine tiefere Bewandtnis haben selbst die Andante-Sätze nicht, sie bewegen und erregen vital wie auch emotional nur mäßig. Vordergründig fesselnder, arabeskenreicher und spielerisch anspruchsvoller ist wenigstens das sogenannte *Rigaer Violinkonzert* aus dem Jahre 1772, das der dankbare Schüler seinem verehrten Lehrer F. A. Veichtner widmete und 1773 bei seinem Freund und ehemaligen Klavierlehrer Hartknoch in Riga in Druck gab[1200]. Diese Komposition ist gänzlich „ad usum autoris" verfertigt. Reichardt zeigt hierin all seine an den Benda'schen Violincapricen geschulten Fingerfertigkeiten. Er gibt sich feurig und leidenschaftlich bewegt (Bsp. 48). Mutig wird gar die konventionelle Konzertform abgeändert, denn auch dieses Werk ist zwar nur zweisätzig, in das Allegro moderato ist aber sonderbarerweise ein etwas steif wirkendes Larghetto eingeschoben anstelle einer Durchführung. Nicht weniger als drei Kadenzen hat der Solist zu diesem Satz zu erfinden, wovon mindestens die zweite (siehe NA, S. 9) als sehr gezwungen eingefügt erscheint. Die reichen Ornamentierungen und Punktierungen werden nur dann verständlich, wenn man den ursprünglichen Zweck des Werkes berücksichtigt, das den Autor als perfekten Violinvirtuosen ausweisen sollte.

Allegro moderato

Unter den übrigen Konzerten verdienen vor allem zwei eine besondere Beachtung, denn in ihnen wird eine Wendung Reichardts während der Jahre 1773/1774 augen- und ohrenfällig dokumentiert, die von den süddeutschen Vorbildern weg und zu C. Ph. E. Bach hin führt. Das dreisätzige *Concerto per il Clavicembalo* (Riga 1773, bei Hartknoch) in B-Dur ist ausdrücklich dem Hamburger Klaviermeister gewidmet. Der Ton ist hierin reicher und pathetischer (Bsp. 49)[1201]. Zwar bleibt der

Bsp. 49

Komponist weiterhin bei dem vorklassischen Prinzip der Fortspinnung
ohne ein echtes Kontrastthema aufzustellen, ein Gewinn an Gehalt ist
jedoch unverkennbar. Das letzte *Cembalokonzert in g-Moll* aus dem
Jahre 1774 (Leipzig 1777, bei Schwickert), das Reichardt der Kurfürstin
Maria Antonia Walpurgis von Sachsen widmete, läßt diese Anlehnung
an den norddeutschen Konzerttypus noch ausgeprägter erkennen. Man
spürt, wie Konzertform und Sonatenform im Wettstreit miteinander
stehen[1202], man erstaunt aber auch gleichzeitig über die Steifheit und
hohle Gestik im Thematischen, die der damals zweiundzwanzigjährige
Komponist darin zur Schau gestellt hat. Dieses Werk erweckt den Eindruck einer ausklingenden Stilperiode, eines lediglich epigonalen Nach-
spiels, dem die innere Kraft zum Vorstoß zu neuen Ufern fehlt. Dies
muß Reichardt bewußt gewesen sein, denn nachdem er die „rechte Künstlerlaufbahn" gefunden hatte, die ihn zum Gegner alles Virtuosischen
werden ließ, versuchte er sich auf diesem Gebiete nicht mehr. Seinen
„galanten Armseligkeiten" billigte er nur noch die begrenzte Geltung
von Gelegenheitswerken zu, die bis 1775 ihren Tageszweck mehr schlecht
als recht erfüllt hatten.

Klavier- und Kammermusik

Hof, Theater und bürgerliches Heim waren die von Reichardt neben-
einander angesprochenen hauptsächlichen Musizierstätten. Da eine enge
Beziehung zur Kirche fehlte, spielte die Orgel in seinem Spielfeld keine
Rolle mehr[1203]. Er selbst übte sie nie, dafür aber fast täglich das Klavier.
Nach Abschluß seiner bewegten Wanderjahre wurde dies sein Hauptinstrument, auf dem er vom niedlichen Charakterstück bis zur heroischen
Oper alles ihm Genehme spielte. „Reichardt am Klaviere" war ein besonders fesselndes Erlebnis für viele stille Hörer. Er übte es so meisterlich, daß von diesem Tasteninstrument her sich seine windungsreiche Entwicklung zwischen 1772 und 1814 am vollständigsten belegt feststellen
läßt. Er begann als Cembalo- und „empfindsamer" Clavichordspieler[1204]
und machte die Entwicklung der Tasteninstrumente mit bis zum volltönenden Klang des Hammerklaviers. Vorbild während seiner Jugendjahre war ihm auf dem Klavier C. Ph. E. Bach, also die Kunst des galan-

Bsp. 50

ten Stils in preziöser, kleinformatiger Schlichtheit bei mäßigen Tempi und
locker gefügtem, mit vielen Pausen durchsetzten Satz. Bis um 1785 ließ
er alle drei Klavierinstrumentenarten nebeneinander gelten, wiewohl
ihm bereits recht früh ein „bloßer Flügelspieler" nicht genügte, denn
„Bachs Spielart konnte ohne Clavier garnicht erfunden werden, und er
hat sie auch fürs Clavier erfunden: derjenige aber, der diese einmal inne-
hat, der spielt auch ganz anders den Flügel, als jener, der nie ein Clavier
berühret; und für den können hernach auch Flügelsachen geschrieben
werden, die unter den Händen des bloßen Flügelspielers matt, oft unverständlich und unzusammenhängend werden"[1205]. Clavichord und
Cembalo sollten sich somit nach seinen Erfahrungen einander ergän-
zen[1206], wobei Reichardt dem ersteren Instrument den Vorzug gab, denn
bereits 1776 forderte er: „jeder gute Musiker müsse das Clavier erlernen."[1207] Seine frühen und meist kurzen *Clavier- und Singestücke* mit
ihren zärtlich-innigen Andantes, prickelnden Läufen, galanten Schnör-
keln und fließenden Melodien finden insonderheit am Clavichord ihren
wahren Ausdruck. Der leicht vibrierende, nuancenreiche Ton, der „süsse
Klang" ermöglichten ihm am trefflichsten das Ausbreiten von „Seele, Ausdruck, Rührung" am Klavier. Reichardt griff schon in seiner ersten *Sonata per il Cembalo solo* aus der Königsberger Jugendzeit um 1770 nicht
voll und kräftig in die Tasten. Kompakte Vollstimmigkeit über gewichtig schreitende Generalbässe erwärmte ihn nicht[1208]. Auf beides verzichtete er bewußt zugunsten der schönen, empfindsamen Melodie über
nicht mehr als drei Begleitstimmen. Auch im Fingersatz rückte er von
der spätbarocken Nachhut ab, denn für ihn war „die bequemste Fingersetzung auch die sicherste"[1209].

Für Klavierinstrumente schrieb Reichardt 33 Sonaten sowie einige kleine Charakterstücke, Tänze, Variationen[1210]. Die *Sonaten* schließen sich der konventionellen norddeutschen Machart an. 29 Sonaten sind dreisätzig. Während eine der letzten drei Sonaten zwei langsame Sätze enthält und zwei nach Art der Wiener Sonaten viersätzig sind, begegnet unter den früheren Kompositionen lediglich ein Werk mit einem „Tempo di Minuetto" überschriebenen Satz (Bsp. 50)[1211]. Wie in der Symphonie, so mied er auch in den Sonaten den aus seinem Rahmen fallenden Tonsatz. Er löste damit zwar die Sonate völlig von der Tradition der Suite ab, blieb aber dennoch am konsequentesten ein Nachzügler der norddeutschen Vorklassiker, denn Zeitgenossen wie J. F. Klöffler, D. Steibelt u. a. schwenkten vor ihm und leichter in das Fahrwasser der Wiener ein. Stets legte er daher auch im Gegensatz zu diesen, der Theorie der Empfindungseinheit wegen, den größten Wert auf einen inneren thematischen Zusammenhalt, der rhythmisch, tonal und klanglich kaum voneinander abgesetzten Sätze. Um einen kontinuierlichen Gefühlserguß zu erzielen, verknüpfte er diese gern durch Überleitungen und motivische Beziehungen (Bsp. 51)[1212]. Bis in die kleinsten Einheiten innerhalb der Sätze er-

Bsp. 51

streckte sich diese strenge Beobachtung der Einheitsauffassung. So sind z. B. fast zwei Drittel aller Sonatensätze Rondos. Für diese forderte er „Simplizität und Reichthum in den Hauptgedanken um daraus die Zwischensätze zu ziehen"[1213], also auch hier den Einheitsablauf statt eines spannungsreichen Kontrastes zwischen einem Thema und davon unterschiedenen Zwischenspielen. Während die Mittelsätze in Ariettenart zumeist in der zwei- und dreiteiligen Liedform abgefaßt sind[1214], fallen einige der Eingangssätze insofern aus dem Schema der Berliner Sonaten heraus, als diese durch ein zweites Thema, durch Überleitungen zur Reprise sowie einen Epilog erweitert sind[1215]. Aber auch dieses Thema wird nicht als ein eigenständiger, charakteristisch ausgeprägter Gegensatz zum Hauptgedanken exponiert, sondern nur als Nebenthema aus diesem heraus entwickelt. Anstelle eines zweiten Themas findet man bei Reichardt manchmal aber auch lediglich ein Kontrasttrio (Bsp. 52), das sich durch

den Lagenwechsel, die Stärke und eine leichtere Satzstruktur vom Hauptthema unterscheidet. So verläuft das gesamte Spiel gleichsam auf einer Ebene, nur durch Schattierungen profiliert, da auch die Durchführungen an ein bloß harmonisches Verändern der Hauptthemen gebunden bleiben, die ihrerseits wiederum aus Akkorden und variierenden Wiederholungen von Motiven gebildet sind und sich nicht selten an landläufige Liedtypen anschließen (Bsp. 53)[1216].

Bsp. 53
Allegro

Die frühesten Niederschriften von Klavierwerken Reichardts sind entweder verlorengegangen oder z. Zt. verschollen. Erst mit der 1771 in Danzig geschriebenen und dort J. A. P. Schulz vorgelegten *Claviersonate, der durchlauchtigsten Herzogin und Regentin von Sachsen-Weimar und Eisenach, Annen-Amalien, untertänigst zugeeignet* (Berlin 1772, bei G. L. Winter) läßt sich die Entwicklung auf diesem Gebiete verfolgen. Es ist eine dreisätzige Sonate mit veränderter Reprise und einem Nebenthema im ersten Satz, der bezeichnenderweise „Allegro con espressione" überschrieben ist. Mit diesem gesteigerten Ausdruckswollen öffnete sich ein jugendlicher Stürmer und Dränger ein Ventil, um rationalistisch-enge

Schemata überspielen zu können. Auch die in den „Vermischten Musicalien" in Riga 1773 erschienenen Sonaten tragen noch diese abnormale, wenngleich etwas zopfig anmutende Empfindsamkeit zur Schau, der Reichardt erst nach 1774 allmählich entwuchs, indem er zur prägnanten Melodie durch die zunehmende Entfernung von seinen älteren Berliner Vorbildern fand. Einen ersten Höhepunkt auf diesem Wege bildeten die sogenannten Preußischen *Sei sonate per il Cembalo Frederike Luise von Preußen gewidmet* (Berlin 1776, bei Decker), sowie die sogenannten Weimarer *Sei Sonate per il Clavicembalo Anna Amalia von Weimar gewidmet* (Berlin 1778, bei Mylius)[1217]. In ihnen herrscht eine leichte Eleganz vor, verbunden mit einem feinen Kantabile. Der höfische, singend das Klavier spielende Charmeur ist unverkennbar. Satzbezeichnungen wie „con spirito", „cantabile", „con molto espressione" (Bsp. 54)[1218] und

Bsp. 54
con molto espressione

insbesondere „Grazioso" weisen auf ihren liebenswürdigen, tändelnden Grundzug hin, der die Damenwelt wohl ansprechen mochte. In der fünften Sonate dieser Preußischen Sonaten in F-Dur z. B. umfaßt im ersten Satz die Exposition 23 Takte, der Durchführungsteil dagegen nur 21 Takte, da hierin lediglich das Thema nach C-Dur versetzt wiederholt wird, und die veränderte Reprise 25 Takte. Auch daran ersieht man, daß es dem Komponisten mehr um die Darbietung einen schönen, gelungenen melodisch-thematischen Einfalls ging, als um die „Exegese" desselben.

Mit den der Herzogin von Kurland gewidmeten *Six Sonates pour le Clavecin (ou Pianoforte)* (Berlin 1782, bei Hummel) beginnt ein neuer Abschnitt im Schaffen Reichardts. Er löst sich zu dieser Zeit vom Cembalo sowie von den Bindungen an Bach und Benda. Die überkommenen Gehäuse genügen ihm nicht mehr, er tastet sich vor zu einer ihm gemäßeren, natürlicheren und volkstümlicheren Gestaltung[1219]. Das schlichte Lied wirkt stärker in den Instrumentalbereich ein und dämmt alles Wuchernde ein. Die Moll-Romanze in Nr. 6 (Bsp. 55) zeigt nicht nur die Übernahme des Balladentons in einen davon bislang nicht berührten Bereich, sondern auch den Beginn einer stärkeren Hinwendung zum lyrischen Charakterstück in einer krisenhaften Periode, die nicht selten Drei-

Bsp. 55

Andantino piu tosto Allegretto

ßigjährige befällt, die noch auf dem Wege und nicht bereits frühzeitig
am Ziel angelangt sind. Zeitlich fällt diese Neuorientierung zusammen
mit dem intensivierten Studium der Volks- und Kirchenmusik. Reichardt
läßt in dieser Schaffensphase der inneren Unsicherheit und des wage-
mutigen Suchens die Sonate während eines Jahrzehnts unbeachtet. Er
vertieft sich lieber in das Genre der Idylle[1220] und in die Kleinformen
mit charakteristischer Prägnanz. Er will Empfindungen eindeutig, kom-
primiert und in einem Satz darstellen. So fand er in Anknüpfung an
Vorbilder wie Rameau oder Couperin, von denen er in seinem *Musikalischen Kunstmagazin* von 1782 ausgewählte Beispiele abdruckt, zum
Charakterstück. Diesen gab er Überschriften wie *Die Freude. La Gioja*
(Bsp. 56), *Fantasie für den Flügel, Feine Schmeicheley* oder aber *Ein
Klavierstück über eine Petrarchische Ode*[1221]. Das kontrapunktisch nicht

Bsp. 56

Sehr lebhaft, Allegro di molto

überladene, auf emotionelles Gerührtsein gerichtete empfindsame Kleinstück im Volkston steht mithin neben dem „selbstentstandenen Ausguß
des hochgespannten freudevollen Geistes"[1222] oder der bedeutenden,
phantasievoll-freien Auslegung „großer Dichterstellen". Das hausbackene
Spielstückchen für Liebhaber interessierte Reichardt ebensosehr wie die
bedeutendere Selbstdarbietung in einem freien Klavierstil in Form der
Fantasie. Das persönliche Musikerlebnis suchte er freier als vordem zum
Ausdruck zu bringen. Zu dessen Mitteilung genügte nun aber weder mehr
das „monotone" Cembalo noch die herkömmliche wenig differenzierte
Dynamik, die nur den Unterschied zwischen stark und schwach kannte[1223].
Daher bedingte diese zeitweilige Abkehr von der vorklassischen Sonate
auch den endgültigen Entscheid für das Pianoforte, die Ausprägung charaktervoller Kleinformen verlangte eine an Schattierungen reichere Spiel-
kunst, wie sie z. B. in dem dreiteiligen *Klavierstück über eine Petrarchische Ode* (Bsp. 57) zu finden ist[1224]. Leider entsprachen auch hier Wollen

Bsp. 57
Andantino

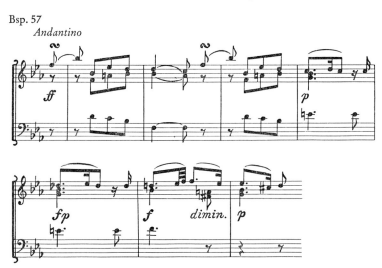

und Vermögen nicht völlig, so daß die Intentionen Reichardts für die
Nachwelt imponierender sind als seine Kompositionen. Nicht selten begegnet z. B. in den *Kleinen Klavier- und Singestücken* (Königsberg 1783,
bei Dengel), in den *XII Variations pour le Pianoforte sur l'air d'Ariel
de l'opéra ‚Die Geisterinsel'* (Berlin o. J., bei Werkmeister), oder in den
Six Rondeaux pour Pianoforte ou Clavecin (Paris 1785, bei Sieber) eine
„ungenierte Flachheit" neben viel lieblich-spritzigem und oberflächlich
leichtem Spiel über monotone Alberti- und Trommelbässe[1225]. Selbst
blasse Trivialitäten findet man in diesen Stücken ungeniert dargeboten,

Vivace

denn Reichardt war kein Meister in diesem Genre, ihm fehlte die Klang-
fülle der Romantiker, die Kunst motivischer Entwicklung und eine va-
riantenreichere Rhythmik. Carl Friedrich Cramer bemängelte daher zu
Recht an der „Romanze" (Nr. 15) aus den *Kleinen Klavier- und Singestücken:* „Es sind aber keine Worte darunter. Wie unterscheidet sich
denn eine blos musicalische Romanze von andern kleinen Handstücken?
Durch die Wiederholungen?"[1226] Auch die vereinzelten kleineren Gelegenheitswerke, wie etwa eine *Marche* (Bsp. 58)[1227], sind ohne sonderlichen Reiz.

Mit vier *Sonates pour le Pianoforte* (Berlin 1793, bei Nouveau Magazin de Musique) beginnt der letzte Entwicklungsabschnitt im Gebiete der
Klaviermusik. Reichardt versuchte während seiner letzten zwanzig Lebensjahre sowohl dem Kleinstück als auch der „Empfindsamkeit und
allerlei Ziererei" zu entsagen. Er erarbeitete sich den Parlantestil (vgl.
Nr. 2 dieser Sammlung, 1. Satz „Allegretto e parlante") und größere
Wahrheit des Ausdrucks starker Leidenschaften, womit er sich im norddeutschen Raum neben F. W. Rust und J. G. Müthel zu den unmittelbaren Vorläufern Beethovens gesellte[1228]. Indessen wandelte er mehr die
Gewandung als den Kern seiner Klavierkunst, bis er nach seiner letzten
Parisreise sowie vor allem während seines Besuches in Wien 1808/09 als
ein auch innerlich Neuorientierter zu den letzten großen Kompositionen

sich sammelte. Unter dem bestimmenden Eindrucke des Fortepianoklanges der Brüder Errard[1229], der Klaviere Streichers und vor allem dem kraftvollen Spiel Beethovens entstanden nach 1809 die letzten drei *Grandes Sonates*, die Reichardt „composée pour Mad. la Bar. de Ertmann"[1230]. Die Baronin Dorothea v. Ertmann hatte ihm op. 13, op. 26 sowie op. 27, Nr. 2 von Beethoven in Wien vorgespielt. Die dadurch empfangenen Anregungen waren derart stark, daß Reichardt hingerissen wurde zu einem letzten Versuch, sich das Pathos romantischer Kunst, den schweren Ernst und die kühne Harmonik sowie den kontrapunktisch angereicherten Satz von Beethovens „Pathétique" anzueignen. Noch fühlte er sich jung und beweglich genug, um an der Grenze und Wende zur Romantik hin sich in der Gestik eines Titanen auszuweisen und die klassische viersätzige Sonate trotz seiner früheren Absagen als eine letztgültige Hochform anzuerkennen. Damit achtete er gleichzeitig die Wiener Meister als die ihm Überlegenen, denen es nachzueifern galt. Bezeichnenderweise schrieb er die beiden erhaltenen Ertmann-Sonaten in f-Moll und in e-Moll. Er versuchte auch den etwas klangfülligeren Klaviersatz kontrapunktisch durchzugestalten, die Harmonik auszuweiten (Bsp. 59) und im Parlantestil

Bsp. 59

(siehe die e-Moll-Sonate, 1. Satz „Allegro moderato e parlante"), in den langsamen Sätzen (Bsp. 60) die geistige Nähe zu Beethoven zu bekunden. Trotz dieser Anstrengungen blieb „das Ringen nach Kraft und Glanz fruchtlos". Dies erkannte bereits 1814 E. Th. A. Hoffmann mit faszinierender Helle[1231]. Seine Kritik an der *Grande Sonate* in f-Moll deckt Schwächen auf, die Reichardt trotz aller „erworbenen ästhetischen Ansichten" nicht zu beheben vermochte. Mit Recht vermißt Hoffmann „einen durchgehaltenen Styl", da zwar manche Passage Beethoven abgelauscht ist, andere daneben aber auch noch deutlich auf die Schreibart von C. Ph. E. Bach hinweisen. Die Sätze scheint „nur der Zufall aneinander gereiht zu haben". Vieles klingt „altfränkisch und verbraucht", leer und unbezwungen. Die Themen für sich betrachtet sind ansprechend, doch bleiben die üblichen Durchführungen auch hier aus und somit Erwartungen unerfüllt. Die Kunst der Wiener blieb somit trotz emsiger Be-

Larghetto

mühungen um einen inneren Anschluß für Reichardt „ein fremder Kreis"[1232]. Er war um 1814 seiner Zeit bereits zu sehr entfremdet, weswegen Hoffmann seinem ehemaligen Ratgeber und möglichen Lehrer den wohlmeinenden und produktiven Rat erteilte, „aus der Tiefe des Gemüths noch manches schöne Lied" zu singen, aber sich am Unbezwingbaren nicht weiter zu vergreifen. Der baldige Tod nahm Reichardt die Last einer letzten Entscheidung ab, sein spätes Kunstwollen auf dem Pianoforte bleibt dennoch aller Hochachtung wert.

Die *Violinsonaten* Reichardts sind als „verkappte Klaviersonaten" hier unmittelbar gleichsam als Anhang der Besprechung des Schaffens für das Cembalo, Clavichord und Pianoforte anzuschließen. Diese Werke sind zwar geprägt von der „ächt Bendaischen Spielart" und gekennzeichnet durch „Adel, Annehmlichkeit, und äußerst rührend"[1233], aber dennoch nicht formal als eine selbständige Werkgruppe zu betrachten. Abgesehen von typisch violinistischen Figuren und Läufen sowie virtuos auszuführenden Doppelgriffen (Bsp. 61)[1234] zeichnen sich diese Sonaten durch

Bsp. 61
Allegro moderato

keine bemerkenswerten Eigentümlichkeiten aus. Wie die Konzerte so sind auch diese Kompositionen hauptsächlich für den Eigengebrauch bestimmte, gefällig und unbeschwert ergötzende Jugendwerke gewesen. Repräsentativ für diese Grundeinstellung ist das Adagio in Nr. 4 der *Six Sonates pour le Clavecin op. 2 avec accompagnement d'un violon* (Amsterdam 1777, bei Hummel), das lediglich 4 Takte lang ist. Insbesondere in dieser Sammlung treten auch die krausen Schnörkel der Verzierungskunst im galanten Stil in fast überwuchernder Häufigkeit auf. In den späteren Sonaten bricht dagegen eine mehr natürliche Schlicht-

Bsp. 62

heit sich Bahn. Das Hammerklavier löst das Cembalo ab, Ansätze zu Durchführungsteilen weisen den Weg zur klassischen Sonate, aber bis zur letzten Sammlung, den *Quatre Sonates pour le Clavecin ou le Forte-piano avec accompagnement de Violon* (Paris 1785, bei Le Duc) bleibt die Violine in der Rolle eines nur konsonierenden Begleitinstrumentes beschränkt. Das Klavier ist tonangebend, das Soloinstrument nur eine klanglich bereichernde Zusatzstimme. Wie wenig selbst diese letzteren Sonaten aus der spezifischen Spieltechnik der Violine heraus entwickelt wurden, zeigt Nr. 1 der Sammlung, zu dessen erstem Satz Reichardt nämlich sein Klavierstück *La Gioja* als Vorlage benutzte[1235]. Die um 1787 entstandenen beiden *Sonaten per Clavicembalo o Pianoforte con Flauto obligato*[1236] in D-Dur und C-Dur heben sich demgegenüber nur dadurch ab, daß hierin Einflüsse Haydns etwas deutlicher hervortreten. Jedoch sind keinerlei Anklänge an die Flötensonatenkunst Friedrichs des Großen oder Quantzens bemerkbar, auf „galante Verbrämungen" verzichtete er fast völlig. Statt dessen fesselt eine rational straffe, nüchterne Korrespondenzthematik (Bsp. 62), die vom Generalbaß gänzlich losgelöst in einem duftig-leichten Satz zwischen der Flöte und dem Klavier aufgeteilt wird. Die nähere Beziehung zur Klassik ist unverkennbar. Den letzten entscheidenden Entwicklungsschritt zu diesem Ziele hin unterließ Reichardt jedoch auch auf diesem Gebiete, zumal er mit diesen Flötensonaten die Reihe seiner Kompositionen für ein Soloinstrument mit Begleitung 1787 frühzeitig abschloß. Offenbar fand er damit nicht einen ihn befriedigenden Anklang und Absatz, denn sein zweiter königlicher Gebieter spielte auf dem Cello zwar Werke von Mozart, aber ebensowenig wie sein Vorgänger Kompositionen seines Hofkapellmeisters.

Die übrigen kammermusikalischen *Werke für Trio-, Quartett- oder Quintettbesetzung* nehmen bis 1785 ebenfalls nur eine nebensächliche Rolle im Gesamtwerk Reichardts ein. Insbesondere während der Wanderjahre scheint sich der Komponist neben seinen Solokonzerten mit diesem stilleren Ausdrucksgebiete beschäftigt zu haben. Daß er indessen das Streichquartett selbst wenig beachtet hat erstaunt um so mehr, als ihm ein „wohlzusammengespieltes Quartett" den angenehmsten und behaglichsten Genuß bereitete[1237]. Die an den relativ wenigen Kammermusikwerken erkennbare stilistische Entwicklung von einem mehr schwerfällig-pathetischen Satz zu einer fließenden und gefälligeren Kantabilität hin entspricht derjenigen im Bereiche der Symphonie und des Konzerts. Repräsentativ für die erste Phase sind vier in Hamburg entstandene *Streichtrios „per due Violine e Violoncello",* von denen dasjenige in Es-Dur 1926 neu herausgegeben worden ist[1238]. Die drei Sätze dieses Werks (Largo - Allegro moderato - Grazioso con molto espressione) stehen sämtlich in der Haupttonart Es-Dur, das Cello ist an der Themenführung nicht beteiligt, es grundiert noch nach Generalbaßart. Das Bemühen, an den Stil C. Ph. E. Bachs anzuknüpfen, wird aus dem Thema des zweiten Satzes dieser „Sonata" besonders deutlich (Bsp. 63). Ver-

Bsp. 63

gleicht man damit einige der letzten Kammermusikwerke Reichardts, die bei Sieber in Paris 1785 erschienenen *Trois Quintetes,* dann überblickt man eine rasche Umorientierung binnen weniger Jahre[1239]. Diese drei Kompositionen sind auffällig verschieden besetzt: 2 Violinen oder Flöten – 2 Hörner – Pianoforte, 2 Violinen oder Oboen – 2 Hörner –

Bsp. 64
Allegro

Pianoforte, Oboe – Fagott – 2 Hörner – Pianoforte. Diese nicht alltäglichen Kombinationen lassen sich am ehesten als Symphonien für Klavier mit begleitenden Soloinstrumenten verstehen. Volksliedhafte Einschläge wie z. B. im dritten Satz von Nr. 3 (Bsp. 64) zeigen auch in diesem Musizierbereich die Verwirklichung des allumfassenden Bestrebens Reichardts, Simplizität und prägnante Melodik vorwalten zu lassen.

943 Siehe SALMEN, J. G. Müthel.
944 Berlin. Mus. Ztg. 1805, S. 63.
945 GUGITZ, II, 1915, S. 15.
946 REICHARDT, Briefe, I, 1774, S. 137.
947 ZENTNER, Eine Musikerjugend, 1940, S. 38 f.
948 Berlin. Mus. Ztg. 1805, S. 54.
949 Musikal. Kunstmagazin 1 (1782), S. 208, danach schrieb Reichardt gar bis 1774 „fast ohne Kenntniß der gemeinsten Regeln".
950 MÜLLER, Briefe von der Universität, 1874, S. 76. Amalie v. Helvig berichtet in ihrem Tagebuch, daß Reichardt die Dichterin am 30. Mai 1802 in Weimar besuchte, dabei wünschte er „ein Gedicht von mir, um es zu componiren", am darauffolgenden Tage kehrte er bereits mit einer vertonten Romanze zu ihr zurück, vgl. BISSING, 1889, S. 68.
951 MÜLLER, Briefe von der Universität, 1874, S. 33.
952 REICHARDT, An das musikalische Publikum, 1787, S. 21.
953 REICHARDT, Etwas über das Liederspiel, 1801, S. 712.
954 STÄGEMANN, Erinnerungen, II, 1846, S. 207. E. v. Stägemann schreibt auch am 5. 12. 1795 an ihren späteren Gatten: „Ich werde Reichardt bitten mir künftig zu Ihrem Text etwas zu componiren, und gewiß wird er es gern thun" (ebd., S. 211).
955 GUGITZ, I, 1915, S. 11.
956 REICHARDT, Wanderungen und Träumereien, 1795, S. 585.
957 REICHARDT, An das musikalische Publikum, 1787, S. 9.
958 Musikal. Kunstmagazin 1 (1782), S. 64. Daß Reichardt oft und derart detailliert seinen Schaffensakt beschrieben hat, bestätigt abermals, ein wie außergewöhnliches, zuweilen auch falsches Ich-Bewußtsein ihn beseelte.
959 HECKER, Die Briefe J. F. Reichardts an Goethe, 1925, S. 207 f.
960 REICHARDT, Lieder geselliger Freude, 1796, S. VII.
961 Berlin. Mus. Ztg. 1805, S. 60.
962 Deutsches Museum 1777, S. 276.
963 REICHARDT, An die Freunde, 1797, S. 188.
964 PAULI, J. F. Reichardt, in: Die Musik 1902/03, S. 346.
965 STEIG, Die Familie Reichardt, 1923, S. 25.

[966] HOLTEI, Briefe an L. Tieck, III, 1864, S. 112.

[967] Mus. Almanach 1796, o. S.

[968] Vgl. Voss, Beleuchtung der vertrauten Briefe, 1804, S. 13 ff.

[969] Berlin. Mus. Ztg. 1805, S. 3.

[970] REICHARDT, Über die Schändlichkeit der Angeberei, 1795, S. 18.

[971] WERDEN, Musikal. Taschenbuch 1803, S. 280.

[972] KUNZEN-REICHARDT, Studien, 1793, S. 21; REICHARDT, Vertr. Briefe aus Paris, I, S. 191; REICHARDT, Der Rheingraf, 1806, S. 64.

[973] Musikal. Kunstmagazin 1 (1782), S. 163.

[974] Vgl. z. B. Gothaer Theaterkalender 1777, S. 46.

[975] Siehe ROTH, Hamann's Schriften, V, 1824, S. 238 sowie ebd. Bd. VI, S. 80.

[976] REICHARDT, Vertr. Briefe geschrieben auf einer Reise nach Wien, I, 1810, S. 201.

[977] Berlin. Mus. Ztg. 2 (1806), S. 57 f. Unter Reichardts maßgeblicher Einwirkung wurde nach dem Tode Friedrichs des Großen Berlin „die Hochburg Gluckscher Kunst" (H. Kretzschmar), Ausstrahlungen dieser werbenden Aktivität reichten bis Schweden, siehe dazu R. ENGLÄNDER, Gluck und der Norden, in: AM 24 (1952), S. 62 ff.

[978] REICHARDT, An das musikalische Publikum, 1787, S. 14; DENNERLEIN, J. F. Reichardt, 1929, Nr. 58; AMZ 3 (1801), S. 331–333.

[979] In: Lyceum der schönen Künste 1797, S. 187.

[980] RELLSTAB, Ueber die Bemerkungen eines Reisenden die Berlinischen Kirchenmusiken . . . betreffend, 1789, S. 48 f.

[981] REICHARDT, An das musikalische Publikum, 1787.

[982] Vgl. AMZ 3 (1800), S. 88, Oktober-Heft.

[983] Vgl. MF 10 (1957), S. 492; DENNERLEIN, J. F. Reichardt, 1929, Nr. 60; Lyceum der schönen Künste I, 2 (1797), S. 188.

[984] Bemerkungen eines Reisenden über die zu Berlin von September 1787 bis Ende Januar 1788 gegebene öffentliche Musiken . . ., Halle 1788, S. 65.

[985] BRACHVOGEL, Gesch. d. Kgl. Theaters zu Berlin, II, 1878, S. 111.

[986] Musikal. Kunstmagazin 2 (1791), S. 58.

[987] Siehe ebd., S. 79 ff. und ENGLÄNDER, J. G. Naumann als Opernkomponist, 1922, S. 163 ff. und S. 316 ff.

[988] A. G. MEISSNER, Bruchstücke zur Biographie J. G. Naumann's, Wien 1814, S. 320.

[989] Die Partitur erschien in Berlin im Selbstverlag des Autors. Das Handexemplar von B. A. Weber befindet sich in der St.-Bibl. München.

[990] AMZ 4 (1802), S. 313 ff.

[991] in: Lyceum der schönen Künste I, 2 (1797), S. 189.

[992] ZENTNER, Eine Musikerjugend, 1940, S. 28 f.; E. BÜCKEN, Der heroische Stil in der Oper, Leipzig 1924, S. 98; siehe außerdem REICHARDT, Vertr. Briefe geschrieben auf einer Reise nach Wien, II, 1810, S. 98, wonach dieser Triumphmarsch in Wien von einem Mälzelschen „schönen Uhrwerk" mechanisch wiedergegeben wurde.

[993] WERDEN, 1803, S. 121 f.

[994] Lyceum der schönen Künste I, 2 (1797), S. 189.

[995] STÄGEMANN, Erinnerungen, II, 1846, S. 230. In Danzig wurde die deutschsprachige Fassung am 21. April 1800 aufgeführt. Die Ouvertüre zum „Brenno" erklang in Konzerten Berlins gar bis um 1847.

[996] FORKEL, Musikalischer Almanach, 1782, S. 146 f.

[997] MENDEL, Conversationslexikon, 1877, Bd. VIII, 276.

[998] BLUMENTHAL, Goethes „Großkophta", 1961.

[999] HECKER, 1925, S. 227.

[1000] HOLTEI, Briefe an L. Tieck, III, 1864, S. 107.

[1001] REICHARDT, Briefe, I, 1774, S. 105 u. 108 sowie Musikal. Kunstmagazin 1 (1782), S. 163.

[1002] KUNZEN-REICHARDT, Studien, 1793, S. 9.

[1003] Siehe auch das Bsp. in KUNZEN-REICHARDT, Studien, 1793, S. 16.

[1004] ZENTNER, Eine Musikerjugend, 1940, S. 90.

[1005] GUGITZ, I, 1915, S. 277.

[1006] AMZ 3 (1801), Beilage IV; REICHARDT, Arie scelte dell Opera Rosmonda, Berlin 1805 sowie: Marcie e balli dell Opera Rosmonda, Berlin 1805.

[1007] Berlin. Mus. Ztg. 1805, S. 99f.

[1008] HECKER, 1925, S. 227.

[1009] DENNERLEIN, J. F. Reichardt, 1929, Nr. 73.

[1010] GUGITZ, I, 1915, S. 118 f. und S. 258.

[1011] AMZ 13 (1811), S. 275 f.

[1012] Dazu siehe ausführlich TREISCH, Goethes Singspiele in Kompositionen seiner Zeitgenossen, Diss. Berlin 1951.

[1013] Voss, Beleuchtung der vertrauten Briefe, 1804, S. 19.

[1014] REICHARDT, Briefe, I, 1774, S. 150.

[1015] ebd., S. 151.

[1016] ebd., S. 139 ff. sowie REICHARDT, Über die Deutsche comische Oper, 1774, S. 6.

[1017] ebd., S. 23.

[1018] 1774 schreibt Reichardt: „Es klingt mir immer sehr wunderlich, wenn Personen von niederem Stande und bey lustiger Laune eine recht ausführliche Arie mit ihrem Da Capo und allem übrigen Zugehör singen" (ebd., S. 36); 1776 stellt er im Sinne seines Natürlichkeitsstrebens fest: „... wenn der König und der Bauer, die Hofdame und des Ritters Stallmeister zusammen singen, und während des Duetts einer des andern Charakter annimmt, und beyde ein Lied singen, dann kommt mir das eben so lächerlich vor, als wenn die ganze Welt auf Sancho Panßa's Grauschimmel reiten wollte" (in: Briefe, II, 1776, S. 36).

[1019] REICHARDT, Über die Deutsche comische Oper, 1774, S. 13.

[1020] REICHARDT, Briefe, I, 1774, S. 156.

[1021] Siehe dazu REICHARDT, Ueber die musikalische Komposition des Schäfergedichts, 1777, S. 270.

[1022] DENNERLEIN, J. F. Reichardt, 1929, Nr. 13; TREISCH, 1951, S. 136.

[1023] Musikal. Kunstmagazin 1 (1782), S. 164; KUNZEN-REICHARDT, Studien, 1793, S. 70.

[1024] BRACHVOGEL, II, 1878, S. 208; M. FRIEDLÄNDER, Varianten zu „Claudine von Villa Bella" in: Jb. d. Goethe-Ges. 8 (1921), S. 52 ff.; BIEDERMANN, Goethes Gespräche, I, 1909, S. 170; TREISCH, S. 127 ff.; Theater-Kalender auf das Jahr 1796, Gotha 1796, S. 151.

[1025] Siehe dazu auch G. HUMMEL, Erfurter Theaterleben im 18. Jahrhundert, in: Beitr. z. Gesch. d. Stadt Erfurt H. 3, S. 54.

[1026] Siehe dazu ausführlich TREISCH, S. 127 ff.

[1027] Ditters v. Dittersdorf lobte Reichardts Vertonung als „wirklich scharmant" (vgl. SCHMITZ, Karl Ditters von Dittersdorf Lebensbeschreibung, 1940, S. 225 ff.).

[1028] Siehe HOLTEI, Briefe an L. Tieck, III, 1864, S. 115.

[1029] REICHARDT, Erwin und Elmire, Ein Singspiel in zwey Acten von Göthe,

22 *

Berlin 1791 bei Unger und ebd. 1793, im Verlage der Neuen Berlinischen Musikhandlung (= Musik zu Göthe's Werken Bd. 1); siehe auch HECKER, 1925, S. 197 und M. HANSEMANN, Der Klavier-Auszug von den Anfängen bis Weber, Diss. Berlin 1940, Taf. 20–22.

[1030] HOLTEI, Dreihundert Briefe, I, 3, 1872, S. 161.

[1031] HOLTEI, ebd., IV, S. 258.

[1032] Siehe GA im Erbe deutscher Musik Bd. 58/59.

[1033] WERDEN, Mus. Taschenbuch, 1803, S. 126.

[1034] REICHARDT, Die Geisterinsel, Berlin 1796, bei Trautwein verlegt.

[1035] R. GERICKE, Shakespeare-Aufführungen in Leipzig und Dresden 1778 bis 1817, in: Shakespeare-Jb. 12 (1877), S. 194.

[1036] KÖRNER, Briefe von und an A. W. Schlegel, I, 1930, S. 76.

[1037] Berlinisches Archiv der Zeit und ihres Geschmacks 1798, Bd. 2, S. 300.

[1038] DENNERLEIN, J. F. Reichardt, 1929, Nr. 63; ein Klavierauszug erschien o. J. in Berlin „im Verlag des Autors".

[1039] Goethe erhielt die Partitur vom Komponisten zugesandt im Dezember 1801, er inszenierte das Singspiel 1804 für Weimar und 1806 für Bad Lauchstädt, wo es auch noch am 24. 8. 1811 auf dem Programm stand.

[1040] AMZ 1801, S. 709; MANN, Mus. Taschen-Buch, 1805, S. 365; Jb. d. Goethe-Ges. 4 (1917), S. 145.

[1041] HECKER, 1925, S. 217; REICHARDT, Etwas über das Liederspiel, 1801, S. 716.

[1042] TREISCH, S. 75.

[1043] Siehe auch Tiecks Kritik an Reichardts Komposition bei HOLTEI, Briefe an L. Tieck, III, 1864, S. 104–107.

[1044] Vgl. B. SEYFERT, Das musikalisch-volksthümliche Lied von 1770–1800, Diss. Leipzig 1894, S. 59.

[1045] REICHARDT, Briefe, II, 1776, S. 77.

[1046] HANSEMANN, Der Klavier-Auszug, 1940, S. 81.

[1047] REICHARDT, Liederspiele, 1804, S. X.

[1048] REICHARDT, Etwas über das Liederspiel, 1801, S. 711 und *ders.*, Liederspiele, 1804, S. IV, S. III schreibt Reichardt außerdem: „Mit Bedauern sah' ich seit einiger Zeit, wie das deutsche Opernpublikum immer mehr und mehr blos an halsbrechenden Schwierigkeiten und betäubendem Geräusch Gefallen fand; die angenehmsten Lieder – die allein Einfluß auf die Gesangbildung des großen Publikums und selbst auf dessen frohen Lebensgenuß Einfluß haben können – sah' ich oft unbeachtet vorüber tönen . . ."

[1049] WERDEN, Mus. Taschenbuch, 1803, S. 126.

[1050] REICHARDT, Liederspiele, 1804, S. VII.

[1051] Vgl. L. KRAUS, Das Liederspiel in den Jahren 1800 bis 1830, Diss. Halle 1921 (maschinenschr.), S. 22.

[1052] REICHARDT, Liederspiele, 1804, S. X.

[1053] REICHARDT, Etwas über das Liederspiel, 1801, S. 714.

[1054] REICHARDT, Liederspiele, 1804, S. IV.

[1055] KRAUS, Das Liederspiel, S. 21.

[1056] Siehe DENNERLEIN, J. F. Reichardt, 1929, Nr. 70; die hs. Partitur des Werkes befindet sich in der WB Marburg Ms. Mus. 18, 218, siehe auch den Druck Berlin 1800, bei Lischke.

[1057] „Lieb' und Treue" war eigentlich für eine Familien-Geburtstagsfeier bestimmt gewesen. Den Hausherrn erkennt man an dem Namen des Vaters „Richard".

[1058] Vgl. Salmen, Die Bedeutung der Schweiz, 1958, S. 417 ff.

[1059] Reichardt, Etwas über das Liederspiel, 1801, S. 715; Neue Preuß. Prov. Bll. 5 (1854), S. 465.

[1060] Dennerlein, 1929, Nr. 68.

[1061] ebd., Nr. 69; die Hs. Partitur befindet sich z. Zt. in der WB Marburg Ms. Mus. 18, 220; die Komposition wurde veröffentlicht in: Musik zu Joh. Fried. Reichardt's Liederspielen, Straßburg (1804).

[1062] Reichardt, Vertr. Briefe aus Paris, II, S. 136.

[1063] Herder, Adrastea, GA XXIII, S. 559; siehe auch Böttiger, Literarische Zustände, I, 1838, S. 126; Jansen, Rousseau als Musiker, 1884, S. 316.

[1064] Mann, Mus. Taschen-Buch, 1805, S. 366.

[1065] Reichardt, Ino. Ein musikalisches Drama von Brandes, Leipzig 1779, bei Schwickert; Brandes, Meine Lebensgeschichte, München 1924, S. 127. „Ino" wurde 1779 u. a. in Leipzig und in Darmstadt gespielt. Im Wiener Kärntnertortheater wurde das Melodram am 29. 8. 1783 zur Erstaufführung gebracht, im dortigen Wiedner Theater am 24. 2. 1789.

[1066] E. Istel, Die Entstehung des Deutschen Melodrams, Berlin 1906, S. 75.

[1067] Brandes, Lebensgeschichte, S. 309.

[1068] Aus Ino, 1779, S. 19.

[1069] K. Wörner, Beiträge zur Geschichte des Leitmotivs in der Oper, in: ZfMw 14 (1931), S. 160.

[1070] Reichardt, Cephalus und Prokris, im Klavierauszuge. Ein Melodrama von Karl Wilhelm Ramler, Leipzig 1781, im Schwickertschen Verlage, siehe auch KB Leipzig 1925, S. 292.

[1071] Siehe auch den Brief Kirnbergers an Breitkopf vom 16. 8. 1777 bei Hase, Beiträge zur Breitkopfschen Geschäftsgeschichte, 1919, S. 465 sowie Cramer, Magazin, 1783, S. 455.

[1072] Mann, Mus. Taschen-Buch, 1805, S. 355 sowie J. van der Veen, Le mélodrame musical de Rousseau au romantisme, 's-Gravenhage 1955, S. 70.

[1073] Aus: Cephalus und Prokris, 1781, S. 8 und 41.

[1074] Dennerlein, J. F. Reichardt, 1929, Nr. 72. Siehe auch dreistimmige „Mädchen-Chöre aus des Herkules Tod" mit Begleitung von „Fortepiano oder Harfe" in: Berlin. Mus. Ztg. 1805, Beilage IV.

[1075] Hecker, 1925, S. 206.

[1076] AMZ 4 (1802), S. 557.

[1077] Hecker, Der Briefwechsel zwischen Goethe und Zelter, I, 1913, S. 17; siehe auch Journal des Luxus und der Moden 17 (Weimar 1802), S. 340.

[1078] F. Mirauer, Bühnen- und Zwischenaktsmusik des deutschen Theaters in der klassischen Zeit, Diss. Erlangen 1923 (maschinenschr.), S. 98 ff.

[1079] ebd., S. 74 ff.

[1080] Reichardt, Einige Hexenscenen aus Schackespear's Macbeth nach Bürgers Verdeutschung in Musik gesetzt und fürs Clavier ausgezogen, Berlin o. J.; J. C. F. Rellstab, Olla Potrida für Clavierspieler, Berlin 1789; siehe außerdem G. Kinsky, Katalog des Musikhistorischen Museums von Wilhelm Heyer in Cöln, IV, Cöln 1916, S. 142; A. Schäfer, Historisches und systematisches Verzeichnis sämtlicher Tonwerke zu den Dramen Schillers, Goethes, Shakespeares, Kleists und Körners, Leipzig 1886, S. 148 ff.

[1081] Mann, Mus. Taschen-Buch, 1805, S. 363; siehe auch K. Kauenhowen, Gottfried August Bürgers Macbeth-Bearbeitung, Diss. Königsberg 1915, S. 10 ff.

[1082] Berliner Allgem. Mus. Ztg. 1 (1824), S. 246.

[1083] Kunzen-Reichardt, Studien, 1793, S. 18.

[1084] Siehe JONAS, Schillers Briefe, VI, S. 150. Gegen Reichardts „Macbeth"-Musik polemisierte in wenig überzeugender Weise S. H. SPIKER, Will. Shakespeare's Macbeth. Uebersetzt von, Berlin 1826, S. IX.

[1085] ZENTNER, Eine Musikerjugend, 1940, S. 51.

[1086] KÖSTER, Schiller als Dramaturg, Berlin 1891, S. 119.

[1087] R. GERICKE, Shakespeare-Aufführungen in Leipzig und Dresden 1778 bis 1817, in: Shakespeare-Jb. 12 (1877), S. 207 f.

[1088] F. MIROW, Zwischenaktsmusik und Bühnenmusik des deutschen Theaters in der klassischen Zeit, Berlin 1927, S. 138 ff. sowie SALMEN, Goethe und Reichardt, 1963.

[1089] SCHÄFER, S. 101. 1787/88 hatte Reichardt bereits Musik zur „Iphigenia" komponiert, am 6. 7. 1787 hatte er den Verleger Göschen brieflich gefragt, ob er diese verlegen wolle (siehe das Autograph dieses Schreibens im Freien Deutschen Hochstift Frankfurt).

[1090] SALMEN, Goethe und Reichardt.

[1091] Siehe im Erbe deutscher Musik Bd. 58, Nr. 90–91.

[1092] Almanach für das Theater von A. W. Iffland, Berlin 1808, S. IV.

[1093] HECKER, Der Briefwechsel zwischen Goethe und Zelter, I, 1913, S. 361; siehe dazu auch E. Th. A. Hoffmann, Werke XIII, S. 145 ff.

[1094] Dazu vgl. J. MÜLLER-BLATTAU, Die Idee der „wahren Kirchenmusik" in der Erneuerungsbewegung der Goethezeit, in: Musik u. Kirche 2 (1930), S. 156 f. und W. KAHL, Johann Friedrich Reichardt und die Idee der „wahren Kirchenmusik" in: Zs. f. Kirchenmusik 21 (1951), S. 64 ff.

[1095] Schon viele Jahre vorher hatten sich gelegentlich mahnende Stimmen anprangernd geäußert, so z. B. der Oldenburger Pastor Marcus Steffens (vgl. LINNEMANN, Mg. Oldenburgs, 1956, S. 63).

[1096] Siehe dazu H. GÜNTHER, Johann Gottfried Herders Stellung zur Musik, Diss. Leipzig 1903, S. 32 ff. und W. WIORA, Herders Ideen zur Geschichte der Musik, in: Im Geiste Herders, Kitzingen 1953, S. 73 ff.

[1097] Herder-GA Bd. XI, S. 66 und Bd. XVI, S. 260.

[1098] Siehe SALMEN, Die altitalienische Vokalpolyphonie, 1959, S. 169 ff.; J. A. HILLER, Ueber Kirchenmusik, in: Berlin. Mus. Ztg. 1806, S. 191; J. A. P. SCHULZ, Johann Peter Uzens lyrische Gedichte religiösen Innhalts, Hamburg 1784, Vorwort; F. H. v. DALBERG, Untersuchungen über den Ursprung der Harmonie und ihre allmähliche Ausbildung, Erfurt 1800, S. 50; Musikal. Kunstmagazin 1 (1782), S. 206 f.; REICHARDT, Cäcilia, I, 1790, Vorbericht.

[1099] KB Bamberg 1953, S. 289 ff.

[1100] Siehe REICHARDT, Briefe, I, 1774, S. 51 ff. und Bd. II, 1776, S. 56 sowie ders., An die Jugend, 1777, S. 33.

[1101] Musikal. Kunstmagazin 2 (1791), S. 55.

[1102] ebd., S. 55.

[1103] ebd., S. 17.

[1104] KUNZEN-REICHARDT, Studien, 1793, S. 83.

[1105] Berlin. Mus. Ztg. 1806, S. 140.

[1106] Vgl. K. VIËTOR, Geist und Form, Bern 1952, S. 250 ff. über das „Erhabene" in der Kunstlehre des 18. Jahrhunderts.

[1107] Musikal. Kunstmagazin 1 (1782), S. 6; REICHARDT, Wanderungen und Träumereien, 1795, S. 355 ff.; KAHL, J. F. Reichardt, 1951, S. 66.

[1108] Berlin. Mus. Ztg. 1806, S. 3.

[1109] ebd., 1805, S. 29 f.

[1110] REICHARDT, Wanderungen und Träumereien, 1795, S. 588; SALMEN,

342

J. F. Reichardt's Verhältnis zur Orgel, 1958, S. 186 f.; H. KELLETAT, Zur Geschichte der deutschen Orgelmusik in der Frühklassik, Kassel 1933.

[1111] REICHARDT, Wanderungen, 1795, S. 363. Im Musikal. Kunstmagazin 2 (1791), S. 62 schreibt der Komponist: „Die Orgel ist dis vor allen andern Instrumenten, sie ist der Inbegrif alles großwirkenden so die Kunst hat, sie sollte auch der Depot seyn, von allem was groß und feyerlich ist, es sollte ihr nie zugemuthet werden, verspannte Ohren zu kitzeln, denn sie kann sie zurechtsetzen, nie thörichte Herzen zu belustigen, denn sie kann sie mit ihrer Allgewalt erschüttern, durchdringen und über ihre gewöhnliche Lust und Wollust hinweg erheben."

[1112] REICHARDT, Briefe, I, 1774, S. 49.

[1113] Dt. Museum 1781, S. 358; C. D. SCHUBART, Deutsche Chronik auf das Jahr 1774, S. 159.

[1114] REICHARDT, Wanderungen, 1795, S. 366 f.

[1115] Siehe den Abdruck einzelner Stücke in REICHARDT, Cäcilia I–III sowie in CRAMER, Flora, 1787.

[1116] SCHLETTERER, 1865, S. 383 ff.

[1117] Dazu siehe BRACHVOGEL, Gesch. d. Kgl. Theaters, II, 1878, S. 196; A. WELDLER-STEINBERG, Theodor Körners Briefwechsel mit den Seinen, Leipzig 1910, wonach der Dichter seinem Vater am 1. 12. 1809 in einem Brief aus Dresden über eine Aufführung des „Te Deum" berichtet. In den *Bemerkungen* eines Reisenden, 1788, S. 9 liest man zu diesem Werk: „... weder Harmonie, noch kraftvolle Melodie, weder Kenntniß von Kirchenmusik, noch Kirchentonarten, und doch sollte es mehr im Händelschen Geschmack seyn, als sich der neuern Kirchenmusik, etwan nach Grauns oder Hassens Styl nähern. Die Ouverture war einer schlechten Biersinfonie im Ditterschen Geschmack ähnlich."

[1118] Vgl. z. B. CZACH, F. W. Rust, 1927, S. 33; GEIGER, Berlin 1688–1840, II, 1895, S. 38. Bemerkenswert ist jedoch eine Äußerung Tiecks an Wackenroder in einem Brief vom 10. 5. 1792: „Ich kann ein Adagio für die Harmonika weit eher ohne Tränen anhören als einen Psalm von Reichard ..." (v. d. LEYEN, II, 1910, S. 22).

[1119] In KUNZEN-REICHARDT, Studien, 1793, S. 7 wird indessen der 64. Psalm angepriesen als „voll des Adels, der höchsten religiösen Kraft, voll Kühnheit und Nachdruck und insonderheit ein Meisterstück der musikalischen Malerei im Chor".

[1120] A. DÖRFFEL, Geschichte der Gewandhauskonzerte zu Leipzig, Leipzig 1884, S. 20.

[1121] Berlin. Mus. Ztg. 1805, S. 193.

[1122] Vgl. KINSKY, Katalog, 1916, S. 141 u. Taf. XXI. Reichardt änderte bei der Umarbeitung „Declamation, Harmonie, Begleitung" (vgl. Mus. Kunstmagazin 1, 1782, S. 208).

[1123] REICHARDT, Briefe, I, 1774, S. 17; E. SCHMITZ, Geschichte der weltlichen Solokantate, Leipzig 1955, S. 328.

[1124] KINSKY, Katalog, 1916, S. 141.

[1125] A. SCHERING, Geschichte des Oratoriums, Leipzig 1911, S. 378.

[1126] ebd., S. 376.

[1127] Im Klavierauszug erschienen bei A. Cranz in Hamburg, o. J.; siehe dazu auch CRAMER, Magazin, 1784, Bd. I, S. 359; KUNZEN-REICHARDT, Studien, 1793, S. 60.

[1128] REICHARDT, Mus. Almanach, 1796; Berlin. Mus. Ztg. 1806, S. 126.

[1129] AMZ 1800, S. 133.

[1130] ebd., S. 116.

[1131] Siehe den Textabdruck bei O. E. DEUTSCH, Handel, A Dokumentary Biographie, London 1955, S. 831 ff. sowie die Beschreibung des Werkes bei RACKWITZ, 1960, S. 512 ff.

[1132] REICHARDT, Cantus lugubris in obitum Friderici Magni Borussorum Regis, Berlin 1787.

[1133] RELLSTAB, Ueber die Bemerkungen, 1789, S. 16.

[1134] Siehe dazu auch HERDER, Briefe zur Beförderung der Humanität, 1794 in: GA Bd. XVII, S. 172.

[1135] VALENTIN, „Eine Geisterstimme", 1918, S. 383; siehe auch die „Trauerode auf den Tod der Grosfürstinn Helena Erbprinzessinn von Mecklenburg Schwerin nach Klopstocks Ode: Die todte Clarissa in Musik gesetzt und Seiner Durchlaucht dem Erbprinzen von Mecklenburg Schwerin zugeeignet", Penig und Leipzig o. J., bei F. Dienemann u. Co.

[1136] GUGITZ, II, 1915, S. 245. Mendelssohn war noch 1835 von Reichardts „Morgengesang" sehr begeistert.

[1137] DIEL-KREITEN, C. Brentano, I, 1877, S. 427–441; siehe auch ebd., S. 313 f.

[1138] SEEBASS, C. Brentano, II, 1951, S. 59.

[1139] DOROW, Erlebtes, III, 1845, S. 44.

[1140] DIEL-KREITEN, I, 1877, S. 415–426 u. GEIGER, II, 1895, S. 298 f.

[1141] Autograph in SB München Mus. Ms. 2804.

[1142] Siehe REICHARDT, An die Jugend, 1777, S. 36 f. und Mus. Kunstmagazin 1 (1782), S. 172.

[1143] WERDEN, Mus. Taschenbuch, 1803, S. 282.

[1144] Siehe das Verzeichnis bei FLÖSSNER, 1928, S. 16–78.

[1145] SALMEN, Goethe und Reichardt.

[1146] Vgl. den Brief an Schiller vom 20. 7. 1795 bei VOLLMER, Briefwechsel zwischen Schiller und Cotta, 1876, S. 103. – Die Bemerkung in der AMZ 12 (1809), S. 10, daß Reichardt sich „aus Einsicht, Geschmack und Klugheit, immer nur mit guten Dichtern beschäftigt" habe, vermag nicht zu überzeugen.

[1147] SALMEN, Herder und Reichardt, S. 100 f.

[1148] Berlin. Mus. Ztg. 1805, S. 13.

[1149] SCHÜNEMANN, Geschichte der deutschen Schulmusik, 1931, S. 264 ff. und S. 302; FLÖSSNER, S. 92.

[1150] REICHARDT, Wiegenlieder, 1798, S. IV; A. GÖPEL, Der Wandel des Kinderliedes im 18. Jahrhundert, Diss. Kiel 1935, Bsp. 29–32.

[1151] SEEBASS, C. Brentano, I, S. 273; siehe auch WERDEN, Mus. Taschenbuch, 1803, S. 106.

[1152] REICHARDT, An die Jugend, 1777, S. 37.

[1153] Mus. Kunstmagazin 1 (1782), S. 3.

[1154] H. DIETEL, Beiträge zur Frühgeschichte des Männergesanges, Diss. Berlin 1938, S. 21; H. THIERFELDER, Vorgeschichte und Entwicklung des deutschen Männergesangs, Diss. Halle 1923, S. 66.

[1155] REICHARDT, An die Jugend, 1777, S. 37; siehe auch HOLTEI, III, 1864, S. 108.

[1156] REICHARDT, Lieder geselliger Freude, 1796, S. IX.

[1157] Siehe etliche Beispiele in Mus. Kunstmagazin 1 (1782).

[1158] REICHARDT, Schillers lyrische Gedichte, 1810, S. 8.

[1159] ebd., S. 4–7.

[1160] Über die Bedeutung des Wortes „heilig" seit Klopstock siehe I. Parmehl-Rüttenauer, Das Wort Heilig in der deutschen Dichtersprache, Weimar 1937.

[1161] Mus. Kunstmagazin 1 (1782), S. 62 sowie S. 22, siehe auch L. Prinz, Klopstocks weltliche Oden in der Liedkomposition bis Schubert, Diss. Kiel 1925, S. 51–55 (maschinenschr.).

[1162] Schünemann, Reichardts Briefwechsel mit Herder, 1935, S. 112; Herder - GA Bd. XX, S. 331.

[1163] Salmen, Goethe und Reichardt.

[1164] Hecker, Der Briefwechsel zwischen Goethe und Zelter, I, 1913, S. 10.

[1165] Berlin. Allgem. Mus. Ztg. 1 (1824), S. 117; siehe auch H. Kleemann, Beiträge zur Ästhetik und Geschichte der Loeweschen Ballade, Diss. Halle 1913, S. 2 ff.

[1166] Reichardt, Briefe, I, 1774, S. 59 schreibt: „Überhaupt sollte doch jederzeit die Länge und Kürze der Sylben eben so wohl durch die Höhe und Tiefe der Töne als durch den auf- und niederschlagenden Tackt ausgedrückt werden."

[1167] Siehe Bsp. in: Erbe deutscher Musik Bd. 58/59; F. M. G. Schenk v. Schenkendorf, Studien I, Berlin 1808, Beilage II.

[1168] Rochlitz, Für Freunde der Tonkunst, III, 1830, S. 406.

[1169] Flössner, 1928, S. 116.

[1170] Mus. Kunstmagazin 1 (1782), S. 25.

[1171] In einer in der AMZ 12 (1809), S. 9 erschienenen Kritik findet man die zutreffende Bemerkung: „Dem gänzlichen Umschwunge, welchen die Instrumentalmusik überhaupt, und die Behandlung des Pianoforte insbesondere, während der letzten Decennien gewonnen, und wie man nun dies Gewonnene auch zu jener Schreibart für den Gesang verwendet hat ... das gehet ihm (Reichardt) entweder wider die Natur, oder er vermag es nicht, weil er in späterer Zeit von jüngern Meistern nicht hat lernen, vielleicht auch beym eigentlichen Ausarbeiten nicht beharrlich genug sitzen mögen."

[1172] Sieber, J. F. Reichardt, 1930, S. 90 ff.; H. Besseler, Spielfiguren in der Instrumentalmusik, in: DtJbdMw 1 (1956), S. 34.

[1173] Reichardt, Briefe, I, 1774, S. 28.

[1174] ebd., II, 1776, S. 24; Sieber, S. 67.

[1175] Siehe K. Westphal, Der Begriff der musikalischen Form in der Wiener Klassik, Diss. Berlin 1935.

[1176] Berlin. Mus. Ztg. 1805, S. 1; siehe auch Reichardt, Etwas über Musik, 1795, S. 75.

[1177] Reichardt, Vertr. Briefe geschrieben auf einer Reise nach Wien, I, 1810, S. 195; siehe auch besonders Müller, Briefe von der Universität, 1874, S. 82 und 209.

[1178] Wie schwierig dieser Schritt zur Anerkennung der Wiener für Reichardt war, erhellt z. B. das folgende Zitat aus dem Jahre 1782: „Freude und Traurigkeit konnten nur der Inhalt der bessern Instrumentalmusik seyn, und beide mußten bald ihre besondere Vortragsarten erhalten. Anstatt nun in jeder Vortragsart auf die schwereren Nüancirungen dieser Leidenschaften zu denken, und die, troz ihrer großen Schwierigkeit bey Musik ohne Worte, zu erhalten zu suchen, oder anstatt sich jedesmal mit dem Ausdruck und der Darstellung Einer dieser Leidenschaften zu begnügen, vermischte man sie beide auf eine höchst unschickliche Art, um bey jeder Ausübung beide Vortragsarten zu zeigen. So entstanden die höchst unnatürlichen Sonaten, Symphonien, Konzerte und andre Stücke unsrer neuern Musik" (in: Mus. Kunstmagazin 1, 1782, S. 25).

Zu dieser Zeit sah er die Erreichung „höchster Ergötzung bey der Instrumentalmusik" noch lediglich in einer „vernünftigen Verbindung" der Mannheimer mit der Berliner Richtung.

[1179] AMZ 1800, S. 130.

[1180] ebd. 1801, S. 290 und 294.

[1181] Haydn besaß nachweisbar von Reichardt dessen „Briefe eines aufmerksamen Reisenden" von 1774, die Ausgabe der „Douze Elegies et Romances" (Paris 1805) sowie das „Carmen funebre a due Cori" in der Partitur; vgl. dazu das Haydn-Bibliotheksverzeichnis Br. Museum Add. 32070, Nr. 134 und 194 sowie das Haydn-Nachlaßverzeichnis im Archiv der Stadt Wien Nr. 65.

[1182] REICHARDT, Lieder geselliger Freude, 1796, S. VIII.

[1183] GUGITZ, II, 1915, S. 107.

[1184] Siehe dazu R. ELVERS, Die bei J. F. K. Rellstab in Berlin bis 1800 erschienenen Mozart-Drucke, in: Mozart-Jb. 1957, S. 152–167; K. G. FELLERER, Mozart-Überlieferungen und Mozart-Bild um 1800, in: Mozart-Jb. 1955, S. 145 ff. sowie PAULI, 1903, S. 184 ff.

[1185] REICHARDT, Mus. Almanach, 1796.

[1186] Deutschland 1 (1796), S. 270; Berlin. Mus. Ztg. 1805, S. 5 f.

[1187] Andererseits scheinen aber Reichardts „Kleine Klavier- und Singestücke" von 1783 auf Mozarts Sonaten KV 545 und KV 570 eingewirkt zu haben.

[1188] REICHARDT, Vertr. Briefe aus Paris, III, S. 246 f.; zum Begriff des Komischen bei Reichardt siehe H. H. EGGEBRECHT, Der Begriff des Komischen in der Musikästhetik des 18. Jahrhunderts, in: Mf 4 (1951), S. 148; siehe auch W. SERAUKY, W. A. Mozart und die Musikästhetik des ausklingenden 18. und frühen 19. Jahrhunderts, in: KB Wien 1956, S. 580 f. ·

[1189] Berlin. Mus. Ztg. 1806, S. 11.

[1190] HOLTEI, Briefe an L. Tieck, III, 1864, S. 110.

[1191] DENNERLEIN, J. R. Reichardt, 1929, S. 62.

[1192] SCHLETTERER, 1865, S. 378.

[1193] Autograph als Nr. 1435 in der Library of Congress in Washington nach O. E. ALBRECHT, A Census of Autograph Music Manuscripts of European Composers in American Libraries, Philadelphia 1953, S. 223.

[1194] Mus. Wochenblatt 1791, S. 91; siehe auch M. FLUELER, Die Norddeutsche Sinfonie zur Zeit Friedrichs d. Gr., Diss. Berlin 1908, S. 71.

[1195] Siehe als Bsp. den Anfang des Schlußsatzes einer Es-Dur-Ouvertüre a 16 voce von 1776 bei DENNERLEIN, 1929, S. 66.

[1196] REICHARDT, Briefe, I, 1774, S. 12.

[1197] Deutschland 3 (1796), S. 282; GUGITZ, I, 1915, S. 205; REICHARDT, Vertr. Briefe aus Paris, I, S. 118.

[1198] Nur die 6 sogenannten „Wratislawkonzerte" op. 1 „à l'usage de beau Sexe" (Amsterdam 1784, bei Hummel) sind vorgesehen „pour le Clavecin ou Pianoforte", die übrigen sind „Concerti per il Clavicembalo".

[1199] H. ENGEL, Die Entwicklung des Deutschen Klavierkonzerts von Mozart bis Liszt, Leipzig 1927, S. 23 f.

[1200] NA in Nagels Musikarchiv, Kassel 1955, Nr. 181, hrsg. v. H. Lungershausen; DENNERLEIN, 1929, Themat. Verz. Nr. 3.

[1201] ENGEL, 1927, S. 23.

[1202] Vgl. H. ULDALL, Das Klavierkonzert der Berliner Schule, Leipzig 1928, S. 110.

[1203] Siehe oben S. 287 sowie SALMEN, J. F. Reichardt's Verhältnis zur Orgel, 1958, S. 186 f.

[1204] Dazu siehe allgemein W. KAHL, Frühe Lehrwerke für das Hammer-klavier, in: AfMw 9 (1952), S. 231 ff.

[1205] REICHARDT, Briefe, II, 1776, S. 19 f.

[1206] Vgl. C. AUERBACH, Die deutsche Clavichordkunst des 18. Jahrhunderts, Kassel 1953, S. 44 f.

[1207] REICHARDT, Über die Pflichten des Ripien-Violinisten, 1776, S. 74.

[1208] Vgl. dazu F. OBERDÖRFFER, Der Generalbaß in der Instrumentalmusik des ausgehenden 18. Jahrhunderts, Kassel 1939, S. 20.

[1209] REICHARDT, Lieder für die Jugend, 1799, Vorrede.

[1210] E. STILZ, Die Berliner Klaviersonate zur Zeit Friedrichs des Großen, Diss. Berlin 1930, S. 60 f. und DENNERLEIN, 1929, Nr. 22 ff.

[1211] Aus: Sei Sonate per il Clavicembalo, Berlin 1778, bei Mylius, Nr. 3; vgl. auch A. KÜSTER, Johann Friedrich Reichardt, Stücke für Klavier, Wolfen-büttel 1949, S. 4.

[1212] Aus: Sei Sonate per il Cembalo, Berlin 1776, bei Decker, Nr. 6, Satz 1 und 3.

[1213] Dt. Museum 1777, S. 283 siehe auch Mus. Kunstmagazin 1 (1782), S. 169.

[1214] Siehe z. B. das nur 17 Takte zählende Andantino in: Sei Sonate per il Clavicembalo, Berlin 1778, Nr. 6.

[1215] STILZ, 1930, S. 65.

[1216] Aus: Sei Sonate per il Cembalo, 1776, Nr. 5, 1. Satz, NA hrsg. v. SCHLETTERER, 1866.

[1217] DENNERLEIN, 1929, Nr. 35 und 36.

[1218] Aus den Weimarer Sonaten von 1778, Nr. 5, 2. Satz.

[1219] DENNERLEIN, 1929, S. 82.

[1220] Mus. Kunstmagazin 1 (1782), S. 167.

[1221] ebd., S. 64 ff.; NA hrsg. v. W. Serauky in: Hallisches Klavierbüchlein, Halle 1948, S. 43 ff.

[1222] Mus. Kunstmagazin 1 (1782), S. 25.

[1223] Vgl. HOFFMANN-ERBRECHT, Sturm und Drang in der deutschen Klavier-musik von 1753–1763, in: Mf 10 (1957), S. 472.

[1224] Mus. Kunstmagazin 1 (1782), S. 65.

[1225] Vgl. E. D. v. RABENAU, Die Klaviervariationen in Deutschland zwischen Bach und Beethoven, Diss. Berlin 1941, S. 35 f.

[1226] CRAMER, Magazin, 1783, S. 1333.

[1227] DENNERLEIN, 1929, Nr. 47a. Autograph in Sächs. Staatsbibl. Dresden.

[1228] DENNERLEIN, 1929, S. 96.

[1229] REICHARDT, Vertr. Briefe aus Paris, I, S. 154 ff.

[1230] DENNERLEIN, 1929, Nr. 57. Eines dieser Spätwerke ist verschollen, ein anderes in f-Moll erschien 1813 in Leipzig bei Breitkopf und Härtel, NA hrsg. von W. NEWMAN, 13 keyboard sonatas of the 18th and 19th centuries, Chapel Hill 1947, S. 124–139.

[1231] AMZ 16 (1814), S. 349.

[1232] ebd., S. 347.

[1233] STILZ, 1930, S. 20; REICHARDT, Briefe, I, 1774, S. 162.

[1234] Aus: Sei Sonate per il Violino solo e Basso, Berlin 1778, bei Mylius, Nr. 5.

[1235] Mus. Kunstmagazin 1 (1782), S. 26.

[1236] Eine davon in D-Dur erschien bei Rellstab in Berlin 1787, die andere in C-Dur gab H. Wiltberger in der Reihe „Collegium Musicum" Nr. 108 (Wies-baden 1957) heraus.

[1237] REICHARDT, Vertr. Briefe aus Paris, III, S. 128.

[1238] Erstdruck in: Vermischte Musicalien, 1773, Nr. 6; NA hrsg. v. P. Klengel, Leipzig 1926 (= Collegium Musicum, Nr. 52).

[1239] DENNERLEIN, 1929, Nr. 51. Zwei dieser Quintette ließ Reichardt 1783 in einem seiner Concerts spirituels in Berlin spielen.

VERZEICHNIS DER MEHRMALS ZITIERTEN SCHRIFTEN

ARNIM, L. A. v.: Von Volksliedern. An Herrn Kapellmeister Reichardt, in: Sämmtliche Werke Bd. 13, Charlottenburg 1845, S. 441–490.

AUERBACH, C.: Die deutsche Clavichordkunst des 18. Jahrhunderts, 2/Kassel 1953.

BECKER, H. (Hrsg.): Giacomo Meyerbeer, Briefwechsel und Tagebücher, Bd. I, Berlin 1960.

BELLERMANN, H.: Briefe von Kirnberger an Forkel, in: AMZ 6 (1871), S. 614 bis 618.

BERTEN, F.: Der Musikästhetiker Johann Friedrich Reichardt, in: Neue Musikzeitung 49 (1928), S. 157–159.

BIANQUIS, G.: En marge de la querelle des Xénies: Schiller et Reichardt, in: Etudes Germaniques 14 (1959), S. 325–332.

BIEDERMANN, F. v. (Hrsg.): Goethes Gespräche, I–V, Leipzig 1909–1911.

BISSING, H. v.: Das Leben der Dichterin Amalie v. Helvig, Berlin 1889.

BITTER, C. (Hrsg.): Dr. Carl Loewe's Selbstbiographie, Berlin 1870.

BLUMENTHAL, L.: Goethes „Grosskophta", in: Weimarer Beiträge 1 (1961), S. 1–26.

BOAS, E.: Schiller und Goethe im Xenienkampf, Stuttgart 1851.

BÖTTIGER, K. W.: Literarische Zustände und Zeitgenossen in Schilderungen aus Karl Aug. Böttiger's handschriftlichem Nachlasse, I–II, Leipzig 1838.

BORRIS, S.: Kirnbergers Leben und Werk, Kassel 1933.

BRACHVOGEL, A. E.: Geschichte des Königlichen Theaters zu Berlin, I–II, Berlin 1877–1878.

BRÄUTIGAM, R.: Althallische Musiker, Halle 1936.

Zwölf BRIEFE von Goethe an Fr. Reichardt, in: AMZ 44 (1842), S. 25–30 und 49–55.

BÜSTEN berlinscher Gelehrten und Künstler mit Devisen, Leipzig 1787, S. 257 bis 260.

CAPEN, S. P.: Friedrich Schlegel's Relations with Reichardt and his contributions to „Deutschland", Public. of the Univ. of Pennsylvania Series in Phil. and Lit. Bd. 9, Nr. 2 (1903).

CONRAT, H.: La musique à Paris il y a cent ans, d'après les „Lettres confidentielles" de J.-F. Reichardt, in: La Revue Musicale 4 (1904), S. 347–355 u. 371–379.

CRAMER, C. F.: Magazin der Musik, I. Jg., Hamburg 1783.

CZACH, R.: Friedrich Wilhelm Rust, Diss. Berlin 1927.

DENNERLEIN, H.: Johann Friedrich Reichardt in seinen Klavierwerken unter Berücksichtigung seines instrumentalen Gesamtwerks, Münster 1929.

DIEL, J. B. u. KREITEN, W.: Clemens Brentano. Ein Lebensbild, I, Freiburg 1877.

DÖRFFEL, A.: Geschichte der Gewandhausconcerte zu Leipzig, Leipzig 1884.

DOROW, W.: Erlebtes aus den Jahren 1790–1827, Bd. III u. IV, Leipzig 1845.

Düntzer, H.: Aus Karl Ludwig von Knebels Briefwechsel mit seiner Schwester Henriette, Jena 1858.
- u. Herder, F. F. v.: Herders Reise nach Italien, Gießen 1859.
- u. Herder, E. G. v.: Von und an Herder. Ungedruckte Briefe aus Herders Nachlaß, Leipzig 1861.
Engel, J. J.: Ueber die musikalische Malerey. An den Königl. Kapell=Meister, Herrn Reichardt, Berlin 1780.
Eschen, A.: Friedrich August Eschen, in: A. f. Litt. Gesch. 11 (1882), S. 560 bis 581.
- Briefe von Johann Friedrich Reichardt, ebd. 12 (1884), S. 554–564.
Faller, M.: Johann Friedrich Reichardt und die Anfänge der musikalischen Journalistik, Kassel 1929.
Flössner, F.: Beiträge zur Reichardt-Forschung, Diss. Frankfurt 1928.
- Reichardt, der Hallische Komponist der Goethezeit, in: Der Rote Turm H. 7 (Halle 1929).
Flueler, M.: Die Norddeutsche Sinfonie zur Zeit Friedrichs d. Gr., Diss. Berlin 1908.
Freydank, H.: Die Hallesche Pfännerschaft 1500–1926, Halle 1930.
Friedländer, M.: Musikerbriefe an Goethe, in: Goethe-Jb. 12 (1891), S. 72 bis 132.
- Das deutsche Lied im 18. Jahrhundert, Bd. II, Stuttgart 1902.
Geiger, L.: Berlin 1688–1840. Geschichte des geistigen Lebens der preußischen Hauptstadt, I–II, Berlin 1893–1895.
Gerber, E. L.: Historisch-Biographisches Lexicon der Tonkünstler, Bd. II, Leipzig 1792.
- Neues historisch-biographisches Lexikon der Tonkünstler, Bd. III, ebd. 1813.
Gildemeister, C. H.: Johann Georg Hamann's, des Magus im Norden, Leben und Schriften, Bd. V, Gotha 1868.
Göckingk, L. F. G. v.: Friedrich Nicolai's Leben und literarischer Nachlaß, Berlin 1820.
Goedeke, K. (Hrsg.): Schillers Briefwechsel mit Körner, Leipzig 1878.
Gottwaldt, H. u. Hahne, G. (Hrsg.): Briefwechsel zwischen Johann Abraham Peter Schulz und Johann Heinrich Voss, Kassel 1960.
Gräf, H. G. (Hrsg.): Goethes Briefwechsel mit seiner Frau, Bd. I, Frankfurt 1916.
Gruber, J. G.: August Lafontaine's Leben und Wirken, Halle 1833.
Güttler, H.: Königsbergs Musikkultur im 18. Jahrhundert, Königsberg 1925.
- Johann Friedrich Reichardt, ein ostpreußischer Musiker, in: Altpreußische Forschungen 5 (1928), S. 79–92.
Gugitz, G. (Hrsg.): Johann Friedrich Reichardt, Vertraute Briefe, geschrieben auf einer Reise nach Wien, I–II, München 1915.
- Unbekanntes zu Johann Friedrich Reichardts Aufenthalt in Österreich, in: ZfMw 2 (1920), S. 529–534.
Hahndorf, H.: Die Geschichte des Reichardtparkes in Halle, in: Heimatkalender f. Halle u. d. Saalkreis 9 (1928), S. 94 f.
Hartung, G.: Reichardts Entlassung, in: Wiss. Zs. d. M.-Luther-Univ. Halle-Wittenberg Reihe X/4 (1961), S. 971–980.
Hase, H. v.: Beiträge zur Breitkopfschen Geschäftsgeschichte: Joh. Friedrich Reichardt, in: ZfMw 2 (1919/20), S. 465–469.
Hecker, M. (Hrsg.): Der Briefwechsel zwischen Goethe und Zelter, I–III, Leipzig 1913–1918.

HECKER, M.: Die Briefe Johann Friedrich Reichardts an Goethe, in: Jb. d. Goethe-Ges. 11 (1925), S. 197–252.

HEINRICHS, G.: Johann Friedrich Reichardts Beziehungen zu Cassel und zu Georg Christoph Grosheim in Cassel, Homberg 1922.

HENKEL, A. (Hrsg.): Johann Georg Hamann Briefwechsel, Bd. IV, Wiesbaden 1959.

HERBST, W.: Johann Heinrich Voss, I–II, Leipzig 1872–1876.

HERDER, E. G. v.: Johann Gottfried von Herder's Lebensbild, Erlangen 1846.

HOFFMANN, E. TH. A.: Grande Sonate pour le Pianoforte comp. – p. J. G. Reichardt . . ., in: AMZ 16 (1814), S. 344–350.

HOFFMANN, O.: Herders Briefe an Joh. Georg Hamann, Berlin 1889.

HOLTEI, K. v.: Goethe in Breslau, in: Westermanns Monatshefte 17 (1864), S. 76–84.

– (Hrsg.): Briefe an Ludwig Tieck, Bd. III, Breslau 1864.

– (Hrsg.): Dreihundert Briefe aus zwei Jahrhunderten, Bd. I in 4 Teilen, Hannover 1872.

HOSÄUS, W.: Friedrich Wilhelm Rust und das Dessauer Musikleben (1766 bis 1796), in: Mittl. d. V. f. Anhaltische Gesch. u. Altertumskde. 3 (1883), S. 256 bis 332.

ISTEL, E.: Goethe und J. F. Reichardt, in: NZ Musik 80 (1913), S. 245–250.

JENKEL, F.: Johann Friedrich Reichardt. Ein deutscher Komponist als politischer Schriftsteller im Zeitalter der französischen Revolution, Diss. Jena 1920 (ms.).

JESSEN, H. (Hrsg.): Matthias Claudius, Briefe an Freunde, Bd. I, Berlin 1938.

JONAS, F. (Hrsg.): Schillers Briefe, I–VII, Stuttgart.

KAHL, W.: Johann Friedrich Reichardt und die Idee der „wahren Kirchenmusik", in: Zs. f. Kirchenmusik 21 (1951), S. 64–67.

KALISCHER, A.: Der preußische Hofkapellmeister J. F. Reichardt und Beethoven, in: Der Bär, Illustrirte Berliner Wochenschrift 14 (1887–1888), S. 192 bis 194, 202–204, 214 f.

KANT's Briefwechsel, hrsg. v. d. kgl. Preuß. Akad. d. Wiss., I–IV, Berlin 1900 ff.

Inedita KANTIANA, in: Kantstudien 1 (1897), S. 144–148.

KLEE, J. L.: Goethe und Reichardt, in: AMZ 44 (1842), S. 129–136.

KÖPKE, R.: Ludwig Tieck, Leipzig 1855.

KOENIG, H.: Reichardt. Eine Lebensskizze, in: Illustrirtes Familienbuch, hrsg. v. Oesterr. Lloyd, NF Bd. II, Triest 1862, S. 338–343.

KÖSTER, A. (Hrsg.): Die Briefe der Frau Rath Goethe, I–II, Leipzig 1908.

KRAUS, L.: Das Liederspiel in den Jahren 1800 bis 1830, Diss. Halle 1921 (ms.).

KUNZEN, F. Ae. u. REICHARDT, J. F. (Hrsg.): Studien für Tonkünstler und Musikfreunde. Eine historisch-kritische Zeitschrift mit neun und dreißig Musikstücken von verschiedenen Meistern fürs Jahr 1792, Berlin 1793.

LANGE, C.: Johann Friedrich Reichardt, Denkschrift zu seinem 150. Geburtstage, Halle 1902.

LEDEBUR, C. Freiherr v.: Tonkünstler-Lexicon Berlin's von den ältesten Zeiten bis auf die Gegenwart, Berlin 1861.

LEYEN, Fr. v. d. (Hrsg.): W. H. Wackenroder. Werke und Briefe, I–II, Jena 1910.

MANN, F. Th. (Hrsg.): Musicalisches Taschen-Buch auf das Jahr 1805, Penig 1805.

MARTIN, E. (Hrsg.): Ungedruckte Briefe von und an Johann Georg Jacobi, Straßburg 1874.

Marx, A. B.: Allerlei. Zur Erinnerung an J. F. Reichard, in: Berl. Allg. Musikal. Ztg. 1 (1824), S. 245 f.

Merian, W.: Johann Friedrich Reichardt und Isaac Iselin, in: ZfMw 1 (1918), S. 698–701.

Mirow, F.: Zwischenaktsmusik und Bühnenmusik des deutschen Theaters in der klassischen Zeit, Berlin 1927.

Müller-Blattau, J.: Zur Musikübung und Musikauffassung der Goethezeit, in: Euphorion 31 (1930), S. 427–454.

– Die Idee der „wahren Kirchenmusik" in der Erneuerungsbewegung der Goethezeit, in: Musik und Kirche 2 (1930), S. 155–160, 199–204.

– Geschichte der Musik in Ost- und Westpreußen, Königsberg 1931.

Muncker, F.: Friedrich Gottlieb Klopstock, Berlin 1900.

Nachtrag zu den Büsten Berlinischer Gelehrten, Schriftsteller und Künstler, Halle 1792.

Nadler, J.: Literaturgeschichte des Deutschen Volkes, III–IV, Berlin 1938 bis 1941.

Nerrlich, P.: Jean Pauls Briefwechsel mit seiner Frau und Christian Otto, Berlin 1902.

Neuss, E.: Das Giebichensteiner Dichterparadies. Johann Friedrich Reichardt und die Herberge der Romantik, Halle 1932, 2/ ebd. 1949.

Oehlenschläger, A.: Meine Lebenserinnerungen, I–IV, Leipzig 1850.

Pauli, W.: Johann Friedrich Reichardt, sein Leben und seine Stellung in der Geschichte des deutschen Liedes, Berlin 1903.

Petersdorff, H. v.: Elisabeth Staegemann und ihr Kreis, in: Schr. d. V. f. d. Gesch. Berlins, H. 30 (1893), S. 67–95.

Prelinger, F. (Hrsg.): Ludwig van Beethovens sämtliche Briefe und Aufzeichnungen, I–IV, Wien 1907–1909.

Pröhle, H.: Der Dichter Günther von Göckingk über Berlin und Preußen unter Friedrich Wilhelm II. und Friedrich Wilhelm III., in: Zs f. preuß. Gesch. u. Landeskunde 14 (1877), S. 1–89.

Pröpper, R.: Die Bühnenwerke J. Fr. Reichardts, Diss. Göttingen 1962 (Ms.).

Rackwitz, W.: Johann Friedrich Reichardt und das Händelfest 1785 in London, in: Wiss. Zs. d. M.-Luther-Univ. Halle-Wittenberg 9 (1960), S. 507–515.

Rat der Stadt Halle (Hrsg.): Joh. Friedr. Reichardt, zum 200. Geburtstag, Halle 1952.

Raumer, K. v.: Zu einem ungedruckten Brief Schillers an den Komponisten J. F. Reichardt, in: Neue Züricher Zeitung, Mittagsausgabe Nr. 3436/37 vom 10. Nov. 1959.

Rebling, E.: Die soziologischen Grundlagen der Stilwandlung der Musik in Deutschland um die Mitte des 18. Jahrhunderts, Diss. Berlin 1935.

Reeser, H. E.: De Klaviersonate met Vioolbegleiding, Rotterdam 1939.

Reichardt, J. F.: Briefe eines aufmerksamen Reisenden die Musik betreffend, I–II, Frankfurt und Leipzig 1774–1776.

– Über die Deutsche comische Oper nebst einem Anhange eines freundschaftlichen Briefes über die musikalische Poesie, Hamburg 1774.

– Schreiben über die Berlinische Musik an den Herrn L. v. Sch. in M., Hamburg 1775.

– Ueber die Pflichten des Ripien=Violinisten, Berlin und Leipzig 1776.

– Ueber die musikalische Komposition des Schäfergedichts, in: Deutsches Museum, Jg. 1777, Bd. 2, S. 270–288.

– An die Jugend. Aufmunterung zum reinen und richtigen Gesang, als ein Theil der guten Erziehung in unsern Zeiten, in: Ephemeriden der Menschheit 11. Stück, Basel 1777, S. 32–41.

REICHARDT, J. F.: Leben des berühmten Tonkünstlers Heinrich Wilhelm Gulden nachher genannt Guglielmo Enrico Fiorino, Erster Theil, Berlin 1779.

- An den Verfasser des Aufsazes über Kirchenmusiken im deutschen Museum, Oktober 1780, in: Deutsches Museum, Jg. 1781, Bd. 2, S. 351–359.
- Musikalisches Kunstmagazin, I–II, Berlin 1782 u. 1791.
- George Friederich Händel's Jugend, Berlin 1785 (NA in: Händel-Jb. 5, 1959, S. 182 ff.).
- Schreiben an den Grafen von Mirabeau, Lavater betreffend, Hamburg 1786.
- Moses Mendelssohn an die Freunde Leßings. Ein Anhang zu Herrn Jacobi Briefwechsel über die Lehre des Spinoza (Berlin 1786), in: Beyträge zum gelehrten Artikel des Hamburgischen unpartheyischen Correspondenten 2. Stück (1786).
- An das musikalische Publikum seine französischen Opern Tamerlan und Panthée betreffend, Hamburg 1787.
- Vertraute Briefe über Frankreich, I–II, Berlin 1792, übersetzt und neu hrsg. v. A. LAQUIANTE, Un Prussien en France en 1792, Strasbourg, Lyon-Paris, Lettres intimes de J. F. Reichardt, Paris 1892.
- Etwas über Musik, in: Berlinisches Archiv der Zeit und ihres Geschmacks 1795, Bd. 1, S. 75–78.
- Ernst Wilhelm Wolff, Herzoglich-Weimarischer Capellmeister, ebd., S. 162 bis 170 u. 273–283.
- Wanderungen und Träumereien im Gebiete der Tonkunst, ebd., S. 584–593.
- Wanderungen und Träumereien im Gebiete der Tonkunst. Tischgespräch über Kirchenmusik, ebd., Bd. 2, S. 355–369.
- Über die Schändlichkeit der Angeberei, Berlin 1795.
- Deutschland, I–IV, Berlin 1796.
- Frankreich. Aus den Briefen Deutscher Männer in Paris, I–XII, Altona 1795 bis 1800.
- Musikalischer Almanach, Berlin 1796.
- (Hrsg.): George Simon Löhleins / Anweisung / zum Violinspielen / mit praktischen Beyspielen / und zur Übung / mit zwölf kleinen Duetten erläutert, / zum dritten Mahl / mit Verbesserungen und Zusätzen / auch mit / zwölf Balletstücken / aus der Oper Andromeda und der Oper Brenno / vermehrt herausgegeben, Leipzig und Züllichau 1797.
- Karl Fasch, in: Lyceum der schönen Künste I, 2 (Berlin 1797), S. 129–132.
- Ueber Hildegard von Hohenthal, ebd. I, 1, S. 169–196 und I, 2, S. 170–181.
- An die Freunde der edlen Musik, ebd. I, 2, S. 187–192.
- I. A. P. Schulz, in: AMZ 3 (1800/1801), S. 153 ff., NA. hrsg. v. R. SCHAAL, Kassel 1948.
- Briefe an einen Freund über die Musik in Berlin, ebd., S. 112–116, 130–135, 185–196, 236–240, 289–296.
- Etwas über das Liederspiel, ebd., S. 709–717.
- Vertraute Briefe aus Paris geschrieben in den Jahren 1802 und 1803, Hamburg 1804, 2. verbesserte Aufl. in 3 Teilen, Hamburg 1805.
- Liederspiele, Tübingen 1804.
- (Hrsg.): G. v. SCHLABRENDORF, Napoleon Bonaparte und das französische Volk unter seinem Consulate, Germanien (= Hamburg) 1804.
- (Hrsg.): Berlinische Musikalische Zeitung, I–II, Berlin und Oranienburg 1805–1806.

REICHARDT, J. F.: Autobiographie, ebd. 1805 sowie in AMZ 15 (1813), S. 601 ff. und AMZ 16 (1814), S. 21–34, NA hrsg. v. W. ZENTNER, Regensburg 1940.

– Haupt- und Staatssittenspiegel für Groß' und Kleine. Darin: Offne Briefe des Freiherrn Arminius von der Eiche und seines Leibjägers Hans Heidekraut. Während ihres Leid- und Freudelebens in Frankreich zu Ende des Consulats und zu Anfange des Kaiserthums geschrieben; und: Der Rheingraf, oder das kleine deutsche Hofleben. Ein Schauspiel in fünf Aufzügen. Allen verliebten Prinzen und betrübten Prinzessinnen zu Nutz und Frommen an's Tageslicht gestellt, Germanien (= Hamburg) 1806.

– Vertraute Briefe geschrieben auf einer Reise nach Wien und den Oesterreichischen Staaten zu Ende des Jahres 1808 und zu Anfang 1809, I–II, Amsterdam 1810, NA hrsg. v. G. GUGITZ, München 1915.

– Kant und Hamann, in: Urania, Taschenbuch für Damen auf das Jahr 1812, NA hrsg. v. J. MÜLLER-BLATTAU, Hamann und Herder in ihren Beziehungen zur Musik, Königsberg 1931, S. 35–39.

REINHARDT, H.: Johann Friedrich Reichardt, his importance in German literature, Diss. New York 1947.

REINHOLD, H.: Bad Lauchstedt, seine literarischen Denkwürdigkeiten und sein Goethetheater, 2/ Halle 1914.

REITER, S. (Hrsg.): Friedrich August Wolf, ein Leben in Briefen, I–III, Stuttgart 1935.

RELLSTAB, J. C. F.: Ueber die Bemerkungen eines Reisenden die Berlinischen Kirchenmusiken, Concerte, Oper, und Königliche Kammermusik betreffend, Berlin 1789.

RIESEMANN, O. v.: Eine Selbstbiographie der Sängerin Gertrud Elisabeth Mara, in: AMZ 10 (1875), Sp. 561–565.

ROCHLITZ, F.: Für Freunde der Tonkunst, III, Leipzig 1830.

ROSENDAHL, E.: Johann Friedrich Reichardt in Braunschweig, in: Braunschweig. Magazin 37 (1931), Sp. 59–64.

ROTH, F. (Hrsg.): J. G. Hamann's Briefwechsel mit F. H. Jacobi, Leipzig 1819.

– Hamann's Schriften, V–VII, Berlin 1824 und Leipzig 1825.

ROTTLUFF, B.: Die Entwicklung des öffentlichen Musiklebens der Stadt Königsberg im Licht der Presse von der Mitte des 18. Jahrhunderts bis zur Mitte des 19. Jahrhunderts, Diss. Königsberg 1924 (ms.).

RUDORFF, E.: Aus den Tagen der Romantik, Leipzig 1938.

RÜDIGER, O.: Caroline Rudolphi, Hamburg 1903.

SALMEN, W.: Johann Friedrich Reichardts musikalische Reiseeindrücke in Schlesien, in: Schlesien 2 (1957), S. 87–89.

– Die Bedeutung der Schweiz für das Schaffen J. F. Reichardts, in: Schweiz. Musikzeitung 98 (1958), S. 417–420.

– Die Glasharmonika im Hause J. F. Reichardts, in: Hausmusik 22 (1958), S. 125–127.

– J. F. Reichardt's Verhältnis zur Orgel, in: Der Kirchenmusiker 9 (1958). S. 186 f.

– Die altitalienische Vokalpolyphonie und J. F. Reichardt, in: Musik und Altar 11 (1959), S. 169–171.

– J. F. Reichardt und die europäische Volksmusik, in: Ann. Univ. Saraviensis 9 (1960), S. 83–94.

– Herder und Reichardt, in: Herder-Studien, Würzburg 1960, S. 95–108.

– Johann Reichardt, ein rheinischer Musiker in Ostpreußen, in: Mitteil. d. Arbeitsgem. f. rhein. Mg. Nr. 17 (1960), S. 89–91.

SALMEN, W.: J. F. Reichardt und Ostpreußen, in: Musik des Ostens 1 (1962), S. 190–197.
– Johann Friedrich Reichardt, in: MGG 11 (1962), Sp. 151–161.
– Goethe und Reichardt, in: Jb. d. Smlg. Kippenberg (1963), S. 52–69.
– (Hrsg.): Gesamtausgabe der Goethe-Vertonungen von J. F. Reichardt, in: Das Erbe deutscher Musik, Bd. 58/59, Duisburg und München 1963.
SCHELLBERG, W. u. FUCHS, F. (Hrsg.): Das unsterbliche Leben. Unbekannte Briefe von Clemens Brentano, Jena 1939.
SCHIPKE, M. Der deutsche Schulgesang von Johann Adam Hiller bis zu den Falkschen Allgemeinen Bestimmungen (1775–1875), Berlin 1913.
SCHLETTERER, H. M.: Joh. Friedrich Reichardt. Sein Leben und seine musikalische Thätigkeit, Bd. I, Augsburg 1865.
– Johann Friedrich Reichardt, in: ADB 27 (1888), S. 629–648.
SCHMITZ, E.: Ein antibachischer Bachdruck (J. F. Reichardt: Deklamations- und Gesangsproben aus einigen Kirchencantaten von J. S. Bach. 1805/06), in: Musica 4 (1950), S. 298–301.
SCHÖNEWOLF, K.: Ludwig Tieck und die Musik, Diss. Marburg 1925 (ms.).
SCHOTTLÄNDER, J. W.: Zelters Beziehungen zu den Komponisten seiner Zeit, in: Jb. d. Smlg. Kippenberg 8 (1930), S. 134–248 (darin besonders S. 138–150).
SCHUBART, C. F. D.: Ideen zu einer Aesthetik der Tonkunst, Stuttgart 1839.
SCHÜNEMANN, G.: Reichardts Briefwechsel mit Herder, in: Fs. f. Max Schneider, Halle 1935, S. 110–117.
SCHÜTZ, F. K. J. (Hrsg.): Christian Gottfried Schütz, I–II, Halle 1834-1835.
SCHULZ, H. (Hrsg.): J. G. Fichte Briefwechsel, I–II, Leipzig 1925.
– Goethe und sein hallischer Freundeskreis, in: Goethe als Seher und Erforscher der Natur, Halle 1930, S. 101–110.
SEEBASS, F. (Hrsg.): Clemens Brentano. Briefe, I–II, Nürnberg 1951.
SEMBRITZKI, J.: Die ostpreußische Dichtung 1770–1800, in: Altpreuß. Monatsschrift 45 (1908), S. 217–335, 361–440 u. ebd. 48 (1911), S. 493–527.
SERAUKY, W.: Musikgeschichte der Stadt Halle, Bd. II, Halle 1942.
SIEBER, P.: Johann Friedrich Reichardt als Musikästhetiker. Seine Anschauungen über Wesen und Wirkung der Musik, Straßburg 1930.
SIEGMUND-SCHULTZE, W.: Johann Friedrich Reichardt, in: Musik und Gesellschaft 2 (1952), S. 407 f.
SPAZIER, K.: Einige Worte über deutschen Volksgesang, in: AMZ 3 (1800), S. 73–81, 89–94, 105–111.
STÄGEMANN, E. v.: Erinnerungen für edle Frauen, I–II, Leipzig 1846.
STAEGEMANN, F. A. v.: Erinnerungen an Elisabeth, Berlin 1835.
STEFFENS, H.: Was ich erlebte, Bd. VI, Breslau 1842.
STEIG, R.: Die Familie Reichardt und die Brüder Grimm, in: Euphorion 15. Ergänzungsheft (1923), S. 15–54.
STERN, A.: Mirabeau und Lavater, in: Dt. Rundschau 118 (1904), S. 419–442.
STILZ, E.: Die Berliner Klaviersonate zur Zeit Friedrichs des Großen, Diss. Berlin 1930.
TREISCH, M.: Goethes Singspiele in Kompositionen seiner Zeitgenossen, Diss. Berlin 1951, Teilabdruck in: Wiss. Zs. d. Humboldt-Univ. zu Berlin, Gesellschafts- u. sprachwiss. Reihe 3 (1953/54), S. 253–270.
TSCHIRCH, O.: Johann Friedrich Reichardt, in: Die Grenzboten 63 (1904), S. 20–28, 94–103.
VALENTIN, C.: „Eine Geistesstimme". Kantate / Dichtung von August Wilhelm Iffland / In Musik gesetzt von Johann Friedrich Reichardt, in: ZfMw 1

VARNHAGEN VON ENSE, K. A.: Denkwürdigkeiten des eignen Lebens, I–II, Berlin 1922.

VOIGT, W.: Die Musikpädagogik des Philanthropismus, Diss. Halle 1923 (ms.).

VOLLMER, W. (Hrsg.): Briefwechsel zwischen Schiller und Cotta, Stuttgart 1876.

VOSS, A. (Hrsg.): Briefe von Johann Heinrich Voß, I–III, Halberstadt 1829 bis 1832.

VOSS, J. v.: Beleuchtung der vertrauten Briefe über Frankreich des Herrn J. F. Reichardt, Berlin 1804.

WALZEL, O.: Friedrich Schlegels Briefe an seinen Bruder August Wilhelm, Berlin 1890.

WEBER, H. (Hrsg.): Neue Hamaniana, München 1905.

WERDEN, J. u. WERDEN, A.: Musikalisches Taschenbuch auf das Jahr 1803, Penig 1803, darin besonders S. 277–284.

WESTPHAL, W.: Der Kantische Einschlag in der philosophischen Bildung des Musikers Johann Friedrich Reichardt, Diss. Königsberg 1941 (ms.).

ZENTNER, W. (Hrsg.): Johann Friedrich Reichardt: Eine Musikerjugend im 18. Jahrhundert, Regensburg 1940.

ZIESEMER, W. u. HENKEL, A. (Hrsg.): Johann Georg Hamann Briefwechsel, I–III, Wiesbaden 1955–1957.

PERSONENVERZEICHNIS

VERZEICHNIS DER ABBILDUNGEN

Titelbild: Johann Friedrich Reichardt, Gemälde von Anton Graff, 1794; mit freundlicher Genehmigung des Besitzers, Herrn Professor Dr. Kurt von Raumer, Münster i. W.

Gegenüber Seite 176: Johann Friedrich Reichardt, Kupferstich von D. H. Bendix, 1796; ehemals Sammlung Peters. – Reichardts zweite Frau Johanna geb. Alberti; Ausschnitt aus einem verlorengegangenen Gemälde von F. Gareis.

Gegenüber Seite 177: Brief Reichardts an Goethe vom 22. 12. 1801; Weimar, Nationale Gedenkstätten der klassischen deutschen Literatur.

Gegenüber Seite 192: Johann Friedrich Reichardt, „Das neue Jahrhundert", 1814, Seite aus dem Originalmanuskript; München, Bayerische Staatsbibliothek. – „Goethes Lieder, Oden, Balladen und Romanzen mit Musik von J. F. Reichardt", Titelblatt der Ausgabe von 1809; München, Bayerische Staatsbibliothek.

Gegenüber Seite 193: Ansicht des Gutes Giebichenstein bei Halle, nach einem zeitgenössischen Stich; Halle, Stadtarchiv, dank freundlicher Übersendung von Herrn Dr. Erich Neuß.